« Stephen Vizinczey : un nom difficile à orthographier et à prononcer, mais qui vaut la peine qu'on s'y exerce, car il s'agit d'un des maîtres de notre temps » (*Epoca*). Né en Hongrie, il fut poète et dramaturge pendant sa jeunesse estudiantine, il se battit aux côtés des révolutionnaires hongrois contre l'armée soviétique, et il s'enfuit à l'Ouest en ne parlant qu'une cinquantaine de mots d'anglais. Depuis, « il s'est, comme Conrad et Nabokov, hissé au rang de ces étrangers qui manient l'anglais à faire pâlir de jalousie un anglophone » (*New York Newsday*) et compte parmi « ces écrivains qui peuvent apprendre aux Anglais à écrire l'anglais » (Anthony Burgess).

Vizinczey a maintenant la nationalité canadienne et britannique, et, depuis l'effondrement du communisme, la nationalité hongroise. Ses attaches avec deux continents et ses longs séjours au Canada, en Angleterre, aux États-Unis, aux Bahamas, à La Barbade, en France, en Italie et en Espagne sont reflétés dans ses écrits. Il est l'auteur de trois romans, *Éloge des femmes mûres*, *Un millionnaire innocent* et *Wishes*, et de deux recueils d'essais, *The Rules of Chaos* et *Vérités et mensonges en littérature*. Ses œuvres se sont vendues à plus de cinq millions d'exemplaires autour du monde et lui ont valu une notoriété internationale. Il est en effet considéré comme « un des grands écrivains contemporains qui fait siens les thèmes cruciaux de notre époque et les transforment en matériau romanesque avec humeur et passion » (Sergio Vila-San-Juan, *La Vanguardia*).

« Un écrivain et critique qui n'a guère d'équivalent en France » (Bruno de Cessole, *Valeurs actuelles*). « Un chef-d'œuvre… un roman éblouissant… L'ironie, l'intelligence, la profondeur, le naturel et l'exactitude du romancier se retrouvent intacts dans les textes du critique. L'intelligence de Vizinczey est si vivifiante, si contagieuse que la lecture de ses livres vous plonge dans un bain de bonheur pendant une semaine au moins. » (Pierre Lepape, *Le Monde*). De telles critiques ont accueilli la publication simultanée d'*Éloge des femmes mûres* et de *Vérités et mensonges en littérature* (Anatolia / Éditions du Rocher, 2001). *Éloge des femmes mûres* est resté sur la liste des best-sellers pendant 72 semaines et est à présent dans sa 36ᵉ édition. « C'est sans doute la plus incroyable aventure éditoriale de ces dernières années » (François Busnel, *L'Express*).

Un millionnaire innocent a été salué à travers le monde par des critiques le comparant aux classiques du XIXᵉ siècle, en particulier à Stendhal et à Balzac.

« Tellement saisissant que c'en est presque insupportable... Vizinczey a créé un grand roman, mettant en scène une multitude de personnages extraordinairement vivants, bons ou méchants. Sa *comédie humaine* du monde moderne nous laisse stupéfaits » (Eva Haldimann, *Neue Zürcher Zeitung*).

« Vizinczey raconte l'histoire de son jeune héros avec l'affection sardonique qu'éprouvent les gens d'un certain âge pour eux-mêmes lorsqu'ils étaient plus jeunes et meilleurs... Passion et calcul, abandon et retenue, aventure amoureuse et finance, ces tendances diverses structurent le superbe nouveau roman de Vizinczey... Comme Stendhal, Vizinczey est capable de consacrer des pages entières à un instant de la vie intérieure de ses personnages, puis de décrire un événement extérieur crucial en une simple phrase... saut fort habile qui entrecoupe un récit en un rythme saccadé et imprévisible rappelant celui du *Rouge et le Noir*... Une version contemporaine de Stendhal sur l'amour, et de Balzac sur l'argent » (Michael Stern, *San José Mercury News*).

*Un millionnaire
innocent*

Collection Anatolia
dirigée par Samuel Brussell

DU MÊME AUTEUR :

Éloge des femmes mûres
Vérités et mensonges en littérature

STEPHEN VIZINCZEY

Un millionnaire innocent

TRADUIT DE L'ANGLAIS
PAR MARIE PERRIER

ANATOLIA
ÉDITIONS DU ROCHER

Titre original :
An Innocent Millionaire

Impression réalisée sur CAMERON par

BUSSIÈRE CAMEDAN IMPRIMERIES

GROUPE CPI

à Saint-Amand-Montrond (Cher)
en septembre 2003

Éditions du Rocher
28, rue Comte-Félix-Gastaldi
Monaco

Dépôt légal : septembre 2003. N° d'Impression : 034516/4.
N° d'Édition : CNE section commerce et industrie Monaco 19023

Imprimé en France

ISBN 2-268-04778-4

1

Une amère pensée

22 août 1963, Tolède, Espagne

Je regarde les tours et les remparts de Tolède, l'ancienne capitale de l'Espagne, dressée en haut de la colline de l'autre côté du ravin, et j'ai décidé de noter par écrit tous les événements importants de ma vie, afin que l'on sache par quoi je suis passé.

Mais se donnera-t-on la peine de lire ce que j'écris ? Je perds sans doute mon temps. À quoi bon ? Les hommes ne sont pas frères, mais étrangers, et personne ne s'intéresse à l'histoire de personne. Les gens se foutent des autres.

Mark Niven avait quatorze ans lorsqu'il écrivit ces premiers mots dans son journal, et il pensait exactement ce qu'il disait, car il n'ajouta jamais une autre ligne.

Le journal proprement dit est un épais volume relié de maroquin bleu, avec sur la couverture, frappée en relief, une épée de Tolède dorée ; à l'évidence, il trouvait l'objet trop coûteux pour le jeter.

2

Les origines anciennes d'un drame moderne mêlant la cupidité, l'amour et la malveillance

> La province du Pérou – la principale
> province des Indes et la plus riche...
>
> ZÁRATE

Le début de cette histoire contemporaine remonte à 1820, lors des guerres d'Indépendance contre la domination coloniale de l'Espagne en Amérique du Sud, et il est inséparable de José Francisco de San Martín, libérateur de l'Argentine, du Chili et du Pérou. Jamais le destin ne choisit plus noble personnage pour devenir la cause involontaire d'une série de crimes.

Né en 1778, dans le vice-royaume du Río de La Plata, que nous appelons aujourd'hui Argentine, cet ennemi juré du colonialisme était le troisième fils d'un fonctionnaire colonial, lieutenant-gouverneur de la province de Yapeyú, qui se distingua en restant pauvre alors qu'il occupait des fonctions offrant d'amples occasions de voler. L'intégrité du père obligea les fils à se débrouiller, dès leur prime jeunesse, par leurs propres moyens – ce qui, sans en avoir l'air, était un privilège, car ils furent ainsi contraints de donner la pleine mesure de leur intelligence et de leur courage à un âge encore assez tendre pour leur permettre de mûrir et de s'améliorer. Il faut commencer de bonne heure pour devenir un grand homme.

Dès l'âge de quatorze ans, l'enseigne José de San Martín était arrivé jusqu'en Afrique du Nord, où il révéla son courage sous le feu ennemi, devant les murs d'Oran, dans la lutte contre le bey guerrier de Mascara – encore cet épisode survint-il déjà comparativement tard dans sa carrière militaire. Il était entré dans l'armée à douze ans, après deux années de formation au Seminario de los Nobles à Madrid, où il acquit toutes sortes de compétences et fut tourné en ridicule, parce qu'il était un *criollo,* un Espagnol né aux Indes. On devrait toujours prendre garde à ne pas insulter les enfants : devenus grands, ils se vengent. Après avoir été selon toute apparence un loyal officier, combattant pendant plus de dix ans les Maures en Afrique du Nord et les troupes de Napoléon en Espagne, le *criollo* finit par devenir le plus grand fléau de l'armée espagnole, dès que se présenta l'occasion de libérer son continent natal.

Lorsqu'il regagna Buenos Aires, à l'âge de trente-quatre ans, San Martín se révéla vite être le chef le plus capable de la cause rebelle, n'acceptant « rien d'autre que des lions » sous ses ordres. Il devint un révolutionnaire victorieux, phénomène déjà rare en soi, mais ce qui le distingue de la plupart des grands hommes de l'histoire, c'est qu'en dépit de ses triomphes, il résista toute sa vie aux tentations du pouvoir. Lecteur avide des philosophes français et des historiens latins, soldat pensant, simple de mœurs et extravagant dans ses visées, le général San Martín se passionnait pour la libération des pays, mais n'avait aucun désir de les gouverner.

Tout au long de l'année 1814, ce beau et brillant général qui avait chassé d'Argentine les forces royalistes, ce héros bien-aimé du pays tout entier, commandant les meilleures troupes, aurait eu beau jeu de s'emparer du pouvoir à Buenos Aires, mais il préféra choisir le sentier de la gloire immortelle. Quittant l'armée régulière, il se fit nommer gouverneur de la province occidentale et éloignée de Cuyo, qu'il se mit en devoir de civiliser en fondant des bibliothèques et en plantant des arbres – en même temps qu'il recrutait et formait quatre mille gauchos, afin d'arracher le Chili à l'Espagne. La chance s'en étant mêlée, il y parvint. Après avoir préparé pendant deux ans une marche qui, dans les annales militaires, devait rivaliser avec le passage des Alpes par Hannibal, il conduisit son armée à travers les Andes entre neige et nuages, et, prenant par surprise les royalistes chiliens, il s'empara de Santiago, la capitale. Puis il commit une bévue.

Il eut pitié des troupes ennemies vaincues et leur permit de s'enfuir. Quelques mois plus tard, elles revinrent, accompagnées de renforts réunis dans le vice-royaume du Pérou, et dispersèrent son armée aux quatre vents. On eût dit qu'à peine libéré, le Chili était déjà perdu. Mais San Martín, rassemblant autour de lui les survivants, pallia sa mansuétude passée en écrasant les forces royalistes, lors de la bataille du Maipú, le 5 avril 1818.

Les Chiliens en liesse voulaient le proclamer roi ou président, selon son bon plaisir, mais il refusa, car il souhaitait mener à bien la libération du Pérou. Toujours tenace mais jamais pressé, il passa deux années à organiser une nouvelle force expéditionnaire et à bâtir la flotte nécessaire à une invasion par la mer. Entre-temps, il adressait des manifestes aux Indiens et aux Africains du Pérou, s'engageant à abolir l'esclavage et les travaux forcés et les appelant à se venger de leurs souffrances

Le Pérou et – c'est là ce qui importe – sa capitale, Lima, une des cités les plus riches du monde, faisaient face à une guerre certaine et à une possible révolution. Moment historique, marqué par la plus cruelle incertitude concernant le sort d'immenses fortunes. Depuis l'époque des Pizarro, lorsqu'ils n'étaient pas envoyés en Espagne, tous les trésors glanés aux quatre coins du continent avaient été entassés à Lima, la Cité des Rois À présent, les fruits de trois cents ans de pillages étaient en danger d'être eux-mêmes pillés. Le châtiment était-il donc possible, après tout?

La richesse, tout autant que la culpabilité, était à peu près sans limites.

La traîtrise et les massacres qui avaient livré les trésors légendaires des Incas n'étaient que les fondations des richesses de Lima. Les survivants indigènes, contraints aux travaux forcés, avaient creusé la terre pour en extraire des montagnes d'argent, d'or et de ce précieux poison qu'était le mercure; ils avaient fouillé la mer pour lui soustraire ses perles ; ils avaient cueilli les feuilles de coca, vendues avantageusement pour fabriquer la cocaïne. Et tout ce qu'ils produisaient passait par Lima ou y restait. Jusqu'à une date avancée du dix-huitième siècle, cette ville, capitale politique et religieuse de toutes les colonies, fut aussi le centre de tout le commerce en cours entre l'Espagne et l'Amérique du Sud, ce qui débouchait, en plus de tout le reste, sur les fabuleuses moissons résultant des pots-de-vin politiques et du monopole commercial. Bref, à mesure que le danger d'un règlement de comptes devenait imminent, les causes d'inquiétude étaient innombrables. Les pauvres commençaient à avoir les dents longues, les riches avaient la peur au ventre.

Certains des potentats de Lima décidèrent de risquer tout ce qu'ils possédaient sur les flots et d'expédier leurs fortunes jusqu'en Espagne. Toutefois, du fait que le vice-roi avait réquisitionné tous les navires espagnols pour défendre la colonie, ils ne purent affréter que des vaisseaux étrangers et, dans le désordre engendré par le climat de guerre, un seul d'entre eux put être chargé à temps pour faire voile avant que Callao, le port de Lima, ne fût bloqué par la marine de San Martín – huit bâtiments de guerre, placés sous le commandement d'un autre individualiste de génie, Thomas, lord Cochrane, dixième comte de Dundonald. On trouvait des Britanniques dans l'un et l'autre camp : car le navire qui parvint à fuir le Pérou avant le blocus avait pour capitaine un certain Thomas Parry, originaire de Bristol. Il quitta Callao le 10 août 1820, le jour même où le général San Martín s'embarquait à destination du Pérou.

Pour ce voyage, la *Flora,* un brick de deux cent trente tonneaux, qui transportait les feuilles de coca depuis plus d'une décennie, était chargée de richesses d'un plus grand poids. Il y avait à bord 192 coffres en bois bardés de fer : pour ne prendre qu'un seul exemple, le coffre de la famille Pardo y Aliago, de Lima, contenait 674 doublons d'or, une boîte à bijoux en ivoire sculpté et une autre en cèdre et en ébène (renfermant 7 colliers, 5 pendentifs, 15 bagues et 13 paires de boucles d'oreilles, 11 broches et 9 bracelets, tous en or ou en argent, délicatement ouvragés et sertis, collectivement, de 418 pierres précieuses), une épée de Tolède damasquinée, dans son fourreau de cuir orné de dorures et constellé de topazes et de cornalines, et une bourse en peau de chamois, contenant neuf grosses émeraudes non taillées.

Au total, la *Flora* transportait 29 267 diamants, rubis, émeraudes et améthystes, 11 254 perles, presque toutes sans défauts, 743 050 doublons d'or, quelques poignées d'escudos et de piastres, des chaînes et des médaillons d'or, des gobelets, coupes et plats d'or, etc. Provenant des chapelles privées des grandes familles de Lima, il y avait aussi des objets du culte en or et en argent, chandeliers et candélabres, crucifix, ciboires, ostensoirs et calices, incrustés de perles et de pierres précieuses ou ornés d'émaux et de lapis-lazulis – le plus notable de tous étant la célèbre croix aux Sept Émeraudes de la famille Soldán y Unanue, bénie par saint Pie V. Figuraient, en outre, dans la cargaison cent vingt-six répliques en miniature de la statue grandeur nature de la Sainte Vierge qui se trouvait dans la cathédrale de Lima et à laquelle on attribuait le mérite d'avoir protégé la ville d'un tremblement de terre au dix-huitième siècle ; chacune de ces répliques, en or massif, mesurait quatre-vingts centimètres de haut et pesait quarante kilos.

Qui cherche à se représenter cette cargaison fabuleuse doit se rappeler que les profits réalisés aux colonies étaient, le plus souvent, convertis en or, perles et gemmes variées – monnaie d'échange la plus précieuse et moyen le plus sûr de préserver les fortunes. Les Madones en or chargées à bord de la *Flora* étaient consignées dans les registres comme appartenant à de simples particuliers et non à l'Église ; chacune de ces Vierges en or massif était doublement sacrée, en tant qu'objet du culte et que garant de sécurité pendant les périodes troublées.

Il y avait enfin à bord dix-sept tonnes de lingots d'or, enfermés dans des caisses en bois.

Cette immense fortune, lancée sur la haute mer, s'offrait désormais à toutes les convoitises. En conséquence de quoi, la lutte du général San Martín pour la liberté et la justice précipita un autre genre de guerre, une chasse au trésor, non moins meurtrière, qui est le sujet de ce récit.

Outre l'équipage, la *Flora* portait dix-neuf passagers : un légat du pape, un haut fonctionnaire de la cour du vice-roi, qui voyageait avec son secrétaire, et quatre dames de la noblesse espagnole, accompagnées de leurs enfants, sept garçons et cinq filles, tous âgés de moins de dix ans. On peut voir aujourd'hui la liste des passagers dans les Archives des Indes à Séville, à côté du manifeste de la *Flora* pour ce voyage, qui notait tous les articles de la cargaison et leurs consignataires, et précisait que, juste avant de s'embarquer, le capitaine Parry avait fait redescendre à terre vingt-sept tonnes d'argent, parce qu'il trouvait son navire dangereusement surchargé.

Ils doublèrent le cap Horn sans encombre, relâchant dans plusieurs ports, afin d'y faire des provisions de vivres et d'eau, et repartant toujours sains et saufs, en dépit des conflits politiques, grâce à l'habileté et à la diplomatie avec lesquelles le capitaine Parry se présentait sous les traits d'un étranger favorable au parti en place dans chaque port. Ce ne fut que lorsqu'ils eurent quitté Recife pour entreprendre la traversée de l'Atlantique jusqu'à Cadix que le capitaine céda finalement aux instances de son équipage qui le pressait de garder pour eux le trésor. Il mit le cap sur le nord-ouest, en direction des Caraïbes, et donna l'ordre de massacrer les passagers.

On trouvera, à la bibliothèque des Manuscrits du Musée maritime national à Greenwich, le récit d'un témoin oculaire de ces événements, sous la forme d'une déclaration signée par Josiah Tyler, un mousse qui parvint à quitter le bord à La Barbade et à gagner Bridgetown, où il se rendit aux autorités. Selon ce témoignage, le capitaine Parry avait les larmes aux yeux quand il ordonna à son équipage d'assassiner non seulement les sept adultes, mais aussi les douze enfants, afin d'éviter tout risque de détection : « C'est quand même malheureux qu'y ait pas d'aut' moyen d'garder la cargaison ! » avait-il lancé à son second, à portée de voix du mousse. Désireux d'épargner aux passagers la terreur de savoir qu'ils allaient être tués, Parry voulait qu'ils soient étranglés dans leur sommeil, mais l'équipage sabota la besogne et « on entendit des hurlements pendant la moitié de la nuit ». Le capitaine, furieux, maudit ses hommes et le lendemain matin il accorda à chacune des victimes tout le cérémonial des obsèques en mer, célébrant les offices en personne.

Peu après, l'équipage jeta l'ancre dans une crique déserte de La Barbade, en quête d'eau douce, et ce fut alors que Tyler parvint à s'éclipser. Les autres continuèrent leur voyage, suivant une route modifiée ; c'étaient désormais des hommes riches, avec une nouvelle destination. Mais toute l'affaire tourna court, car le navire, pris dans un ouragan quelques jours plus tard, sombra corps et biens ; cependant, d'après ce que Tyler avait entendu dire avant de s'enfuir, le plan était de faire voile vers les Florida Keys, où le capitaine Parry avait des amis à qui il croyait pouvoir se fier.

Quant aux passagers et à la cargaison, ils auraient pu rester à Lima en toute sécurité.

San Martín, en effet, ne marcha sur la capitale qu'au bout de dix mois. Partageant avec Koutouzov son peu de goût pour les batailles et sa foi dans l'élan du sentiment populaire, préférant les manœuvres aux effusions de sang, il attendit que son blocus eut forcé l'armée du vice-roi à abandonner Lima, et même alors il refusa d'entrer dans la ville tant que la population n'aurait pas déclaré elle-même son indépendance vis-à-vis de l'Espagne. Il assuma alors les pouvoirs dictatoriaux pour toute la durée de la guerre, en qualité de protecteur du Pérou, et pas un citoyen n'eut à déplorer la perte de sa vie ou de ses biens, hormis celles qu'entraîna l'abolition de l'esclavage et des travaux forcés.

San Martín fonda, en outre, la Bibliothèque nationale du Pérou, mais ses projets de réformes ultérieures et d'établissement d'une monarchie constitutionnelle sous un prince anglais se trouvèrent confrontés à des obstacles autrement plus redoutables que les régiments du vice-roi, qui attendaient leur heure. Les luttes de faction et la corruption étaient omniprésentes ; ceux de ses aides en qui il avait le plus de confiance s'occupaient surtout d'améliorer leur propre situation. Rassemblant suffisamment de courage pour reconnaître qu'il ne pouvait rien faire de plus, il laissa le champ libre à Bolívar (qui aurait besoin de quelques années supplémentaires avant de perdre, lui aussi, ses illusions) et se retira en Europe, à l'âge encore jeune de quarante-six ans – affront à l'orgueil du sous-continent qui causa un extrême ressentiment.

Tous ces faits appartiennent à un lointain passé, mais d'énormes quantités d'or et de pierres précieuses étaient en jeu, et ces denrées sont plus durables que la chair et le sang –

même si les hommes possèdent, eux aussi, une espèce d'immortalité, du moins par leurs actions.

Un siècle et demi plus tard, les actes atroces et nobles que nous venons de relater furent lourds de conséquence pour Mark Niven. Lancé à la recherche du navire englouti et de son trésor, il se demanda souvent ce qu'il aurait fait de sa vie si le général San Martín s'était établi en Argentine ou au Chili pour y prendre les rênes du gouvernement; si les potentats de Lima n'avaient pas décidé d'envoyer leurs fortunes en Espagne; si le capitaine Parry avait attaché plus de prix à la vie de ses passagers qu'à sa cargaison et continué sa route vers Cadix, au lieu de remonter vers le nord-ouest pour aller se jeter sur le chemin de l'ouragan... mais, bien sûr, la vie de chaque homme est liée à la vie de tous les hommes, chaque histoire n'est que le fragment d'une seule histoire – l'histoire de l'humanité.

3

Premières impressions

Je dois rester éveillé, car je suis tout
seul.

LAZARILLO DE TORMES

Mark Niven ne vit Tolède qu'une seule fois, où il était venu
de Madrid y passer la journée, mais c'était un garçon qui avait
beaucoup voyagé.

Il reçut le premier grand choc de sa vie dans la ville de Rome.

Robuste bambin de cinq ans, il s'efforçait de fermer sa valise
en pressant de toutes ses forces le couvercle sur sa main
gauche. Il s'agissait d'un bagage en carton bon marché, cerclé
d'une bordure métallique tranchante, mais tout d'abord il ne
remarqua même pas qu'il se faisait mal. Accroupi sur le plancher de la chambre étroite et sans air, où s'emmagasinait la
chaleur de l'été, il était penché sur le couvercle qu'il s'enfonçait dans les doigts, tandis que la signora hurlait à ses parents
des histoires de *conto* et de *polizia*. Il n'avait qu'une idée, fermer sa valise et filer avant que la police ne vînt les mettre sous
les verrous.

Son père avait fort à faire, s'efforçant de calmer à la fois la
propriétaire de la pension et la mère de Mark, qui s'était mise
à pleurer par pure exaspération devant cette humiliante algarade. Malheureusement, ses larmes ne firent que porter la rage
de la signora à de nouveaux paroxysmes, affolée qu'elle était
par l'affreuse certitude que les Niven n'auraient jamais une lire

vaillante et qu'elle venait de perdre quatorze jours de loyer pour ses deux meilleures chambres, avec vue sur la cascade de la Piazza del Popolo, qui lui permettait de demander plus cher – et au mois d'août, en plus, alors que Rome grouillait de touristes ! Elle aurait eu besoin d'en appeler au juste courroux de Dieu et aux anges de la vengeance, mais elle avait la malchance d'être affligée d'un tempérament romain sans avoir de convictions religieuses, si bien que sa colère était aggravée par son impuissance désespérée face à sa perte financière. Mark ne comprenait pas la plupart des mots, mais cela n'en rendait que plus menaçante leur sonorité violente que n'atténuait aucun sens particulier. Sa voix perçante l'atteignait comme un courant électrique fulminant à travers son cerveau. La femme était frénétique, possédée par la furie ; elle ne cessait de lever et de baisser les bras, invoquant un châtiment, et chaque gramme de ses cent kilos tremblait et oscillait, comme si elle était sur le point de perdre d'un coup toute sa graisse. Elle fut pourtant la première à remarquer le petit garçon. Toujours accroupi auprès de sa valise, celui-ci fixait sur elle deux grands yeux noirs écarquillés, débordant de terreur, et tenait son poignet gauche de sa main droite, tandis que le sang qui lui coulait des doigts gouttait sur son beau tapis.

Alertée par le brusque silence de la signora, la mère de Mark enleva l'enfant dans ses bras et se rua jusqu'au lavabo pour lui rincer la main : il s'était entaillé les doigts jusqu'à l'os. Le contact cuisant de l'eau déclencha la douleur.

Des fragments de cette scène constituaient les premiers souvenirs de Mark. Comme s'il venait tout juste de naître cet après-midi-là à Rome. Et ce qui s'incrustait dans son esprit avec la plus amère clarté, acquérant une importance croissante au fil des ans, c'était le regard vitreux de la signora contemplant les taches qu'avait laissées le sang de Mark sur ses biens. Quoique incapable de formuler la chose, il sentit aussitôt qu'aux yeux d'autrui ses doigts ne valaient même pas autant qu'un vieux bout de tapis. Ce fut son premier aperçu de l'indifférence de l'homme pour l'homme, et il se convainquit très tôt dans la vie qu'il ne pouvait compter sur personne, pas même sur ses parents.

Et pourtant, dès le lendemain de ces ennuis à la pensione, où ils ne pouvaient pas régler leur note, ils emménagèrent dans une vaste villa en pierre à deux pas de la Via Appia Antica, avec cinq salles de bains pour eux trois, une piscine, une domestique pour la maison et un jardinier chargé d'entretenir le bosquet d'agrumes et le verger environnants, qui gardait à distance le reste du monde.

« Et la police alors ? demanda Mark inquiet, tandis qu'ils exploraient la demeure.

— La police ? Quelle police ? s'étonna son père, feignant l'incompréhension exagérée du clown.

— La *polizia*, gros bêta ! » hurla l'enfant, en tapant du pied contre le sol de marbre. Cet effort intempestif fit affluer le sang dans sa main bandée ; il eut l'impression qu'on lui arrachait les doigts et le choc le fit taire.

« Enfin, voyons, Mark, cesse donc de t'inquiéter pour cette bonne femme. Elle est *pazza*, elle ne sait pas ce qu'elle dit. De toute façon, c'était un vrai taudis, cette *pensione* ! Alors j'ai décidé de la payer et de nous trouver un endroit plus sympa. »

La perplexité fut la goutte d'eau qui fit déborder le vase. Mark se mit à pleurer et la domestique dut le bercer pour l'endormir, enchantée par ce robuste petit bonhomme, aux cheveux châtain foncé, dont les cils épais projetaient des ombres sur ses joues. « *Che bravo ragazzo – furioso, ma anche gentile !* »

Personne ne sait chouchouter un enfant avec autant d'enthousiasme que les jeunes paysannes italiennes au visage rond et Mark ne tarda pas à comprendre qu'il pouvait se servir de Maria et aller partout dans la maison. Ce qui le combla d'aise. Il détestait quitter la villa, fût-ce pour deux ou trois heures, et il hurlait chaque fois que sa mère le ramenait à Rome.

Ils se rendirent à plusieurs reprises au Pronto Soccorso de l'hôpital San Giacomo, afin de faire changer son pansement, et après ce passage aux urgences, sa mère s'efforçait de lui faire découvrir Rome, mais Mark, redoutant de ne pas être autorisé à regagner la villa, refusait de s'attarder en ville et il ne voulut même pas se laisser persuader d'aller contempler le lion assoiffé de la Piazza Navona. Tant qu'ils n'étaient pas remontés dans un taxi, il était intenable et ce n'était qu'une fois qu'ils avaient franchi les tours crénelées de la porte San Sebastiano, menant à la Via Appia, qu'il se laissait aller contre le dossier et quittait enfin sa moue boudeuse.

Le fait d'avoir son propre verger lui donnait l'impression d'être un grand propriétaire. Avec l'aide du jardinier Bruno, qui ployait les branches pour les mettre à sa portée, souriant sous la barbe blanche de plusieurs jours qui garnissait son visage bruni, il cueillait des pêches et des prunes de sa main valide et s'en allait les donner à Maria pour qu'elle les mît de côté dans un panier spécial, car il ne voulait manger que ses propres fruits. Le reste du temps, il s'asseyait au bord de la piscine et regardait sa mère nager (il était interdit de baignade jusqu'à ce que sa main fût guérie), ou bien il parcourait la vaste demeure, visitant les pièces l'une après l'autre – il avait enfin la place de déambuler ! Et il ne s'en privait pas, descendant et remontant l'escalier de marbre, vérifiant l'heure qu'indiquaient les diverses horloges, se tenant précisément au centre du tapis d'Aubusson, comme s'il redoutait qu'on ne vînt le lui tirer de sous les pieds.

« Je me suis laissé dire que tu n'avais pas compté l'argenterie aujourd'hui », lui disait son père pour le taquiner lorsqu'il rentrait à la maison le soir, toujours de bonne humeur depuis qu'il avait trouvé du travail.

Il fallut à Mark tout le temps que dura son bandage autour de ses doigts pour s'habituer à l'idée que cette splendide et spacieuse villa était désormais leur foyer. Une fois qu'il se sentit en sécurité et tout à fait installé, il commença à s'inquiéter du chauffage pour l'hiver, car il ne voyait pas de radiateurs.

« Ils sont encastrés dans le sol, lui expliqua son père. De toute façon, nous n'en aurons pas besoin, nous partons fin septembre. »

Le petit visage se rembrunit. « Nous quittons cette maison ? demanda-t-il en se renfrognant.

— Oui, nous retournons à Rome.

— Non ! » Il ferma les poings et tapa du pied. « Non !

— Si tu continues de taper du pied comme ça, il va finir par tomber.

— Mais je ne veux pas partir d'ici, sanglota-t-il, les joues ruisselantes de larmes.

— Enfin, bon Dieu, tu ne crois quand même pas qu'on peut se payer une maison comme celle-ci ? Elle a été louée par un type que je connais. Il a été obligé de rentrer aux États-Unis plus tôt que prévu, alors il nous a laissés nous y installer jusqu'à la fin de son bail.

— Je m'en fiche. T'es pas mon copain!

— Ce sera bien plus sympa pour toi, tu verras… tu auras d'autres amis pour jouer. Et puis tu as encore trois semaines ici, pour nager et te promener partout.

— Je ne veux pas! » hurla Mark, le cœur brisé, et il refusa de dire un autre mot, ce soir-là, malgré toutes les cajoleries de ses parents. À quoi bon aimer un endroit, s'il était obligé de le quitter?

L'humanité, à ce qu'on nous dit, est partagée entre les nantis et les démunis, mais il y a aussi ceux qui possèdent des biens puis les perdent et ce sont eux qui mènent les vies les plus difficiles. Les Niven quittèrent la somptueuse villa pour un deux-pièces crasseux dans un de ces immeubles minces en béton qui défigurent la banlieue romaine, où il est impossible d'actionner la chasse d'eau sans que tous les voisins soient au courant, et ils durent une fois de plus se réhabituer à être pauvres.

Telles furent les expériences formatrices de Mark Niven, tandis que sa famille passait de l'opulence à la pénurie, du confort à la gêne, allant et venant entre l'Angleterre, l'Italie, la France et l'Espagne.

Parfois, il sentait que leurs vies mêmes étaient en danger.

Pendant des semaines entières, à Paris, ils vécurent de sardines, de pain et de fromage. Il y avait des soirées où Mark n'arrêtait pas de réclamer son dîner à sa mère, qui n'arrêtait pas de lui dire non. Quelquefois, elle lui refusait certaines choses parce qu'elle voulait lui apprendre qu'il ne pouvait pas toujours avoir tout ce dont il avait envie ici-bas, ou bien pour le punir d'avoir déchiré ses vêtements, mais quand elle lui refusait son dîner, ils étaient tous punis. Ils tournaient dans la cuisine et ne trouvaient rien. Rien du tout à manger. Une fois, à Madrid, au cours d'un hiver féroce et glacial, elle ne lui donna, pour toute nourriture, que des verres d'eau pendant une journée entière, et les terribles torsions de son estomac le convainquirent qu'ils allaient mourir et que de surcroît la mort ne viendrait qu'après beaucoup de souffrance. Ils ne restaient jamais bien longtemps à court de nourriture, mais ce souvenir hantait le petit garçon et dès que le dîner tardait à apparaître il était pris d'angoisses et se demandait s'ils auraient jamais de quoi manger.

Quand il questionnait sa mère sur leur avenir, elle s'agenouillait et le serrait contre elle à l'étouffer, comme pour le protéger de quelque désastre. Il adorait enfouir son nez entre ses seins, dont il sentait la tiédeur même à travers sa robe, mais elle interrompait ces rares instants en le repoussant brusquement, comme si quelque chose clochait chez lui.

« Je voudrais bien pouvoir te dire ce qui va nous arriver ! s'écriait-elle. Demande donc à ton père, il devrait le savoir, lui. »

Mais il n'en savait rien.

Petit, trapu, avec une tête massive qui penchait vers l'avant et paraissait tirer à sa suite le reste de son corps, Dana Niven prenait son fils dans ses bras et le balançait dans les airs. « Mais pourquoi t'inquiètes-tu comme ça ? demandait-il gaiement. Quelque chose finira bien par arriver. Je vais trouver du boulot. N'aie point de crainte, petit troupeau, car c'est le bon vouloir de ton Père que de te donner le royaume ! »

Quand il était d'humeur moins optimiste, la bouche sévère, les yeux méchants, il avait l'air furieux d'être ainsi questionné, sûrement parce qu'il se sentait coupable. « On verra bien, disait-il d'une voix dure. Ça dépend. »

Et ça dépendait toujours de la même chose : l'argent. Mais l'argent, lui, ne dépendait de rien, rien de ce qu'on pouvait prévoir ou contrôler : il était sauvage et imprévisible ; il transformait constamment leurs vies, comme un fleuve transforme un paysage ; lorsqu'il coulait à flots, l'herbe était verte et ils partaient en pique-nique, mais quand la source se tarissait, ils n'avaient plus rien d'autre que l'eau du robinet. Alors, Mark se réveillait le matin affamé, craignant de n'avoir rien à manger pour son petit déjeuner, ni pour son déjeuner, ni pour son souper et de mourir d'inanition, lentement, douloureusement, avant qu'ils n'eussent de nouveau un peu d'argent. Il avait honte de ses parents. Il n'y avait rien d'aussi sordide que des gens qui n'avaient rien à manger.

Personne, d'ailleurs, ne voulait vraiment avoir affaire à eux.

« Tu ne pourrais pas écrire à ton père ? demanda un soir sa

mère à son père, d'un ton accusateur, tandis qu'ils étaient assis autour de la table nue, rêvant de nourriture.

— Il nous a envoyé un mandat de deux cents dollars le mois dernier – je l'ai ruiné, le pauvre type.

— Eh bien, en tout cas, on ne peut rien demander à maman. On a claqué toutes ses économies, il ne lui reste plus que sa maison. Et tu sais ce que mon frère a dit la dernière fois ! »

Le père de Mark leva la main, avec un grand sourire. « Du calme, ne cherchez point ce que vous mangerez, ni ce que vous boirez, et chassez les doutes de votre esprit.

— Et si on demandait à George ? lança la mère de Mark, d'un ton irrité. Il pourrait nous dépanner. C'est un ami et il est ici.

— Il dit qu'on peut aller dîner chez eux une fois par semaine, mais il n'est pas dans ses habitudes de prêter de l'argent. »

Les yeux de sa femme s'arrondirent de surprise : « George a réellement dit ça ?

— Il ne veut pas qu'il y ait entre nous la moindre dette. Ça gâcherait notre amitié.

— Vraiment ? dit-elle, le visage soudain blême. Je m'en souviendrai la prochaine fois qu'il essaiera de me peloter.

— Je t'ai déjà dit de lui donner un bon coup de genou dans l'aine. »

Elle resta assise en silence, quelques instants, les joues écarlates de fureur en pensant à George : « Il parle de tout plaquer pour partir avec moi, mais il s'en fiche pas mal de savoir si je mange ou non… Quelle ordure, ce mec !

— Écoute, il est prêt à te nourrir une fois par semaine. »

Elle était dans une telle rage qu'elle ne tenait plus en place. Elle se leva et se mit à faire les cent pas dans la pièce, puis elle s'arrêta près de la fenêtre qu'elle ouvrit à la volée avant d'inspirer profondément, en essayant de reprendre son sang-froid. Mais sa colère ravalée la rendait hystérique. « Allez, viens, Dan, on saute », ordonna-t-elle d'une voix résolue, en enjambant le rebord de la fenêtre.

Le père de Mark bondit pour lui empoigner le bras. Ils étaient au sixième étage.

« De toute façon, on va bientôt crever, alors pourquoi attendre ? » Elle se débattit pour lui faire lâcher prise. « Allez, finissons-en.. sautons ! »

Mark courut jusqu'à la fenêtre et jeta les bras autour de la taille de sa mère, afin de la retenir. Il ne voulait pas qu'elle mourût !

« Il n'y a pas une seule personne sur toute cette saloperie de planète qui se soucie de notre sort ! » s'écria-t-elle avec désespoir, sans prendre garde à la terreur qu'elle inspirait à son fils.

Pendant des jours et des jours, Mark fut incapable de penser à autre chose. Il se mettait à dévisager fixement de malheureux passants, croisés dans la rue, et les suivait d'un regard chargé d'amertume, en se disant : Encore un qui s'en fiche pas mal !

Un jour, à l'école, à Madrid, il ravala sa honte et essaya de persuader une de ses camarades de partager son déjeuner avec lui. Couvant des yeux son sandwich à la bonne odeur de pain frais, bourré de jambon, il lui avoua qu'il n'avait rien avalé depuis le goûter de la veille.

Aussitôt, elle retira le sandwich de sa bouche et se rapprocha de lui sur le banc, tournant vers lui deux yeux attendris. « Comment tu te sens ? » questionna-t-elle d'une voix profonde.

Puis, tout en écoutant Mark lui décrire sa faim, elle continua de manger son sandwich. Quand elle eut fini de déjeuner, elle lui demanda si elle pouvait écouter son estomac gargouiller. Cela le mit dans une telle colère que par bravade il fit payer ce privilège dix pesetas, à elle et à tous les autres gamins intéressés, ce qui lui permit de réunir de quoi s'acheter un petit pain.

Le père de Mark exerçait une profession où des dizaines de candidats valables postulent pour chaque emploi et où chaque emploi est strictement temporaire. Il était acteur et gagnait, tant bien que mal, sa vie en jouant des pannes dans des films hollywoodiens à petit budget, tournés en Europe.

Dans la plupart de ces films, il mourait.

Après avoir péri sous les traits d'un martyr chrétien, lors des derniers jours orgiaques de l'Empire romain, il ne ressuscitait que pour être tué derechef au beau milieu d'un western filmé en Espagne. Dans les comédies romantiques mettant en scène des Américains à Paris ou sur la Côte d'Azur, il incarnait le copain pas très malin du séduisant héros, sombrant dans l'oubli avec un savoir-faire mélancolique. On peut voir tout ça, très tard le soir, à la télévision.

Dana Niven était trop intelligent pour ne pas exécrer ces monstruosités des années cinquante et trop ambitieux pour ne pas être mortifié d'y tenir des seconds rôles insignifiants. Ce qui mettait un comble à son humiliation, cependant, c'était le fait que ces seconds rôles, si lamentables fussent-ils, ne couraient pas les rues et qu'il était plus souvent au chômage qu'occupé. Plus d'une fois, le rôle qu'on lui avait promis fut confié au dernier moment à quelqu'un d'autre. À l'occasion, son agent à Londres lui trouvait un rôle dans une pièce américaine montée dans le West End, mais en dépit des critiques favorables qu'elles lui valaient, ses apparitions sur scène ne lui mirent pas le pied à l'étrier. Lors des dix-huit premières années de sa carrière, cet excellent acteur fut surtout connu dans le métier pour avoir inspiré à un producteur ce trait d'esprit : « Je ne connais pas une femme qui mouillera sa culotte en regardant Dana Niven. »

Mark apprit à connaître toute l'étendue de la nullité paternelle par le biais des violentes disputes entre ses parents.

« Tiens, j'ai rencontré Untel, disait l'acteur. Il pense avoir un rôle pour moi.

— Il t'a promis quelque chose ?

— Non, il n'a rien pu me promettre, il n'a pas encore le financement.

— Pas étonnant qu'il ait un rôle pour toi, alors.

— Oui, je sais, il a une grande gueule, mais qu'est-ce que j'y peux, moi ? C'est tout ce qu'on a à se mettre sous la dent, ma chérie… les promesses bidons d'un tas de frimeurs. N'empêche qu'il y en a toujours une qui finit par se concrétiser. Rappelle-toi donc la fois où… »

Barbara Niven était une jolie rousse au teint pâle, dont les pommettes obliques accentuaient l'écart entre ses yeux couleur d'ambre ; aussi bien les pommettes que les yeux s'embrasaient aisément sous l'effet du ressentiment. Au début de leur mariage, elle avait eu une foi illimitée dans le talent de son mari et, à présent, elle ne pouvait pas lui pardonner de n'avoir pas su se montrer à la hauteur de ses espérances. Elle l'écoutait parler avec une expression où se mêlaient de façon singulière le dédain et la désolation, comme si elle avait envie de l'envoyer promener et en même temps de le supplier piteusement de lui ficher la paix. Quand elle ne supportait plus de l'entendre, elle l'interrompait par une insulte : « Toi, tu as le rôle principal de tous les films qui n'ont jamais été tournés.

— Ça veut dire quoi ce genre de vanne peau de vache, qui n'a ni rime ni raison ?

— Je vois que tu t'es acheté une chemise neuve.

— Si on mettait de côté tout ce que tu dépenses chez le coiffeur, on serait milliardaires. »

Comme tous les couples non solvables, ils se reprochaient mutuellement chacun des sous qu'ils dépensaient.

Pour être juste envers Dana Niven, il convient de noter qu'il était, malgré tout, un père de famille modèle. Plein de mépris pour ceux de ses collègues qui laissaient leur famille chez les beaux-parents, aux États-Unis, pendant qu'ils frayaient avec les starlettes et les script-girls vagabondes, il refusait de se séparer de sa femme et de son fils. « Nous sommes catholiques, disait-il souvent. Des catholiques qui ne pratiquent pas, certes, mais des catholiques quand même. Nous nous sommes mariés à l'église. » Il ne croyait plus en Dieu, mais en ce qui le concernait, les gens qui n'avaient que faire de la religion parce qu'ils ne croyaient pas en Dieu ne valaient pas mieux que les imbéciles sans imagination qui n'avaient que faire d'*Hamlet* parce qu'ils ne croyaient pas aux fantômes. Il discernait une signification profonde dans chacun des rites et des mythes chrétiens.

« Je crois en la sainte Famille, déclarait-il, en soulevant son fils à bout de bras, avant de l'asseoir sur son genou. Peu importe d'être obligés de fuir, du moment que c'est sur le dos du même âne. »

Il faisait des efforts héroïques pour assurer aux siens de quoi se loger, se vêtir et se nourrir, ne dépensant presque rien pour lui-même et renonçant aux cigarettes et à l'alcool afin de faire des économies et de se maintenir en forme pour son travail. Pourtant, tout cela ne comptait guère quand ils étaient à court d'argent et qu'il n'avait pas le moindre rôle en vue. Le couple avait des disputes particulièrement amères au sujet de son nom malencontreux, qui lui rendait d'autant plus difficile la tâche d'affirmer son identité, à une époque où la vedette anglaise, David Niven, était à l'apogée de sa gloire tout à fait méritée.

Ce putain de monde est plein d'écriteaux annonçant complet! pestait Dana Niven. Il est tellement surpeuplé que même les noms sont déjà pris. Le temps que je me pointe, tout est parti, vendu, complet, *sold out, ausverkauft, solo posti in piedi.*

Pourtant, rien de ce que dirent son agent ou sa femme ne put le persuader de renoncer à son nom.

« Il faudra pourtant que les gens m'acceptent tel que je suis, insistait-il. Je suis né Niven et Niven je mourrai. Et je me fiche de savoir combien d'autres Niven il y a de par le monde. David Niven n'a qu'à changer de nom, si ça lui chante.

— Pourquoi tu ne te fais pas appeler saint Joseph?

— Ce que tu es drôle! »

Il ne voulait pas non plus entendre parler de changer de métier.

Linguiste de talent, parlant couramment l'italien, le français, l'espagnol et l'allemand, tout à fait apte à toucher un bon salaire en qualité de traducteur pour une quelconque commission des Nations Unies (et ce d'autant plus que ses connaissances étaient officiellement sanctionnées par un diplôme de langues modernes de l'université de Columbia), il gaspillait ses compétences à traduire, sans toucher un sou, des pièces dans lesquelles il pensait pouvoir tenir le premier rôle. Pis encore, il manquait de sens pratique dans sa façon de choisir ses textes : il ne traduisait que des classiques étrangers que personne ne voulait monter. Ainsi, il se toqua de Heinrich von Kleist (1777-1811), dont les pièces exigeaient un public à l'esprit vif. Les producteurs, que l'on sait peu portés à exclure les spectateurs qui ont l'esprit lent, ne manifestaient aucun intérêt pour un dramaturge allemand défunt et difficile d'accès. Niven aurait mieux fait de traduire des pièces de boulevard, mais, au désespoir de sa femme, il ne démordait pas de ses étranges préférences. Une série de malchances ne peut que briser la volonté d'un homme ou l'attiser, et Dana Niven supportait son insignifiance avec une opiniâtreté et une insolence croissantes. Les passions qu'il n'avait pas l'occasion d'interpréter alimentaient les passions de son orgueil; il n'était pas question pour lui de renoncer, ni de céder. Mais il faut bien dire que tous les artistes qui parviennent déjà à survivre ont du génie pour l'art de l'endurance.

Lorsque Mark se plaignait de leur sort, Niven le faisait taire d'une réponse brusque, mais profondément sentie : « La vie est dure, môme.

— C'est un mensonge ! » marmonnait le gamin en son for intérieur.

La vie était facile et belle, il l'avait constaté de ses propres yeux, en séjournant brièvement dans les luxueuses demeures des collègues de son père qui avaient réussi et en visitant les palais de l'aristocratie européenne en compagnie de sa mère. Grâce à l'enthousiasme de Barbara Niven pour la peinture, la sculpture et les beaux édifices, intensifié par son besoin de fuir son mari, le petit garçon passait en fait davantage de temps dans des palais d'une inestimable grandeur que plus d'un prince désargenté.

La Villa Borghese, à Rome, lui fit une impression particulièrement profonde. Ce fut dans ce palais d'été, aux deux tours jumelles, empli de lumière et d'air, qu'il tomba sur l'apparition la plus fantastique qui fût. Une ravissante jeune fille, svelte et nue, cherchait à échapper à l'étreinte d'un homme qui l'empoignait par derrière, les mains crispées sur son ventre lisse : elle venait de crier, ses lèvres formaient encore un O, elle levait les bras, prête à s'enfuir, mais déjà ses jambes se transformaient en tronc d'arbre et des feuilles perçaient au bout de ses doigts délicats. La mère de Mark elle-même, bien qu'elle connût l'histoire du dieu qui saisissait une nymphe et finissait par agripper un arbre, bien qu'elle eût vu des photos du chef-d'œuvre par lequel le Bernin avait exprimé ce moment suprême du désir frustré, ne put s'empêcher de le contempler en écarquillant les yeux. Mark tournait en rond autour de la sculpture, tendant la main pour empoigner le pied de marbre d'Apollon, froid, blanc et lisse, lorsqu'il pensait que personne ne le voyait. Après cette expérience presque traumatisante de joie et d'émerveillement, il se mit à prêter aux arbres une attention toute particulière.

Et – ce qui était encore plus important – il se prit d'un amour croissant pour les œuvres d'art, la gloire des riches, et conçut envers tout ce qui était laid et bon marché une horreur correspondante qui lui faisait trouver les très modestes moyens de sa famille de plus en plus intolérables et injustes.

Certaines fois, il rassemblait assez de courage pour répondre à son père : Non, la vie n'était pas dure pour tout le monde.

L'acteur haussait les sourcils jusqu'au ciel : « Qu'est-ce que tu racontes ? Tu crois que je m'amuse, peut-être ? demandait-il, avec plus d'amertume que ne pouvait en réunir son fils. Tu ferais mieux de me croire sur parole, môme. La vie est dure, c'est comme ça. »

Le bonheur suprême de Mark Niven enfant, c'était de rêver qu'il n'était pas le fils de ses parents.

4

L'argent est le seul foyer

« Car je dois aller en Angleterre pour y
être lord », expliqua gentiment Cedric.

FRANCES HODGSON BURNETT

Dans ses rêveries, Mark s'octroyait le frisson d'une parfaite
surprise.

Le soir, pendant qu'ils dînaient, une messagère faisait son
entrée – une ravissante jeune Italienne qui se disait être la
contessina Giulietta Silvana Paolina Francesca Teresa Borghese.
Saluant les Niven avec familiarité, elle annonçait que ce qu'elle
avait à leur dire risquait de leur causer un choc. Les parents
pâlissaient et se taisaient, mais Mark, insouciant, continuait de
siroter son jus de tomate, sans se douter de rien.

« Il s'agit de toi, Marco », précisait la contessina, en lui faisant
les yeux doux et en secouant ses longs cheveux noirs comme du
jais, blonds ou roux et bouclés (selon son humeur il lui prêtait
des formes et des couleurs variées). Elle remarquait la tristesse
de son visage marqué par la souffrance et cherchait à l'embrasser sur la bouche dès qu'ils se retrouvaient seuls. Mais d'abord
Mark la rabrouait vertement. « Je ne vous connais même pas.
Que voulez-vous ? » D'un ton suppliant, elle précisait qu'elle
avait une bonne nouvelle pour lui. « Quelle nouvelle ? » demandait-il, sceptique. Puis il réfléchissait profondément à la réponse,
peaufinant avec soin la réplique de son interlocutrice jusqu'à
ce qu'elle exhalât une fugitive bouffée de meurtre. « J'imagine

que tu seras soulagé d'apprendre que tu n'es pas le fils de cet acteur bon à rien », lâchait-elle avec une nonchalance aristocratique. L'acteur bon à rien lui lançait un de ses regards noirs, mais la contessina ne se laissait pas davantage impressionner que les producteurs qui éconduisaient Niven lorsqu'il auditionnait devant eux. « Il se donne des grands airs à la maison, observait-elle, mais en réalité c'est une personne plutôt inutile, n'est-ce pas ? » Mark s'offusquait de cette remarque et la sommait de présenter des excuses.

Insulter son père par procuration et prendre en même temps sa défense était un des tout meilleurs moments de la rêverie, permettant à Mark de savourer les joies jumelles de la vengeance et de la magnanimité.

« Mais pourquoi cherches-tu à le défendre ? demandait impatiemment la contessina. Tu sais très bien qu'il n'arrête pas de te traîner de ville en ville, sans te donner un mot à dire dans l'affaire. Il n'est même pas capable de s'occuper convenablement de toi ! Sais-tu seulement où tu vas vivre et de quoi vous vivrez d'ici une semaine ? » Étant incapable de mentir, Mark devait bien admettre qu'il ne le savait pas. « C'est intolérable ! s'écriait la contessina. Tu es victime de la détestable ambition de cet homme. C'est un monstre d'égoïsme, rien d'autre ! » L'acteur n'osait pas lui répondre et baissait le nez, honteux. « Tu ne t'imagines pas que ton véritable père te traiterait ainsi, j'espère ? »

Et en effet Mark n'avait-il pas entendu sa mère dire à l'acteur que, s'il était un véritable père, cela ferait longtemps qu'il aurait renoncé à être acteur ? Ces mots frappaient toujours Mark comme la vérité suprême et lui inspiraient la pensée qu'elle non plus ne tolérerait pas la profession de son mari si elle était une véritable mère. Il était convaincu que tous les deux auraient montré davantage de considération pour la chair de leur chair.

La contessina arrivait juste à temps pour le sauver.

« Le fait est, *caro mio*, que ton nom n'est pas du tout Mark Niven, déclarait-elle. Tu es Il Principe Marco Giovanni Lorenzo Alessandro Ippolito Borghese, futur chef de notre famille. Et je suis venu t'enlever à ces gens, afin que tu puisses prendre ta position légitime dans le monde. »

Mark faisait un effort résolu pour garder les pieds sur terre ; il ne voulait pas se laisser griser : « Vous êtes folle, protestait-il. Allez-vous-en, vous tracassez mes parents. *Via, via !*

— Tu ne veux donc pas la fortune des Borghese ? »

De toutes les questions posées par la contessina dans l'imagination de Mark, c'était celle-là qui le secouait le plus. Il n'y avait pas de doute que la fortune des Borghese résoudrait tous ses problèmes. La jeune fille lui assurait que la Villa Borghese, ainsi que toutes les créations du Bernin qui s'y trouvaient logées, lui seraient rendues avec les excuses du gouvernement italien. « Bien entendu, la villa et le parc sur le Pincio ne représentent qu'une petite et insignifiante partie de ton *patrimonio* », expliquait la contessina et, quoique à regret, Mark ne pouvait s'empêcher d'écouter son inventaire de tous les palais, parcs, forêts, trésors artistiques et comptes bancaires secrets en Suisse destinés à lui échoir. « Maintenant que nous avons retrouvé ta trace, tu n'as plus de soucis, disait-elle, personne ne viendra jamais plus t'importuner pour le loyer à payer. Tous les palais où tu voudras séjourner t'appartiendront. Et s'ils ne t'appartiennent pas encore, tu pourras les acheter. Tes *legali* s'occuperont de tout. » En outre, insista la belle messagère, il devait absolument se charger de son héritage, c'était son devoir, une obligation sacrée envers ses ancêtres, dont il avait vu la chapelle magnifique dans l'église de Santa Maria Maggiore.

Peut-être à cause de l'impression extraordinaire que lui avaient faite les statues du Bernin, Mark préférait être revendiqué par les Borghese par-dessus toutes les autres familles riches et anciennes. Néanmoins, il restait ouvert à toute autre proposition. Ainsi, à Madrid, après ses promenades dans le Prado, il reçut plusieurs visites de la duchesse d'Albe. Et en Angleterre, après avoir fait le tour de Syon House avec sa mère, il caressa un temps l'idée de devenir duc de Northumberland. La nièce de ce seigneur se matérialisait afin de l'informer du fait qu'il était l'héritier en ligne directe du titre.

« Ma chère petite, lui répondait-il fermement, vous me débitez un tissu d'âneries. Comment pourrais-je être un duc anglais ? Je suis américain. J'ai vu, de mes yeux vu, mon acte de naissance et il précise que je suis né dans la ville de New York, État de New

York. » Il lui répétait la version des événements qu'il tenait de sa mère, à savoir qu'on l'avait emmené à Londres dans son porte-bébé à l'âge de trois mois.

« Quel conte à dormir debout ! raillait l'honorable lady Margaret. Si vous aviez vécu là-bas, vous vous en souviendriez. Enfin, voyons, avez-vous jamais vu New York ? »

Là, elle marquait un point. Mark n'avait pas le moindre souvenir de sa ville natale et les circonstances de sa naissance lui avaient toujours paru plutôt mystérieuses. En plus ·de quoi, il n'avait jamais vu ses grands-parents, censés vivre à Rochester, dans l'État de New York, ni même aucun membre des familles de ses deux parents.

Étant donné que les Niven souhaitaient donner à leur fils une éducation multilingue et qu'ils n'avaient pas les moyens de payer les écoles américaines privées à l'étranger, Mark fréquentait les établissements scolaires ordinaires des endroits où ils séjournaient.

À l'école italienne, il chanta *Fratelli d'Italia, l'Italia s'è desta,* avec une ferveur toute romaine ; dans son école primaire à Paris, petit citoyen aristo de sept ans, il entonna fièrement avec ses camarades le cri de ralliement de la révolution : « Allons, enfants de la patrie » ; à Londres, il devint un lord anglais, implorant Dieu de sauver sa gracieuse reine, de l'envoyer victorieuse, heureuse et glorieuse ; et il se voyait souvent chevaucher à travers la campagne verdoyante et brumeuse en compagnie du prince Charles. Par la suite, il déversa sa solitude d'enfant unique, trimbalé dans tous les coins, ainsi que sa crainte d'être laissé à l'écart, dans le chant d'allégeance à l'Espagne, cher aux phalangistes :

> *Cara al sol,*
> *con la camisa nueva*
> *que tu bordaste en rojo ayer*
> *Hallaré la muerte si me llega...*

Mais alors, ils repartirent pour l'Italie.

> *Fratelli d'Italia, l'Italia s'è desta,*
> *Dell'elmo di Scipio s'è cinta la testa...*

Ce fut ainsi qu'en profitant de tous les avantages d'avoir voyagé, Mark acquit aussi un sentiment aigu de dislocation. Là où il était né, il n'était pas resté, et là où il restait, il ne restait pas assez longtemps ; il était à la fois de trop d'endroits et d'aucun endroit en particulier ; il n'avait pas d'adresse émotionnelle.

Il y avait, bien entendu, des temps où il se sentait en sécurité et où il acceptait ses parents comme légitimes. Leur bien-être matériel s'améliora lorsqu'on donna à son père un rôle principal, le rôle-titre d'une nouvelle version du *Comte de Monte-Cristo*, qui devait être tournée à Paris. Il ne s'agissait pas d'une simple promesse : le contrat fut signé et ils reçurent quinze mille dollars, auxquels devaient s'ajouter quarante-cinq mille dollars supplémentaires lorsque le film serait terminé. C'était plus d'argent que Niven n'avait gagné jusque-là dans sa vie entière.

Le plus beau, ce fut qu'ils acquirent enfin un foyer stable. Il s'agissait de l'appartement d'un cadre supérieur de chez Olivetti qui, brusquement renvoyé à Milan, offrit la majeure partie de son ameublement pour seulement dix mille dollars à qui accepterait de reprendre son bail. L'appartement était peint en bleu ciel et gris tourterelle, ivoire et or ; toutes les boiseries étaient finement sculptées, cannelées et dorées, et partout il y avait des miroirs. Un des meubles les plus fascinants était le grand lit dans la chambre des parents de Mark, surmonté d'un baldaquin et fermé de tous côtés, comme une tente, par des rideaux diaphanes. Dans sa propre chambre se trouvait un autre meuble non moins captivant : un siège très long et très bas, tendu de velours, avec un dossier arrondi, sur lequel il pouvait s'asseoir et s'allonger à la fois. Les rideaux, les coussins, les tapisseries, tout ce qui était doux était en soie, en satin ou en velours. Le décor s'inspirait, en fait, du boudoir octogonal de Marie-Antoinette à Versailles, assouvissant le goût du cadre supérieur d'Olivetti pour le style Ancien Régime. « C'est trop ! » fut le verdict de Barbara Niven, mais Mark ne trouvait, quant à lui, rien à redire tandis qu'il parcourait les pièces, occupé à redresser les coussins de velours et à étudier son reflet dans tous les miroirs.

Le loyer était exorbitant, à cause de la vue : l'appartement était au quatrième étage du 48, quai d'Orléans, du côté sud de l'île Saint-Louis, et les fenêtres du salon et de la chambre de Mark donnaient sur Notre-Dame à droite et sur la Seine et la rive gauche juste en face, avec le dôme du Panthéon qui s'élevait par-dessus les toits et soulignait l'immensité du ciel. C'était la dernière grande vue de Paris, avant la construction de la Défense et de la tour Montparnasse. Mark avait le sentiment d'habiter littéralement à l'intérieur du ciel lumineux et limpide qui les enveloppait de tous côtés, à travers les portes-fenêtres percées du sol au plafond et leur reflet dans les miroirs disposés précisément afin d'obtenir cet effet. C'était plus grisant que de voler : ils étaient dans les airs, mais sans perdre l'équilibre, et la terre restait d'une proximité rassurante.

« Nous sommes riches, mes choux, annonça l'acteur la première fois qu'il fit entrer sa femme et son fils dans leur nouveau foyer. Nous voilà à l'abri, comme des coqs en pâte. À partir d'aujourd'hui, nous aurons de quoi manger, que le téléphone sonne ou non. »

Devant ce tour inattendu des événements, la réaction de Barbara et Dana Niven fut de retomber amoureux l'un de l'autre.

Chaque jour, Mark assistait à des scènes entre ses parents qui différaient radicalement de leurs anciennes chamailleries. Tout à coup, sa mère se levait pour aller embrasser son père sur la nuque, sans raison apparente. Et une fois il vit son père jaillir de la salle de bains, tout nu, agitant une grande serviette comme un torero qui fait des passes avec sa cape, mettant sa femme au défi de charger. Elle baissa la tête, se mit à souffler et à ronfler et lui fonça dessus, percutant de la tête son ventre nu ; après quoi ils disparurent en riant dans leur chambre à coucher, avec son lit en forme de tente.

Observant l'incident, Mark se sentit euphorique et rassuré sans savoir pourquoi. Et il recevait lui aussi sa part des embrassades qui avaient cours. Sa mère le pressait contre ses seins et faisait pleuvoir sur lui les petits mots d'amour. « Mon cœur, lui murmurait-elle à l'oreille, ma colombe, mon prince, mon lion, mon chou, ma douceur, mon ange, ma vie, que vous êtes joli, que vous me semblez beau, que vous êtes joli, ma vie ! » Au début, il restait raide comme un piquet, craignant d'être encore une fois repoussé, mais dans leur nouvel appartement de l'île

Saint-Louis il pouvait se cramponner à elle et renifler son corps et son parfum aussi longtemps qu'il en avait envie.

Le soir, ils organisaient des dîners au restaurant et restaient à parler et à rire bien après l'heure où Mark se couchait d'habitude (surtout quand il y avait à leur table un jeune acteur-dramaturge corpulent, venu de Londres, qui s'appelait Peter Ustinov), ou alors ils s'asseyaient dans leur salon bleu et or pour faire des projets d'avenir.

La mère de Mark désapprouvait leur bail de vingt et un ans, pleinement consciente des problèmes qu'ils allaient devoir affronter à présent que son mari était devenu une vedette. « Voyons, Dan, on ne peut pas rester à Paris toute la vie ; à partir de maintenant, tu vas surtout travailler à Hollywood.

— Et alors ? On peut toujours garder l'appartement, même si on n'y habite pas. Ça ne fait jamais que quatre mille francs par mois.

— Que quatre mille francs, rien que ça ?

— Détends-toi, ma chérie, je vais toucher une fortune pour mon prochain film. Il est donc on ne peut plus raisonnable d'avoir quelques appartements ici et là, dans divers endroits excitants du monde. Voyons, Mark, tu ne trouves pas, toi, qu'on devrait avoir des petits coins sympas comme celui-ci partout où on a vécu ? Ça te dirait ?

— Je n'ai pas tellement aimé Madrid, déclara Mark en songeant à tous les verres d'eau qu'il avait dû y avaler.

— Bon, très bien, on oublie Madrid ! » s'exclama l'acteur en se frottant les mains comme s'il venait de gagner une fortune à la roulette. Quelques scènes du film avaient déjà été tournées et le bruit courait dans le métier que le nouveau *Monte-Cristo* allait être un grand film à suspense en costumes, qui ferait de lui une vedette internationale. « On aura des appartements à Paris, à Rome, à Venise, à Barcelone, plus une villa au cap Ferrat. Et merde pour les *pensioni* !

— Ne tourne pas la tête de ton fils !

— Essaie donc de regarder les choses en face, Mrs Niven ! Nous sommes pleins aux as et il va bien falloir t'y habituer. Nous sommes riches, c'est la vie. »

Mark savourait chacun des mots de cette conversation et tout ce qui concernait leur nouvelle vie : il adorait acheter des livres et des estampes, prendre des cours de tennis et d'équitation dans un club de Neuilly, déguster les tartes aux fraises les plus chères du monde dans un café installé sur une île du Bois. Mais ce qu'il aimait par-dessus tout, c'était rester chez lui, dans l'appartement de l'île Saint-Louis. Il décida qu'il y resterait tout seul chaque fois que ses parents devraient partir en voyage.

Quel bonheur absolu que de vivre sur une petite île tout en étant en plein centre d'une grande cité. Ce qu'il ressentait en contemplant les preuves visibles de cette circonstance magique, étendu sur sa chaise longue de velours gris, à côté de la porte-fenêtre ouverte sur le fleuve et les saules pleureurs, les toits et les clochers de Paris, ne peut être imaginé que par les lecteurs qui se rappellent encore les moments sublimes de leur propre enfance.

Le producteur du film, qu'ils pouvaient remercier de leur bonne fortune, passait prendre un verre tous les deux jours à peu près. Pâle et chauve, avec des petites touffes de cheveux au-dessus des oreilles et un sourire mélancolique, il ne prêtait d'ordinaire guère d'attention à Mark, mais un soir, au sortir d'un entretien confidentiel avec Niven, dans la chambre à coucher, il prit la tête du garçon entre ses deux mains moites et le contempla de ses yeux doux comme ceux des prêtres espagnols.

« Mark, lui dit-il de la voix grave et calme du vrai croyant, je veux que tu saches bien une chose. Ton père est le plus grand acteur vivant. Je ne suis pas homme à faire des compliments à la légère, mais tu peux croire qu'il est ce qui se fait de mieux. Si je devais choisir entre Larry Olivier et Dana Niven, je prendrais Dana Niven sans l'ombre d'une hésitation. »

Le producteur quitta aussitôt l'appartement, sans laisser à Mark le temps de se sentir fier ou de remarquer que le visage de son père avait viré au noir, au noir si noir que sa mère courut chercher des glaçons à lui mettre sur le cœur et le front, craignant qu'il ne fût victime d'une congestion cérébrale.

« Dis quelque chose ! hurla-t-elle. Parle-moi ! »

Le film était annulé. Le producteur était venu annoncer que la célèbre actrice qui incarnait l'héroïne Mercedes s'était désistée et que les commanditaires leur avaient coupé les fonds.

Puisqu'il se retrouvait une fois de plus au chômage et qu'il lui restait moins d'un millier de dollars sur les quinze mille qu'il avait touchés d'avance, Niven ne pouvait plus, bien entendu, garder l'appartement du quai d'Orléans. Pour parvenir à appâter un locataire qui accepterait de reprendre le bail au pied levé, il dut offrir le mobilier et les installations pour la moitié de ce qu'il les avait payés lui-même. Outre la perte sèche de cinq mille dollars sur des objets mobiliers dont ils n'avaient profité que trois mois, Barbara Niven calcula qu'ils avaient dépensé au bas mot un millier de dollars à inviter des gens et plus de deux mille à acheter des choses dont ils auraient pu fort aisément se passer. Ils partirent s'installer dans un deux-pièces sans eau chaude à Montparnasse et tout au long de l'été il lui arriva souvent de lâcher ce qu'elle était en train de faire pour s'exclamer d'un ton désespéré : « Si seulement on avait su que ce premier paiement de quinze mille dollars serait aussi le dernier ! »

« Bon Dieu, pensait Mark, ils vont me faire crever de faim ! »

Pendant des semaines, il fit des cauchemars, rêvant qu'une fringale épouvantable lui rongeait l'estomac. Il rêva qu'il suppliait le producteur aux yeux doux de lui donner à manger, mais que l'homme secouait tristement la tête et continuait de croquer son sandwich tout seul... il rêva qu'il mendiait dans la rue, mais que les gens passaient sans s'arrêter, en haussant les épaules, et que les hideuses gargouilles en pierre de Notre-Dame prenaient vie, fouettant l'air de leur langues interminables et hurlant d'une voix mauvaise : « Qu'il meure, tout le monde s'en fout ! »

Mais le matin, tandis qu'il faisait sa toilette et s'habillait pour partir à l'école, il s'imaginait qu'il se préparait pour se rendre à l'aéroport : il grimperait dans son jet privé et s'envolerait, abandonnant les Niven à leur sort La vitesse et l'aisance grisantes de sa fuite l'aidaient à passer la journée et quand il se retrouvait dans son lit, le soir, il contemplait fixement les murs lépreux, fissurés et tachés de sa petite chambre odieusement terne, inventant la vision d'une grande salle tendue de riches tapisseries et remplie de son aristocratique parentèle, laquelle ne parvenait pas à comprendre comment le jeune prince avait jamais pu croire qu'il avait le moindre rapport avec un pauvre acteur et son épouse. Toutefois, quand on le laissait en tête à tête avec ses véritables parents, Mark devait bien reconnaître qu'il se demandait avec inquiétude comment les Niven allaient se débrouiller sans lui. « Vous savez, mon père, disait-il au duc d'Orléans, je me fais du mauvais sang au sujet des Niven. Je ne peux pas dire que je me suis amusé chez eux, mais je suis sûr qu'ils croyaient faire de leur mieux, à leur façon. Ne pourrions-nous pas faire quelque chose pour eux ?

— Avec plaisir, Marc ! s'exclamait la duchesse en lissant du bout des doigts sa chevelure auburn. Nous les inviterons à dîner aussi souvent qu'il vous plaira.

— Et nous pourrions peut-être laisser cette pauvre femme faire la cuisine de temps en temps, proposait le jeune prince en s'enhardissant. Elle ne s'y prend pas mal du tout quand elle a de l'argent, ses crêpes et ses tartes aux pommes sont excellentes.

— Ah, très bien, disait le duc d'un ton approbateur. Leur problème, ajoutait-il avec sagacité, c'est que les producteurs ne lui donnent pas sa chance, à cet homme. J'ai prié mon intendant d'étudier l'affaire à fond.

— C'est tout à fait vrai ! Vous avez mis le doigt dessus. Si on lui avait donné sa chance, sa femme et lui ne se disputeraient pas autant et il n'aurait pas besoin de s'inquiéter perpétuellement de son double menton.

— Je vais vous dire ce qu'on va faire, reprenait le duc d'Orléans en sortant son stylo à réservoir et son carnet de chèques suisse. Je vais lui remettre un chèque, afin qu'il puisse monter son propre film historique à grand spectacle, en Cinérama et en Technicolor, comme cela il sera sûr de pouvoir recommencer si sa vedette féminine le lâche.

— C'est tout à fait ce qu'il lui faudrait, convenait Marc, enthousiaste. Après un film en costumes sur écran large en Technicolor, il serait paré. »

Le duc d'Orléans remplissait séance tenante un chèque de cinquante millions de francs suisses. « Voyons donc… qui doit présenter à Mr et Mrs Niven ce petit gage de notre estime ?

— Mais, cela va sans dire, ce sera Marc, bien sûr ! s'écriait la duchesse. Il faut qu'il aille le leur remettre en personne. »

De telles rêveries de bonheur lui donnaient le courage de s'endormir.

Bien entendu, il y avait beaucoup d'autres variations sur cette rêverie, et pas seulement en ce qui concernait la nationalité de sa noble famille. Quelquefois ses véritables parents reconnaissaient que la scolarité n'était qu'une corvée inutile et acceptaient de le laisser étudier ce qu'il avait vraiment envie d'étudier auprès de professeurs particuliers. Les jours où il en avait marre des jeunes filles, le messager était un vieux notaire aux cheveux argentés. Mais quels que fussent les détails, il y avait un élément qui revenait avec une constance inéluctable : Mark refusait absolument de croire qu'il pouvait être un aristocrate immensément riche et d'accepter l'idée qu'une transformation aussi dramatique figurât parmi les choses possibles. « Mais enfin, on ne devient pas prince comme ça, de but en blanc, protestait-il. Tout ça ce sont des inepties! » Sa mère, désemparée, fondait en larmes à l'idée de se séparer de lui et son père se mordait les lèvres, ayant perdu tout espoir, tandis que Mark s'obstinait à répéter qu'il devait s'agir d'une farce idiote. Il ne consentait à se rendre à l'évidence qu'après s'être vu présenter des preuves nombreuses et incontestables.

Dès sa toute petite enfance, Mark Niven se vit, dans ses rêveries, sous les traits d'un réaliste terre à terre, bourré de sens pratique, la tête solidement plantée sur ses épaules. Les rares fois où il se sentit coupable d'imaginer toutes ces choses, il se consola en se disant qu'après tout il rêvait d'argent.

5

Une vue de Tolède

Mon idée, ayant exécuté ses cabrioles
acrobatiques, devint une idée fixe... Je ne
parviens pas à imaginer ce qu'il pourrait y
avoir d'aussi fixe au monde.

MACHADO DE ASSIS

Que le fils d'un acteur vivant péniblement de son art se soit
mis en tête qu'il était en réalité un prince puissant a certes des
côtés amusants, mais en vérité c'était une affaire sérieuse qui
eut des conséquences profondes, en bien et en mal. Les rêves
d'un enfant ne sont pas de vains fantasmes, ce sont les moyens
qui lui permettent de créer la personne qu'il va devenir.

Et en effet, qui aurait pu ne pas voir qu'Il Principe Marco
Giovanni Lorenzo Alessandro Ippolito Borghese ne serait
jamais une simple victime de ses circonstances?

La plupart des enfants soumis à une insécurité ou à des pri-
vations extrêmes sont marqués à vie par les menaces pesant sur
leur survie : la panique dissout leur force intérieure et la transforme en venin; ils deviennent humbles et sournois, veules et
méchants. Condamnés sans être coupables, formés à la servilité
et à la trahison, ils se conforment selon leurs besoins et frappent à la première occasion. Telle est la lie de l'humanité, la
populace grouillante de Shakespeare, la racaille impuissante
mais dangereuse, des rangs de laquelle Mark fut sauvé en s'oc-
troyant les avantages d'une illustre naissance. Il se créa prince –
or que peut savoir un vrai prince de la servitude et de la basse

complaisance, du chapardage, de la médisance et de la pression pour arriver? Il est déjà arrivé. Il possède le privilège de l'honneur, l'épée d'un esprit indépendant, une multitude de sentiments généreux et opiniâtres, le courage des grandes armées et les revenus de royales espérances pour les entretenir. Un prince ne se mélange pas à la foule, il n'a aucun désir de s'empêtrer dans des démêlés sordides avec des gens indifférents ou hostiles; il ne convoite rien de ce qu'ils possèdent, il ne veut que ce qui lui appartient de naissance.

Mark ne révélait ses rêves à personne, mais son père, qui avait un sens aigu de la gestuelle, devinait beaucoup de choses des féroces silences du garçon et de sa façon de supporter la solitude du voyage. « Il finira par consacrer sa vie à une idée folle, confia Niven à sa femme, profondément inquiet.

— Tu es vraiment bien placé pour le lui reprocher! » riposta-t-elle, toujours prête à blâmer son mari et à défendre son fils.

Farouche et renfermé de nature et par habitude, ne restant jamais nulle part assez longtemps pour se faire des amis ou les garder, Mark vivait dans sa tête. Poussé par la curiosité que lui inspiraient ses ancêtres aristocratiques, il s'intéressa à l'histoire et, plus tard, aux romans d'aventures. L'histoire le confortait dans sa conviction qu'il devrait se débrouiller tout seul, et les romans d'aventures lui confirmaient que la chose était possible. Les personnages historiques qui auraient aussi pu être les héros d'aventures romanesques lui étaient particulièrement chers; le général San Martín devint son idole longtemps avant qu'il eût établi le moindre lien entre lui-même et le libérateur de l'Argentine, du Chili et du Pérou. Et il était sous le charme du personnage que son père avait failli incarner dans le film, le comte de Monte-Cristo d'Alexandre Dumas, qui, bien que trahi et persécuté de façon abominable, avait découvert une fortune fabuleuse au fond d'un rocher au milieu des flots. En fait, Mark ne lut le roman qu'après que le film eut été annulé et qu'ils eurent été bannis de leur appartement du quai d'Orléans, mais à ce moment-là il devint son livre préféré.

Monte-Cristo l'incita, à son tour, à s'intéresser aux ouvrages narrant des histoires de trésors ensevelis.

Pendant longtemps, il eut beaucoup de mal à décider s'il préférait être retrouvé par ses nobles parents ou trouver lui-même une fortune. Sous un certain rapport, ce garçon singulier ressemblait à des millions d'autres : il rêvait de mener la grande vie sans pour autant avoir à s'échiner ou à voler.

Il n'avait que quatorze ans lorsqu'il se mit en tête de résoudre ce problème insoluble.

Les Niven passaient l'été à Madrid puisque Dana Niven avait été engagé pour quelques fusillades dans un western tourné dans les plaines de la Manche, et au mois d'août ils profitèrent d'une de ses journées de liberté pour monter dans un autocar et s'en aller visiter la ville voisine de Tolède. Ce fut à l'occasion de cette excursion touristique que Mark, cédant à un accès d'amertume, décida de miser sa vie sur une entreprise rocambolesque. En dépit de son jeune âge, ce fut une décision fatidique. Les projets raisonnables sont souvent abandonnés, alors que les projets insensés ne le sont presque jamais ; les gens persistent dans leurs entreprises les plus douteuses avec une détermination farouche. Les obsessions naissent des incertitudes.

Quant à l'excursion à Tolède, Mark savait gré à ses parents d'y avoir songé. Ce fief d'anciens rois et de grands inquisiteurs lui inspirait la joie de la reconnaissance ; il fut ravi de découvrir que son atmosphère de splendeur menaçante reflétait si fidèlement ce qu'il savait de son histoire, une chronique d'horreurs presque ininterrompues depuis l'époque des Wisigoths jusqu'à la guerre civile des années trente. Les édifices austères aux entrées fortifiées, les passages sombres et tortueux, les soudaines flèches d'église, toute la cité dans sa beauté sinistre paraissaient imprégnés de l'esprit de la torture et des bains de sang. « Pas étonnant que le Greco ait peint des personnages à longue figure », fit remarquer Dana Niven. Dans la cathédrale, toutefois, ils furent surpris par la sculpture exubérante de Narciso Tome, qui surplombe l'autel et monte en volutes vers le ciel, fendant le toit lointain, soutenue par deux des petits chérubins les plus crânes qui aient jamais porté sur leurs épaules cinquante-sept tonnes de stuc et de marbre.

Mark reçut en outre quelques cadeaux, bien que l'on eût déjà fêté son anniversaire deux jours auparavant. Après la visite de la cathédrale, ils s'arrêtèrent chez un bouquiniste, où son père l'invita à voir si par hasard un des vieux volumes l'intéressait. Parmi ceux qui étaient empilés sur des tréteaux devant le magasin, Mark choisit un livre épais et usé – épais non pas à cause de la longueur du texte, mais du fait de la taille des caractères et de la densité des pages, imprimées sur le genre de papier lourd et grossier utilisé pour les éditions populaires au tournant du vingtième siècle. C'était un exemplaire de *Tesoros al Fondo del Mar* d'Enrique Menéndez, un ouvrage de pionnier sur les navires submergés et leurs trésors, dans la deuxième édition de 1908. Dana Niven ne se pardonna jamais de l'avoir acheté : c'était justement le cadeau qu'il ne fallait pas lui offrir à ce moment-là, et il remâcha la question de savoir si sans ce livre son fils aurait fini de la même manière. Mais comment se serait-il douté, à cette époque-là, à Tolède, qu'il pouvait être nocif de laisser son fils acquérir un vieux bouquin poussiéreux qui lui permettrait de faire des progrès en espagnol.

« Le pire, dit-il tristement, en rapportant l'incident bien des années plus tard, sur un plateau de cinéma à Marseille, c'est que je n'ai jamais eu autant envie de le rendre heureux. Ce jour-là, nous voulions tous les deux lui faire vraiment plaisir. »

Dans un magasin de souvenirs de la même rue, si étroite qu'en tendant les deux bras Mark pouvait toucher en même temps les maisons de chaque côté, barrant le chemin aux passants, sa mère lui acheta un jeu d'échecs tarabiscoté, dont les personnages portaient des costumes médiévaux, et le journal en maroquin bleu avec une épée de Tolède sur la couverture. Jamais il ne se servit du jeu d'échecs, mais il s'essaya à tenir son journal le jour même, en notant sa conviction que « les gens se foutent des autres ».

Tolède était un lieu qui se prêtait à une telle réflexion, laquelle était loin d'être nouvelle pour le jeune misanthrope, et il était encore capable de traiter à la légère l'amère vérité lorsqu'ils s'arrêtèrent sur la Plaza de Zocodover, principal lieu d'exécution de la péninsule ibérique pendant plus d'un millier d'années.

« Surtout, regardez de tous vos yeux, disait Mark, prêt comme d'habitude à partager son érudition historique avec ses parents, lesquels se montraient toujours des élèves zélés. Le sol de cette place a probablement bu davantage de sang que n'importe quel autre endroit d'Europe. Vous voyez cette arche, là-bas ? On l'appelle la Puerta de Sangre. C'était là, précisément, que Pierre le Cruel faisait brûler vives les femmes qui refusaient simplement de coucher avec lui. Je ne dis pas ça pour rire. Toutes les femmes qui le rejetèrent furent liées sur un bûcher et réduites en cendres. » Puis il ajouta, en prenant l'air de quelqu'un qui tend un piège : « Je parie que vous pensez que c'est pour ça qu'on l'appelait "le Cruel", hein ?

— Pardi, évidemment, répondit son père, qui se chargeait toujours du rôle de faire-valoir dans ce genre de conversation. Pour quelle autre raison l'aurait-on surnommé Pierre le Cruel ? À moins qu'il n'ait fait quelque chose d'encore plus horrible. »

Mark sourit triomphalement. « Tu as tort ! Les gens se fichaient pas mal s'il brûlait des femmes ou qui que ce soit. Le peuple l'appelait "le Cruel" parce qu'il ne les laissait pas massacrer les Juifs…

— Pour être cruel, c'est cruel ! s'écria l'acteur.

— Eh oui, voilà ce que valent les gens », conclut Mark gaiement. Voilà ce que valait l'espèce qui ne se souciait pas de savoir si les Niven avaient de quoi vivre ou crevaient de faim.

Ils déjeunèrent au Parador Conde de Orgaz, réplique récemment construite d'une auberge de voyageurs du seizième siècle sur l'arête d'une colline de l'autre côté du fleuve, où ils purent s'asseoir sur la terrasse afin de profiter de la vue panoramique sur la ville. Bâtie en haut de son grand rocher, ceinte de ses antiques murailles et du Tage, Tolède la solitaire se dressait si distinctement à l'écart du reste du monde qu'on avait l'impression que le temps lui-même ne pouvait pas la toucher.

Les parents de Mark l'avaient amené dans l'ancienne capitale afin de lui montrer les merveilles de l'endroit et de lui annoncer qu'ils allaient divorcer. Ce fut à la fin du déjeuner, une fois que Mark leur eut assuré qu'il ne pouvait rien avaler de plus, pas même un dernier *bollo de crema,* qu'ils finirent par le mettre au courant. Sa mère allait épouser le jovial et riche architecte hollandais qu'ils avaient rencontré à Londres l'hiver précédent et sur qui ils n'avaient pas cessé de tomber un peu partout depuis – seul ou en compagnie de ses deux pimbêches de filles qui seraient donc désormais les belles-sœurs de Mark.

« Mais nous sommes catholiques ! protesta le garçon, dont la voix se brisa. Vous êtes obligés de rester mariés. On doit tous voyager sur le même âne. »

L'acteur ne parut pas se rappeler à quoi il faisait allusion. « Ce sont des choses qui arrivent, déclara-t-il en se tenant bien droit contre le dossier de sa chaise. Tout le monde divorce de nos jours. »

Mark fut alors invité à choisir s'il préférait vivre avec sa mère et sa nouvelle famille dans leur confortable demeure d'Amsterdam, ou bien continuer à courir les routes avec son père. L'un et l'autre parent lui expliquèrent avec insistance que son bonheur passait avant tout et qu'ils respecteraient sa décision, quelle qu'elle fût – ce qui ne servit qu'à le convaincre qu'aucun des deux ne voulait de lui. De retour dans sa chambre d'hôtel à Madrid, le lendemain, cédant à une terreur panique, il mit en pièces tous ses mouchoirs – les seuls effets qu'il pût se permettre de détruire sans être découvert et soumis à d'incessants reproches – et de tels accès de rage secrète devaient se reproduire pendant des mois. Mais à Tolède, il refusa de donner à ses parents la satisfaction de leur laisser voir à quel point il était affecté par ce coup. « Bon, au moins, ça m'évitera de vous entendre vous engueuler sans arrêt, lança-t-il. C'est un soulagement. »

Et en effet, quelques instants plus tard, sa mère commença à récriminer, déclarant qu'ils auraient dû lui annoncer la nouvelle plus tôt, avant de venir en Espagne, et bientôt le couple partit se disputer en privé.

Livré à lui-même sur la terrasse, avec le fleuve loin au-dessous de lui et Tolède juste en face contre le ciel, flottant dans la brume de cet après-midi du mois d'août, Mark s'interrogea sur toutes les fois au cours de l'année passée où sa mère était partie faire du tourisme toute seule, en lui disant qu'il valait mieux qu'il restât à la maison pour étudier. Elle lui avait menti. Elle aimait un étranger davantage que lui. La jalousie lui fit éprouver un sentiment d'abandon cuisant : jamais plus il ne s'inventerait des parents imaginaires. À quoi bon rêver la vie en rose ?

Il sortit ses cadeaux du panier de sa mère, pour voir ce qu'il avait, puis après avoir feuilleté les pages vierges du journal relié de cuir, il fouilla dans le panier à la recherche d'un stylo. L'ayant trouvé, il se mit à écrire l'histoire de sa vie, afin que l'on sût par quoi il était passé ; mais il n'écrivit que quelques phrases avant de décider que jamais personne ne s'intéresserait à ses problèmes. Alors, il prit le vieux livre que lui avait offert son père et, s'essuyant les yeux, il lut un paragraphe par-ci, par-là, jusqu'au moment où il tomba sur l'histoire du navire du commandant Parry, la *Flora*.

« *Riquezas envueltas en horror y misterio* », écrivait Menéndez, qui consacrait trois pages à décrire les couronnes et les lingots d'or, les répliques de la Madone de Lima et les croix serties de joyaux, et à noter que ce trésor flottant avait sombré, à ce qu'on pensait, lors du terrible ouragan de 1820, quelque part au nord-ouest des Bahamas. Parcourant le chapitre à toute allure, Mark sut aussitôt que la *Flora* était à lui, c'était *son* navire. (Ce ne fut que le lendemain qu'il se mit à s'inquiéter à l'idée que quelqu'un avait peut-être découvert l'épave depuis la publication du livre de Menéndez, en 1908.) Dans l'état de désolation où il se trouvait, ce qui le fascina, ce ne fut pas tant la description de la cargaison que les meurtres atroces commis pour la voler ; ils donnaient la pleine mesure de sa valeur et rendaient les trésors aussi réels que s'il les avait touchés de la main.

« Voilà comment ça se passe, c'est ça, la vie, se dit-il, en décidant de prendre des cours de plongée sous-marine. Les gens sont des monstres, alors il faut que je fasse fortune, sans quoi j'en serai réduit à dépendre de monstres. Je n'ai plus un instant à gaspiller. »

Ayant renoncé, une fois pour toutes, à prendre ses désirs pour des réalités, Mark se mit à rêver qu'il trouvait l'épave prodigieuse, quelque peu distrait par la vision miraculeuse de Tolède, suspendue entre le ciel et la terre desséchée, avec ses églises, ses monastères et ses forteresses, fondant ses tons de gris pâle, d'ombre et d'or dans la brume chatoyante.

6

Père et fils

Est-ce quelqu'un de sérieux ou juste un
imbécile?

DOSTOÏEVSKI

Mark choisit de rester avec son père, qui parvint à décrocher
le rôle d'un méchant lord anglais dans un feuilleton de la télévision espagnole, si bien que le garçon fut en mesure de passer
toute l'année scolaire dans la même école à Madrid. Fier et soulagé de constater que son fils ne l'abandonnait pas, Niven dut
néanmoins très vite se rendre à l'évidence en le voyant se
mettre à vivre sa propre vie d'un air résolu : Mark restait avec
lui, mais il était quand même en passe de le perdre. La chambre
de l'adolescent se remplissait de cartes marines, cartes des
vents, livres sur les trésors engloutis et sur l'Amérique latine, et
il n'avait guère de temps pour converser.

Au début, Niven crut qu'il s'agissait d'une phase passagère,
d'une marotte d'écolier, mais à présent qu'il avait trouvé un
sujet qu'il désirait vraiment approfondir, Mark considérait sa
scolarité comme une assommante perte de temps et il passait
ses journées aux archives du Musée naval de Madrid, occupé à
parcourir les livres de bord des navires espagnols susceptibles
d'être passés à proximité du nord-ouest des Bahamas, en septembre 1820.

« Ta mère va dire que je suis incapable de veiller sur toi ! protesta Niven, alerté par le directeur du *gimnasio* que Mark était

censé fréquenter. Je t'en supplie, cesse de faire l'imbécile. On n'arrive pas à retrouver des témoins de l'accident survenu à l'un des carrefours les plus fréquentés de la ville hier au soir, mais toi, tu crois que tu vas retrouver le rapport d'un témoin oculaire sur un naufrage qui est arrivé il y a des centaines d'années...

— Ça ne fait même pas cent cinquante ans.

— ... en plein océan Atlantique? Pendant un ouragan?

— Après l'ouragan, peut-être. Il y a des tas de navires qui auraient pu apercevoir des débris sur l'eau ou sur les récifs. Et cela serait consigné dans leur livre de bord.

— Écoute, il n'est pas question que je te laisse abandonner tes études, un point c'est tout. »

Mark promit de s'amender, mais il continua de sécher l'école, sous tous les prétextes qu'il parvenait à inventer, lesquels étaient acceptés sans sourciller par ses professeurs; ceux-ci n'avaient aucune intention de s'échiner à essayer de réformer un étranger de passage. Ces *profesores* portaient des costumes sombres et défraîchis et ils avaient coutume de pianoter sur leur gilet, affichant la dignité résignée propre aux messieurs mal payés, tandis qu'ils écoutaient les mensonges de Mark avec ennui et faisaient un effort manifeste pour paraître crédules. « Eux aussi, ils aimeraient être ailleurs, se disait le garçon. Et si je reste pauvre, je serai comme eux, obligé de passer ma vie entière dans un endroit qui me rend malade, à seule fin de survivre. » Au fond de ses yeux brillants d'intelligence flamboyait sa volonté de ne jamais se soumettre à un sort pareil.

Au début du mois de décembre, il disparut avec l'argent destiné à l'achat d'un manteau neuf pour l'hiver. La police ne parvint pas à retrouver sa trace, mort ou vif. Une semaine plus tard, il reparut, les lèvres bleues, le nez dégoulinant, à moitié gelé, mais heureux.

« Qu'est-ce que tu cherches à faire, à me tuer? lui demanda son père d'une voix faible, rompu par des nuits d'insomnie et de terreur.

— Je te revaudrai ça, papa, c'est promis, dit Mark en étreignant son père dans un brusque élan d'affection. Je t'aurais bien demandé la permission, mais je savais que tu refuserais. »

Il était allé à Séville explorer les Archives des Indes. « Tu te rends compte, reprit-il pendant que son père leur faisait du thé, ils ont un exemplaire du dernier manifeste de la *Flora*. Tout est vrai. Il y a cent vingt-six statuettes en or massif de la Madone de Lima dans la cale. Et dix-sept mille lingots d'or d'un kilo chacun. Soit dix-sept tonnes d'or!

— Quoi? Et les diamants alors?

— Il y en a aussi, mais les diamants, ce n'est rien, papa! Le monde regorge de diamants. Le fin du fin, ce sont les émeraudes – les voilà les pierres les plus rares et les plus belles. Est-ce que tu savais que c'était parce qu'ils possédaient une mine d'émeraudes que les pharaons étaient si riches? C'est une fille aux Archives des Indes qui me l'a dit. On parlait de cette célèbre croix, la Cruz de las Siete Esmeraldas. Sept émeraudes grosses comme des prunes. Eh bien, cette croix est à bord de mon bateau! Elle a été bénie par saint Pie V au seizième siècle – c'est consigné dans le manifeste, parce que ça la rendait d'autant plus précieuse. Quand Pie V l'a bénie, ce n'était qu'une simple croix en or avec sept opales. Les émeraudes proviennent de Muzo en Colombie, elles ont été serties deux siècles plus tard, une fois qu'on a emporté la croix en Amérique du Sud. Cette croix, je ne la vendrai jamais.

— Mais comment vas-tu faire maintenant pour avoir un manteau d'hiver? »

Un bref instant, Mark en resta interloqué; il sentait encore le froid cruel du train. Puis il haussa les épaules d'un air de défi, en songeant au général San Martín en train de franchir les Andes à cheval, au milieu des brouillards verglacés. « Je m'en fiche du froid », déclara-t-il.

Niven espérait que cette toquade lui passerait lorsqu'ils auraient quitté l'Espagne, mais quand ils arrivèrent à Paris, Mark se mit à fréquenter les Archives maritimes et la Bibliothèque nationale, cherchant des références à la *Flora* dans les vieux livres de bord et les mémoires de marins. Il était devenu un vrai bourreau de travail. Il gagna de l'argent en vendant le *Herald Tribune* boulevard de l'Opéra et s'acheta un scaphandre autonome, des palmes et un masque afin d'aller s'entraîner à plonger dans la Seine. Pour se distraire il se promenait longuement dans le Louvre, tout comme à Madrid il s'était promené dans le Prado; déambuler dans des palais remplis de grandes œuvres d'art avait sur lui l'effet grisant que la musique peut avoir sur d'autres natures. La nuit, désireux d'en savoir plus sur les origines de sa future fortune, il lisait l'histoire de l'Amérique latine. Sur le mur au-dessus de son lit étaient fixées des images volées dans des livres de bibliothèque – un portrait du général San Martín et une photographie de la statue de la Vierge dans la cathédrale de Lima. Quand il se rendait dans les bibliothèques, il emportait une lame de rasoir dans une boîte d'allumettes afin de couper les pages qui l'intéressaient.

« Je me demande si c'est vraiment une bonne idée de passer ta jeunesse dans des vieilles bibliothèques poussiéreuses, dit l'acteur à son fils, dont la ressemblance avec lui s'accentuait au fil des mois, de même que se creusait le fossé les séparant.

— Je fais beaucoup de plongée.

— Inutile de me le rappeler, merci.

— De toute façon, les bibliothèques ne sont pas poussiéreuses, expliqua Mark. Il n'y a pas plus tatillon qu'un bibliothécaire ; s'il le faut, ils se servent de leur mouchoir pour épousseter. »

Ainsi se passèrent près de deux années.

En s'efforçant d'élever tout seul son fils adolescent, Niven devait supporter tout le poids de l'impuissance parentale. Par moments, il était tenté de mettre un peu de plomb dans la tête de Mark à coups de taloches, mais l'exemple de certains de ses collègues, dont les enfants avaient disparu pour de bon, lui servait d'avertissement et retenait sa main. Il en était donc réduit à se ronger les sangs et à faire des scènes incessantes.

« Je ne vais pas t'entretenir toute ta vie, tu sais, lança-t-il d'un ton de sourde menace.

— Aucune importance, je vais être milliardaire, rétorqua Mark nonchalamment, fourrant les mains dans ses poches. Sans compter tout le reste, j'aurai sept cent quarante-trois mille cinquante doublons d'or. » (Il connaissait par cœur le manifeste de la *Flora*.)

« À supposer que tu découvres un jour une référence à ton épave, ce qui n'arrivera pas, qu'est-ce que ça te donnera ? Il y a des tas d'épaves qu'on a localisées sur les cartes depuis des siècles et personne ne peut les trouver, malgré tout !

— Tu as lu mes livres ! » s'écria Mark avec un large sourire. Un sourire serein et insouciant, ni plus ni moins qu'un sourire de richard, le genre de sourire que Niven voyait sur les visages des producteurs quand il cherchait à leur faire comprendre à quel point il avait besoin d'un boulot, le sourire aimable et suffisant de quelqu'un qui ne vous écoute pas, mais qui est prêt à vous laisser parler.

Tout en contemplant fixement ce sourire, Niven en arrivait à se dégoûter. Il s'était juré cent fois de ne pas discuter, il savait que cela ne servait à rien, et pourtant il ne pouvait s'en empêcher, et chaque fois il était surpris de ne pas faire la moindre impression ! Mais à peine ces réflexions l'avaient-elles réduit à une apathie morose qu'un autre argument lui venait à l'esprit et qu'il reprenait la lutte, incapable d'accepter l'idée que rien de ce qu'il pourrait dire ne ferait la moindre différence.

« Si j'étais toi, dit-il d'une voix terne et monocorde, lassé de son propre entêtement, je m'efforcerais de penser à la grande déception, à l'amer crève-cœur qui t'attend au bout de cette histoire. Tu te farcis le crâne de pièces d'or, de lingots d'or, d'émeraudes, et un jour tu te réveilleras en train de gagner ta vie comme pompiste. Vu la façon dont tu t'obstines à sécher l'école, je ne vois pas ce que tu sauras faire d'autre.

— Ça sert à quoi d'aller perdre son temps à l'école, jour après jour ? Je les réussis, mes examens. C'est une manie chez toi, l'école.

— Parfaitement. Tes arrière-grands-parents des deux côtés étaient originaires d'Écosse et les Écossais sont des fanatiques de l'instruction. Alors, tu devrais bien en prendre de la graine.

— Je parle quatre langues, qu'est-ce que tu veux de plus ?

— Eh bien, moi, j'en parle cinq et ça me donne quoi ?

— Rien du tout, justement ! riposta Mark triomphalement. Et par-dessus le marché tu as un diplôme de Columbia. »

C'était vrai, ce qui exaspéra Niven. « Il y a des fois où je me dis que si tu étais moins intelligent, tu ne serais pas aussi con ! » s'écria-t-il en s'emportant une fois de plus.

Mark plissa les yeux, comme pour les protéger de l'insulte. « Tu devrais être content que je ne marche pas à l'acide, au tabac ou à l'alcool ; tu devrais être fier de moi, au lieu de passer ton temps à me démolir !

— Si tu cherches à faire dans le farfelu, pourquoi tu ne deviens pas acteur? Bon, d'accord, mettons que je n'ai rien dit. Mais pourquoi tu ne ferais pas de la peinture? »

Mark, à qui il arrivait parfois d'avoir honte de ne pas être capable de jouer la comédie ou de peindre, devint rouge comme une pivoine et foudroya son père du regard.

« Tu tombes amoureux de toutes les femmes peintes par le Pérugin sur lesquelles tu poses les yeux, insista Niven en se disant que s'il était voué à se faire un sang d'encre pour son fils il préférait le voir devenir artiste. Jamais je n'oublierai l'état dans lequel tu étais quand vous êtes revenus de Florence, ta mère et toi. Alors, pourquoi tu n'essaies pas de peindre?

— Tu dis ça uniquement pour me rabaisser!

— Mais non, je te dis ce que je pense. Je trouve tes arbres très réussis. »

Le garçon releva la tête avec un mélange de belligérance et d'orgueil, mettant son père au défi de se moquer de lui. « Je contribuerai à l'histoire à ma façon.

— Bon, au moins, tu sais qu'on a besoin d'avoir du talent pour être artiste, c'est déjà quelque chose, soupira l'acteur.

— Tu te fais beaucoup trop de bile, papa, répondit Mark avec l'insupportable condescendance d'un gamin de seize ans tout à fait sûr de lui. Détends-toi un peu. »

Pourtant, sous bien des rapports, c'était un fils idéal.

À présent qu'ils étaient tout seuls, ils se répartissaient les tâches ménagères, chacun tenant sa propre chambre en ordre et se chargeant, une semaine sur deux, de préparer le petit déjeuner, de faire la vaisselle et le ménage et de descendre à la laverie automatique. Ils discutaient avec le plus grand sérieux les problèmes inhérents à l'achat du café, des yogourts ou du savon aux prix les plus avantageux. De toutes ces corvées, le garçon faisait largement sa part, avant de disparaître pour le restant de la journée.

Même son penchant pour l'ordre, cependant, inquiétait son père. Niven ne parvenait pas à réprimer l'idée qu'il y avait quelque chose de profondément contre nature dans la façon méthodique dont s'y prenait Mark pour retrouver la trace d'un navire disparu depuis si longtemps, comme s'il se préparait pour une profession normale, aux revenus assurés quoique modestes. C'était cette apparente inconscience de tout ce que l'entreprise pouvait avoir d'étrange ou de déraisonnable qui faisait le plus peur à Dana Niven. Quand il était seul chez eux, dans la journée, il ne pouvait s'empêcher d'aller dans la chambre de Mark – une chambre qui ressemblait à la cabine d'un sous-officier studieux, bourrée mais bien rangée, remplie de cartes géographiques et marines et d'autres objets évoquant la mer. En apercevant le scaphandre autonome dans un coin, il sentait perler une sueur froide.

« C'est de la folie, les prémonitions, ça n'existe pas », se répétait-il sans cesse, et des vagues de terreur déferlaient sur lui pendant des heures.

Le soir, Mark le rejoignait à leur restaurant habituel, chez Chartier, chargé de ses notes et de ses pensées, se cognant aux tables, ou, pis encore, muni d'une gigantesque carte roulée sur elle-même. Les dîneurs baissaient la tête pour l'éviter, les serveurs échangeaient des regards hilares. Mark ne s'apercevait de rien. « Eux aussi le trouvent bizarre, se disait Niven, et pourtant ils ne le connaissent même pas. »

Néanmoins, bien que les serveurs ne fissent que confirmer sa propre opinion, il diminuait leur pourboire d'autant.

Un soir, chez Chartier, Niven fut saisi par l'espoir extravagant que le sexe sauverait son fils.

Le superbe vieux restaurant de la rue du Faubourg-Montmartre, avec ses boiseries, son sol couvert de sciure et ses anciennes lumières au gaz désormais équipées d'ampoules électriques, servait les meilleurs repas bon marché de Paris depuis la Grande Exposition de 1869 et il était toujours le rendez-vous de prédilection des gens désargentés mais bien informés. Il possédait en outre l'avantage supplémentaire d'offrir, d'un côté, une galerie surplomblant la salle, où les Niven prenaient place, s'ils le pouvaient, à une table près de la balustrade d'où ils avaient tout loisir d'observer la foule au-dessous d'eux. Un soir, arrivant en retard, Niven remarqua que Mark, assis à leur table favorite, louchait sur une fille au plantureux décolleté juste au-dessous de lui.

L'acteur s'immobilisa, soudain envieux. Son fils était aussi râblé que lui, avec la même figure en largeur, mais la solidité du front, impressionnant de hauteur, et des pommettes écartées était adoucie par l'éclat limpide des yeux et les lèvres délicatement modelées, qu'il tenait de sa mère. « Si j'avais cette petite touche de charme féminin, je serais une vedette depuis des années », se dit Niven.

Tout en s'asseyant, il surprit Mark par une longue question.

« Est-ce que tu me considères comme un vieux bonhomme malveillant qui n'approuve rien de ce que tu as envie de faire ? Tu penses que je ne veux pas te voir prendre du bon temps ?

— Non, pas vraiment, je suis sûr que tu crois bien faire. »

Ne trouvant pas la réponse qui convenait à ce compliment, Niven héla le garçon. Une fois qu'ils furent servis, il fit une nouvelle tentative. « Je me demandais simplement si tu n'en avais pas marre de dîner avec moi tous les soirs ?

— On est amis, non ?

— Oui, bien sûr, bien sûr. » Ayant jeté un regard à la ronde, afin de s'assurer qu'il n'y avait à proximité personne qui parlât anglais, Niven repoussa son assiette et se pencha plus près de Mark. « Mais supposons que tu aies envie de te farcir une gonzesse ? dit-il tout de go, histoire de secouer un peu son fils. De jouer au tick-tack avec elle ?

— Maman avait raison, papa, tu n'as que des cochonneries à la bouche.

— Qu'est-ce que le jeu de tick-tack a de particulièrement cochon ? demanda Niven soudain en colère, en reprenant ses distances. C'est du Shakespeare, espèce de petit con ignorant. J'en ai par-dessus la tête de t'entendre me remettre à ma place sans arrêt. »

Mark baissa la tête, dans l'espoir que son père comprendrait qu'il lui demandait pardon et qu'il n'y aurait pas besoin de le dire.

L'acteur était un homme aux violentes émotions, mais elles se consumaient dans ses yeux, sur son visage, dans sa voix (peut-être était-ce pour cela d'ailleurs qu'il était acteur) et la gêne de son fils suffit à l'apaiser. « Ce que je voulais dire, reprit-il gentiment, c'est que si une fille te plaît et que tu as envie de sortir avec elle, ne t'inquiète pas de ce que ça coûtera. Je suis tout prêt à rallonger un peu ton argent de poche. » Pour apprécier la générosité de cette offre, il fallait savoir que Niven lui-même n'avait de liaison qu'avec des femmes matériellement indépendantes, qui pouvaient et voulaient bien payer leur écot. Depuis que sa femme les avait quittés, l'argent paraissait fondre moins vite et, même en période de chômage, il était en mesure de leur assurer un deux-pièces meublé et des repas réguliers, sans connaître les dramatiques intervalles de véritable disette qui avaient gâché sa vie conjugale, mais il accomplissait cet exploit avec une parcimonie née du fait qu'il avait passé la majeure partie de sa vie active à compter sur des revenus incertains. Toutefois, il était tout disposé à faire des sacrifices pour la bonne cause. « Je pourrai toujours te filer soixante ou soixante-dix francs de rab, ajouta-t-il après un rapide calcul.

— Ne t'en fais donc pas, papa, supplia Mark. J'en connais des filles, on va se balader.

— N'hésite pas à me dire quand tu veux que je te laisse l'appartement.

— Merci.

— Écoute, tu auras bientôt seize ans, c'est l'âge idéal. J'imagine que tes grands-parents aimeraient mieux que tu attendes d'être assez vieux pour ne pas en faire toute une affaire, mais pourquoi laisser passer le meilleur moment? Seize ans... tu n'as pas idée de la chance que tu as! Moi, je le sais, parce que je ne rajeunis pas et que je ne suis plus ce que j'étais. Je vais te dire quelque chose que seul un père peut te dire... Après vingt ans, mettons vingt-deux, pour un homme ce n'est plus jamais tout à fait la même chose.

— Je sais, je sais.

— Bon, eh bien, on pourrait peut-être commencer par t'acheter une veste neuve. Les manches de celle-ci n'arrivent pas à rattraper tes poignets.

— Merci, papa, mais franchement, tu sais, ça ne compte pas, les fringues. J'en ai bien assez.

— Tu ne me demandes jamais ne serait-ce qu'une chemise neuve, dit l'acteur, de nouveau agacé Vraiment, je ne comprends pas pourquoi tu le veux, ce trésor, tu ne t'intéresses pas à ce que l'argent permet d'acheter.

— Ce n'est pas vrai. Il y a plein de choses dont j'ai envie.

— Quoi, par exemple?

— Je financerai une nouvelle version de *Monte-Cristo*, répliqua aussitôt Mark. J'achèterai un théâtre où les acteurs au chômage pourront se réunir et monter une pièce sans se préoccuper du loyer ou des notes d'électricité. Et j'achèterai plein d'appartements dans chacun desquels je ferai installer tout ce qu'il nous faut, comme ça on n'aura jamais besoin de faire de bagages et on pourra voyager sans s'inquiéter de ce qu'on a oublié. Tu as eu une vachement bonne idée, là, avoir notre appartement ou notre villa partout où on a envie d'habiter.

— Je n'ai jamais dit ça, protesta Niven.

— Oh que si, tu l'as dit, quand on vivait dans l'appartement de l'île Saint-Louis, la fois où on a cru que tu allais devenir une vedette.

— Ah bon ? Alors comme ça, il t'est quand même arrivé d'écouter ce que je racontais !

— J'écoute, répondit Mark avec un sourire assuré. Et puis j'achèterai aussi une île aux Caraïbes, où j'inviterai des filles à venir passer quelque temps avec moi.

— Ne les fais pas attendre trop longtemps », soupira l'acteur, renonçant à poursuivre ce soir-là.

Entre les âges de quatorze et dix-huit ans, au gré de ses voyages avec son père et de quelques excursions qu'il fit de son côté, Mark passa la majeure partie de ses heures de veille dans les archives maritimes de Séville, Paris, Marseille, Gênes et Londres, manifestant une extraordinaire faculté de persévérance et un talent considérable pour la recherche systématique.

Dans le but de découvrir quels navires se trouvaient sur place à l'époque, il compulsa les registres de l'Amirauté et des autorités portuaires, ce qui lui permit d'acquérir une connaissance étendue de la circulation maritime entre l'Europe et les Amériques en 1820. Puis, afin de comprendre les livres de bord qu'il découvrait, il étoffa son espagnol, son français et son italien en les enrichissant du jargon de la mer, en étudiant d'anciennes cartes marines et de vieux instruments de navigation, les routes commerciales, la vitesse des navires à voiles, les vents dominants. Comme il comptait bien trouver une référence au site du naufrage et prévoyait que l'épave aurait peut-être bougé depuis 1820, il se renseigna sur la nature des courants sous-marins, les changements dans les fonds océaniques, l'érosion du littoral et la vitesse de croissance des formations coralliennes.

L'opinion de l'acteur, selon laquelle tous les travaux de son fils étaient complètement idiots et sans intérêt, était une de ces injustes exagérations qui caractérisent les angoisses parentales. Devenant son propre maître et son propre élève, Mark prit l'habitude de chercher les liens entre des faits et des événements apparemment sans relation les uns avec les autres, laquelle est le fondement sine qua non de toute pensée. Ses notes bien organisées sur ses diverses études, que détient aujourd'hui son père, seraient tout à l'honneur d'un chercheur universitaire d'Oxford ou de Harvard. Pour un adolescent, c'était une prouesse intellectuelle véritablement hors du commun, et l'on est bien en peine d'expliquer comment un garçon de cet âge put en venir à bout; ou alors, s'il était vraiment aussi génial, comment se faisait-il qu'il se cramponnât à sa conviction qu'il allait devenir riche en récupérant une fortune engloutie par les flots. Mais, bien sûr, il avait une passion pour cette épave et rien ne stimule aussi bien l'intelligence qu'une passion, rien non plus n'empêche de façon aussi décisive de l'appliquer à des considérations pratiques; et c'est pour cela que les individus les plus brillants, les grands experts et même les génies, ne sont pas plus raisonnables dans leurs visées que les parfaits imbéciles.

Lorsque Mark amena enfin une fille dans sa chambre, son père n'eut pas lieu de s'en féliciter.

À l'époque, ils habitaient Londres, où Niven jouait dans une comédie musicale américaine, au Her Majesty's Theatre dans le Haymarket. Il n'apparaissait que dans la première moitié du spectacle, mais il était néanmoins censé prendre place dans la longue rangée d'artistes pour les saluts finaux, s'inclinant en réponse à des applaudissements adressés aux premiers rôles, si bien qu'il ne regagnait leur appartement d'Earl's Court guère avant minuit. Mark avait donc l'endroit pour lui le soir et Niven espérait que cet état de choses porterait ses fruits. Rentrant un soir encore plus tard que d'habitude, il entendit un rire de fille résonner dans la chambre de Mark. Il s'arrêta dans le vestibule pour savourer ce son perlé et s'inclina profondément en direction du portemanteau, exactement comme pour le dernier rappel de la soirée, mais cette fois sans avoir le ventre noué – au contraire ! Incapable de résister à l'envie de leur jeter un coup d'œil, d'être témoin des vestiges de leur passion juvénile, il frappa à la porte de Mark, tournant en même temps la poignée, et comme la porte n'était pas fermée à clef il entra dans la pièce.

Il fut accueilli par deux paires d'yeux curieux, attendant ce qu'il avait à dire. « Bonsoir, lança-t-il.

— Salut, papa. Je te présente Jessica. » Mark fit un geste vague qui semblait inclure la pièce entière, puis il baissa lentement le bras, comme s'il se demandait s'il fallait en dire plus long. « Jessica McCombie », ajouta-t-il après une pause, puis il se tourna vers Jessica pour la renseigner : « C'est mon père. » Sa voix exprimait un certain détachement vis-à-vis des liens familiaux, comme pour faire savoir à la jeune fille qu'elle n'était pas obligée de le trouver sympathique.

« Bonsoir, Jessica, je suis ravi de vous connaître. »

Soulagée de voir que Niven paraissait bienveillant, Jessica répondit par un rapide sourire, mais son regard resta grave et sérieux. De l'âge et de la taille de Mark à peu près, elle avait des dents proéminentes qui faisaient saillir sa bouche de façon disgracieuse et des cheveux ternes, mais ses grands yeux gris et limpides et ses seins rebondis compensaient ces désavantages. Elle était assise à la table de Mark, en culotte rose et soutiengorge décolleté, avec une pile de papiers et une machine à écrire portative devant elle. Sur le lit en désordre, Niven remarqua une tunique en serge bleu marine à laquelle était épinglé un gros badge blanc où l'on pouvait lire « ESSAIE-MOI ». « Pas étonnant que Mark ait enfin pris son courage à deux mains, se dit-il. Cette fille est psychologue. »

Tandis qu'il lui rendait son regard, Jessica tira sur son soutien-gorge, afin de cacher ses mamelons, puis elle se ravisa et les laissa pointer, faisant comprendre par un sourire orgueilleux qu'elle considérait le corps humain comme un objet sacré dont il n'y avait pas lieu d'avoir honte.

« D'où sort-elle, cette machine à écrire ? demanda Niven avec une désinvolture voulue.

— Elle est à Jessica, expliqua Mark, incapable de masquer son plaisir et sa satisfaction. Elle est en train de taper mes notes. »

Niven hocha la tête, rendu à son état de noctambule fatigué. « Bon, eh bien moi je vais me coucher, amusez-vous bien. »

Il venait juste de s'endormir quand le vacarme de la machine à écrire le propulsa en position assise. « Nom de Dieu ! hurla-t-il. Il est minuit passé. »

La machine se tut, mais des petits bruits lui parvenaient encore de la chambre de Mark, qui le firent sourire et le replongèrent dans le sommeil.

Après cette soirée, Jessica revint régulièrement, prenant sa liaison avec un sérieux pudibond, le badge « ESSAIE-MOI » remplacé par un autre portant le chaste slogan « À BAS LE SYSTÈME ». Elle trouvait dans ce garçon aux yeux noirs, qui savait ce qu'il voulait, un amant qui ne cherchait jamais à la rabaisser ; l'ego de Mark était entièrement accaparé par la tâche de trouver le trésor et il ne lui vint jamais à l'idée de cacher à quel point Jessica lui plaisait à tous points de vue.

Quand elle était là, Niven n'avait pas le droit de s'en prendre à son fils.

« Vous devriez cesser de le critiquer sans arrêt, Mr Niven, disait-elle, laissant entrevoir en un fugitif éclair ses dents saillantes qui disparaissaient chaque fois qu'elle comprimait doucement ses lèvres entre deux phrases. Il apprend énormément de choses et il ne fait de mal à personne. Qu'est-ce que vous préféreriez qu'il fasse ? Qu'il se prépare à prendre un boulot à la con dans une entreprise pourrie ? »

Mark fit un signe de tête approbateur. « Moi, je me tire du système.

— Le système que tu veux abattre, c'est le système basé sur l'or, mon petit pote, or c'est de l'or que tu cherches. Mais, comme le fait si justement remarquer Jessica, tu ne fais de mal à personne – et ce n'est pas le moyen de devenir milliardaire. Regarde-moi ça ! s'exclama Niven d'un ton amer, faisant allusion à une éclipse temporaire du soleil, voilé par l'épais nuage de gaz d'échappement qui occultait la fenêtre. Les propriétaires de ces camions ne veulent pas faire arranger leurs pots d'échappement, parce que ça reviendrait à dépenser leurs capitaux pour rien. Ils préfèrent laisser leurs camions sillonner Londres dans un rugissement, en crachant cette saloperie toxique. Ils n'ont jamais inhalé la poussière de vieux manuscrits, eux, tu peux parier ton dernier dollar là-dessus. Ils font fortune en étouffant le reste de l'humanité.

— Mais c'est l'histoire de mon navire, protesta Mark. Je le sais tout ça !

— Alors, réfléchis un peu ! Vous autres, mômes, vous savez tout et vous ne réfléchissez à rien. Les gens s'enrichissent en bouffant les autres tout crus – Dieu sait que cette vérité aurait pu finir par t'apparaître, à force de côtoyer les gens de cinéma. Et tu n'es pas né cannibale, alors n'y pense donc plus.

— Moi, je deviendrai riche sans enquiquiner personne, sauf les poissons.

— Je vous présente mon fils, le milliardaire innocent !

— Garde donc tes sarcasmes pour toi, papa.

— Tu peux être aussi innocent que tu en as envie avec des milliards imaginaires.

— Si Mark découvrait l'épave au trésor, intervint Jessica, inspirée, il pourrait vous débarrasser de tous ces camions toxiques.

— Ah bon ? Et comment ça ?

— Il pourrait créer des usines où l'on fabriquerait des voitures électriques. Ne faites pas la grimace, Mr Niven, vous serez vieux avant l'âge si vous fermez votre esprit à toutes les idées nouvelles. Je ne vous parle pas d'une utopie, je vous assure. Il y a déjà des camionnettes pour livrer le lait et des fourgons postaux qui fonctionnent avec des batteries. Tout ce qu'il nous faut, ce sont des batteries plus puissantes et une nouvelle entreprise pour la fabrication. Les grandes firmes automobiles refusent de lever le petit doigt, elles sont empêtrées dans l'ancienne technologie. Mark pourrait changer tout ça. Et avec des voitures électriques, on pourrait vivre dans les grandes villes sans respirer de saletés. »

L'idée que son fils pourrait fonder des usines, quelles qu'elles fussent, apparaissait à l'acteur comme le comble de l'absurde. « Vous parlez de quelque chose qui ne se réalisera jamais, Jessica, soupira-t-il, las de ces inepties d'adolescents. Mark est tout sauf un homme d'affaires.

— Je l'aiderai, je suis sûre que je pourrai l'aider, déclara la future fondatrice et présidente de British Solar Glass, une firme produisant des fenêtres conçues pour chauffer les édifices en hiver et les rafraîchir en été. Il fera des choses utiles.

— Mais oui, pourquoi pas ! dit Mark, content d'avoir une petite amie aussi intelligente et une autre raison encore de chercher l'épave. Je retrouverai la *Flora* et nous nous occuperons d'assainir l'atmosphère ! »

Deux expéditions avaient déjà été montées afin de rechercher la *Flora* aux environs d'Andros Island, au nord-ouest des Bahamas – la première sous l'égide de Jean-Pierre Simard en 1954 et la seconde sous celle de Bert Brownlee en 1962, l'une et l'autre s'étant soldées par un échec. Brownlee, un entrepreneur en bâtiment d'Anna Maria Island, en Floride, avait ensuite écrit un livre sur sa tentative, effectuée avec deux amis qui étaient comme lui des plongeurs expérimentés ; son récit de cette quête qui faillit bien leur être fatale, intitulé *Jamais plus*, est peut-être le meilleur document que l'on possède concernant les rigueurs et les dangers auxquels s'expose quiconque plonge à la recherche de trésors engloutis, parmi les dangereuses formations coralliennes existant au fond de ces eaux infestées de requins. Mark ignora tout de ces expéditions préalables jusqu'au jour où son père, désireux de se racheter du cadeau désastreux qu'il lui avait fait en lui offrant le vieux livre de Menéndez, lui donna un exemplaire de celui, tout neuf, de Brownlee. Avec le regard aiguisé propre aux parents inquiets, Niven le remarqua dès sa sortie à la librairie Hatchard's dans Piccadilly, où il avait coutume de s'arrêter pour feuilleter les livres en se rendant au théâtre, et il l'acheta aussitôt. Il le lut en coulisse le soir même, terrifié et rassuré tout à la fois ; *Jamais plus* ne pouvait manquer d'effrayer suffisamment Mark et de le ramener à la raison. Maintenant que les filles ne lui faisaient plus peur, il allait sûrement craindre pour sa vie.

« Tu savais qu'un dénommé Brownlee recherchait la *Flora*? demanda-t-il en entrant dans la chambre de Mark et en jetant le livre sur le lit.

— Quoi, quel Brownlee? » Mark, assis à sa table, bondit en renversant son siège et resta à agiter les bras en silence, comme s'il s'efforçait de s'extirper des mailles d'un filet. Il chancela et serait peut-être tombé si son père ne l'avait pas empoigné.

Ce spectacle, qui tenait le milieu entre une crise de colère silencieuse et une crise cardiaque, affecta vivement Niven.

« C'est bien ce que je craignais, se dit-il. Quand il comprendra enfin qu'il ne retrouvera jamais ce navire, il va se tuer. » Tout haut, il parvint à adopter un ton presque désinvolte. « Tu imagines un peu comment tu seras à trente ans, si tu continues comme ça. Tu ne trouves pas que tu es un peu jeune pour tomber en syncope ?

— Ça va très bien, épargne-moi les sermons, interrompit Mark, impatienté, en se ressaisissant sous l'effet du pur agacement. Qui c'est, ce Brownlee ? Il a trouvé quelque chose ?

— Non, il a renoncé. On ne pourra jamais le retrouver, ce navire », déclara triomphalement Niven, non sans un brin de méchanceté, en dépit, ou plutôt à cause de l'inquiétude que lui avait causée son fils à peine quelques instants plus tôt.

Mark s'empara du *Jamais plus* sur le lit, lut quelques lignes, puis leva les yeux, comme étonné de voir que son père était toujours là. « Je croyais t'avoir entendu dire que cette chambre était la mienne. »

Il veilla la moitié de la nuit, dévorant le livre. La litanie des désastres lui rongeait le cœur. Et s'il n'avait pas plus de chance que ceux qui l'avaient précédé ? Était-il idiot, comme le prétendait son père ? Allait-il échouer, lui aussi ? Allait-il perdre courage et laisser tomber ? Il y eut un moment où il céda en effet au découragement, mais alors il leva les yeux vers la photographie de la Madone de Lima, accrochée au mur, et décida de penser à des scènes plus agréables. S'efforçant de se représenter comment se passeraient les choses quand il retrouverait la *Flora*, il décora sa chambre miteuse avec les trésors récupérés dans la cale du navire : des statuettes de la Madone, en or massif, se dresseraient dans tous les coins, éclipsant l'éclat des lampes. Son père entrerait, mal à l'aise et honteux, et resterait bouche bée, la tête branlante d'admiration. « Pardonne-moi, Mark, dirait le vieillard contrit, en s'avançant à tout petits pas, je me suis conduit comme un véritable salaud en te harcelant comme je l'ai fait et en te poussant au désespoir. Je ne me suis pas rendu compte que je te minais, à force d'ajouter à tes difficultés. Je ne sais pas comment tu as fait pour tenir bon. J'ai été un mauvais père, je n'ai eu ni foi ni vision, mais, Dieu merci, tu ne m'as pas écouté ! Tu savais ce que tu faisais. Tu as eu raison sur toute la ligne. Je te demande pardon, mon fils, pardon. Tu veux bien me pardonner ? »

Mark lui pardonna.

Le lendemain matin, en leur servant un petit déjeuner d'œufs brouillés et de café, Mark fredonnait la chanson des Beatles *I want to hold your hand.*

« Ne me dis pas que j'ai acheté ce livre pour rien ! » ronchonna Niven.

Mark se tut et ses yeux s'écarquillèrent d'incompréhension : il lui fallut quelques instants pour se rappeler que son père ne croyait pas en lui. « Non, non, il est très chouette, ton livre, dit-il en se ressaisissant. Merci de me l'avoir offert. Brownlee donne des tas de tuyaux sur ce qu'il faut chercher ou éviter, c'est vraiment utile.

— Qu'est-ce qu'il y a de tellement utile ?

— D'abord, ils ont prouvé qu'il fallait être complètement zinzin pour tenter de retrouver une épave sans l'avoir d'abord localisée, donc j'ai bien raison de commencer par mes recherches. Et en plus, Brownlee mentionne tout un tas d'équipement coûteux qui n'a servi à rien, donc je n'aurais pas besoin de gaspiller mon argent à me le procurer.

— Et quand le requin a arraché la jambe de son copain ? Qu'est-ce que tu en as déduit d'utile de cette affaire-là ?

— Le mec a paniqué trop facilement. Il ne faut absolument pas se mettre à battre l'eau quand un requin vous fonce dessus », expliqua Mark vivement, en attaquant ses œufs.

Jamais plus devint le compagnon inséparable de Mark. Il aimait à en lire des passages au hasard, histoire de se donner du courage.

L'acteur décida de se laver les mains de toute l'affaire. La meilleure solution, c'était de l'oublier complètement. De l'ignorer ! « Non, je serai le modèle de toute patience ; je ne dirai rien », annonça l'acteur à son miroir.

C'était une idée géniale ; il fut insouciant pendant des jours.

Mais un après-midi, en voyant son fils penché avec un sourire béat sur des piles de photocopies dans la cuisine, il perdit la tête. Empoignant le garçon par sa chemise, Niven le secoua comme un prunier jusqu'à ce que son air satisfait eût disparu, puis il le repoussa. « Selon les calculs les plus optimistes, tu as une chance sur un milliard.

— Tu es lamentable, riposta Mark froidement quand il eut fini de trembler. En tout cas, j'ai plus de chances de trouver mon navire que toi de devenir une vedette ! »

Niven rejeta la tête en arrière avec un regard intérieur, scrutant sa mémoire, espérant ne pas avoir entendu ce qu'il croyait avoir entendu. Le fait d'avoir enduré le dédain seigneurial des cinéastes, les échecs et les maigres éloges, l'indifférence du public, la désillusion de sa femme ne le rendait pas moins vulnérable à l'insulte de son fils. Ses lèvres blêmirent. « Ma foi, tu prends vraiment l'affaire au sérieux, à ce qu'il paraît ! » dit-il

Comme toujours quand il était bouleversé, il se mit à faire les cent pas, en béant comme un poisson. Il ouvrait la bouche aussi loin qu'elle voulait bien aller, puis il la refermait, puis il la rouvrait, répétant son hurlement silencieux à d'innombrables reprises. Après quoi il avançait la mâchoire inférieure, la remuait verticalement et latéralement, avec lenteur et difficulté, comme s'il grinçait des dents. Sous l'effort, les yeux lui sortaient de la tête et les veines de son cou faisaient saillie. Ces laborieux exercices des muscles maxillaires étaient destinés à le préserver d'un double menton, afin qu'il fût prêt à jouer les héros romantiques si jamais l'occasion s'en présentait.

La vie de ces deux célibataires, chacun en proie à sa propre obsession, chacun conscient de la sottise de l'autre, rêvant et se chamaillant, voyageant sans jamais arriver nulle part, aurait pu fournir un sujet digne de l'auteur d'*En attendant Godot*. Ni l'un ni l'autre ne soupçonnait qu'ils se ressemblaient : le trésor englouti du père, c'était la gloire des vedettes, la gloire du fils, c'était le trésor englouti – et en ce qui les concernait, cela faisait toute la différence.

7

Avec l'aide des morts

La postérité bénira notre nom.
NAPOLÉON

Les employeurs ont de meilleures occasions que la moyenne de laisser libre cours à leur mauvaise humeur et à leur méchanceté, mais pas un chef de bureau ne songerait à insulter son laveur de carreaux juste pour s'amuser ; le bonhomme risquerait de ramasser son seau et de partir nettoyer les carreaux de quelqu'un d'autre. La plupart des gens peuvent toujours trouver un autre travail, en tout cas dans les périodes de prospérité générale, ce qui limite quelque peu les outrages auxquels ils peuvent être soumis. Les employés sont traités conformément au degré d'orgueil qu'ils peuvent se permettre de manifester, et cette loi des rapports sociaux fait qu'on n'épargne rien aux acteurs sinon le chevalet et la roue, parce que, dans le meilleur des cas, quatre-vingt-dix pour cent d'entre eux sont au chômage. La méchanceté proverbiale des cinéastes et des producteurs est probablement due à leur licence d'être insolents en toute impunité avec un grand nombre d'individus ayant la malchance de dépendre d'eux sans recours : c'est ainsi qu'ils acquièrent des habitudes de monarques absolus, s'amusant à faire joujou avec le respect de soi de leurs sujets ou, mieux encore, à le leur confisquer tout à fait, afin de le savourer entre les repas, comme une friandise. L'ego d'autrui est le plus exquis des mets de choix, le caviar des rois ; qui l'a goûté une fois ne peut plus y résister.

Néanmoins, le sort de l'acteur qui travaille est enviable en comparaison de ce qu'il doit supporter quand il cherche un rôle. Pendant ses périodes de chômage, Dana Niven commençait chaque matin par répéter devant son miroir des douzaines d'expressions de joviale assurance, afin d'être d'attaque pour son travail de la journée : avaler les couleuvres. Il savait rarement d'avance qui il parviendrait à voir, mais il pouvait être sûr et certain que s'il avait la chance de rencontrer quelqu'un d'assez puissant pour lui donner un rôle dans un film ou une pièce, l'expérience serait assez pénible pour le plonger dans les affres pendant des heures. Malgré son ancienneté dans la profession, il était incapable de rabaisser son orgueil au niveau où l'avaient réduit les circonstances; et pourtant, c'était lui qui courait derrière ces gens pour s'entendre dire qu'il n'était pas assez jeune ou pas assez vieux, qu'il était trop petit, trop lourd, trop léger, ou qu'on cherchait un acteur possédant une vraie présence. D'ailleurs, il n'était pas aisé d'obtenir l'honneur insigne d'être humilier par l'un de ces grands personnages. Ils n'octroyaient leur insolence qu'à une poignée de veinards, comme pour promettre vaguement à leur victime qu'ils se souviendraient peut-être d'elle en quelque autre occasion.

C'était un rare privilège que d'être remarqué par un de ces demi-dieux et Niven n'aurait pas eu la bonne fortune d'attirer l'attention de Robert G. Madesko s'il ne l'avait pas rencontré à un moment où il se faisait beaucoup de souci pour Mark. « Et pourquoi est-ce qu'un môme n'aurait pas des idées folles ? » se demandait-il en arpentant les Champs-Élysées sous la pluie, en route pour les bureaux de la Paramount, désireux de se convaincre que tout allait bien pour son fils. « Peut-être qu'il finira écrivain, ce n'est pas l'imagination qui lui manque ! Il pourrait m'écrire un scénario un de ces jours. Comme ça, j'aurais un rôle sans avoir à lécher le cul de personne. » Après plusieurs heures d'attente dans la salle de réception de la Paramount, dans l'espoir de parler à quelqu'un d'important, cette possibilité paraissait particulièrement attrayante. « Mais, même s'il part pour les Bahamas, qu'est-ce que ça a de si terrible ? Il pourrait passer d'excellents moments à plonger à la recherche de son trésor, tout en travaillant comme maître nageur. L'air est propre là-bas, il fait soleil et quand il pleut ça vous change un peu ! J'ai vraiment du culot d'essayer de le réformer, je suis sûr qu'un maître nageur aux Bahamas gagne davantage que moi. J'ai bien tort de me faire du mouron ; je suis en train de virer à la vieille grincheuse. »

Apercevant Madesko qui traversait en toute hâte la salle de réception, il lança : « Si jamais vous filmez une histoire de travestis, Mr Madesko, confiez-moi donc un rôle de vieille bonne femme. »

Robert G. Madesko était producteur de films qui rapportaient gros. Frôlant, à cette époque, la cinquantaine, il avait gardé son physique d'athlète universitaire, grâce à son habitude de marcher vite. Au début de sa carrière, il avait marché vite afin de convaincre les gens qu'il était un homme occupé en pleine réussite, et plus tard quand il était suffisamment occupé et avait suffisamment réussi pour ne pas avoir besoin d'attirer l'attention là-dessus, il tenait beaucoup à montrer qu'il était encore assez jeune pour avoir le pied leste. Mais bien qu'il fût toujours pressé, il prenait la peine de saluer tous les gens qu'il connaissait, ou plutôt tous ceux qui le connaissaient, lui, d'un signe de tête et d'un sourire chaleureux, lesquels témoignaient du fait extraordinaire que Robert G. Madesko, qui n'avait plus besoin de remarquer qui que ce soit et qui aurait pu traverser le monde comme si de rien n'était, pensait encore aux autres. Comme on avait coutume de le dire à propos des libéraux de Hollywood, il croyait à l'égalité de tous les êtres humains, si insignifiants fussent-ils.

À la façon dont Niven tenta d'attirer son regard, Madesko se rappela avoir entrevu son visage une ou deux fois sur l'écran, et il lui fit un signe de tête et un sourire, en passant à toute vitesse ; mais la remarque de Niven l'arrêta net. Il se retourna pour porter sur cet acteur apparemment hétérosexuel un regard scrutateur, le genre de regard qu'un acheteur pose sur un comptoir d'articles en solde et que Niven n'aurait jamais pu lui arracher, s'il n'avait pas proféré sa requête idiote. « Tiens, tiens, vous voulez incarner une vieille bonne femme... cela fait au moins une semaine que je ne l'avais pas entendu, celle-là. Pourquoi une vieille bonne femme ?

— Parce que j'en suis une. C'est une chose qui arrive à beaucoup d'hommes, surtout les pères.

— Faites-moi voir votre profil. »

Niven tourna la tête.

Madesko pinça les lèvres afin de montrer qu'il n'y avait pas de quoi s'extasier. « Désolé, mais je ne vous vois pas en vieille bonne femme.

— Vous me verriez en quoi, alors ? ne put s'empêcher de demander l'acteur.

— Voyons un peu – petit, brun, trapu, les lèvres minces, une lueur de folie dans le regard –, oui, moi, je vous verrais plutôt en Napoléon. Qui a dit que vous n'aviez rien pour vous ?

— Personne, j'espère.

— Bah, les gens disent des tas de choses, mais ce sont des abrutis », répondit le producteur avec insistance, comme si Niven avait confirmé la calomnie, au lieu de la nier, et comme si lui, Madesko, se sentait tenu de lui remonter le moral. « Et les pires abrutis passent par ces bureaux. Parmi les gens de cinéma, il n'y en a quasiment pas qui connaissent quoi que ce soit au métier. Personne n'irait vous demander de construire des tunnels si vous n'aviez aucune idée des problèmes liés à la répartition des masses, à la résistance des divers métaux, à l'utilisation de l'air comprimé et aux plaques de revêtement en acier... » Et Madesko continua d'énumérer les rudiments de l'art de construire les tunnels, un peu parce qu'il savait fort bien que ses connaissances en la matière étaient surprenantes, et un peu parce qu'il prenait plaisir à observer l'expression pensive de son interlocuteur, parfaitement conscient du fait que Niven devait se demander s'il y aurait quelque chose pour lui au bout du tunnel. « Ou bien, prenez la médecine !... » s'ex-clama-t-il

Le visage de Niven se rembrunit.

« Non, vous avez raison, la médecine, c'est exactement comme le cinéma, reconnut Madesko avec un soupir. Il y a un déclin généralisé de la compétence, et voilà pourquoi le monde touche à sa fin. Mais en attendant ! » Arrivé là, il fit une pause et esquissa un sourire, afin d'indiquer que les rouages de son cerveau continuaient de tourner, de travailler, alors même qu'il échangeait ces menus propos – et en effet, il se disait que les acteurs inconnus coûtent trois fois rien et qu'il devrait bien faire plus attention à eux. « En attendant, je crois que vous avez peut-être de l'avenir.

— Merci.

— Non, non, je parle sérieusement. Je vais vous dire ce que je vais faire pour prouver que je suis sérieux ; je vais passer pour un ballot à vos yeux. Je suis tout prêt à m'infliger la gêne d'avouer... » (il consulta calmement sa montre, histoire de montrer qu'il n'était pas question qu'il se sentît gêné) « ... que je n'ai pas la moindre idée de votre nom, ce qui fait que je suis obligé de vous le demander. Or, c'est une chose que je ne ferais pas si je n'étais pas intéressé, nous sommes d'accord ? »

« Il ne sait pas qui je suis, mais il sait que les gens disent que je n'ai rien pour moi », songea Niven en regrettant de ne pas pouvoir se permettre de casser la figure à ce salopard. Mais il donna son nom, ainsi que le nom et le numéro de téléphone de son agent.

« Ah oui, le Niven qui n'a pas de succès ! s'écria Madesko en notant tout cela dans son carnet, avec l'expression désolée que prennent les médecins quand ils ont affaire à un patient mourant, mais ne sont pas encore tout à fait prêts à renoncer. Bien sûr, bien sûr, je vous connais. »

Niven parvint finalement à oublier cet épisode, ou plutôt, dans son esprit, celui-ci devint indissociable d'autres rencontres désagréables. Mais quatorze mois plus tard, alors qu'il jouait dans la comédie musicale au Her Majesty's Theatre à Londres, il reçut un coup de téléphone de son agent : Madesko voulait lui faire tourner des bouts d'essai pour le rôle principal d'un film sur l'ascension et la chute de Napoléon. Les bouts d'essai réussirent et Niven se vit offrir le rôle pour un cachet de quarante-deux mille cinq cents dollars – et un pourcentage des profits, dont il savait bien qu'il ne verrait jamais le premier sou.

« Ce n'est pas très bien payé, lui déclara Madesko à la signature du contrat, mais nous vous donnons une chance de percer, et ça, ça vaut une fortune.

— Je le dirai au directeur de ma banque.

— Vous serez en mesure d'obliger le producteur de votre prochain film à vous dédommager de notre radinerie, fit remarquer Madesko avec un sourire d'autodérision destiné à indiquer qu'il savait pertinemment qu'il profitait de la situation où se trouvait Niven et compatissait vivement à son sort. Non, sérieusement, je suis vraiment navré de vous proposer un contrat pareil, ajouta-t-il de sa voix sérieuse, changeant de personnage par un simple petit affaissement des épaules qui ployèrent sous le poids de son chagrin, j'avais envisagé de vous offrir beaucoup mieux, mais vous n'êtes pas sans connaître la conjoncture financière. Les distributeurs nous saignent à blanc, les intermédiaires prennent tous les profits à l'heure actuelle, et les artistes sont les premiers à en pâtir. Comme j'aimerais vivre dans un monde différent! »

L'acteur répondit sur le mode blagueur qu'adoptent les gens pour dire ce qu'ils pensent, lorsqu'ils ne peuvent pas vraiment se le permettre : « C'est franchement trop gentil à vous de vous attendrir sur le sort de ceux que vous exploitez.

— Il a une baraque grosse comme ça, une voiture grosse comme ça et un cœur gros comme ça », lança l'agent, pince-sans-rire.

Afin d'incarner son personnage, moyennant quarante-deux mille cinq cents dollars, Niven portait des costumes qui coûtaient cent soixante-quinze mille dollars. Les cachets de l'acteur principal et du scénariste furent les seules dépenses sur lesquelles Madesko économisa. Sans se soucier de la mode du moment, favorable aux films à petit budget, il misa sur le battage fait autour de l'argent gaspillé sur la production, en se disant que si tout le reste tournait mal, il pourrait toujours compter sur la curiosité du public qui voudrait voir ce qu'on pouvait faire avec huit millions de dollars (somme énorme pour l'époque). Le film fut un succès, engrangeant plus de soixante millions de dollars de recettes brutes, mais ce qui ravit surtout Madesko, ce fut le fait qu'il lui aurait rapporté un demi-million de moins s'il avait employé une vedette consacrée au lieu de Niven.

« Il faut se fier à son instinct, déclara-t-il à son entourage. Qui d'autre aurait eu assez d'estomac pour risquer huit millions de dollars sur un moins que rien? » À l'intention de la presse, il décrivit Dana Niven comme un « génie méconnu qui s'est enfin affirmé ».

Ce qui était loin d'être faux, même si Madesko ne parvenait pas à décider s'il pensait ou non ce qu'il disait. Les critiques français reconnurent que l'interprétation de Niven était convaincante (pour un Américain), la comparant favorablement à celle de Marlon Brando, jouant lui aussi le rôle de Napoléon dans un film précédent raté. Brando avait sans doute davantage de magnétisme, mais Niven avait plus de classe et de force intellectuelle ; et dans les scènes de défaite, particulièrement l'incendie de Moscou et les adieux à la garde impériale à Fontainebleau, il était la personnification même d'un désespoir profond et inexprimé, amenant le genre de silence révérencieux qui n'est pas rare au théâtre, mais qu'on ne trouve pour ainsi dire jamais dans les salles de cinéma.

« L'échec n'a absolument aucun secret pour moi », fut le commentaire désabusé de Niven sur sa propre interprétation.

Jamais il ne sentit de façon aussi aiguë l'injustice de ses dix-huit années d'obscurité qu'au moment même où il prouva enfin qu'elles étaient imméritées. Contrairement aux écrivains, aux peintres ou aux compositeurs, les acteurs ne peuvent pas pratiquer leur art dans l'isolement, défiant la piètre opinion qu'on a de leurs capacités, et Niven se sentait devenir fou à la pensée que s'il avait eu sa chance plus tôt dans sa carrière, il aurait pu passer ses meilleures années à jouer au lieu de se ronger les sangs au sujet du loyer. Désormais célèbre, à défaut d'être riche, il était outragé par l'incrédulité et la stupéfaction générales à l'idée qu'il avait quelque chose à dire, et l'amertume qu'il en concevait gâchait en grande partie le plaisir qu'il prenait à sa « soudaine » accession au premier plan.

Mark était enclin à attribuer le changement spectaculaire survenu dans leur vie en majeure partie à Napoléon lui-même.

« Réfléchis un peu ! s'exclama-t-il en faisant les cent pas, tête basse, les mains derrière le dos, comme son père dans le film. Écoute ! Si Napoléon n'avait pas mis l'Europe sens dessus dessous, on n'aurait pas fait de film sur lui et ça n'aurait servi strictement à rien que tu lui ressembles. » Ce fut vers cette époque que Mark fut frappé par la notion que le passé n'était pas du tout passé et que des événements survenus plusieurs siècles auparavant pouvaient être plus importants pour lui que d'autres événements datant de la veille. Il avait d'ores et déjà compris quel était le rapport entre l'empereur et la *Flora* : si Napoléon n'avait pas occupé l'Espagne en 1808, l'emprise qu'exerçait celle-ci sur ses colonies d'Amérique serait peut-être restée suffisamment ferme pour empêcher, ou en tout cas pour différer, les révolutions en Amérique du Sud – auquel cas, San Martín n'aurait pas envahi le Pérou, il n'y aurait eu aucune raison de charger à bord de la *Flora* tous les trésors de Lima, et lui, Mark Niven, ne se serait pas mis à leur recherche. Il était à présent enchanté de constater que la carrière de son père et la sienne avaient subi l'influence du même empereur. « Je parie que Napoléon lui-même n'aurait jamais imaginé qu'une des conséquences de ses campagnes serait qu'un acteur de Rochester, État de New York, deviendrait une grande vedette de cinéma !

— Je n'ai pas encore eu d'autre boulot, fit sèchement remarquer Niven.

— Mais quand même, ça ne te coupe pas la chique, insista Mark, ça ne te laisse pas complètement baba de voir que des gens qui sont morts, des gens qui ont vécu il y a des centaines d'années, des gens qui n'auraient jamais pu imaginer notre existence, se trouvent mêlés à notre vie ?

— Si je peux me permettre de te citer, *je sais tout ça.*

— Ah bon ? s'exclama Mark sobrement, déconcerté. Eh bien, moi, je l'ignorais.

— Ma foi, il faut dire que tu as raison, c'est époustouflant quand on y réfléchit. Ce bon vieux Napoléon !... Il n'empêche que tu pourrais ravaler tes paroles et m'attribuer un peu de mérite aussi.

— Allons, papa, tu sais bien que tu es formidable, protesta Mark. Tu veux que je te flatte ? »

Niven éclata de rire. « Mais oui, pourquoi pas ? Est-ce que tu te rends compte que tu verras peut-être un jour le nom de ton père associé à celui du plus grand acteur de notre temps ? Olivier pourrait monter ma traduction de *Robert Guiscard* à l'Old Vic – s'il arrive à trouver un lever de rideau qui fasse l'affaire – et dans ce cas-là nous jouerions les rôles principaux, lui et moi. »

On pourrait croire que la chance familiale existe. Ce fut au cours du printemps où le père connut la réussite que le fils découvrit enfin ce qu'il cherchait, trois lignes dans le livre de bord d'un navire marchand italien, le *Sant'Andrea,* de Gênes, dont le commandant avait noté qu'il avait croisé la *Flora* juste après huit heures du matin le 27 septembre 1820, soit une vingtaine de minutes avant que l'ouragan ne s'abattît sur elle. Selon le marin italien, le brick anglais faisait voile vers la côte nord-est de Santa Catalina, une des petites îles les plus excentrées des Bahamas, le rivage même où, douze jours plus tard seulement, une frégate espagnole remarqua les débris d'un naufrage éparpillés sur les récifs. (Les allusions à des débris non identifiés constituaient le genre d'informations, dénuées d'intérêt en soi, que Mark avait recueillies avec diligence, au fil des ans, dans l'espoir qu'elles s'avéreraient un jour utiles.)

Mais le livre de bord du *Sant'Andrea* était en réalité la trouvaille de la bibliothécaire des archives maritimes de Gênes. Cette demoiselle entre deux âges, la signorina Angela Rognoni, avait passé de nombreuses heures à rassembler des documents afin de les soumettre à Mark, continuant de travailler pour lui au cours des longs intervalles qui entrecoupaient ses visites. Tandis que son père assistait à la première mondiale de *L'Empereur* à Cannes, Mark eut une nouvelle occasion de se rendre à Gênes, et le livre de bord du *Sant'Andrea* figurait parmi les documents qu'elle avait mis de côté pour lui.

La lecture de ces trois lignes décisives fut un de ces moments pour lesquels Mark aurait volontiers sacrifié son bras droit, s'il ne lui avait pas été indispensable pour plonger. Sa première impulsion fut d'aller serrer dans ses bras la signorina Rognoni et de la remercier de son aide, mais il parvint à ne pas y céder. La nouvelle était trop importante pour être partagée avec n'importe qui. Et si la bibliothécaire parlait de sa découverte ? Jetant un rapide regard à la ronde, Mark sortit sa lame de rasoir, découpa la page et la fourra dans sa poche. *Meno male !*

Rapportant les documents jusqu'au bureau de la signorina Rognoni, il se convainquit que celui à qui il devait toute sa reconnaissance, c'était le commandant du *Sant'Andrea*, qui avait si bien tenu son livre de bord. Cette idée l'aida à affronter le regard interrogateur de la signorina sans remords de conscience. Sous ses cheveux déjà gris, elle avait des yeux pétillants et un visage enfantin et plein d'espoir, comme si elle avait encore toute la vie devant elle, et elle éprouvait envers le jeune homme une sympathie qui la faisait rougir. Quand elle lui demanda si le travail qu'elle avait effectué lui avait été de la moindre utilité, il eut la force d'âme et la mesquinerie de répondre que non.

Désolée, la signorina Rognoni se confondit en excuses, comme si elle avait manqué à ses engagements envers lui; mais Mark conserva son expression abattue, alors que pendant tout ce temps, ivre de joie, il bondissait de joie dans sa tête.

8

L'espoir différé

> Les dieux l'avaient condamné à rouler sans cesse vers le haut d'une montagne un énorme rocher qui, une fois hissé jusqu'au sommet, redescendait toujours de lui-même.
>
> CAMUS

Mark regagna Cannes en auto-stop et trouva son père dans l'immense salle de bains de marbre de leur suite à l'hôtel Majestic; le Napoléon victorieux du festival prenait une douche pour se laver de la sueur et de la crasse d'une conférence de presse. Hurlant sa nouvelle quasi incroyable par-dessus le bruit de l'eau, Mark lui réclama dix mille dollars.

L'acteur ferma les robinets et chercha refuge dans les serviettes.

« Je n'ai plus qu'à acheter mon billet d'avion et je peux me mettre en route dans les deux jours », continua Mark sans reprendre haleine. Après quatre années d'un dur labeur, que son père et tout le monde considéraient comme absolument inutile et sans intérêt, il avait réussi à retrouver la trace de l'épave contenant le trésor le plus célèbre du monde et, dans son idée, le reste n'était plus qu'une affaire de détail. « Il faut que j'achète un bateau d'où je pourrai plonger, un détecteur de métaux, une combinaison de plongée et d'autres broutilles, et puis il me faudra de quoi vivre jusqu'à ce que j'ai retrouvé l'épave. J'ai l'intention de tout acheter d'occasion, si je peux, donc je devrais pouvoir me débrouiller avec dix ou douze mille dollars.

— Il faut croire que ça t'a ramolli le cerveau de descendre dans un palace cinq étoiles, grogna Niven en fonçant dans la chambre se rhabiller. Tout ce luxe, c'est aux frais de l'opération publicitaire, môme, pas aux nôtres. nous ne sommes là que pour une semaine, n'oublie pas.

— Enfin, papa, tu ne m'écoutes pas, nous sommes riches ! » s'écria Mark qui l'avait suivi. Ses yeux noirs brillaient d'un tel éclat qu'ils paraissaient avoir éclairci. « Réfléchis un peu, on aura une grande coupe pour y loger nos onze mille deux cent cinquante-quatre perles. Et toi, tu pourras plonger la main dedans et sentir les perles rouler sous tes doigts ! Le manifeste dit que la plupart d'entre elles sont sans défaut. Et même à supposer que la moitié d'entre elles aient été dispersées, on aura encore de quoi jouer aux billes. Quand je pense que tu disais que c'était impossible ! »

En écoutant ces propos, Niven se dit qu'il allait avoir plus de mal avec son fils qu'il n'en avait jamais eu. En forme et jeune pour ses quarante-quatre ans, plein de la vigueur qu'il devait à l'exercice physique, à un appétit maîtrisé et à son récent succès, il commença néanmoins à se sentir vieux. Bien qu'il n'eût encore enfilé que son pantalon, il sortit sur le balcon, tournant le dos à l'enthousiasme de Mark. Le balcon jouissait d'une vue superbe sur la baie de Cannes : il faisait face à la statue du roi Édouard VII, dans le petit square de l'autre côté de la Croisette, et, au-delà du parc, on voyait la plage et la longue rangée de collines ondulant au loin dans la mer, où elle formait le bord occidental de la baie. Sur la vaste étendue d'eau plate, le navire de guerre américain avec sa tourelle ressemblait à un jouet, et les myriades de bleus composant les collines, la mer et le ciel étaient aveuglantes.

« Quand le festival sera fini, on repartira s'installer dans Earl's Court Road et respirer un air chargé de plomb, reprit Niven, en poussant un profond soupir. Ce n'est pas franchement une vie de riche, que je sache. »

Mark suivit son père sur le balcon et lui donna une tape sur son dos nu. « Allons, papa, haut les cœurs ! On a dix-sept tonnes d'or ! On est les rois du monde et tu es une vedette !

— Je suis un vieux bonhomme.

— Tu voudrais que je laisse l'épave là où elle est, alors que je suis le seul au monde à savoir où la chercher ? » demanda Mark d'une voix où perçait une amère incompréhension.

Niven prit la fuite en regagnant la chambre. « Qu'est-ce que tu sais, au juste ? Tout ce que tu sais, c'est qu'elle se trouve dans les parages d'une île des Bahamas. À mon avis, ça doit faire pas mal de mer à fouiller.

— Il faut du temps, rien d'autre, fit valoir Mark, toujours sur ses talons.

— Du temps et de l'argent.

— Je ne te demande que dix mille dollars, papa. » Il prononça les mots « dix mille dollars » du ton dépréciatif d'un homme habitué à compter par milliards.

« Dix mille dollars, rien que ça ! C'est à peu près tout ce qui me reste de mon cachet, à présent que j'ai remboursé mon découvert ! Que dix mille dollars. Que dix mille dollars ! Comment peux-tu dire une chose pareille ? Bon sang, j'aurais pu amener une nana avec moi, on aurait passé quelques excellents moments à contempler ces collines bleues sans quitter le lit. Mais non, il a fallu que j'amène mon maboul de fils pour me tenir compagnie et, en guise de remerciements, il essaie de me piquer jusqu'à la chemise que j'ai sur le dos ! » Tout en parlant, Niven était en train de boutonner la chemise en question, l'air bien résolu à ne jamais s'en séparer.

« Mais qu'est-ce que tu racontes ? Tu ne vas pas me faire croire que tu en es à douze mille dollars près. Tu es célèbre. Ton film a un succès fou et tu vas jouer ta pièce de Kleist avec Olivier !

— On n'est jamais sûr de rien ! Rappelle-toi donc tous ces articles dithyrambiques au sujet de mon *Monte-Cristo* et puis finalement on n'a même pas terminé le tournage. Eh bien, cette fois-ci, je n'ai pas l'intention de claquer tout mon argent. Pas d'appartement dans l'île Saint-Louis, pas de chemises sur mesure…

— Qu'est-ce que les chemises sur mesure viennent faire là-dedans ? Tu es bien le seul à en porter, des chemises sur mesure. Tout ce que je te demande…

— Pas de chemises sur mesure pour moi et pas de dix mille dollars pour toi. Et pas de restaurants à la mode, ni pour moi ni pour toi. Le traiteur du coin fera très bien l'affaire, tant que je n'aurai pas signé un nouveau contrat.

— Mon pauvre papa, dit Mark, prêt à tout pardonner. Tu as été dans la dèche trop longtemps!

— Ouais, c'est comme ça qu'on apprend, répliqua Niven en contemplant le miroir les sourcils froncés, comme s'il s'agissait d'une vieille affiche. Je peux avoir ma gueule en gigantesque sur tous les murs du pays et finir quand même par vivre aux crochets de l'aide sociale. La gloire, ça ne va pas plus loin que ça. »

En entendant la peur dans la voix de son père, Mark fut saisi par la joyeuse sensation d'être le plus fort des deux. Il passa le bras autour des épaules de Niven – ils étaient de la même taille à présent – et lui imprima une légère secousse. « Voyons, c'est fini les soucis, papa. On montera des pièces, on produira des films; tu as déjà le talent, dorénavant tu auras aussi l'argent! »

La perspective de fournir à son père la part de chance qui lui faisait défaut émut si bien Mark qu'il ne put s'empêcher de le serrer dans ses bras, pressant son nez contre ce cou puissant qui sentait le savon. Cela faisait des années qu'ils n'avaient pas eu de contact physique aussi étroit et ils furent tous deux remués par la conscience brusque et surprenante des liens du sang qui les unissaient : ils s'étreignirent dans un accès passionné d'amour familial, qui leur fit monter les larmes aux yeux.

« Je te remercie pour cette pensée généreuse, dit Niven en se dégageant, du moment que tu comprends bien que nous n'avons pas dix mille dollars à claquer dans une chasse au trésor.

— Bien sûr, mais tu as un nom à présent, alors tu n'as qu'à les emprunter! »

La seule idée de devoir s'endetter éveilla de telles angoisses chez l'acteur qu'il ne put se maîtriser. « Et moi qui m'inquiétais à l'idée que tu n'étais pas assez pourri pour être riche! gémit-il, la voix rauque d'indignation. Alors que tu me ruinerais sans le moindre scrupule! Tu es en train de devenir un vrai salopard, tu le sais? »

Mark rougit. « Tu n'es pas obligé de m'insulter.

— Je suis ton père. C'est mon boulot de t'insulter », insista Niven, piquant sa rogne, comme le font la plupart des parents, avec l'idée que c'est pour le bien de l'enfant. Au cours des dix-huit années qui viennent de s'écouler, je n'ai rien fait, jamais, sans me demander d'abord comment cela risquait de t'affecter. Tu n'étais pas encore né que je me faisais déjà du souci pour toi. Et voilà maintenant que tu cherches à me taper pour un projet de fou, un coup de dé, sans songer un instant à ce qui pourrait m'arriver. Est-ce que tu as une âme ?

— Puisque je t'ai dit qu'on partagera !

— Qu'on partagera quoi ? Tu t'attends à ce que je te fasse vivre, mais sans jamais rien donner en contrepartie. Tu ne fous pratiquement pas les pieds à l'école et tu n'écoutes pas un mot de ce que je dis. Tu ne seras jamais utile à personne. »

Jamais Mark n'avait entendu son père l'injurier aussi méchamment. Il était encore à l'âge où les mots font plus mal que tout et il en fut affreusement secoué. Mais il rendit haine pour haine, insufflant à sa voix toute la violence de son âme, afin de bien montrer qu'il n'était pas battu. « Mais pourquoi tu te mets dans un état pareil ? hurla-t-il. Quand je serai riche, je serai utile ! Je financerai des voitures sans essence, j'assainirai l'atmosphère d'Earl's Court pour toi.

— Tu répètes ce que Jessica t'a dit.

— Et alors, on n'a pas le droit de suivre les conseils des autres ?

— Tu veux dire que tu es prêt à suivre des conseils, à présent ?

— Je veux dire... tu sais bien ce que je veux dire. »

D'un regard, l'acteur mit fin à la conversation.

Marmonnant des gros mots sans remuer les lèvres, Mark quitta la pièce. En sortant de l'hôtel Majestic, il se trouva mêlé à la foule des flâneurs du début de soirée, sur la promenade le long de la plage, inhalant un air épicé de parfums. Il avait eu l'intention de passer la soirée avec son père, à célébrer sa percée triomphale, et il était amèrement conscient de sa solitude. Il se sentait si agité – les nerfs à fleur de peau – qu'il remarqua les filles plus que d'habitude. Il aurait voulu voir l'une d'entre elles se précipiter vers lui, l'étreindre, l'aimer, vivre pour lui, ayant deviné au premier coup d'œil qu'il était un gars bien.

La plupart des passants étaient de jolies filles qui avaient convergé vers Cannes pour le festival et qui faisaient admirer leurs jambes et leurs seins sur la Croisette – secrétaires, vendeuses, divorcées, soi-disant actrices, qui ne manquaient jamais de passer leurs vacances dans les lieux fréquentés par les gens riches et célèbres, dans l'espoir de ne plus jamais être obligées d'aller reprendre leur travail à Düsseldorf, Bruxelles, Birmingham ou Melbourne. Elles ne faisaient pas plus attention à Mark qu'aux marins du navire de guerre américain mouillant dans la baie ; leurs yeux étaient constamment à la recherche des êtres peu attirants. Survolant du regard les beaux garçons, avec ou sans uniforme, elles scrutaient la foule en quête d'hommes laids et vieillissants – de préférence petits, chauves, gros, défigurés –, n'importe quel homme affligé d'une tare physique répugnante, une tare assez grosse pour qu'il sût qu'on ne pouvait pas l'aimer pour lui-même. Beaucoup d'entre elles avaient l'air maussade, car elles se rendaient compte que c'était peine perdue : décidément, il n'y avait pas assez de types moches et riches en ce bas monde.

Ce spectacle chassa du sang de Mark toute velléité amoureuse et il sut soudain pourquoi il aimait les femmes du Pérugin. Se rappelant les beaux visages anoblis par la curiosité désintéressée et la sereine maîtrise de soi naturelles aux gens qui ne sont pas à vendre, il observa ces filles déterminées avec une aversion croissante. Que l'avilissement de soi-même était donc différent, qu'il était donc hideux ! Une brune délicate, arpentant la Croisette, lui décocha un sourire, puis l'oublia manifestement aussitôt en voyant passer une Rolls-Royce blanche conduite par un chauffeur en livrée. Celui-ci était seul dans la voiture, mais on aurait dit qu'elle s'offrait à la banquette arrière, le visage rayonnant d'avidité soumise et veule.

« Eh bien, en tout cas, ce n'est pas chez moi qu'il verra ce genre de j'en-veux-s'il-te-plaît, se dit Mark. Il ne me verra pas quémander. Je ne me mettrai pas à genoux devant lui. » Comme il aurait voulu échapper aux gens et cueillir sa fortune de cette eau bleue limpide !

Arrivant devant une volée de marches qui donnaient accès à la plage, il courut jusqu'à la mer pour s'y tremper les pieds. Il ôta ses tennis, roula le bas de son jean et foula le sable mouillé le long du bord ondoyant de cette eau dont on discernait l'éclat terni dans la pénombre. Le frisson qui le parcourut lui donna l'impression que son corps absorbait la force de la terre et de la mer, et pendant un bref instant il éprouva un bonheur intense. Mais alors les propos de son père, l'accusant de ne pas avoir d'âme, revinrent l'embêter. Pourquoi était-il si épouvantable de demander un prêt? Car enfin, il envisageait de faire don de millions – oui, de millions! – aux démunis. D'ailleurs, qui représentait le portrait accroché au mur de chaque petite chambre qu'il pouvait revendiquer comme sienne? Qui était l'homme qu'il admirait plus que n'importe qui au monde? Le général José de San Martín, bien sûr, qui avait libéré la moitié de l'Amérique du Sud du joug colonial de l'Espagne sans rien exiger en retour, le chef génial et incorruptible à qui l'on avait offert le royaume du Chili et qui l'avait refusé! Mark était certain que seul quelqu'un d'honorable était capable d'apprécier un tel homme. Mais alors, il se rappela ses vols dans les bibliothèques et il revit le visage rougissant de la signorina Rognoni quand il lui avait dit que son aide ne lui avait été d'aucune utilité. Elle avait dû passer des heures à fouiller dans les archives, afin d'y trouver le livre de bord du *Sant'Andrea*, et pour la remercier il lui avait fait beaucoup de peine en lui mentant.

À ce moment précis, il se fit l'effet d'un monstre, mais l'instant d'après, il se rappela tout le bien qu'il avait l'intention de faire grâce à ses richesses, toutes ses sympathies, tous ses idéaux, qui prouvaient de façon concluante qu'il était quelqu'un de bien.

Dana Niven, qui s'était couché tôt, fut réveillé par son fils faisant irruption dans sa chambre.

« Comment as-tu pu me dire que je n'ai pas d'âme? s'écria Mark, pâle d'indignation.

— Quoi…? demanda lamentablement le pauvre homme. Je parle dans mon sommeil?

— Connais-tu une seule personne qui travaille aussi dur que moi? Si je trouve quelque chose, j'aurai travaillé pendant des années pour l'avoir. Je ne suis pas un parasite. Je ne cherche pas à prendre sans rien donner.

— Qui a dit ça? »

Mark s'assit au bord du lit de son père. « Je veux savoir ce que tu penses vraiment de moi! » supplia-t-il d'un ton fiévreux en se mordant les lèvres, prêt à écouter. Mais il fut incapable d'attendre; il se releva aussitôt afin de laisser fuser un torrent de mots réfutant chacune des critiques que lui avait jamais adressées son père.

Ayant écouté jusqu'à l'aube les arguments avancés par Mark pour se justifier, l'acteur se souvint soudain d'une des choses qui l'avaient consolé lorsqu'il avait tourné la page de sa jeunesse. « Bon Dieu, geignit-il, j'avais presque oublié ! Quel soulagement c'était quand j'ai cessé de me préoccuper de savoir si j'étais quelqu'un de bien ! »

Il existe un tourment particulier que le sort réserve aux gens ambitieux et doués, quand ils arrivent, grâce à leurs excellentes idées et leurs inlassables efforts, au bord d'une grande fortune, seulement pour voir tout leur travail rendu nul et non avenu faute de capitaux.

Mark essaya tout.

Puisqu'il ne pouvait pas obtenir l'argent nécessaire de son père, il allait le gagner. Il paierait son voyage jusqu'aux Bahamas en travaillant comme mousse ou matelot, puis il prendrait un boulot dans l'île de Santa Catalina, pour avoir de quoi vivre et acheter son équipement, et il chercherait l'épave pendant ses jours de congé.

Dès leur retour à Londres, il se rendit au commissariat des Bahamas afin de se renseigner sur les possibilités d'y trouver du travail. Étant donné que son père s'était toujours occupé de toute la paperasserie, il n'avait pas la moindre idée des difficultés que présentait le fait de se fixer dans un pays étranger et d'obtenir ce bout de papier fatidique qu'on appelle « permis de travail ».

« Les possibilités de travail ? » L'employée du consulat, récemment transférée à ce poste depuis le bureau du tourisme, grande, jeune et belle comme la reine de Saba, n'avait pas encore appris l'art de masquer ses sentiments, indispensable au diplomate, si bien qu'elle laissa entendre un rire lent et voluptueux, avec l'assurance placide d'une femme qui sait qu'elle a une bouche à damner les hommes. « Les possibilités de travail, vous dites ? Il y a beaucoup de gens de chez nous qui aimeraient qu'on les leur signale, ces possibilités ! »

Pour obtenir un permis de travail, lui expliqua-t-elle, il lui faudrait trouver sur place un employeur qui pourrait prouver qu'aucun citoyen des Bahamas n'était capable de remplir le poste qu'on lui destinait. « Nous accueillons les touristes, évidemment, ajouta-t-elle avec un sourire accueillant, mais vous devez arriver muni d'un billet de retour et la preuve que vous avez les moyens de régler vos frais de séjour.

— Il n'y a pas d'exceptions?

— Il y en a toujours, des exceptions. Vous avez toute liberté pour vous installer dans n'importe laquelle de nos îles, pourvu que vous n'ayez pas de casier judiciaire et pas besoin de travailler pour vivre. Il vous suffit d'avoir des revenus indépendants.

— Des revenus indépendants... je vois, répéta Mark, en faisant un gros effort pour encaisser le coup. Pourriez-vous me dire quels sont les employeurs potentiels à Santa Catalina, s'il vous plaît? Peut-être que j'arriverai à en persuader un qu'il a besoin de mes services. »

Les yeux de la reine de Saba, immenses et brillants, redoublèrent d'éclat. « Santa Catalina? Dites donc, vous connaissez des gens là-bas?

— Non, pas encore, mais je meurs d'envie de faire leur connaissance. »

Elle rit, comme si la réponse de Mark était désopilante. « Je regrette de vous dire que c'est un endroit on ne peut plus sélect. Sir Henry Colville y habite.

— Et qui est sir Henry Colville? » Mark ne lisait guère les journaux et jamais les pages financières. Il voulait faire fortune, mais les tenants et les aboutissants de l'argent ne l'intéressaient pas du tout.

« Vous n'avez pas entendu parler de sir Henry? » La reine de Saba le contempla de haut, étant plus grande que lui. « Eh bien, je peux vous dire que c'est le genre d'homme qui ne veut pas n'importe qui comme voisins. Santa Catalina lui appartient plus ou moins et il ne partage l'île qu'avec quelques familles, des gens avec qui il peut frayer, si vous voyez ce que je veux dire. Des gens qui sont à plusieurs coudées au-dessus des milliardaires.

— Et qui sont ces gens-là? »

Ses lèvres divines s'arrondirent en O. « Des gens qui possèdent des centaines de millions. Il y a un hôtel, mais lui aussi il est on ne peut plus sélect. S'il y a un emploi à pourvoir, je suis sûr que des douzaines de Bahamiens sont prêts à le remplir. Ne prenez pas la chose au tragique, ajouta-t-elle en lui laissant voir le bout de sa langue rose. Vous savez ce qu'on dit : si ce n'est pas possible, c'est que c'est im-possible. »

Et si l'épave était entraînée par les courants ou ensevelie trop profondément au fond de l'océan, avant qu'il n'eût le temps de gagner l'île ? Tout en écoutant les rires de gorge de la jeune femme, Mark comprit une terrible vérité : les statuts et les règlements peuvent tuer.

Son père fut enchanté, même s'il s'efforça de ne pas le montrer. « Je vais te dire, moi, ce que tu pourrais faire dans cet hôtel, suggéra-t-il. Tu pourrais être interprète. Ils doivent accueillir des tas de touristes en provenance d'Amérique du Sud et d'Europe à présent, et comme je doute qu'il y ait des foules de Bahamiens multilingues convoitant un poste au fin fond de cette île paumée, tu pourrais peut-être obtenir un permis de travail. Mais il faudrait au moins que tu conclues tes études secondaires par un diplôme. Tu ne peux pas demander à ces gens de se disputer avec les services d'immigration des Bahamas pour un crétin qui n'a même pas pu terminer ses études.

— Comment ça, un crétin ? » protesta Mark. Il était désespéré, mais à la façon des gens jeunes et bien portants, c'était du monde qu'il désespérait, pas de lui-même. « Enfin quoi, papa, je sais des tas de choses et je suis intelligent.

— Intelligent ! » L'acteur secoua la tête, lugubre. « Ça ne t'apportera rien d'être intelligent. La plupart des gens n'ont pas la plus infime notion de ce que c'est que l'intelligence, ils ne savent pas si elle est grande ou petite, noire ou bleue, non, si tu veux décrocher un bon boulot, quel qu'il soit, où que ce soit, il te faut un document officiel prouvant que tu es intelligent. Moi, j'ai l'impression que le plus sage, dans ton cas, ce serait d'obtenir des notes fracassantes à tes derniers examens. Étudie donc comme si tu voulais décrocher une place à Oxford. Si tes résultats sont assez bons pour te permettre d'intégrer une des meilleures universités du monde, ils impressionneront aussi la direction de l'hôtel.

— Dis donc, papa, ce n'est pas si bête ce que tu me dis là », répondit Mark, qui savait gré à son père de ne plus s'opposer à ses désirs.

« Tu vas voir, si tu ne vas pas aller à l'université », se dit in petto Niven qui commençait à apprendre les ruses parentales.

Après s'être renseigné davantage, Mark écrivit une lettre au PDG de la firme North-South International à New York. Dressant une liste de tous les établissements scolaires anglais, italiens, français et espagnols qu'il avait fréquentés, faisant état, en outre, du fait qu'il parlait convenablement le hollandais et le portugais, ajoutant qu'il se préparait à passer son diplôme de fin d'études secondaires et qu'il apprenait l'allemand, il se permettait de solliciter respectueusement un poste d'interprète dans l'hôtel que possédait la firme sur l'île de Santa Catalina. Il avait, précisait-il, des « raisons de famille personnelles » pour souhaiter s'établir justement dans cette île.

Résolu à posséder les compétences requises pour obtenir l'emploi qu'il convoitait, il se lança à corps perdu dans ses études, avec autant de superstition que de brio intellectuel : il croyait aux grands efforts, quels qu'ils soient, comme les Haïtiens croient au vaudou ; à ses yeux, le travail possédait une espèce de magie qui le sauverait et lui porterait chance. Mais quand deux semaines se furent écoulées, il fut repris par l'anxiété et il écrivit au PDG de North-South International afin de lui rappeler qu'on n'avait pas encore répondu à sa demande. Certes, c'était une missive curieusement sévère qu'il adressait ainsi au président d'une grande firme multimilliardaire ; par contre, Mark parlait plus de langues que bien des hauts officiels du département d'État et il briguait simplement un poste de réceptionniste dans un hôtel. Quoi qu'il en fût, il accorda au bonhomme encore une semaine, avant de se mettre à guetter le courrier.

Un matin, son père le trouva dans le vestibule, assis par terre, en train de contempler fixement, d'un air furieux, la fente par où l'on glissait le courrier. Il ne put s'empêcher d'être ému par la détresse du garçon.

« Voyons, ne te laisse pas abattre, je vais peut-être jouer une pièce à Broadway. Si nous allons à New York, tu pourras essayer de le voir en personne, ce type de chez North-South, pour lui demander ce qu'il en pense... »

Mark se releva, un brûlant reproche au fond des yeux. « Si tu me prêtais les dix mille dollars, je n'aurais pas ce genre de problème. Tu n'es plus un pauvre acteur sans travail, maintenant. »

Niven leva les bras afin de couper court à tout malentendu. « Je ne demande pas mieux que de te financer tant que tu étudies, mais jamais je ne te prêterai dix mille dollars pour aller faire le pitre.

— Je sais, je sais ! » répondit Mark, en se disant : « Quand il est question d'argent, je n'ai plus de père. »

Le lendemain matin, Niven le trouva en train de feuilleter les factures et les brochures arrivées au courrier. « Il y a quelque chose d'intéressant ?

— Cette fille avait raison, dit Mark, les larmes aux yeux. Ce qu'il me faudrait, ce sont des revenus indépendants. »

L'arrivée des examens parvint à le distraire pendant quelques jours, d'autant plus qu'il se rendait compte que cela marchait bien pour lui, mais il suffit d'un autre matin sans nouvelles de New York pour saper totalement sa confiance. Il avait contracté le mal du désir inassouvi, l'espèce de profonde frustration qui vous épuise même lorsque vous dormez. Et s'il se levait au milieu de la nuit pour aller aux toilettes, il ne se rendormait pas et composait une nouvelle lettre de rappel ou arpentait sa chambre en jurant à mi-voix afin de ne pas réveiller son père.

Quelquefois, il descendait au-devant du facteur et lui demandait s'il y avait une lettre pour lui, mais la plupart du temps il restait debout ou assis derrière la porte d'entrée de l'appartement, redoutant l'instant où le pas familier passerait devant sans s'arrêter.

« Quand même, lui ou sa secrétaire pourraient bien écrire un petit mot pour dire que ça ne les intéresse pas, déclarait-il avec amertume, comme le font chaque jour des milliers de personnes en quête de travail. Pourquoi ne pas m'enlever tout espoir ? Ça les amuse de tourmenter les gens ? »

Il ne savait pas que les experts américains en matière d'efficacité avaient étudié les chiffres et décidé que les firmes pourraient faire des économies sur les frais de poste et de secrétariat en ne répondant pas aux demandes qui ne les intéressaient pas. Nul doute que le fait d'éliminer la politesse de la société est une façon rentable de hâter l'arrivée du jour où les gens se mordront dans la rue.

Une nuit, l'acteur fut réveillé par du bruit et des éclats de colère et il tituba jusqu'à sa porte pour voir ce qui se passait. Mark arpentait le living à grands pas en se parlant d'une voix forte.

« Mais qu'est-ce que tu fous, bon Dieu?

— Rien.

— Qu'est-ce qui te prend? Tu es malade?

— Je réfléchis.

— Et à quoi, nom d'un chien? »

Mark s'immobilisa. Il tourna vers son père deux yeux injectés de sang. « Je voudrais n'être jamais allé à Gênes! »

9

Bruits de guerre

> Les gouvernements avaient coutume
> de s'emparer des corps des citoyens et de
> les livrer par centaines de milliers à la
> mort et à la mutilation.
>
> EDWARD BELLAMY

Plusieurs années auparavant, à l'époque où Mark fréquentait une école à Rome, un matin, son ennemi, Luciano Galante, apporta en classe un exemplaire de *Paese Sera*, puis après avoir montré le journal à tout le monde, il leva vers Mark un bras accusateur, en criant :

Loro fanno così !

« Allons bon, qu'est-ce que j'ai encore fait ? » se demanda Mark et il s'approcha du groupe massé autour de Luciano afin de voir ce qu'ils regardaient ainsi. Il y avait plusieurs pages de photographies d'un village vietnamien où s'était déroulée une bataille entre combattants Vietcong et forces spéciales américaines, à l'issue de laquelle, selon les légendes, quatre villageois seulement étaient encore en vie.

C'était la première fois que la guerre du Vietnam prenait un sens pour Mark et il n'aurait pas pu être plus horrifié s'il avait prévu qu'un jour il serait lui-même conscrit par l'armée pour aller prendre part à la tuerie. La photo qui le paralysa montrait le cadavre d'une jeune Vietnamienne avec un trou sombre et sanglant à l'endroit où aurait dû se trouver un de ses seins. Pendant un bref instant, il devint cette femme. Il ne sentait plus rien d'autre que sa souffrance, sa panique, sa terreur impuissante : sa mort s'enfonça dans son cœur. Il lui fallut quelque temps pour entendre les insultes.

Americani – assassini!
Assassini – Americani!
Marco – assassino!
Marco – as-sas-si-no!
As-sas-si-no – as-sas-si-no!

Mark protesta qu'il n'avait jamais mis les pieds aux États-Unis, il y était né, rien d'autre, mais comme toute la bande s'obstinait à le conspuer en le traitant d'assassin, il bondit sur Galante, bien que ce dernier fût plus grand que lui et jouât au football. Dans la bagarre qui s'ensuivit, Mark prit un coup de poing au-dessus de l'œil droit, lequel enfla aussitôt au point de le rendre momentanément borgne, mais il parvint à mordre le nez de son adversaire.

Ses amis, les autres élèves étrangers, lui assurèrent ensuite, en l'aidant à laver ses blessures, qu'il n'était pas seul de son espèce.

« On me blâme pour Hitler, alors qu'il est mort plusieurs années avant ma naissance! dit l'un.

— Ça encore, ce n'est rien, lança un autre. Moi, on me reproche d'avoir tué le Christ. »

Galante et Mark furent tous deux renvoyés pour le restant de la journée.

Niven reçut un tel choc en voyant son fils blessé qu'il se dit qu'il aurait dû avoir plus d'un enfant. L'idée que Mark pouvait être mêlé à une bagarre lui était odieuse, mais en même temps il voulait le savoir capable de se défendre. Tout en posant une compresse froide sur la paupière gonflée, il conseilla à Mark de rappeler à ses camarades que les communistes avaient déjà exterminé plus de gens que les nazis et qu'il fallait toujours résister aux tueurs à grande échelle. C'était l'époque où les premiers bataillons de marines américains débarquaient sur les plages de Da Nang, et Niven, se rappelant les triomphes de la

Seconde Guerre mondiale, partait du principe que l'Amérique contribuerait à sauver le Sud-Est asiatique du communisme, tout comme elle avait aidé à sauver l'Europe du fascisme.

Peut-être pour compenser son refus d'écouter son père quand il était question de la *Flora*, Mark acceptait ses opinions politiques sans discuter. Le lendemain, à l'école, il essaya de dialoguer avec Galante, mais celui-ci, dont le père était membre du Comité central du Parti communiste italien et PDG d'une firme d'import-export qui faisait des affaires avec la Russie, ne cessait de se vanter qu'il allait enterrer tous les Américains, si bien qu'ils en revinrent aux mains et furent de nouveau renvoyés pour la journée.

« Ma foi, je ne vais quand même pas te dire de tendre l'autre joue », soupira l'acteur, lequel avait, lui aussi, été mêlé à plusieurs discussions qui avaient bien failli en venir aux mains. Souvent, les Américains vivant à l'étranger se voient reprocher la politique de leur Président, même quand ils n'ont pas voté pour lui.

Quand les Niven quittèrent Rome pour Paris, Mark eut encore des ennuis avec ses condisciples. Au début, il fit savoir à tout le monde ce que son père lui avait dit : l'Amérique avait le droit pour elle et elle gagnerait. Mais à mesure que la guerre s'éternisait, il devint de plus en plus évident à tous ceux dont l'ego n'était pas concerné par l'issue de la guerre que les habitants de cette région du globe, ayant déjà souffert des dizaines d'années de lutte contre les Japonais, puis contre les Français, préféraient la paix du diable aux averses de bombes et que tout ce que Washington cherchait à accomplir chez eux était voué à l'échec. Les gamins de Rome et de Paris le surent avant Mark et Mark le sut avant son père, qui eut besoin d'une autre année de nouvelles équivoques et d'un éditorial du *Monde* châtiant le Président Johnson avant d'en avoir marre.

« Ils disent que c'est sans espoir, s'écria Niven, dégoûté, en jetant le journal par terre. Ils doivent savoir de quoi ils parlent, ils y étaient avant nous. »

Dès ce matin-là il se mit à maudire Johnson, qui s'acharnait à poursuivre une guerre déjà perdue par les Français, et il dit à Mark que « toute cette affaire obscène et futile » devait pour le moins servir à lui faire comprendre que « l'entêtement est un grave défaut ». Ce fut vers cette époque qu'il décida de traduire *Robert Guiscard*, ce fragment dramatique obsédant de Kleist ayant pour héros le Normand qui conquit la Sicile et chevaucha triomphalement jusqu'aux portes de Constantinople pour y périr de la peste, avec son armée.

Le Vietnam, c'était Constantinople, Mark en convenait avec son père, mais cela ne lui était pas toujours d'un grand secours à l'école. Assujetti à recevoir lazzi et reproches pour cette guerre lointaine avec laquelle il n'avait rien à voir, et qu'il en était venu à haïr, le ci-devant Principe Marco Giovanni Lorenzo Alessandro Ippolito Borghese commença à se considérer comme un étranger. Une personne injustement accusée. Un Américain.

Il était un Américain contre la guerre et pourtant il partit pour les États-Unis avec son père quelques jours après avoir atteint l'âge du service militaire obligatoire. Exaspéré par les mois passés à attendre une réponse à ses lettres, il ne voulait même pas songer à s'inquiéter de la conscription. Il était déterminé à aller voir le PDG de North-South International et à obtenir ce boulot aux Bahamas.

« Je manœuvre pour le faire entrer à Columbia », écrivit l'acteur dans un des rapports qu'il adressait périodiquement à son ex-femme à Amsterdam.

> J'ai envoyé les résultats de ses examens au vieux Walter (il est toujours secrétaire de l'université – j'espère qu'il se souvient de nous). Pourquoi Columbia ? Eh bien, la pièce de Kleist avec Olivier n'a jamais été jouée, mais Michael Langham veut reprendre *Le Disciple du diable* à Broadway et il m'a offert le rôle principal. Pense à moi, au Booth Theatre, l'automne prochain, en train d'incarner le héros que Shaw a imaginé pour notre révolution ; ça au moins c'était une bonne guerre, une guerre raisonnable, gagnable, livrée sur notre propre sol ! La sanglante connerie actuellement en cours au Vietnam colle parfaitement avec mon petit plan : une fois que nous serons de retour aux États-Unis, l'armée lui mettra sûrement le grappin dessus, s'il ne s'inscrit pas dans une

université pour échapper à la conscription. Donc il a le choix entre la fac ou la jungle...

Les Niven débarquèrent à l'aéroport Kennedy à la fin du mois d'août, pendant la pire vague de chaleur que durent endurer les New-Yorkais au cours des années soixante. Après tout ce temps, Mark foula enfin le sol de sa ville natale, mais il ne se laissa pas distraire par l'occasion. Tandis que son père cherchait à récupérer en dormant des effets de leur vol transatlantique et du choc initial de la chaleur, de l'humidité et de l'humeur massacrante de la grande cité, Mark quitta l'hôtel Algonquin pour se rendre jusqu'au North-South Building, un des grands immeubles-tours oscillants du Lower Manhattan.

Une réceptionniste qui montait la garde à l'entrée des bureaux présidentiels au cinquante-sixième étage l'envoya au service du personnel au soixante-quatrième étage, où après une longue attente il parvint à être reçu par le vice-président du service, Mr Anthony Heller – un cadre supérieur tout à fait exceptionnel, dont les bureaux ignoraient autant de lettres que les autres mais qui se faisait un devoir d'être personnellement accessible à tout un chacun. Corpulent, grisonnant, arborant une petite moustache, le regard vif et plein de curiosité, Mr Heller s'avança pour accueillir Mark au milieu de la vaste étendue de moquette, lui serra la main, lui fit signe de s'asseoir dans un profond fauteuil de cuir et, après lui avoir proposé du café et des bonbons, l'invita à parler de lui-même.

Mark fut étourdi par cet accueil royal, mais il avait suffisamment le sens de la diplomatie pour se présenter comme le fils de son père. Justement, Heller avait vu *L'Empereur* et admiré l'interprétation de Niven, si bien qu'il passa plus d'une heure à bavarder avec le fils de l'acteur. Ils découvrirent qu'ils partageaient le même amour de l'art italien. Mr Heller, qui séjournait un mois chaque printemps à Rome et à Florence, occupé à arpenter sans fin les grandes églises et les musées, fut ravi de trouver quelqu'un, et un adolescent en plus, avec qui il pouvait parler de Donatello et du Bernin, ainsi que de leur supériorité non reconnue sur Michel-Ange.

« Le Bernin est capable de sculpter une personnalité, de sculpter le mouvement, les états d'esprit; Michel-Ange n'est grand que quand il sculpte le repos et les muscles, déclara Mr Heller d'un air sévère, car c'était une observation qu'il ne devait qu'à lui-même et dont il était profondément convaincu.

— Bien sûr, répondit Mark, enchanté de se trouver l'égal de Mr Heller dans ce domaine. Le *David* du Bernin est un vrai tueur, celui de Michel-Ange pourrait être n'importe quel type ayant une bonne raison d'être content de lui-même. Et pour ce genre de chose, je préfère le *Narcisse* de Cellini, au Bargello... »

Nul doute que les collègues de Mr Heller auraient trouvé cette conversation suprêmement ridicule, mais il existe un lien profond entre deux étrangers qui découvrent qu'ils parlent la même langue. « Il m'arrive de passer des semaines sans rencontrer une seule personne qui s'intéresse à ce dont nous parlons, soupira Mr Heller. Dites-moi donc ce que vous voudriez que je fasse pour vous, jeune homme, et *je le ferai.* »

Les mots du génie de la lampe ! Mark avait l'impression de rêver. Il expliqua que ce qu'il voulait, c'était un poste d'interprète à l'hôtel du Seven Seas Club sur l'île de Santa Catalina.

« Voyons, je ne comprends pas... pourquoi diable voulez-vous fuir le monde ? demanda Mr Heller, déconcerté. Je pensais que vous alliez me demander un emploi à Rome ou à Paris. »

Mark rougit. « J'aimerais aller quelque part où je n'ai jamais été.

— Mais qu'est-ce qui vous a fait penser à Santa Catalina ? Je croyais que le fief personnel de sir Henry était pratiquement un secret. »

Regardant attentivement autour de lui dans la pièce vide, Mark baissa la voix. « Autant vous le dire... j'ai l'intention de plonger à la recherche d'épaves dans les environs de l'île, reconnut-il d'une voix hésitante, mais pleine d'espoir, encouragé par leur entretien amical sur les beaux-arts. Je pense que je pourrais trouver quelque chose. »

Fronçant les sourcils, Mr Heller se fourra dans la bouche un chocolat à la menthe et garda le silence jusqu'à ce qu'il eût fondu. « Vous voulez vous livrer à une pêche au trésor ? demanda-t-il d'un ton malheureux.

— J'ai fait des recherches très approfondies.

— Mais enfin, ce n'est pas une occupation pour un jeune homme intelligent. À votre âge, vous êtes trop vieux pour faire joujou et trop jeune pour perdre votre temps. Je dois avouer que je ne vois vraiment pas comment je pourrais asticoter le gouvernement des Bahamas pour une chose pareille. Sans compter qu'à mon avis ce ne serait pas un service à vous rendre. Vous êtes beaucoup trop brillant pour travailler dans un hôtel sur une petite île. Vous feriez mieux d'aller à l'université, d'abord. »

Mark se figea : ah non, ça n'allait pas recommencer comme avec son père! «Je peux apprendre beaucoup de choses par mes propres moyens, dit-il après un silence désespéré, implorant la clémence de son interlocuteur. Et je ne demande pas un gros salaire, un travail à temps partiel me suffirait. En fait, un travail à temps partiel et un petit salaire seraient peut-être préférables, parce que ça me laisserait le temps de plonger. Et je suis prêt à faire n'importe quoi. S'il n'y a pas besoin d'interprète, je pourrais...

— Non, non, non, je vous en prie, arrêtez! s'écria Mr Heller en se levant et en secouant la tête, très gêné. Il est inutile de me vanter vos qualités. Je suis très impressionné, vraiment très impressionné. Et ne me parlez pas de petit salaire, je n'ai pas à ce point l'esprit maison. Je vous assure que je ferai de mon mieux pour un berniniste. Seulement, il faut me soumettre un projet raisonnable. »

« Un berniniste! » se dit Mark amèrement, sentant son cœur se soulever tandis qu'il redescendait à terre dans l'ascenseur express à la vitesse d'une chute libre. « Quel poseur, quel hypocrite! »

C'était tout à fait injuste. Célibataire ayant passé la cinquantaine, Heller avait perdu toute ambition de s'élever plus haut dans le monde et n'avait aucun désir de paraître autre qu'il n'était. Ayant épargné et investi de quoi vivre jusqu'à la fin de ses jours, il ne tenait même pas particulièrement à conserver son emploi et partait du principe que les gens méritaient davantage de considération que l'entreprise géante pour laquelle il travaillait. Son grand plaisir dans la vie était d'aider des hommes et des femmes de caractère qui faisaient trop de vagues pour pouvoir aller de l'avant sans lui. C'est grâce aux cadres aventureux tels que lui, enclins aux élans généreux, ne cherchant plus leur propre avancement, mais conservant les postes de pouvoir pour lesquels ils s'étaient battus pendant leurs jours de zèle servile, que les bureaucraties du monde des affaires et de l'État ne sont pas totalement moribondes. Heller n'aurait pas demandé mieux que d'enfreindre quelques règlements en faveur de Mark, mais, comme il souhaitait sincèrement lui rendre service, il le renvoya chez lui avec une poignée de main contrite.

« Je suis surpris qu'il ait même consenti à te voir, dit Niven.

— Ouais, j'ai un pot du diable.

— Mais oui, tu ne crois pas si bien dire. Mon agent nous a trouvé un grand appartement très chouette à Morningside Heights. Au vingtième étage, les fenêtres donnent sur une forêt d'arbres. Tu pourras aller à pied à Columbia, l'université qu'ont fréquentée tes parents. Et je te conseille fortement de suivre nos traces. J'ai déjà eu un petit entretien avec le secrétaire à ton sujet et il dit que tu seras accepté.

— Ah bon? Quand est-ce que tu l'as vu?

— Je voulais simplement qu'on soit parés au cas où ça n'aurait pas marché avec les gens de l'hôtel.

— Tu n'as jamais cru que j'arriverais jusqu'à Santa Catalina, hein? » dit Mark, qui se sentait trahi.

L'acteur soupira. « Écoute, môme, à force d'avoir été un touriste toute ta vie, sans jamais te heurter aux tracasseries gouvernementales, tu es devenu un enfant gâté. Mais les touristes sont les seuls hommes libres au monde et à présent tu n'en es plus un. Pas ici. Ce pays est le tien, tu es un citoyen américain, tu appartiens à ton gouvernement. Ils peuvent s'emparer de toi n'importe quand s'ils ont besoin de toi. Le pays est en guerre, tu te souviens? Et quand ils font des guerres, ils ont besoin de tous les gosses. La seule façon dont tu pourras te sauver de leurs griffes, c'est d'aller à l'université. Étudiant, c'est presque aussi bien que touriste. Va donc lui parler, à ce secrétaire. À moins, évidemment, que tu n'envisages d'aller visiter le Vietnam, découvrir les jungles de l'Orient.

— Ça m'est égal », dit Mark froidement. S'il n'avait pas les dix mille dollars nécessaires pour aller s'installer à Santa Catalina, il se fichait de savoir où il irait.

Tout ce qu'il faisait était en pure perte.

Seul l'argent appelle l'argent.

Le lendemain matin, en s'efforçant de ne penser à rien, il partit explorer la ville, mais il ne regarda rien assez longtemps pour y prendre goût. Les cheminées et les squares de Londres lui manquaient; tout lui semblait étrange. Il marcha dans les rues pendant des jours, arpentant Manhattan comme un lion en cage.

10

La découverte de l'Amérique par Christophe Colomb

Ils paraissaient penser que nous étions
tombés du ciel.

COLOMB

« Qui sait s'il n'y a pas un Dieu qui serait en train de me
punir ? » se demanda Mark en passant devant un magasin de
fruits coréen dans le haut de Broadway.

Sans même s'en rendre compte, il s'arrêta pour inspirer une
bouffée d'air chargé du parfum de raisins et de melons mûrs,
mais ses pensées restèrent sombres. « D'ailleurs, ce n'est pas dit
qu'il y ait un Dieu. Mr Heller a peut-être senti que je peux être
un vrai salaud parfois et c'est pour ça qu'il ne m'a pas donné
de boulot. »

Il était tourmenté par le souvenir tenace du visage désolé de
la signorina Rognoni. Il voyait toujours l'expression meurtrie de
son regard, le rouge qui lui était douloureusement monté aux
joues. Que ses yeux étaient donc sombres et profonds ! Il regretta
de ne pas l'avoir mieux connue. De ne pas l'avoir serrée dans ses
bras et remerciée d'avoir trouvé le livre de bord pour lui. Il méritait bien d'être malheureux. Il s'attendait à recevoir l'aide de
tout le monde, mais de quelle façon avait-il traité la seule personne qui s'était mise en quatre pour lui rendre service ?

Ce sont souvent les affres d'une mauvaise conscience qui
empêchent les hommes de cœur de s'apitoyer indûment sur

leur propre sort. Amèrement honteux de sa conduite, Mark demanda le chemin du bureau de poste le plus proche, où il fit la queue pendant vingt minutes pour acheter un aérogramme. Debout au comptoir, il écrivit à la signorina Rognoni, aux archives de Gênes. Il lui avoua qu'elle avait trouvé le bon livre de bord, celui-là même dont il avait besoin, l'indice lui permettant de localiser l'épave, et qu'il ne l'avait pas remerciée parce qu'il avait eu peur de déclencher des rumeurs à ce sujet. Mais ce n'était pas une excuse et il se rendait compte à présent qu'il s'était conduit comme un ingrat, un affreux salaud, un *mascalzone*. Il la suppliait de lui pardonner. Jamais il n'oublierait sa gentillesse et s'il parvenait un jour à quitter New York et à retrouver la *Flora* il lui apporterait *qualcosa veramente bellissima*.

Le fait d'avoir agi honorablement déclencha en lui une poussée d'adrénaline : prêt à repartir de zéro, il sentit son cerveau s'éveiller. Suivant Broadway vers le sud, il décida de s'offrir la vue de quelques tableaux et il entra dans la Huntington Hartford Gallery of Modern Art, dans Columbus Circle – un superbe musée dont New York ne devait jouir que pendant huit années. (Dans quelle autre ville au monde un musée pourrait-il connaître une existence aussi éphémère?) La plupart des œuvres plurent à Mark, mais une en particulier, *La Découverte de l'Amérique par Christophe Colomb*, de Salvador Dalí, le frappa avec la force d'une révélation, lui rappelant que pas un indigène n'avait survécu à la découverte des Bahamas et de Haïti par Colomb.

Ce fut un moment stupéfiant.

Il se retrouva en train de dévorer des yeux une vision radieuse du débarquement des Espagnols dans le Nouveau Monde, sous un couvert aérien de personnages célestes et de croix fusant hors des nuées comme autant de missiles. Au-dessous, sortant d'une mer écumante, blanche et bleue, grouillant de lances et de hallebardes, de bannières et de croix, venaient les Espagnols – à demi nus, puissants, superbes, roses – avec à leur tête un grand Colomb, bouclé et triomphant, qui bondissait à terre, et à côté de lui sainte Gala flottant sur sa bannière. Ce Colomb était un jeune saint Christophe, beau comme la chair transformée en mythe – et pourtant quelle ombre de mauvaise augure il projetait sur le sol!

Les indigènes étaient représentés par leur absence.

Ce chef-d'œuvre rusé, raillé par les spécialistes de l'époque, avait été relégué dans la cage d'escalier et Mark, en reculant pour mieux le voir, perdit l'équilibre et dévala plusieurs marches. Épisode caractéristique dans la vie de ce fou intelligent : il n'arrivait pas à faire une chose toute simple, à regarder où il mettait les pieds, mais cela ne l'empêchait pas de penser alors même qu'il était surpris par la peur et la douleur – exploit sortant tout à fait de l'ordinaire. Le temps de se relever, de s'étirer le dos, de plier les jambes, d'épousseter son pantalon, il avait décidé qu'il allait écrire un livre. Il savait déjà comment se procurer dix mille dollars. Ou douze mille. Ou plus encore.

Une fois qu'ils furent installés dans leur appartement de Morningside Heights, Mark fixa aux murs de sa nouvelle chambre ses reproductions de la Madone de Lima et du général San Martín et s'en fut rendre visite au secrétaire de Columbia.

« Je me suis inscrit à des cours d'histoire de l'Amérique latine », annonça-t-il à son père le lendemain matin au petit déjeuner, qui était le moment où ils avaient coutume de parler affaires. Plus ils vagabondaient, plus ils tenaient à leurs habitudes. « Ils ont un département d'espagnol sensationnel – sans doute à cause de tous les Portoricains qu'il y a ici.

— C'est formidable, commenta Niven, que l'assurance désinvolte de Mark inquiétait.

— Je savais que tu serais content. »

Passant ses journées à la bibliothèque avant même que le trimestre ait commencé, se déplaçant les bras chargés de piles de livres, plein d'énergie et de résolution, Mark paraissait se consacrer de tout son cœur à sa vie d'étudiant.

« Tu as l'air de te donner du bon temps, remarqua son père un matin, cherchant à lui tirer des renseignements.

— Ouais, ouais, je suis vachement occupé, répondit Mark mystérieusement, avec l'air de savoir quelque chose qu'il était le seul à savoir. Et *Le Disciple du diable*, ça va? demanda-t-il à son tour. Comment marchent les répétitions?

— Pas si mal. On ne m'a pas encore pendu. »

Mark partit d'un rire qu'il paraissait incapable d'arrêter. « Dis donc, papa, elle est excellente, celle-là! »

« Qu'est-ce qu'il mijote ? Pourquoi est-il si heureux ? » se demanda Niven.

La curiosité parentale ne connaît pas la honte. Un jour, en fouillant la chambre de son fils pendant que celui-ci était sorti, il découvrit une pile de cahiers sur l'étagère du haut, dans le placard.

Comment n'avait-il pas deviné ?

Mark s'apprêtait à financer un rêve par un autre rêve.

Après avoir feuilleté les cahiers, qu'il remit ensuite soigneusement à leur place, Niven regagna sa chambre et, tout en fredonnant *Le Chant de bataille de la République,* un des airs préférés de son enfance, il s'assit pour rédiger un nouveau rapport à destination d'Amsterdam :

Bonnes nouvelles au sujet de notre chasseur de trésor ! Il est sauvé. Nous pouvons cesser de nous inquiéter pour lui. Le voilà en proie à une nouvelle obsession et celle-là lui permettra d'échapper aussi bien au Vietcong qu'aux requins. Je sais que tu ne vas pas me croire, mais figure-toi qu'il est en train d'écrire un livre. Le sujet ne sera pas pour te surprendre : il essaie de retracer l'histoire de la conquête du Pérou et de tout ce qui s'en est suivi. J'ai parcouru ses brouillons (en cachette, bien entendu, alors surtout ne va pas me trahir) et, tu sais, ils sont vraiment impressionnants. Ses premiers essais sur les routes commerciales et les cartes des vents me dépassaient, mais ses notes sur le Pérou sont vraiment très instructives. Bien sûr, le but de l'affaire est de réunir des fonds pour sa chasse au trésor – c'est ce que j'ai déduit des équations trouvées en marge du manuscrit. Par exemple « droits mondiaux = $ 12 000 » – ce qui est justement la somme que coûtera, d'après lui, son expédition… Mais la raison pour laquelle il étudie et prend toutes ces notes ne fait aucune différence – du moment qu'il s'y tient. Au bout du compte, il finira bien par se dire que l'histoire est plus intéressante que les épaves submergées. Et tôt ou tard il sera envoûté par New York. Espérons seulement qu'il ne va pas se laisser mettre le grappin dessus par la « culture de la drogue ». (La culture, je te demande un peu !) Quels amis va-t-il se faire ? C'est désormais mon seul souci...

Le premier ami que se fit Mark à New York fut un cavalier de bronze. Un jour, en suivant l'avenue de Central Park South, il découvrit que la statue équestre devant laquelle il était déjà passé plusieurs fois sans lui accorder un second regard n'était autre que le général José Francisco de San Martín, libérateur de l'Argentine, du Chili et du Pérou. « Eh bien, nous y voilà tous les deux ! » se dit-il, ébahi. Soudain, le fait d'être né dans cette étrange cité lui parut logique.

Il paraissait non moins logique aux autorités. Tout en lui accordant une exemption temporaire à titre d'étudiant, on lui enjoignit de se faire inscrire sur les registres du service militaire, façon musclée de lui rappeler que son corps ne lui appartenait pas entièrement. Il était un citoyen qui avait des devoirs de citoyen, et il n'était pas question de les oublier et de s'occuper de ses petites affaires. Chaque fois qu'il apercevait un rayon de soleil étincelant sur l'Hudson, il songeait aux Bahamas, à l'or et à la gloire, mais il y avait toujours quelqu'un pour le tirer de son rêve.

« Alors, comme ça, tu ne veux pas te battre pour ton pays ? lança le gardien de leur immeuble, un ancien combattant de la guerre de Corée, efflanqué et chauve, en apprenant que Mark allait à l'université.

— Je me suis déjà battu pour mon pays, riposta Mark, en s'abstenant de préciser qu'il s'était servi de ses poings nus et de ses dents.

— Sans blague ? Dans quelle guerre ?

— Ce n'était pas une guerre. Je ne crois pas aux tueries.

— Ah oui, je vois, tu veux la belle vie sans avoir à payer pour elle. »

Mark rougit. « Je paierai pour elle à ma façon. »

Le gardien lui fit un grand discours en langage corporel : il frotta son crâne chauve, plissa son visage maigre et blême, son nez rouge et pointu, détourna sournoisement les yeux, puis il ajouta tout haut : « Je ne te blâme pas. Les couards vivent plus longtemps.

— Je ne suis pas un couard.

— Disons que tu sais prendre soin de toi-même. »

Au début, Mark eut le sentiment d'avoir atterri dans la seule véritable démocratie qui fût au monde, où chacun avait le droit – et même le devoir, semblait-il – d'insulter les autres.

Un de ses condisciples à Columbia le traita de conformiste parce que les drogues ne l'intéressaient pas et qu'il vomit après avoir tâté de la marijuana. Un autre le traita de fasciste parce qu'il avait dit, citant son père, que Staline avait tué encore plus de monde que Hitler. Et il se fit traiter de con parce qu'il n'avait pas participé à une manifestation contre la guerre.

« Est-ce que tu es vraiment assez con pour croire que tu peux ignorer ce qui se passe ? » lui demanda une grande et ravissante fille aux cheveux châtain clair et aux yeux très bruns. Elle s'en prit à lui lors d'une discussion dans un couloir et le traita de con sans rien savoir de lui.

« Je suis peut-être un con, mais toi tu es une casse-couilles », rétorqua Mark avec amertume, parce qu'il était sensible à son cou long et gracieux, ses longues jambes fines, ses hanches étroites, son derrière plat et sa poitrine incroyablement plantureuse qui paraissait être la seule partie de son anatomie à faire saillie. Elle laissait transparaître un tel mépris qu'il ne se rendit pas compte qu'elle ne le critiquait que parce que son regard ténébreux lui plaisait.

Le Vietnam était inséparable des insultes, des engueulades, des exhortations, et pourtant ce fut avant tout grâce à la guerre que Mark commença à se sentir chez lui en Amérique.

Quelques années plus tard, quand le Président Nixon eut aboli la conscription à seule fin d'inciter les étudiants à se désintéresser de ce que faisait le gouvernement, Mark aurait poursuivi ses études universitaires sans se soucier des affaires publiques, il serait resté un touriste dans son propre pays. Mais en 1967, la perspective commune d'être obligé d'aller se battre au Vietnam si la guerre durait assez longtemps avait créé une communauté critique et pleine de fougue qui attirait tout le monde. Découvrant le grand frisson de la camaraderie, Mark se mit à participer aux discussions dans les cafés et aux meetings de protestation, même s'il était moins assidu que la plupart des autres, car c'était un garçon studieux.

Quand les bureaux du président de Columbia furent occupés, Mark fut de ceux qui mirent en fuite par leurs huées les vigiles qui cherchaient sans grande conviction à les éjecter et il tint le seau de peinture dont se servirent deux étudiants en sociologie pour barbouiller les murs de slogans. Plus tard, d'autres générations d'étudiants devaient défrayer la chronique en baissant leur pantalon devant les caméras de la télévision nationale, en traînant leurs petites amies sur le terrain de football et en les arrosant de bière, ou encore en sautant tous ensemble du même côté d'un avion en plein vol « pour voir ce qui se passerait ». Mais dans les années soixante et soixante-dix, les jeunes Américains embêtaient le monde en attirant l'attention sur la cruauté et l'injustice. Et contrairement aux modes ultérieures du football à la bière et du catch nu dans les confréries masculines, les frasques inspirées par les notions de bien commun eurent pour effet de rapprocher les sexes; pendant le reste de leur vie, un grand nombre d'anciens étudiants des années soixante sentaient leur sang vibrer dans leurs veines dès qu'ils repensaient à ce temps-là.

Ce fut pendant le *sit-in* à Columbia que Mark retrouva la fille qui l'avait traité de con. Elle s'appelait Martha Friedman et elle étudiait la zoologie à Barnard. Ils passèrent la nuit ensemble, assis par terre l'un à côté de l'autre, à chanter en chœur avec les autres *We shall overcome...* Elle avait apporté un petit sachet de raisins secs et de noix assorties qu'elle partagea avec lui et, bien que les lumières fussent allumées, il s'arrangea pour glisser les mains à l'intérieur du jean de Martha et masser le creux de ses reins et son petit postérieur. Au matin, quand les flics les emportèrent au-dehors et les lâchèrent sur le trottoir, toujours l'un à côté de l'autre, Mark bondit sur ses pieds et aida Martha à se relever. Elle dit qu'elle avait sommeil, si bien qu'il lui proposa de venir chez lui, puisqu'il habitait plus près, et de piquer un petit roupillon avant le début des cours.

« Un petit roupillon? » répéta Martha. Son rire remonta des profondeurs comme un appel au rut et se prolongea comme une chanson.

Ce rire les emporta tout le long du chemin jusqu'au lit et à la fin il ne fut pas question de dormir. Tandis qu'ils se rhabillaient pour ressortir, Mark confia à Martha son grand secret. Il allait localiser l'épave contenant le trésor le plus célèbre de l'histoire maritime, chargée de l'or des Incas et de diamants.

« Enfin, tu ne peux pas viser un peu plus haut ! » s'exclamat-elle en élevant la voix et en tapant du pied avant d'écarter ses longs cheveux de sa figure pour mieux le foudroyer de son honnête regard brun, baissé vers lui. Elle était plus grande que lui, à tous points de vue. Et ce n'étaient pas simplement ses yeux et son expression sévère. Elle n'avait pas encore boutonné son chemisier et ses seins blancs étaient toujours visibles, le tentant et l'accusant tout à la fois.

« Tu te fâches contre moi parce que tu n'as pas pris du bon temps, riposta Mark sur la défensive.

— Mais si, je l'ai pris ! protesta-t-elle en rougissant. Je t'ai dit que c'était chouette. Ne gâche pas tout. Et n'essaie pas de changer de sujet. C'est ton attitude matérialiste qui me déplaît.

— Tu es sûre que c'est tout ce qui te déplaît ? insista Mark, découragé, en se disant que c'était une erreur de faire l'amour après une nuit blanche.

— Tu ne comprends pas les réactions des filles, dit-elle exaspérée. On ne fait pas autant de bruit, nous autres. Ce n'est pas parce que je ne me tortille pas et que je ne gémis pas sans arrêt que je ne prends pas du bon temps. Je mouillais, oui ou non ?

— Ouais, il me semble.

— Alors, qu'est-ce qu'il te faut de plus ? Si je mouille, ça veut dire que je prends du bon temps. Chez les femmes, le maxiorgasme c'est tous les trente-six du mois, tu sais. On dirait que pour toi, la vie se résume au sexe et à l'argent. »

Pour se défendre, Mark lui dit de s'asseoir et lui fit lire ce qu'il avait écrit sur Colomb ; elle trouva cela si bien qu'elle l'embrassa fort et lui dit qu'elle passerait chez lui le lendemain.

Martha était la fille d'un couple riche et heureux : ses deux parents étaient dentistes et les dentistes exercent la meilleure de toutes les professions soignantes, puisqu'ils n'ont pas affaire aux maladies mortelles et gagnent leur vie en soulageant leur prochain de ses douleurs, tout à fait assurés du fait qu'il y a, grâce à eux, un peu moins de souffrance dans le monde. Ce métier gratifiant rendait les parents de Martha bons et bienveillants, ce qui avait sûrement contribué à l'idéalisme exigeant de leur fille.

Elle demandait souvent à Mark de s'imaginer ce que devaient endurer les victimes de la guerre ou de la misère, ceux qu'on brûlait ou qui mouraient de faim ; végétarienne pure et dure, elle lui demandait même de s'imaginer ce qu'il éprouverait s'il était un poulet, un poulet qu'on ne laissait jamais sortir dans la basse-cour pour sautiller au soleil, un poulet obligé de passer sa vie enfermé dans un espace si petit qu'il ne pouvait rien bouger d'autre que sa tête, un poulet calfeutré, cloué du jour de sa naissance à celui de sa mort dans cet enfer qu'on appelle une batterie d'élevage.

Mark n'avait pas en lui tout à fait assez d'imagination créatrice pour se mettre dans la peau d'un poulet martyrisé, mais il pouvait se mettre dans celle d'un prince inca ayant cherché à résister aux envahisseurs et traîné à la potence dans sa ville natale, suivi par toute la foule de ses sujets au désespoir. Un jour où ça ne marchait pas comme ils l'auraient voulu au lit, il raconta à Martha l'histoire de la trahison d'Atahualpa et elle le serra contre elle aussi fort qu'elle put, refusant de relâcher son étreinte ; et quand ils refirent l'amour, elle fondit de plaisir. Quelquefois, quoi qu'il pût faire, elle gardait un sourire glacial plaqué sur les lèvres, et il s'aperçut qu'il ne pouvait regagner son affection qu'en lui racontant une histoire qui l'émouvait. Avoir des histoires à lui raconter, des choses à lui montrer donnait à Mark une raison supplémentaire d'apprendre tout ce qu'il pouvait concernant le Pérou.

Son histoire du Pérou était un projet démesurément ambitieux, né de son inexpérience : dans leur grande majorité, les gens qui trouvent facile de lire un livre présument qu'il est facile d'en écrire un, et Mark ne faisait pas exception à la règle. Pour commencer, il projeta d'écrire un gros volume épais où l'on trouverait tout, depuis les Incas jusqu'à San Martín et à Bolívar. Une fois qu'il eut commencé à transformer ses notes en paragraphes, cependant, son concept tout entier changea : l'essence même de son livre serait sa brièveté. Néanmoins, il poursuivit sa tâche, remplissant ses cahiers les uns après les autres et les cachant dans le placard de sa chambre.

« Ce qui me paraît le plus encourageant, fit savoir Niven à la mère de Mark, c'est la façon dont il révise constamment son travail. »

Il biffe des pages entières – j'ai vu une douzaine de versions du même paragraphe. À l'évidence, il cherche la meilleure façon de dire les choses. Comme nous ne le savons que trop, il n'est pas du genre à quitter facilement la partie. Avant même d'avoir compris ce qui lui arrive, il aura passé sa thèse de doctorat et accepté une chaire de professeur dans une université. À cette époque-là, la guerre sera finie. Franchement, je pense qu'une fois qu'il se sera fait une place dans le monde, l'épave et son trésor s'estomperont et disparaîtront de son esprit, comme toutes les grandes idées de la jeunesse…

Les parents ne sont que trop contents de se raccrocher à tout espoir susceptible de les délivrer de la peur que leur inspire l'avenir de leurs enfants, mais comment savoir si Niven n'aurait pas eu raison, après tout? À n'en pas douter, l'odyssée de quatre ans au cours de laquelle Mark avait couru les bibliothèques et les archives à la recherche des indices qui devaient le mener à la fortune ne l'avait préparé à rien tant qu'aux recherches universitaires.

En plus de quoi, Martha voulait qu'il fasse carrière dans l'enseignement. À son avis, ils devaient rester à New York et tâcher de trouver des postes de professeurs dans le même établissement.

Entre les cours, son livre, les réunions et les manifestations, et Martha, il y avait des jours où Mark n'avait même pas le temps de songer un instant à la *Flora*.

Est-il totalement inconcevable de penser qu'il aurait pu prendre un nouveau départ dans la vie à l'âge de dix-huit ans?

11

Un incident avec une pomme

Je veux soulager mon cœur, fût-ce au
risque de ma tête.

HOTSPUR (*Henry IV, 1ᵉ partie*)

La manifestation organisée devant la bibliothèque Butler fut par-dessus tout une immense clameur. Le rugissement de plusieurs milliers de jeunes voix. Elles noyaient le bruit de la circulation et des hélicoptères; pour une fois, la voix des hommes triomphait de celle des machines.

> *Hell, no, we won't go!*
> *Hell, no, we won't go* [1] *!*

Le vice-président des États-Unis, Hubert Horatio Humphrey, allait venir à l'université de Columbia expliquer aux étudiants – et à la nation entière par le biais de la télévision – pourquoi il fallait continuer la guerre : il apportait le message du Président Johnson et les étudiants tenaient à s'assurer qu'il remporterait leur message au Président :

> *Hell, no, we won't go!*
> *Hell, no, we won't go!*

---

1. « Putain, non. on n'ira pas! » (*N.d.T.*)

Ce fut une de ces batailles sans armes à feu au cours desquelles le Président Johnson, battu, fut poussé à la retraite. Les jeunes hurlaient non à sa guerre. Ils étaient défoncés par la conscience de leurs nombres, par le bruit immense qu'ils étaient capables de produire, par l'indignation, par l'horreur de la mort, par la compassion, par les slogans; certains étaient défoncés par la drogue, par leur amour pour Hô Chi Minh, ou par la haine pour leurs parents. Mais en fin de compte ils hurlaient non à la guerre, parce qu'ils n'avaient pas le sentiment que l'Amérique était en danger. On ne s'expliquait pas à l'époque par quel mystère la moitié d'un petit pays arriéré était capable de tenir en échec la nation la plus puissante du monde, alors que ce fut justement cette disparité des forces qui finit par triompher des armes américaines. Aucune nation, aucune nation démocratique n'est capable de livrer victorieusement une guerre si ses citoyens ne se sentent pas personnellement menacés, et il était inconcevable pour les Américains que le Vietnam communiste fût jamais assez puissant pour brûler leurs foyers. Assurément certains Asiatiques avaient, disait-on, besoin de protection, assurément il y avait des considérations globales, mais pas beaucoup de gens sont prêts à tuer ou à se faire tuer pour de lointains étrangers ou pour l'équilibre du pouvoir.

« Jamais un président ne pourra faire une guerre prolongée à un petit pays et s'attendre à voir la nation derrière lui, déclara un membre libéral du Congrès à la télévision, au sujet de la transmission en direct de la manifestation. Le peuple américain ne prend aucun plaisir à cogner sur les faibles. La plupart d'entre nous croient encore aux combats loyaux. »

Hell, no, we won't go!
Hell, no, we won't go!

C'était une belle et froide journée de décembre. Martha portait sa grande écharpe écossaise qui lui couvrait le visage jusqu'aux narines et lui descendait au-dessous des genoux; dans le sac qu'elle portait sur l'épaule, elle avait des biscuits et des pommes. Mêlés les uns aux autres, riant et parlant avec excitation entre leurs slogans furibonds, ils sentaient battre leurs cœurs à l'unisson, ce qui les faisait battre plus vite. Ni l'un ni l'autre ne s'était jamais trouvé au milieu d'une aussi grande foule et ils éprouvaient une surprise mêlée d'orgueil à l'idée d'en faire partie, à l'idée que leurs voix contribuaient à créer ce rugissement qui paraissait sortir des entrailles de la terre.

« Mark ? » dit Martha.

Mark s'arrêta pour écouter.

« Tu sais quoi ? demanda-t-elle en écartant l'écharpe de sa bouche.

— Non, quoi ? »

Elle se pencha tout contre lui pour murmurer. « Tu as exactement l'expression que je vois sur ton visage quand tu me fais l'amour. »

Il inspira profondément, s'efforçant de se ressaisir et de n'être qu'un spectateur, mais l'excitation était trop forte pour qu'il ne se laissât pas emporter. La foule devint plus dense et commença à onduler comme la houle ; quelqu'un marcha sur l'écharpe de Martha, qui marcha sur les pieds de quelqu'un d'autre. Mais cela ne faisait rien : ils étaient tous soudés par un lien profond, presque physique, de fraternité.

Hey, hey, LBJ,
how many kids did you kill today[1] ?

Mark braillait avec Martha. Ballottés par les gens qui déferlaient dans diverses directions, plusieurs fois séparés l'un de l'autre, obligés de courir pour éviter de se faire fouler aux pieds, ils étaient enroués, en nage et à bout de souffle, lorsqu'un robuste policier leur barra la route en leur faisant stop de son énorme battoir. Ils étaient arrivés auprès du cortège d'automobiles vice-présidentiel, au moment même où les véhicules ralentissaient. Il y eut une soudaine accalmie, un moment tendu d'attente, mais personne ne sortit des voitures, les portières restèrent closes, si bien que la foule eut l'impression que les occupants avaient peur de sortir l'affronter. Il y eut alors une explosion d'hystérie. Un groupe d'étudiants se mit à hurler :

---

1. « Hé, dis donc, LBJ (Lyndon B. Johnson), combien de mômes tu as tués aujourd'hui. » (*N.d.T.*)

« Dégonflé sans couilles!

— No-o-o-o-on!

— On n'ira pas!

— Gros tas de merde!

— Tête de nœud! »

Une philosophie sous-tendait toutes ces obscénités, fondée sur la conviction, formulée par Norman Mailer dans *The Armies of the Night*, que les hommes qui gouvernaient le pays « étaient capables de brûler des femmes et des enfants invisibles dans les jungles du Vietnam, mais éprouvaient un intense déplaisir et une réprobation assez définitive quant à l'utilisation généreusement répandue des obscénités dans la littérature et en public ». S'il n'y avait que les gros mots pour leur inspirer de la répulsion et de l'horreur, on allait leur en donner. Chaque « merde, enculé » était un défi, une accusation. Alors comme ça, les gros mots vous choquent, mais les pluies de napalm sur les petits enfants ne vous gênent pas? Vous mettez le feu à des êtres humains et vous trouvez à redire à nos manières? « Merde, enculé » voulait dire : ce ne sont pas les mots qui sont obscènes, ce sont les actes!

« Dégonflés sans couilles! »

Les voitures avec leurs passagers paraissaient pétrifiés.

Mark prit une pomme McIntosh dans le sac de Martha (elle lui parut aussi froide qu'un glaçon) et la mâchonna histoire de se calmer les nerfs. Finalement deux hommes des services secrets bondirent afin d'ouvrir la portière arrière de la limousine vice-présidentielle et le vice-président Humphrey quitta son véhicule protecteur pour émerger dans le jour hostile : un grand gaillard corpulent, rougeaud, clairement visible malgré l'anneau de gardes du corps qui l'entouraient.

« Porc!

— Fasciste!

— Trou du cul!

— Assassin!

— Fils de pute! »

Le vice-président se tenait debout, salua de la main et sourit. Y avait-il une balle pour lui dans la foule?

Le vice-président se tenait debout, salua de la main et sourit. Hubert Horatio Humphrey, souvent réduit dans les gros titres à ses initiales, HHH, imprégné des compromissions de toute une vie dans la politique, tenu aujourd'hui de défendre une guerre à laquelle, disait-on, il ne croyait pas, conservait, néanmoins, encore une trace du courage digne d'un homme prénommé en l'honneur d'un héros de la république romaine : à lui tout seul, Horatius Cocles avait défendu un pont sur le Tibre contre une armée d'envahisseurs en 507 av. J.-C. Un prénom, même s'il s'agit d'un deuxième nom, qui rappelle un acte de bravoure ayant survécu pendant deux mille cinq cents ans ne peut qu'influencer celui qui le porte.

Dans la jeunesse de Humphrey, à une époque où le latin et l'histoire de l'honneur figuraient encore au programme, le poème de Macaulay consacré à cet autre Horatius se trouvait dans tous les manuels scolaires et avait dû lui faire une forte impression.

> *Then out spake brave Horatius,*
> *The Captain of the Gate :*
> *« To every man upon this Earth*
> *Death cometh soon or late.*
> *And how can man die better*
> *Than facing fearful odds*[1]*... »*

Le style poétique de Macaulay était devenu aussi moisi que les sentiments qu'il exprimait, pourtant ils fortifiaient maintes générations. Plusieurs années plus tard, rongé par le cancer, HHH n'en continua pas moins de paraître en public, souriant du sourire d'un homme heureux jusqu'à sa dernière heure. Les manifestants n'étaient pas pour lui faire peur, en tout cas pas visiblement. La plupart des gens qui regardaient la scène à la télévision furent frappés par son courage, même s'ils pensaient qu'il le mettait au service d'une mauvaise cause. De là où se tenait la foule, cependant, la bravoure de Humphrey faisait plutôt figure d'arrogance. Les étudiants autour de lui se cassaient

---

1. Alors parla le brave Horatius/Le capitaine de la Porte :/« La Mort vient trouver tôt ou tard/Chaque homme vit sur terre./Et comment peut-on mieux mourir/Qu'en luttant des forces plus fortes... » (*N.d.T.*)

la voix à hurler des cris de haine, fasciste-trou-du-cul-porc-assassin, et Mark n'avait sous les yeux qu'un politicien au visage bouffi, qui s'obstinait à saluer de la main et à sourire – sourire! – comme s'ils étaient en train de l'acclamer, comme si toute cette foule n'avait aucune importance.

Obéissant à une soudaine envie de s'affirmer, non seulement en son propre nom, mais au nom de tous les jeunes, comme pour dire : « Hé, on est là! », Mark expédia sa pomme à moitié mangée et atteignit le vice-président des États-Unis d'Amérique pile entre les deux yeux.

Le policier aux gros battoirs, un véritable bœuf en parfaite condition physique, choisi pour maîtriser la foule, ne vit pas s'il s'agissait d'une pomme ou d'une grenade – il ne vit qu'un objet volant – et, affolé par la peur de s'être trouvé à côté d'un assassin et de ne l'avoir même pas repéré, il bondit sur Mark de toute sa masse, le fit rouler au sol, puis lui décocha un violent coup de pied pour l'obliger à se relever. Saignant du nez, avec dans les oreilles un rugissement plus assourdissant que celui de la foule, Mark se remit debout en titubant et fut entraîné – presque porté – dans une voiture de police. Son corps lui paraissait si étrange et si douloureux qu'il aurait voulu se laisser tomber par terre et mourir.

Un sergent, redoutant les poursuites judiciaires et se rappelant que Lee Harvey Oswald avait été tué alors qu'il était sous la surveillance de la police, l'empoigna par les aisselles afin de le soutenir. « Inspire à fond et dis-nous si ça te fait mal. »

Le temps d'établir qu'il n'avait rien de cassé ni de déchiré à l'intérieur et qu'il était capable de se tenir debout sans l'aide de personne, un ordre était arrivé par l'entremise de la radio. À la demande du vice-président, Mark fut relâché et informé du fait qu'il ne serait pas inculpé.

On lui rendit sa carte de bibliothèque et on le laissa partir.

Malheureusement, le monde entier put le voir lancer la pomme, saisi par les caméras de la télévision, ce qui permit aux autorités universitaires de l'identifier.

Il ne fallut guère qu'un instant d'égarement pour priver Mark de l'occasion de vivre l'existence paisible d'un professeur d'université. Renvoyé de Columbia, perdant le droit au sursis militaire que lui assurait sa qualité d'étudiant, il dut se soumettre à la directive du général Hershey (aujourd'hui mort et oublié, même si Dana Niven maudit encore sa mémoire) qui ordonna que les contestataires fussent conscrits avant tous les autres afin de combattre dans la guerre qu'ils conspuaient, et reçut promptement sa feuille de mobilisation.

Quant à son histoire du Pérou, elle ne fut jamais terminée, ni même véritablement commencée, mais ses notes de lecture, ses brouillons des divers chapitres et une introduction figurent parmi les papiers conservés par son père. Écrite avec le franc-parler de sa génération qui irrite tant les esprits âgés, l'introduction comprend ces phrases extraordinaires :

> Colomb s'abattit sur les Amériques comme un ange de la mort, élargissant les horizons de la rapacité et de la cruauté humaines, ainsi que les frontières de l'empire espagnol. Ce criminel célèbre, personnellement responsable de l'extermination des peuplades indigènes de Haïti et des Bahamas, ouvrit deux continents aux alchimistes du nouvel âge qui partageaient sa façon de penser, lesquels employèrent toutes les méthodes concevables pour transformer en or la chair humaine, obtenant leurs résultats les plus spectaculaires au Pérou.

Nul doute que cette vision de Colomb en ange de la mort fut inspirée par le tableau de Dalí et par l'esprit radical des années de la guerre du Vietnam, quand la majorité des étudiants considéraient la civilisation occidentale comme une espèce de force du mal dans l'histoire. Bien qu'il fît valoir, dans ses discussions avec Martha, que la civilisation occidentale ce n'était ni Auschwitz ni la sainte Inquisition, mais le Sermon sur la Montagne, Dante, le Pérugin, le Bernin, Goya, la déclaration d'Indépendance, Mark ne pouvait manquer d'être affecté par l'hostilité qui prévalait envers toutes les autorités, mortes ou vives. Il voulait

> ... compenser l'absence d'indignation des auteurs ayant déjà traité le sujet, qui sont pleins de sollicitude devant les épreuves endurées par les conquistadores lorsqu'ils entreprirent d'asservir, de voler et d'assassiner les

habitants de pays étrangers où ils n'avaient absolument rien à faire.

Voici un extrait de ses notes sur la méthode mise au point par les Espagnols pour pêcher les perles :

> Les Espagnols se faisaient transporter en canot jusqu'aux bancs d'huîtres, jetaient les sauvages à la mer, leur pressaient la tête sous l'eau avec les avirons et refusaient de les laisser remonter à la surface pour respirer tant qu'ils n'avaient pas des coquilles dans les mains. Les Indiens avaient le choix entre fournir des perles ou être noyés ; aucun ne survécut longtemps.

Il y a deux cahiers entiers dans lesquels il tente de dépeindre la façon dont les Espagnols enlevaient les Indiens de leurs villages pour les faire descendre de force dans les mines d'argent et de mercure.

> Ces Indiens, qui en tant que païens avaient cru qu'ils étaient les enfants du soleil, se retrouvaient confinés sous terre pendant six jours et six nuits de suite, et beaucoup faisaient des chutes mortelles ou mouraient empoisonnés dès leur premier passage dans les « puits infernaux », privés à jamais de lumière.

Les descriptions de Mark montrent combien il avait la faculté de se mettre dans la peau des autres – don peu commun qui aurait pu être sa grâce salvatrice, car ce qui fait que les gens sont bons ou mauvais, utiles ou nuisibles, ce ne sont pas leurs principes moraux, ni même leurs visées conscientes, c'est la puissance de leur imagination.

« Il était à demi acteur. Il n'était pas capable d'incarner quelqu'un d'autre, mais il pouvait ressentir ce que les autres ressentaient, s'il voulait bien s'en donner la peine », dit souvent Dana Niven, qui continue d'assurer avec amertume que Mark aurait pu devenir un homme de cœur et un historien de talent, si seulement il avait pu poursuivre ses études.

Mais alors l'histoire de sa propre époque le rattrapa.

12

In extremis

Mais à quoi rime donc tout ceci ?
Pourquoi es-tu assis là, dans cet état
[épouvantable ?
Aurais-tu commis quelque crime ?

APULÉE

À New York, la journée commença par une tempête de neige. Dès la fin de la matinée, la neige avait fondu en crachin et le vent n'était plus qu'une brise, mais à l'aéroport Kennedy les vols avaient toujours plusieurs heures de retard. Avec une soixantaine de passagers à bord, en majorité des vacanciers pâlichons rêvant de quelques jours d'été, le jet de la BOAC, dont le décollage était prévu à onze heures trente, n'avait pas encore bougé de sa place à treize heures. Des enfants qui s'ennuyaient parcouraient l'allée centrale et dévisageaient des inconnus d'un regard critique, barrant la route aux hôtesses surmenées, qui tentaient de satisfaire les désirs nombreux et urgents qui s'emparent des voyageurs lorsqu'ils sont enfermés dans un avion cloué au sol. Leur vacarme agité montait par vagues, couvrant le flot égal et interminable de la musique d'ambiance.

Mark, assis à côté d'un hublot, refusait systématiquement les boissons, les bonbons et les magazines gratuits, écartant les hôtesses d'un geste brusque et impatient. Plus tard, il se contenta de les ignorer. Son visage était envahi par des expressions changeantes : colère, impuissance, désespoir, incrédulité et, de façon plus inquiétante encore, un occasionnel rayon de félicité.

Après lui avoir adressé plusieurs fois la parole sans obtenir la moindre réponse, le passager occupant le siège côté couloir tendit la main pour lui secouer le bras : « Dites donc, strictement entre nous, demanda-t-il avec une condescendance complice, vous êtes défoncé à l'acide ou quoi ? »

Au contact de la main de son voisin, Mark sursauta comme s'il allait bondir sur ses pieds, puis il se carra de nouveau contre son dossier avec une feinte désinvolture, malgré un tremblement involontaire des lèvres. « Non, c'est juste que j'ai horreur de poireauter comme ça, dit-il. Ça me tape sur les nerfs.

— Ça, on peut dire que vous avez les nerfs détraqués », renchérit l'homme, plus âgé que Mark, avec une évidente satisfaction, car il se sentait lui-même quelque peu crispé. Plus tôt il avait eu le plus grand mal à caser son énorme fessier sur l'étroit siège de la classe touriste et il avait fini par avoir l'idée de relever l'accoudoir rétractable et d'étaler sa graisse sur le siège du milieu, resté vide ; mais ensuite il avait fêté son confort durement gagné en buvant un ou deux bourbons de trop. Quoique bien habillé et apparemment bien nanti, il avait le teint terne, et son visage pâle et bouffi, ainsi que tout son comportement laissaient penser qu'il s'agissait d'un de ces hommes toujours en voyage qui passent la plupart de leur vie dans les hôtels et les bars, à prendre leur part d'alcool et d'affaires véreuses, à mesure qu'ils deviennent obèses, vieillissants et aigris. Il adopta envers l'inconnu éperdu un air de familiarité hostile. « C'est incroyable quand même, un gosse de votre âge et déjà éprouvé nerveusement. Vous êtes d'où ? »

Mark se frotta le nez du poing, exaspéré. Pour lui, la remarque « Vous êtes d'où ? », adressée en passant, n'était jamais une question simple, mais cette fois-ci il eut l'impression que son cœur s'arrêtait de battre. Il était dévoré par une telle envie d'être chez lui, d'être avec Martha, avec son père, d'aller se promener dans le parc avec les copains, qu'il commença à quitter son siège, avant de se rappeler où il était et pourquoi il s'en allait. « Je viens de Londres. Je suis juste né aux États-Unis, répondit-il d'un ton amer. Je me sens étranger ici. »

Cette sortie déroutante confirma la première impression de son gros voisin. « Personne n'a dit le contraire. Surtout pas moi. Je vous ai simplement posé une question. Vous êtes dans un sale état, fiston, faites gaffe. Vous êtes complètement dans les vapes.

— Ouais, eh bien, j'aimerais mieux être dans les nuages, figurez-vous ! »

Les petits yeux de l'obèse faillirent disparaître derrière les plis de chair qui remontaient vers eux, tandis que ses lèvres minces, qu'on avait du mal à distinguer au repos, se tordaient en un méchant sourire de supériorité. « C'est de l'acide ?

— Je ne fume même pas ! »

En réalité, Mark était drogué par la peur, car il n'avait aucune idée de ce qui risquait de lui arriver ensuite. Une fois qu'ils auraient décollé, il serait libre, il commencerait sa nouvelle vie (par instants, il était persuadé qu'il allait s'en sortir), mais tant qu'ils étaient encore au sol, on pouvait à tout moment venir le traîner hors de l'avion. Il était maintenant un insoumis, contre qui avait été lancé un mandat d'arrêt ; deux agents du FBI étaient déjà venus le chercher à Morningside Heights. Ayant senti peser sur lui la lourde main de la loi, mais sans vraiment savoir grand-chose à ce sujet, il s'imaginait que toutes les forces de police du pays étaient à ses trousses. Criminel novice, il se voyait comme un dangereux malfaiteur en fuite, dont la photo devait figurer sur toutes les listes d'ennemis publics, et il était certain que la police allait profiter de ce retard interminable pour vérifier la liste des passagers Cette pensée l'empêchait de tenir en place sur son siège.

Rien n'échappait au gros poussah assis côté couloir. « Ouais, dit-il en hochant la tête avec une joie mauvaise. Ouais, c'est bien le diéthylamide de l'acide lysergique. Voilà comment ça s'appelle, votre problème, LSD. »

Saisi par la crainte supplémentaire de voir son voisin le dénoncer pour usage de stupéfiants, Mark se voyait arrêté à tort pour un délit qu'il n'avait pas commis. « Les jeunes ne sont pas tous cinglés, monsieur », dit-il, s'efforçant de prendre une attitude déférente et se peignant les cheveux du bout des doigts afin d'attirer l'attention sur le fait qu'ils étaient courts. En faisant couper sa longue chevelure, il avait cru trouver le déguisement parfait. « Je ne tiens pas à m'embrumer la tête avec des drogues.

— Ce n'est pas la peine de me raconter des craques, annonça le passager trop curieux, en décidant tout à coup de révéler son importance. Je suis un ancien officier de police – la police de Pittsburgh. À présent, j'ai ma propre agence à Chicago. Et quelques très gros clients. Les gens n'ont pas de secrets pour moi. » Cet élan d'autocongratulation le mit d'humeur à se dorloter davantage ; il descendit à moitié la fermeture à glissière de sa braguette, afin de donner un peu d'aisance à son ventre fortement comprimé, puis il demanda à l'hôtesse de lui apporter un autre bourbon gratuit avec des glaçons avant de se tourner une fois de plus vers son compagnon de voyage. « C'est juste pour savoir ce que vous utilisez, fiston. Je repère les gens de votre espèce du premier coup d'œil.

— Vraiment ? » dit Mark en le lorgnant du coin de l'œil. Il ne croyait pas que qui que ce fût le connaissait. La drogue en fournissait un parfait exemple. Comme s'il n'y avait rien au monde de plus excitant que l'herbe et les produits chimiques ! Il songea avec nostalgie à la compagnie des statues du Bernin. « Je n'ai pas besoin de drogues, dit-il à cran. Quand j'ai besoin de m'évader, je n'ai qu'à fermer les yeux et à penser à sainte Thérèse en extase pour planer. »

Qui aurait pu prévoir que l'ancien policier de Pittsburgh se mettrait en rogne en l'entendant mentionner cette œuvre d'art tout à fait légitime ? Mais c'était le genre d'homme qui prenait comme une insulte personnelle toutes les remarques qu'il ne comprenait pas. Perdant prise dans la conversation, il se rappela les habitudes remontant à l'époque où il faisait des rondes. « OK, quel est votre nom ? demanda-t-il de la voix âpre et menaçante de l'autorité.

— Qu'est-ce que ça peut vous faire ? »

Le signal ATTACHEZ VOS CEINTURES – DÉFENSE DE FUMER s'alluma, les réacteurs secouèrent l'avion et celui-ci se mit en branle, s'éloignant lentement de l'aérogare.

L'obèse répéta sa question d'un ton de mauvais augure, du style montrez-moi-votre-permis-de-conduire, sommant le contrevenant de s'identifier. « Voyons, quel est votre nom ? »

Libéré par le mouvement de l'avion, Mark laissa fuser à son tour une partie de son hostilité refoulée. « Écoutez, il vaudrait mieux que vous cessiez de m'importuner. Vous commencez à me casser les pieds, alors, fichez-moi la paix, d'accord ? »

L'attitude de l'autre changea tout à coup. «Je m'appelle Howard Sypcovich », dit-il d'une voix faible en se renfonçant dans son siège, frappé par le souvenir d'un mauvais coup de poing encaissé dans un hôtel de Chicago deux mois plus tôt. Sa totale absence de respect pour la vie privée des autres lui était utile dans son travail, mais elle lui avait aussi valu bien souvent de se faire rabrouer et même, à l'occasion, tabasser. « C'était juste pour causer un peu, histoire d'être amical, se plaignit-il, virant soudain au vieux bonhomme paternel, à la fois réprobateur et indulgent, et aussitôt vous me sautez à la gorge. Vous, les gosses, vous êtes complètement allumés.

— Avec tout le bourbon que vous buvez, je m'étonne que vous ayez le culot de me parler de drogues. Vous ne savez donc pas que l'alcool tue plus de gens que l'héroïne ? »

Sypcovich était déconcerté par la transformation de son compagnon de voyage, qui paraissait à présent dur, hostile et sûr de lui, réagissant avec le plus parfait sang-froid. « Mais qu'est-ce qui vous prend ?

— Je n'aime pas les grosses brutes. »

Sypcovich ne put s'empêcher de répondre en prenant une attitude menaçante ; et, de façon tout aussi automatique, il voila sa menace d'ambiguïté – si la menace ne marchait pas, elle n'existait pas. « Du calme, fiston, faut pas vous énerver, conseilla-t-il d'un ton mécontent. C'est en tenant ce genre de propos qu'on s'attire des ennuis.

— Ouais. Les flics de Pittsburgh vous donnent un coup de pied dans la tête. »

Le détective privé plissa les yeux. « Tiens, tiens... tout à l'heure, c'était le bourbon, et maintenant c'est les flics ! Les flics protègent les bons citoyens des tordus. » Il appuya sur le mot « tordus » afin de faire clairement entendre à qui il pensait.

Un bref échange de slogans politiques échauffés s'ensuivit. Identifiant son voisin à la brutalité policière, Mark lui en voulait non seulement pour son propre compte, mais aussi au nom de tous ceux qui souffraient sous la loi. De son côté, Sypcovich ne sentait plus peser sur son seul ego tout le poids de l'animosité du jeune homme et il pouvait se considérer comme le représentant de tous les citoyens bien-pensants. Dorénavant, il leur était possible de se mépriser mutuellement à titre d'ennemis publics ; l'antagonisme personnel était sublimé en vertueuse indignation, tandis que chacun des deux hommes se servait de sa parcelle de vérité pour exaspérer l'autre. Tels sont les bienfaits inattendus des époques troublées, au cours desquelles les tensions sociales engendrent assez d'acrimonie pour garantir que personne n'en sera réduit à haïr et à être haï dans la solitude.

Leur dispute fut interrompue par une secousse, lorsque la lente progression de l'appareil cessa tout à fait.

« C'était une fausse alerte, mesdames et messieurs, jeunes filles et jeunes gens, annonça la voix joviale du commandant dans le haut-parleur. Nous avons encore, semble-t-il, un certain nombre de gros oiseaux argentés devant nous sur la piste. » Ces quelques mots furent suivis par un retour à la musique d'ambiance, accompagnée de quelques gémissements et commentaires sarcastiques sur l'humour en vol de la part des autres passagers.

Mark avait pâli d'incrédulité. Allait-il devoir passer les meilleures années de sa vie en prison, tandis qu'un autre découvrirait l'épave à sa place ? Ce qui le rendait fou, par-dessus toute autre chose, c'était l'injustice du sort. Il avait tout planifié avec tant de soin ! Il avait pris la précaution de réserver une place à bord d'un avion de la BOAC après s'être assuré que les autorités américaines n'avaient aucun droit de rappeler un avion britannique une fois qu'il avait quitté leur espace aérien, et il était ulcéré de pouvoir encore être arrêté, alors qu'il aurait dû être déjà hors de leur portée si les horaires avaient été respectés.

« Tiens, tiens, nota Sypcovich avec l'effrayante jovialité de l'enquêteur perspicace qu'il croyait être. On dirait que nous avons suffisamment de temps devant nous pour faire connaissance. »

Mark ne réagit pas et ils passèrent plusieurs minutes sans échanger un mot, tandis que le détective savourait le spectacle qu'offrait l'abattement de son insolent compagnon.

« Je crois deviner, d'après nos papotages, que tu es plus ou moins étudiant, anti-tout, pas vrai ? Et tu m'as l'air d'être assez à l'aise, en plus. Pull en cachemire, bottes faites à la main, montre de prix. Un gamin gâté, le monde n'est pas assez bien pour lui. J'ai l'œil pour ce genre de choses, figure-toi, je suis comme ça. C'est inné, comme on dit. Je pourrais boire un tonneau de bourbon et je serais encore capable de repérer un mec de ton acabit au premier coup d'œil.

— Il n'y a pas moyen que vous laissiez les gens tranquilles, pas vrai ? dit Mark entre ses dents serrées, détournant la tête pour contempler la journée maussade et pluvieuse par le hublot ovale.

— Peut-être bien une espèce de radical violent, dit Sypcovich d'un ton songeur, et ses lèvres souriantes devinrent une simple ligne mince et méchante. Ça ne m'étonnerait pas. Peut-être même que tu manigances quelque chose à l'heure actuelle. Peut-être que je devrais dire un mot au commandant. Demander aux flics de vérifier tes antécédents. Ça ne ferait pas de mal, qu'est-ce que tu en dis ? »

Mais le fugitif ne répondit pas. L'avion s'était remis en marche. Il prit de la vitesse et tout à coup ils furent soulevés au-dessus de la terre ; les ennuis de Mark étaient en train de disparaître en même temps que le sol américain. Ils montèrent à travers le crachin, débouchèrent au-dessus des nuages et, en un instant magique, le ciel d'hiver, sombre et lourd de neige fondue, devint un espace bleu illimité, rempli de soleil. Mark détacha sa ceinture, se mit debout et plongea les mains dans ses poches.

Sypcovich le regarda faire avec la plus grande appréhension, regrettant que les règlements l'eussent obligé à laisser son revolver chez lui. « Qu'est-ce qu'il y a, mon ami ? demanda-t-il avec précaution. Tu as l'intention de détourner cet avion sur Cuba ?

— Cela ne vous regarde pas », riposta Mark, refusant de se laisser importuner davantage.

Ayant trouvé son stylo, il se rassit, prit le dossier publicitaire de la compagnie d'aviation dans la poche du siège situé devant lui et en sortit la carte postale gratuite représentant un jet argenté BOAC VC-10 contre un ciel d'un turquoise éclatant. S'appuyant sur le dossier pour écrire, il adressa la carte à Mevrouw Barbara van der Harst, à Amsterdam.

Chère maman, comment vas-tu ? On m'a expulsé de Columbia et j'ai été mobilisé, alors plutôt que d'aller me

faire tuer dans une guerre à la con ou de pourrir en prison, j'ai décidé après tout de me tailler et de devenir
riche. Que veux-tu, c'est le sort. Je t'embrasse. Mark

Il avait l'intention de poster la carte dès qu'ils auraient atterri
a Nassau, car cela faisait des mois qu'il ne lui avait pas écrit.

13

D'intéressantes combinaisons

... la rencontre avait de fortes chances d'avoir lieu, mais il n'y avait pas de rendez-vous ferme.

BRIGID BROPHY

« Je suis occupé à filer une salope frigide et je suis assis à côté d'un cinglé, rageait Sypcovich en son for intérieur. Quel monde! » Toutefois, les effets du bourbon et le vrombissement régulier et monotone des réacteurs émoussèrent peu à peu son inquiétude et son exaspération, si bien qu'après avoir terminé son verre du moment et refermé sa braguette, il s'en fut jusqu'aux toilettes dans un état d'esprit stoïque, sans se soucier vraiment de savoir s'ils allaient atterrir aux Bahamas ou à Cuba, chez Castro.

Le détective privé était en route pour l'île de Santa Catalina et filait Mrs Kevin Hardwick. Il était spécialisé dans les adultères. En revenant des toilettes, il gagna l'avant de l'appareil afin de risquer un coup d'œil dans le compartiment de première classe et de voir si elle était occupée à bavarder avec quelqu'un. Quand il l'aperçut, sa grosse figure se gonfla d'indignation; elle était assise toute seule, le nez dans un livre. Dans toute sa carrière consacrée à surprendre des amants au moment où ils s'y attendaient le moins, c'était elle qui lui avait donné le plus de fil à retordre. C'était aussi sa proie la plus rentable : la firme Hardwick Chemical Industries, avec ses départements de tissus synthétiques, de plastiques et de produits pour l'environnement, valait, selon la rumeur publique, plus d'un milliard de dollars. En comparaison des géants tels que Du Pont ou Union Carbide, c'était une petite affaire, mais Kevin Hardwick possédait soixante-dix pour cent des actions.

Mrs Hardwick et ses enfants habitaient Santa Catalina toute l'année, tandis que Kevin Hardwick faisait la navette entre l'île et Chicago, où il passait cinq jours par semaine, afin de diriger son entreprise et de partager la vie de sa petite amie, la célèbre Pauline Marshall. Bien qu'il vécût la majeure partie du temps séparé de sa femme, il refusait de mettre fin à leur union parce qu'il craignait qu'elle ne se suicidât s'il la quittait, et sa maîtresse, sceptique, avait engagé Sypcovich pour espionner sa rivale, dans l'espoir de découvrir qu'elle avait une liaison adultère, dont la preuve persuaderait Hardwick d'étouffer ses scrupules et de demander le divorce. Et comme miss Marshall était déterminée à épouser, en fin de compte, son amant richissime, Sypcovich touchait deux cents dollars par jour, tous frais payés, et avait signé un contrat lui garantissant une prime de cinquante mille dollars s'il fournissait la preuve concluante de l'infidélité de Mrs Hardwick.

C'était une véritable aubaine, à tous points de vue : le seul problème, c'était que Mrs Hardwick, selon toute apparence, n'avait pas d'amant.

Elle avait soulevé de vifs espoirs en partant faire du shopping à New York et Sypcovich l'avait filée inlassablement à travers les grands magasins, les librairies et les galeries d'art, au restaurant, au théâtre, au concert, mais sans jamais observer le moindre incident qui servît ses desseins. Bien qu'elle portât les minijupes les plus mini qu'il eût jamais vues et se complût évidemment à capter le regard des hommes, Mrs Hardwick restait en sa seule compagnie ou bien sortait avec des amies; quant au vieux monsieur qui l'avait accompagnée deux fois à l'opéra, il s'avéra que c'était l'oncle de son mari. Et maintenant elle était sur le chemin du retour, avec un livre pour tout compagnon.

« Avec tout le fric qu'elle a, elle bouquine ! » grommela Sypcovich in petto. Quel n'aurait pas été son amertume s'il avait su qu'elle ne lisait même pas un best-seller, mais un livre épuisé, écrit par un Australien défunt et consacré à un compositeur autrichien également défunt, dont le nom, selon un rapport du Public Broadcasting Service, était inconnu à quatre-vingt-sept pour cent des étudiants universitaires américains avant que Hollywood ne tournât un film à son sujet. « Elle bouquine, cette connasse! » marmonna-t-il entre ses dents. Il lui en voulait, comme si elle évitait les hommes tout exprès pour l'empêcher de toucher sa prime. Ces cinquante mille dollars, elle les lui volait, bon Dieu. La pensée qu'il ne toucherait peut-être jamais cet argent le mit dans une telle rage qu'il faillit renverser une des hôtesses en regagnant son siège.

Une des particularités de la nature humaine est qu'on ne peut pas haïr deux personnes en même temps avec la même intensité et, après qu'on leur eut servi une collation et du café, Sypcovich se sentit mieux disposé envers le jeune homme assis à côté de lui, qui était resté inoffensif assez longtemps pour apaiser ses craintes de détournement d'avion. « J'ai cru comprendre que vous aviez grandi hors des États-Unis », dit-il cordialement, comme s'ils n'avaient jamais échangé un seul mot acerbe.

Détendu et radouci par l'ennui, purgé de toute émotion, Mark répondit assez volontiers à ses questions.

« Vous avez eu une vie intéressante. Alors comme ça, vous êtes fils d'acteur?

— Bof, en réalité, c'était une espèce de figurant de luxe. Il jouait des petits rôles dans les navets hollywoodiens tournés en Europe, comme ces épopées romaines avec des foules de gens à moitié nus et de lions galeux en train de courir dans le Colisée. Les lions le dévoraient avant qu'on ait le temps de le remarquer. Comment il a pu supporter ça pendant dix-huit ans, je n'en sais rien. »

Sypcovich ricana doucement, affichant l'hilarité du type qui comprenait.

« Ce n'était pas drôle. Ma mère n'a pas pu le supporter, ils ont fini par divorcer. »

À ces mots, le détective se mit à glousser de tout son corps distendu. « C'est quand même plutôt marrant qu'il se soit cramponne pendant aussi longtemps. Dix-huit ans. À jouer les figurants de luxe, comme vous dites. »

Mark s'offusqua de sa propre expression. « Comprenez-moi bien, il a toujours été un bon acteur. C'est juste que personne ne voulait lui donner sa chance.

— Ne vous en faites donc pas, dit pieusement Sypcovich. Il a eu le cran de se cramponner pendant dix-huit ans, pour ça, on ne peut que l'admirer. Ce n'est pas donné à tout le monde d'être un gagnant. Et qu'est-ce qu'il fabrique à présent?

— Oh, maintenant, c'est une grosse vedette », répondit Mark, en exagérant avec une désinvolture voulue, comme si la gloire de son père ne lui faisait ni chaud ni froid.

Sypcovich accueillit cette information par un grognement en abaissant de nouveau la fermeture éclair de sa braguette pour laisser jaillir sa panse.

« Dana Niven, vous avez sûrement entendu parler de lui. Vous l'avez probablement vu dans *L'Empereur*. Le film a eu un énorme succès l'année dernière.

— Jamais entendu parler.

— Même si vous n'avez pas vu le film, vous avez dû voir sa photo dans les journaux. Il a fait la couverture du *New York Times Magazine* l'été dernier. »

Sypcovich écoutait avec une humeur maussade et un ressentiment croissants. Selon la curieuse logique des gens vraiment méchants, il crut que ce brusque flot de confidences était destiné à le rabaisser, oubliant tout à fait que c'était lui qui les avait sollicitées. « Quel petit merdeux! pensa-t-il. Il croit vraiment que je vais écouter tous ses problèmes juste parce que son père est une vedette de cinéma à la petite semaine? Qu'est-ce que ça peut me foutre que ses parents soient divorcés? Qu'est-ce que j'en ai à faire que ce mec ait eu sa photo dans je ne sais quel magazine? Le monde est plein de gens célèbres! » Histoire de bien montrer qu'il n'était pas impressionné, il se contenta d'observer sèchement : « Ouais, il y a beaucoup de divorces à l'heure actuelle. »

Cette pique eut l'effet désiré en réduisant Mark au silence, et Sypcovich fêta l'événement en commandant un verre d'eau gazeuse. Toutefois, il ne fut pas content tant qu'il n'eut pas trouvé un autre moyen de moucher le petit merdeux qui l'avait insulté en étalant le succès de son père. Dans un accès de vanité, il était même prêt à laisser échapper des ragots sur les Hardwick et sur sa mission, à seule fin de rabattre son caquet au fils de l'acteur. « Je suis sur une grosse affaire en ce moment, annonça-t-il, avec une désinvolture ostentatoire. Il y a du monde connu dans le coup. Vous voyez ce que je veux dire? Des gens importants. » Il dit ça en guise de rebuffade supplémentaire. « Quand je l'aurai résolue, je peux vous dire que ça fera du bruit dans les journaux. »

Sypcovich ne voyait aucune raison de ne pas confier ses secrets professionnels à un inconnu que le hasard avait mis à côté de lui dans un avion en route pour l'attrape-touristes bondé qu'était Nassau, ou, ce qui était tout aussi vraisemblable, pour Montego Bay. En l'occurrence, comme Mark se rendait lui aussi à Santa Catalina, il était fort probable qu'il ferait la connaissance de Mrs Hardwick – ce qui arriva d'ailleurs, ce jour même. Mais la rencontre se situait dans la région inconnue du futur, à une demi-heure de là.

Maintenu à flot par son ego ballonné, Sypcovich continua de lâcher des allusions afin de pousser son compagnon à le questionner. « Un détective privé, ce n'est pas comme une vedette de cinéma, figurez-vous, notre argent, il faut qu'on travaille pour le gagner. Mais c'est un boulot où on ne risque pas de s'embêter, je vous l'accorde. » Il se fendit d'un sourire mystérieux et provocant. « Il y a d'intéressantes combinaisons. »

Le hasard fournit à Mark l'occasion d'être prévenu et un tant soit peu d'expérience de la vie l'aurait incliné à écouter en feignant pour le moins la curiosité. Rien n'est aussi sacré pour un homme que la façon dont il gagne sa vie, et même s'il méprise son travail, il s'attend à voir les autres le prendre au sérieux; après tout, c'est à cela qu'il passe sa vie. Mais Mark trouvait d'avance tout ce que le « gros soûlard » pourrait vouloir dire assommant et agaçant, si bien qu'il se tourna pour le regarder en face avec une expression d'abject regret, si fausse qu'elle faisait peine à voir. « Excusez-moi, mais ça vous ennuierait de vous taire ? J'ai mal à la tête. »

Tout habitué qu'il était à insulter les gens et à se faire insulter par eux, Sypcovich en fut si mortifié qu'il ne dit plus un seul mot, pas même au revoir quand ils eurent atterri à l'aéroport de Nassau et quitté l'avion.

« Qu'est-ce qui ne lui va pas maintenant ? » se demanda Mark en se dirigeant vers les bâtiments de l'aéroport, grisé par ce brusque été qui l'environnait. « Je lui ai juste dit que j'avais mal à la tête. » Tout de même, ce fut une des remarques les plus malchanceuses qu'il fît jamais de sa vie.

Étant donné que l'île de Santa Catalina ne possédait qu'une seule piste d'atterrissage, dépourvue de commodités bureaucratiques, les passagers qui s'y rendaient étaient obligés de récupérer leurs bagages et de remplir les formalités d'immigration à l'aéroport de Nassau, avant de monter à bord du petit avion qui desservait les Out Islands, les îles les plus éloignées. Il allait sans dire que ce genre de cirque était épargné à Mrs Hardwick. Son chauffeur, John Fawkes, ainsi qu'un officier des douanes bahamiennes, attendaient sur le tarmac pour la saluer dès qu'elle poserait le pied sur le sol. Le chauffeur était venu en avion de Santa Catalina afin de se charger de son manteau et de son sac de voyage ; l'officier des douanes était là pour l'accueillir de nouveau aux Bahamas et lui annoncer qu'elle pouvait se diriger directement vers l'autre appareil.

Comme la plupart **des** fonctionnaires du premier gouvernement noir des Bahamas, ce douanier était un jeune homme et il fut contrarié de devoir déroger aux règles pour une riche femme blanche. « Si vous voulez bien me confier vos tickets de bagages, je me ferai un plaisir de les faire transférer, dit-il d'une voix hostile qui contrastait curieusement avec son offre.

— Oh, c'est vraiment trop gentil à vous ! » s'exclama-t-elle avec une gratitude exagérée afin de masquer son mécontentement. Elle avait beau être habituée à ses privilèges, elle ne parvenait pas à se faire au ressentiment qu'ils engendraient, et après une semaine d'anonymat à New York, où tout le monde la traitait comme n'importe quelle autre blonde attrayante, le ton de l'officier la piqua au vif. « Vraiment trop gentil », répéta-t-elle avec un sourire involontairement suppliant, en lui tendant les coupons bleus. Au fil des ans, elle en était venue à connaître la plupart des gens qui travaillaient à l'aéroport et elle se flattait d'être capable de les identifier et de les saluer comme de vieilles connaissances, mais elle ne parvenait pas à se rappeler ce regard froid qui la transperçait comme si elle n'existait pas. « Je ne crois pas vous connaître, vous devez être nouveau ici.

— Vous n'avez pas besoin de nous connaître, Mrs Hardwick, répondit l'officier des douanes avec une politesse glaciale, sans tenir compte de cette invitation à se présenter. Il suffit que nous vous connaissions. »

« Va donc te faire foutre ! » se dit-elle intérieurement, mais ne répondit que par un très convenable : « Vraiment ? »

Le douanier, sur le point de saluer, se ravisa, laissa retomber son bras et, saisissant cette petite occasion de défier la puissance de l'argent blanc, s'éloigna en poussant un hourra silencieux à l'intention de Frantz Fanon. C'était l'époque où l'idée de se débarrasser de tous les Blancs semblait encore promettre une vie meilleure.

« Eh bien, me voici chez nous, dit Mrs Hardwick avec une petite grimace. Je n'ai qu'une envie, aller faire un tour en bateau. Comment vont les enfants, John ?

— Tout va très bien, patronne », répondit John Fawkes afin de couper court à toute autre question.

Ils pouvaient maintenant gagner le petit appareil Twin Otter des Out Island Airways avant tous les autres passagers, mais ils découvrirent qu'il n'était pas encore prêt pour l'embarquement. Mrs Hardwick en eut bientôt assez de faire le pied de grue sur le tarmac brûlant, en respirant les émanations nauséabondes des avions et des camions d'essence, et elle se dirigea vers l'aéroport, où les passagers moins privilégiés, ayant payé leur tribut à la paperasserie, sirotaient des boissons glacées en écoutant l'orchestre de Blind Blake jouer la musique goombay par l'entremise de laquelle le ministère du Tourisme leur souhaitait la bienvenue.

« Je me sentirais beaucoup mieux s'ils voulaient bien me ficher la paix, se plaignit-elle. C'est tellement niais, tous ces chichis. Je ne demande pas de traitement de faveur. Franchement, je crois qu'ils font ça pour m'embêter. Ils espèrent que je vais attraper une insolation.

— Ils croient qu'ils font bien, patronne, voilà tout », déclara John Fawkes, dont les traits prirent une expression navrée. Il avait un chic déconcertant pour adopter un air de commisération instantanée et peiné à chacun de ses griefs.

Les simagrées de Fawkes ne la dérangèrent pas moins que la politesse dédaigneuse du douanier. « C'est bien fait pour moi, se dit-elle. À chaque fois, je le cherche. » Comme le disait souvent son mari, elle était d'une « sensibilité maladive » et ne parvenait pas tout à fait à être à la hauteur de son rôle de personnalité enviée de ce monde. Trois ans plus tôt, en voyant Hardwick peloter une autre femme au cours d'une soirée chez eux à Chicago, elle s'était donné en spectacle en fondant en larmes devant tout le monde. Ce comportement ridicule n'avait pas manqué de scandaliser les invités, dont certains avaient exprimé leur réprobation à voix assez haute pour être entendus d'elle. « Qu'est-ce qu'elle a à pleurer ? Ils ont au moins quatre cents millions de dollars ! » s'était exclamée une matrone qui en possédait moins de cinq millions et qui estimait, pour sa part, avoir autant le droit que les pauvres d'exprimer son chagrin toutes les fois qu'elle en avait envie.

De telles expériences ne firent que confirmer Mrs Hardwick dans sa détermination de cacher ses sentiments, mais elle avait espéré ne plus être obligée de faire si attention à cela une fois installée à Santa Catalina. Comme beaucoup de citadines, elle s'imaginait trouver dans les îles un monde meilleur. Vivant dans l'isolement, sans autre compagnie que ses enfants et ses domestiques, elle souhaitait être l'amie de ses serviteurs bahamiens, et au début elle se disputa plusieurs fois avec John Fawkes, s'élevant contre sa fausse sollicitude et le priant de se comporter avec naturel à son égard, d'exprimer ses sentiments véritables. « On m'a engagé pour faire mon travail, protesta-t-il. Je n'ai pas le temps de me demander si mes sentiments vous plaisent. — Qu'ils me plaisent ou non, fit remarquer Marianne, ce n'est pas important. — C'est important pour moi, patronne, répondit-il. Je veux garder mon emploi. » En vain s'efforça-t-elle de le convaincre du fait qu'elle ne le renverrait pas s'il avait son franc-parler ; Fawkes ne pouvait pas oublier que Mrs Hardwick avait le privilège de changer d'avis sur ce point. Il avait déjà assez à faire avec son travail, il ne voulait pas se donner en plus le mal d'être sincère vis-à-vis d'elle. « On a le droit de penser ce qu'on veut, patronne », disait-il, parlant sur ce point au nom de toute la domesticité.

Kevin Hardwick reprocha à son épouse sa naïveté. « Franchement, tu devrais arrêter de casser les pieds aux domestiques avec ton histoire de sentiments véritables, chérie. S'ils laissaient libre cours à leurs sentiments véritables, ils te trancheraient la gorge, ou alors ils occuperaient la maison et t'obligeraient à leur servir à eux le petit déjeuner au lit. Dans le meilleur des cas, ils cesseraient de travailler pour toi. Tâche de fourrer une chose dans ton joli petit crâne : c'est qu'ils sont ici pour l'argent, pas pour la compagnie. Mon père disait toujours qu'il suffisait d'avoir des serviteurs pour savoir que l'affection ne s'achète pas. Et c'est plus vrai aujourd'hui que ça ne l'a jamais été; presque tous les gens qui ont moins d'argent que toi pensent que tu es riche à leurs dépens. Autant apprendre à vivre avec cette idée. Tu as une belle vie, on fait tout pour toi, alors pourquoi ne pas t'en satisfaire? L'ennui, avec toi, c'est que tu veux être aimée! » Et c'était **vrai,** même si elle n'avait guère d'espoir de l'être. Elle baptisa **son petit** yacht *L'Ermite* et caressait souvent le fantasme d'être riche sans que personne ne le sût.

En pénétrant dans l'aérogare elle prit son expression publique d'indifférence sereine qu'elle portait comme un voile. L'orchestre goombay et la plupart des touristes quittaient déjà l'endroit, emportés par les autocars des hôtels British Colonial et Nassau Beach. Avec John Fawkes dans son sillage, elle gagna la salle des départs. Formant un contraste saisissant avec la luxueuse aire d'arrivée, la salle vaste et nue réservée aux passagers en instance de départ semblait miteuse et sale, jonchée de timbales en papier, de mégots et de paquets de cigarettes vides et chiffonnés. Des chauves-souris géantes pendaient du plafond, brassant la chaleur. Ce décor déprimant ne fit rien pour lui remonter le moral et ce ne fut pas sans soulagement qu'elle réagit au regard admiratif braqué sur elle.

Fawkes se mit à l'écart dès que son employeuse et le jeune homme aux cheveux bruns commencèrent à se lorgner mutuellement.

En rapportant leurs premières impressions, il est difficile de ne pas envier quelque peu le romancier du dix-neuvième siècle, qui écrivait à une époque où les jupes et les conventions cachaient tout et où il était possible de tracer un entrelacs complexe et subtil d'émotions, progressant lentement d'un enthousiasme partagé pour la sonate à Kreutzer, les conversations scintillantes et les bonnes œuvres vers une reconnaissance fortuite des besoins de la chair. Mais un conteur doit refléter son temps, et de nos jours les gens ne sont plus innocents dans leurs désirs : ils pensent à faire l'amour dès le premier regard.

D'une part, Mark était en train de se déshabiller en raison de la chaleur. Ayant jeté son manteau d'hiver sur un siège, il avait ôté son pull-over et déboutonnait sa chemise afin de s'éponger le torse, lorsqu'il aperçut la jeune femme. D'autre part (et la chose était d'une importance si extrême pour lui qu'il y réagit sans réfléchir), elle paraissait être moins grande que lui. Ayant toujours été un des garçons les plus petits de sa classe dans les diverses écoles européennes où on les alignait par ordre de taille, il s'inquiétait à l'idée de n'être pas assez grand. Un jour qu'il avait emmené Jessica voir un film interdit aux moins de dix-huit ans à Londres, on lui avait demandé la preuve de son âge, et une autre fois où il avait voulu essayer d'embrasser une grande fille en talons hauts, il s'était cogné le front contre son menton. Ces pénibles expériences avaient formé ses affinités, et bien qu'il en fût venu auprès de Martha à se dire que la taille importait peu au fond, le fait que cette blonde gracile ne fût pas trop grande lui apparaissait comme une des choses les plus séduisantes qu'il pût imaginer. Ses cheveux blond cendré, raides, lisses, brillants, lui descendaient au-dessous des seins, encadrant son visage ovale qui n'était pas tant joli que fascinant et qui aurait pu paraître chevalin s'il n'avait pas été aussi doux ; l'ossature n'apparaissait pas, les traits délicats étaient unis par la réserve ; ce n'était pas la contrainte agressive du « bas les pattes, on ne touche pas », mais la réticence d'un retrait pensif, qui semblait dire que cette personne vivait loin, bien loin au-delà de son visage, dans l'isolement complet. Cette femme de vingt-trois ans, mère de deux enfants, avait l'air d'une jeune fille de dix-sept ans ; la différence avait été gommée par plus d'heures de sommeil qu'il n'en fallait (le sommeil étant, aux yeux des anciens, le secret de la beauté divine), beaucoup de natation et de voile, et un régime alimentaire idéal. Telle était l'injuste magie de l'argent, qui lui donnait cette grâce supplémentaire de six années invisibles.

Mais, à vrai dire, Mark se sentit attiré vers elle longtemps avant de l'avoir complètement détaillée. Ce furent ses élégantes chaussures de marche italiennes qui entrèrent les premières dans son champ de vision, entraînant avec elles une paire de fines chevilles, des mollets déliés, des genoux lisses et ronds, puis des cuisses au hâle profond que surmontait une jupe en laine crème si courte qu'il eut le sentiment qu'il n'aurait qu'à la relever imperceptiblement pour pouvoir la pénétrer – pensée fugace, mais il fallait dire que ses jambes étaient faites pour y mener !

Marianne Hardwick, de son côté, le dévorait aussi des yeux, séduite par ses yeux noirs et brillants. L'ambition obsessionnelle de Mark se reflétait aussi dans son physique : il avait cet air limpide, puissant d'un garçon qui savait ce qu'il faisait de sa vie. Le pull-over à cheval sur une épaule, la chemise rayée ouverte au col, il présentait un aspect qui plaisait aussi bien à la jeune fille qu'à la mère qu'elle était. Il avait une belle tête imposante, et des mains et des pieds d'une étonnante petitesse, combinaison qui le faisait paraître à la fois robuste et vulnérable – un jeune homme capable de protéger, mais qui avait pourtant besoin d'être choyé. Sa chemise était humide de sueur, ce qui incita Marianne à l'imaginer au lit, se démenant pour la contenter.

Ils se livrèrent à une orgie de regards mutuels, dans l'esprit libre, ouvert, éhonté de l'engouement désœuvré.

Quand Mark s'approcha d'elle, gâchant le plaisir qu'elle prenait à leur échange de regards expressifs mais sans danger puisqu'à distance, les yeux de Marianne Hardwick, verts comme l'océan, se vidèrent d'expression. Il était, après tout, un parfait inconnu.

« Vous attendez l'avion pour Santa Catalina ? demanda-t-il.

— Oui », répondit-elle avec une froideur suffisante pour décourager toute autre tentative de familiarité.

La joie de Mark l'abandonna instantanément. « Moi aussi », dit-il machinalement, puisque c'était ce qu'il avait projeté de dire, mais au fond de son cœur il renonça.

Il n'était pas souvent arrivé à Mrs Hardwick de voir un homme pâlir parce qu'elle répondait d'un ton agacé – seul Benjamin, son fils cadet, dépendait d'elle à ce point – et, en voyant Mark se détourner, elle devint curieuse de découvrir qui il était. « Vous êtes en vacances ? »

Au son de sa voix, Mark redevint maître de lui. « Non, je suis en cavale », avoua-t-il avec un orgueil qu'il ne parvenait pas à cacher.

Il la surprit – c'était un point en sa faveur. « Ah bon ? Qu'est-ce que vous avez fait ? »

« C'est fou, ses cheveux sont plus longs que sa jupe! » pensa Mark. « J'ai lancé une pomme à la tête du vice-président Humphrey, parvint-il à dire presque simultanément.

— Et ça fait de vous un fugitif?

— Ben, elle était plutôt grosse, la pomme », dit Mark, qui ne souhaitait pas minimiser son délit.

Le détective privé de miss Marshall se tenait au bar, pétrifié, regardant d'un œil incrédule Mrs Hardwick succomber à une conversation avec le fils de l'acteur à qui il avait presque divulgué le secret de sa mission.

14

Le mariage du week-end

> Ma femme, la pauvre malheureuse,
> souffre de sa vie solitaire.
>
> PEPYS

L'argent fut la grande aventure de Mark Niven, sa foi et son destin ; l'argent était mêlé à sa vie même quand il ne l'était pas, même dans un échange de coups d'œil avec une jolie blonde, même dans la lueur encourageante de ses yeux vert océan, voilée par des nuages passagers d'hésitation.

Marianne Hardwick était timide et peu aventureuse, sa vitalité consumée par l'activité physique et des désirs insatisfaits, son intelligence par l'indécision, mais cela était dû moins aux caractéristiques innées du sexe faible (comme l'appelait son père, Creighton Montgomery) qu'aux circonstances débilitantes de son éducation. Creighton Montgomery avait assez d'argent pour modeler ses filles selon ses idées fausses : les filles n'étaient pas faites pour se débrouiller toutes seules, donc il protégea les siennes de la vie. En conséquence de quoi, Marianne Montgomery grandit sans faire par elle-même aucun de ces choix qui comptent dans une vie. Privées de la possibilité d'acquérir les habitudes d'indépendance et de force de caractère qui découlent des prises de décision, les filles très riches, que leurs parents ont les moyens de couver de cette façon paralysante, sont les dernières représentantes de la femme de l'ère victorienne. Elles ont beau avoir les manières les plus délurées, les idées les plus avancées, elles n'en partagent pas moins l'humble dépendance de leurs bisaïeules.

De nos jours, la plupart des parents doivent se fier à la force de leur personnalité, ainsi qu'à l'amour et au respect qu'ils sont capables d'inspirer, s'ils veulent exercer la moindre espèce d'influence sur leurs enfants, mais beaucoup d'argent peut toujours acheter beaucoup d'autorité parentale. Les multimilliardaires possèdent tout en plus grande quantité que les autres mortels, y compris la puissance dont jouit un père ou une mère, et leurs fils et leurs filles ont à peu près autant de chances de se développer selon leurs penchants qu'ils en auraient eu du temps de la monarchie absolue.

Les riches ont encore des familles.

Le grand fossé entre les générations, si bien considéré comme allant de soi que plus personne ne juge bon d'en parler, est un mal qui touche les classes inférieures et moyennes, dont les enfants commencent à s'en aller à la dérive dès qu'ils ont l'âge d'aller à l'école. Les parents n'ont aucun contrôle sur l'école et encore moins sur les fréquentations et les idées auxquelles leur enfant sera exposé ; ils ne peuvent pas non plus l'isoler des modes, de l'esprit du temps. On entend souvent la mère de famille des classes moyennes se plaindre du fait qu'elle est obligée de laisser ses enfants regarder la télévision pendant des heures chaque jour si elle veut pouvoir chiper quelques instants pour elle-même. Les riches n'ont pas de tels problèmes ; ils peuvent veiller à ce que leur progéniture soit occupée du matin au soir, sans en être pour autant réduits à supporter sa compagnie une minute de plus qu'ils ne le souhaitent, et ils peuvent exercer un contrôle quasi total sur son environnement. Quant aux études, ils peuvent trier sur le volet des professeurs particuliers bien-pensants, qui viendront trouver leurs enfants, sans que ceux-ci aient à quitter les propriétés familiales en ville, à la campagne ou au bord de la mer, à moins que ce ne soit pour un pensionnat exceptionnellement sûr ou pour un voyage à l'étranger sous la surveillance d'un chaperon. Il aurait été plus aisé pour la petite Marianne Montgomery de se rendre au Caire qu'au kiosque à journaux le plus proche.

Les riches exercent une influence énorme sur l'avenir de leurs enfants, car ils détiennent le pouvoir terrifiant de les déshériter. Et si étrange que cela puisse paraître, ils s'entendent rarement dire qu'ils sont trop vieux ou trop bêtes pour comprendre les choses. Ce sont les parents ordinaires qui sont confrontés au manque de respect envers l'ancienne génération, à mesure que l'enfant se rend compte que le foyer familial n'est qu'un refuge temporaire et que ses parents ne pourront guère l'aider ni le contrecarrer quand il sera grand.

Il existe une différence stupéfiante entre un jeune radical disant son fait à un cadre moyen qui a vendu ses principes pour les quarante mille malheureux dollars par an que lui rapporte son poste, dont il peut d'ailleurs se faire débarquer à tout moment, et le même genre de jeune homme écoutant les divagations délirantes d'un PDG psychopathe qui peut lui léguer vingt millions de dollars ou laisser toute sa fortune à la Ligue contre le cancer. Le champion de la fraude d'entreprise qui a amassé une fortune en construisant au rabais dans les banlieues des « résidences de luxe » en carton-pâte où il est impossible de mener une vie de famille saine et affectueuse est un père idéal : ce n'est pas lui qui s'entendra dire par ses enfants qu'ils rejettent son matérialisme puant. Ce sont les parents qui ont hypothéqué tous leurs gains, fruit d'une vie entière, afin d'acquérir une de ces maisons de pacotille sur deux niveaux à la plomberie tuberculeuse, que leurs enfants rêvent naturellement de quitter, qui ont droit aux sermons sur les maux de la propriété avant que la porte ne se claque sur leurs visages larmoyants. « Je n'en veux pas de ce que tu as! » est le cri de l'enfant des classes moyennes dont les parents ont très peu de chose.

À vrai dire, quels que soient leurs véritables griefs, les enfants des classes moyennes sont les gens les plus libres de la terre, libres de se développer selon leurs désirs, de choisir leurs propres amis et leurs propres idées, de poursuivre leurs propres sottises, alors que les enfants des riches vivent sous un régime totalitaire dont la nature dépend du caractère du dictateur. Certes, une fois qu'ils atteignent leur majorité, les rôles sont inversés : alors, les riches obtiennent leur liberté et les jeunes bourgeois perdent la leur en devenant des esclaves salariés. Les pauvres, évidemment, souffrent de l'oppression de la pénurie du berceau à la tombe.

Bien qu'il fût dans l'acier, le père de Marianne se voyait sous les traits d'un capitaine de navire qui avait tout à l'œil. Une fois que ses enfants furent assez âgés pour qu'on pût leur parler, il ne les toucha plus; et ils ne le virent jamais non plus toucher leur mère. On aurait pu leur pardonner de s'imaginer que leur venue au monde était le résultat de bribes de conversation échangées d'un bout à l'autre de la longue table de la salle à manger. Montgomery était résolu à protéger son ménage de la pourriture. La télévision, c'était pour les domestiques des autres. « Si vous voulez voir des chevaux, allez faire du cheval », disait-il à ses enfants. Il leur apprit lui-même l'équitation et la voile, et ses idées sur le monde devaient former les principes incontestables de leur éducation. Ainsi, ils apprirent à un âge encore tendre à se méfier de la politique. Les politiciens étaient malhonnêtes, ils ne faisaient jamais tout à fait ce pour quoi on les payait.

La façon dont Creighton Montgomery mit fin aux projets matrimoniaux de sa fille aînée, Claire, peut résumer l'esprit de son règne. De six ans plus âgée que Marianne, Claire avoua, à l'âge de vingt ans, qu'elle avait un petit ami, un jeune peintre, qu'elle voulait épouser. L'aspirant artiste fut mis sous sur-veillance vingt-quatre heures sur vingt-quatre; des employés du service de sécurité des aciéries Montgomery s'introduisirent même par effraction dans son atelier afin d'y installer divers systèmes d'écoute. Le peintre avait du talent et il était sincère-ment amoureux de Claire, qui était jolie et adorait ses œuvres, mais il était assez naïf pour ne pas se rendre compte qu'en courtisant la fille de Montgomery il s'exposait à des vérifica-tions plus poussées qu'un candidat au rang d'agent de la CIA. Le jeune benêt laissa une ancienne petite amie lui rendre visite dans son atelier et, lorsqu'elle voulut faire l'amour avec lui, il se récusa en expliquant qu'il avait peur de renouer avec elle parce que cela risquait de compromettre ses chances d'épouser une fille riche à millions. Confronté à un enregistrement de cette conversation, il prétendit que c'était juste une façon de parler : il n'avait pas voulu faire de la peine à la fille en lui avouant qu'il était amoureux de quelqu'un d'autre. Nul ne devait jamais connaître l'exacte vérité, pas même lui peut-être, mais Claire pleura pendant des semaines entières et rompit leurs fiançailles.

Quel parent, lorsqu'il se trouve en face d'un prétendant peu avenant à la main de sa fille, dont il ne sait rien, n'envierait pas à Creighton Montgomery son pouvoir de se renseigner sur autrui ? Et quelle adolescente de quatorze ans ne serait pas impressionnée de constater que son père a des yeux et des oreilles partout ? On fit écouter l'enregistrement à Marianne à de multiples reprises pour qu'elle sache à quoi s'en tenir avec les garçons et qu'elle apprenne à se méfier de tout le monde.

« Tu es plus jolie, mais elle a du fric », disait la voix du peintre.

Un an plus tard, Marianne fut lâchée dans le monde, une école très sélect à Lausanne – une jeune fille indécise, qui se méfiait des garçons et ne savait pas trop ce qu'elle pensait. Ce fut à l'occasion d'une excursion à Genève qu'elle acheta, en ayant l'impression d'être d'une folle audace, son premier exemplaire de ce torchon gauchiste qu'était le *New York Times*. Et ce ne fut que lorsqu'elle devint étudiante à Bryn Mawr à l'âge de dix-sept ans qu'elle entendit dire que le *New York Times* était en réalité un canard ultracapitaliste qui déformait l'actualité de façon éhontée afin de protéger le système. L'accomplissement de son développement intellectuel l'obligeait à quitter l'âge des ténèbres de l'esprit de son père pour gagner la confusion éblouissante du monde moderne – est-ce étonnant qu'elle n'y parvint pas tout à fait ? Entre les philosophies contradictoires concernant les journaux, l'ordre social et le but de l'existence, elle finit par n'avoir d'opinions sur rien et par se voir uniquement comme une fille faite pour se marier et fonder un foyer.

Elle fit la connaissance de Kevin Hardwick dans une soirée chez une camarade de classe peu après son arrivée à Bryn Mawr. Quelques mois plus tard, les parents du jeune homme et son seul frère périrent dans un accident d'avion, lors du vol inaugural du jet familial, et il devint le plus jeune géant de l'industrie américaine ; mais quand il rencontra sa future femme, il était encore étudiant. Déjà diplômé de la Harvard Business School, il poussait ses études un peu plus loin afin d'élargir son esprit par des cours de psychologie et de philosophie et de réaliser son ambition personnelle qui était de coucher avec une centaine de filles avant la fin de ses études universitaires. La ténacité même dans le plaisir comptait beaucoup pour ce jeune homme efficace qui n'avait que du mépris pour les riches oisifs et nourrissait depuis l'enfance le rêve de doubler la valeur des entreprises de son père. À vingt-trois ans, c'était déjà un personnage imposant, grand et bien en chair, avec un nez fort et une bouche sévère et, lorsqu'il s'avança à grands pas sur la piste de danse pour taper sur l'épaule du cavalier de Marianne afin qu'il lui cédât sa place (elle dansait avec un condisciple de son frère, étudiant à Groton), il fixa sur elle ses yeux pâles, sans jamais les détourner, avec une espèce de profonde attention qui la mit dans tous ses états.

Elle portait une longue robe de mousseline qui prenait énormément de place sur la piste et, voyant qu'elle devait se baisser pour la tirer de sous le pied d'une autre danseuse qui marchait dessus, Kevin lui demanda si elle ne trouvait pas qu'il y avait trop de monde. « Oui, c'est vrai, beaucoup trop », répondit-elle en espérant qu'il allait l'emmener sur le balcon pour qu'ils puissent s'embrasser et se peloter. Il l'enleva dans ses bras et se faufila adroitement parmi les couples en mouvement, l'emportant comme si elle était aussi légère qu'une assiette de biscuits, mais il n'alla pas plus loin que l'autre côté de la salle, où il la déposa sur une banquette devant la fenêtre. Et tandis qu'elle essayait de reprendre son souffle, il lui demanda si elle avait la moindre idée du nombre de gens qu'il y avait sur terre.

Plus tard, quand l'explosion démographique devint chez lui une obsession, elle eut envie de hurler chaque fois que le sujet revenait sur le tapis; à leur première rencontre, cependant, elle fut très impressionnée lorsqu'il lui dit que les gens avaient copulé pendant des millions d'années, de l'âge de pierre à 1850, avant de se multiplier jusqu'au milliard. Et savait-elle combien de temps il leur avait fallu pour atteindre la barre des deux milliards? Non? Eh bien, évidemment, ce n'était pas des millions d'années, ni des milliers – pas même un siècle! Ils avaient passé le cap des deux milliards dès 1930, soit quatre-vingts ans plus tard. Et en 1961 ils étaient déjà à trois milliards; un milliard d'autres hommes étaient venus au monde en trente et un ans seulement! « De notre vivant, il y aura plus de six illiards d'habitants sur la terre, imaginez la foule qui sera sur la piste de danse à ce moment-là! » continua-t-il en caressant ses épais cheveux blonds de sa main ferme, comme pour la rassurer qu'il serait toujours là pour la protéger. Il passa toute la soirée auprès d'elle, à lui parler de choses sérieuses. (Le jeune Hardwick trouvait que les sujets sérieux, agrémentés de quelques références à la copulation comme une partie du tableau général, étaient le plus puissant des aphrodisıaques pour les étudiantes universitaires.)

« J'admire votre père, mais d'après ce que j'ai entendu dire de lui, il est trop dogmatique, dit-il d'une voix traînante et pensive qui lui donnait un air d'autorité naturelle et sans prétention. Je ne crois pas que quiconque détienne la vérité absolue. Tout dépend de votre point de vue, vous ne trouvez pas? »

Marianne fut flattée qu'il sût qui elle était et contente de pouvoir comprendre ce qu'il disait. Avec lui, elle se sentait en sécurité : les Hardwick étaient aussi riches que les Montgomery, si bien qu'elle pouvait être sûre que c'était elle qui l'intéressait et pas son argent.

« Prenez les antibiotiques, par exemple, continua-t-il. La médecine moderne est formidable, tout le monde est pour. C'est l'activité humaine la plus bénéfique, la moins controversée, n'est-ce pas? S'il n'y avait pas la science médicale, nous aurions toujours des épidémies de peste qui feraient disparaître la moitié de la population une ou deux fois par siècle, vous aurıez toutes les chances de mourir en couches, et la plupart de vos enfants, si vous en aviez quand même, mourraient au cours de leur petite enfance. Mais de nos jours, les morts peuvent se rétablir et se multiplier, et devinez un peu, nous sommes frappés par l'explosion démographique, qui est si grave qu'elle risque d'anéantir toute la race humaine, à ce que disent quelques experts. Je suppose que c'est très marrant dans un certain sens, mais on en vient quand même à se demander s'il y a quelque chose qui est tout bon ou tout mauvais... » Il continua de discourir de la sorte, accompagnant ses phrases claires et déclaratives de gestes interrompus exprimant le doute; il levait le bras pour souligner ses propos, puis le laissait retomber d'un air impuissant au milieu de la phrase, en souriant de ses propres mots; sur tous les sujets, il y avait juste trop de pour et de contre.

Ce ne fut que plus tard, ce ne fut que trop tard qu'elle se demanda s'il ne s'était pas servi d'elle, même alors, pour se faire la main, pour perfectionner sa technique dans l'art de manipuler son prochain. Il cultivait sa modestie et son humeur égale tout autant que son air d'autorité ; il savait, de façon innée, à quel point ces vertus se mettaient mutuellement en valeur. Comme le propre frère de Marianne, Everett, le jeune Hardwick avait été élevé pour régner, mais selon des principes plus recherchés que ceux que Montgomery père devait transmettre.

« Je peux me tromper, lui dit-il, assis avec elle devant la fenêtre, mais il me semble que même les gens qui manifestent contre les pesticides n'ont peut-être pas tout à fait tort. Et je veux bien croire qu'on peut en dire autant des antibiotiques ; sous un certain angle, ils sont merveilleux, mais sous un autre ils ne sont pas si terribles. Mon père réalise trente millions par an de chiffre d'affaires sur les pesticides et les herbicides, mais nous ne cherchons pas à démolir les fanas de la nature pour autant. Ce ne sont pas tous des mabouls. On peut toujours discuter. » Il cita *Printemps silencieux* de Rachel Carson, le premier livre qui avait donné l'alarme concernant l'utilisation des produits chimiques dans le domaine agricole. Certes, miss Carson était de parti pris et assurément elle exagérait beaucoup, mais il admirait son engagement. Ce qu'elle disait méritait réflexion et il avait l'intention d'accorder à toutes les opinions le respect qui leur était dû ; il serait toujours prêt à écouter. Ce qu'il fit d'ailleurs, en intercalant de fréquentes questions destinées à tirer des commentaires de Marianne.

On imagine sans peine comment la tolérance de cet esprit ouvert affecta une étudiante qui n'avait pas encore dix-huit ans, issue d'un foyer gouverné par un fanatique. La notion que tout était à la fois un peu bon et un peu mauvais paraissait la délivrer de la tension d'avoir à démêler les choses par elle-même.

Kevin proposa de la reconduire chez elle en voiture et, comme il en profitait pour lui faire des avances, elle lui expliqua qu'elle ne voyait pas pourquoi elle devrait perdre sa virginité juste parce que toutes les autres filles perdaient la leur et qu'elle croyait que deux personnes devaient bien se connaître avant de se lancer dans des rapports physiques. Encore une fois, il l'écouta avec un intérêt soutenu, allant même jusqu'à se garer pour fixer sur elle toute son attention et le regard ferme de ses yeux clairs qui ne se détournaient jamais. Il savait à merveille écouter avec soin et respect – attribut vital pour ceux qui sont prêts, s'il le faut, à ne tenir aucun compte d'une autre opinion que la leur, sans vouloir éveiller pour autant trop de ressentiment. Il comprenait aussi en profondeur le pouvoir du point de vue. C'était son expression favorite, qui remplaçait des mots primitifs tels que « vrai » et « faux », « raison » et « tort » – des mots susceptibles de donner une chance à ses adversaires. S'il existait la possibilité d'avoir raison et d'avoir tort, eux pouvaient avoir raison et lui tort. Le « point de vue » réglait la question, car il va sans dire qu'il y a autant de points de vue que d'hommes, et qui est habilité à décider que l'opinion d'une personne vaut mieux que celle d'une autre ? La méthode que le jeune Hardwick utilisa plus tard avec tant d'efficacité pour rouler ses propres cadres, ses concurrents et le public fut encore une fois mise au banc d'essai lorsqu'il s'occupa de séduire la jolie petite Montgomery. Il ne se montra pas agressif, il n'essaya même pas de discuter : il appréciait les inquiétudes de Marianne, sa volonté de ne pas se précipiter dans une liaison physique ; il y avait beaucoup de bon sens dans ce qu'elle disait et il respectait ses convictions – mais ils finirent tout de même la soirée dans l'appartement d'un de ses amis.

Marianne tomba amoureuse de lui et sept mois plus tard, en état de choc après la mort brutale de ses parents et de son frère, se sentant perdu à présent qu'il n'avait plus de famille, il l'épousa. Le vieux Montgomery, réfléchissant aux avantages d'une telle union pour les petits-enfants qu'il espérait avoir, lui accorda à contrecœur la main de sa fille encore mineure. Au cours des préparatifs de la cérémonie, il persuada le jeune homme endeuillé du fait que l'union de leurs deux familles devaient s'étendre à leurs intérêts financiers respectifs, ce qui leur donnerait d'amples occasions d'accroître leurs fortunes mutuelles. Hardwick n'eut qu'à se louer des glissements d'actions et de sièges dans les conseils d'administration, mais il ne tarda pas à comprendre que son beau-père avait acquis le pouvoir de lui causer beaucoup d'ennuis sans lui donner l'occasion, à lui, de s'ingérer dans les affaires des Montgomery. Ce fait n'était jamais bien éloigné de la pensée de Hardwick lorsqu'il envisageait la possibilité d'un divorce. Le réseau des postes de PDG s'entrecroisant parmi les familles puissantes est loin d'être la conspiration contre le bien public que prétendent certains radicaux ; c'est simplement la façon dont les belles-familles et les cousins pointent leur pistolet respectif contre la tempe de l'autre, juste au cas où.

Le jeune marié commença à regretter son union dès avant la naissance de son premier fils. À mesure que la tragédie de l'accident d'avion s'estompait dans sa mémoire, la vie conjugale à l'ancienne mode lui apparut comme une contrainte intolérable. Certes, tout le monde ne verrait pas forcément dans le fait d'être jeune, beau, riche, puissant et attendu chez soi en début de soirée par une petite épouse inquiète et idolâtre le comble de l'infortune, mais cela suffit à pousser Hardwick au désespoir. En plus de quoi, Marianne ne pouvait ou ne voulait pas partager son enthousiasme pour son travail.

Un incident parmi tant d'autres peut laisser deviner la nature de la déception de Hardwick. La publication du premier rapport du directeur des services de la Santé publique désignant le tabac comme la cause principale des cancers du poumon sema la panique dans les marchés, et beaucoup d'investisseurs, redoutant de voir les gens arrêter de fumer, vendirent leurs actions, ce qui entraîna évidemment une chute des prix. Hardwick ne s'intéressait guère aux opérations boursières, mais il se dit qu'il y avait là une occasion à ne pas rater. « Pourquoi fait-on toutes ces histoires ? demanda-t-il à sa femme. Ni l'alcool ni les voitures de sport ne sont passés de mode, que je sache ? » Marianne répondit qu'elle espérait quand même que les gens étaient plus sensés qu'il ne voulait bien le dire. En dépit de sa répugnance à se prononcer sur quoi que ce fût, elle trouvait cela plutôt mal de spéculer sur la faiblesse humaine. Comme si on pouvait spéculer sur autre chose ! Hardwick risqua tout l'argent qu'il put réunir pour acheter des actions alors qu'elles étaient quasiment au plus bas et les revendre au moment où les prix revinrent à leur niveau normal, ce qui lui permit de réaliser la coquette somme de près de deux millions de dollars de bénéfices. Et même alors, sa femme y trouva à redire.

« C'est comme gagner de l'argent en vendant du poison », dit-elle.

Se retenant de lui rappeler que certains des produits chimiques fabriqués par Hardwick Chemical Industries étaient des poisons, il rétorqua que le tabac contribuait à freiner la croissance démographique et à améliorer l'espèce en éliminant les êtres inférieurs. « Les fumeurs sont trop cons pour comprendre qu'ils se suicident. Ou alors, ils n'ont pas assez de volonté pour arrêter. Tu ne vas pas te mettre à plaindre les drogués, à présent? Si l'on songe que la planète n'est pas en mesure de loger tout le monde et son père, c'est toujours un pas de fait dans la bonne direction que de laisser les faibles et les cons se liquider tout seuls. Ton problème, c'est qu'il n'y a pas assez de fumeurs. »

Il s'efforça de lui expliquer qu'elle aurait dû être fière de lui. « Ce n'est pas à la portée de tout le monde, tu sais, de gagner deux millions de dollars en bourse en une seule transaction. Il faut du courage et de la psychologie. J'ai pris un risque énorme en me fiant à mon propre jugement. » Mais elle était trop sentimentale pour comprendre ou apprécier son triomphe; en ce qui la concernait, toute cette affaire était trop déprimante, elle préférait ne pas y penser.

En revanche, Pauline Marshall, une fille qui avait dû se débrouiller toute seule dans la vie, qui était assez belle pour décrocher quatre fois la couverture de *Vogue* et assez futée et travailleuse pour financer ses études universitaires avec ce qu'elle gagnait en tant que mannequin, s'extasia.

« Tu es fantastique, incroyable, je t'adore! dit-elle à Hardwick dans son appartement où il n'était encore qu'un visiteur occasionnel. Mon chéri, je connais un couple de lesbiennes divines, laisse-moi t'arranger une petite partouze pour fêter ça. Bientôt, tu seras l'homme le plus riche des États-Unis. Qu'est-ce que je dis! du monde entier, oui, du monde entier!

— Je suis parti de trop bas pour en arriver là », objecta-t-il avec un petit haussement d'épaules résigné, bien qu'il fût enchanté du compliment. Ce n'était certes pas le genre de louange qu'il entendrait dans la bouche de sa femme. Il ne s'expliquait pas comment il avait pu être assez bête pour épouser une fille riche. Avec des revenus personnels nets de cent soixante-quinze mille dollars par an, Marianne ne s'intéressait absolument pas à l'art de gagner de l'argent.

Et par-dessus le marché elle avait le culot d'être jalouse !

« Tes scènes, je ne les supporte pas », lui lança-t-il après la soirée où elle avait éclaté en sanglots devant leurs invités. Il la suivit dans sa chambre à coucher, une petite pièce attenante à la nursery, où elle tenait absolument à dormir afin d'être à côté de ses bébés – habitude qu'il trouvait grotesque et à laquelle il avait répondu en faisant chambre à part. « Si tu étais heureuse avec moi, je pourrais comprendre, mais tu ne l'es même pas ! Tu te fiches de nos affaires, mes amis te déplaisent, tu passes ton temps à faire une tête de trois pieds de long, mais que je touche à une autre femme et tu nous couvres de ridicule en pleurant devant tout le monde ! » Il s'efforçait de ne pas élever la voix afin d'éviter de réveiller les enfants, mais ce fut une des rares occasions où il faillit bien se mettre en colère, ne sachant pas s'il devait étrangler sa femme ou oser espérer qu'elle allait décider de le plaquer.

Marianne se tenait près du lit, toujours en robe du soir, les deux mains devant sa poitrine pour cacher son modeste décolleté.

« Est-ce qu'elle essaie de me punir en me privant du spectacle de quelques centimètres de peau nue au-dessous de son cou ? se demanda Hardwick. Pauvre garce maigrichonne, qu'elle est pitoyable ! »

En voyant son visage dur se décrisper pour ne plus afficher qu'une indifférence méchante, Marianne fut envahie par une telle rage qu'elle se sentit capable de tout. « Si tu cesses de m'aimer, dit-elle en plissant les yeux pour se donner l'air venimeux, je vais me tuer. » Elle pensait ce qu'elle disait à ce moment-là. Sous sa jalousie, son angoisse, sa réprobation, elle avait toujours éprouvé un profond sentiment de bien-être en présence de son mari et à présent elle le haïssait avec tout l'orgueil blessé d'une jeune femme méprisée par son premier et unique amant, avec toute la peur panique d'une mère de vingt ans rejetée par le père de ses enfants. « Oui, je vais me tuer, siffla-t-elle, lançant la menace qui devait tourmenter Hardwick pendant des années, et tu pourras tout expliquer à tes fils quand ils seront grands. Et à mon père ! »

Hardwick la dévisagea fixement. « Je n'ai jamais rien entendu de plus répugnant !

— Ça dépend du point de vue », répliqua-t-elle du tac au tac. Sa menace lui avait remonté le moral. Elle simplifiait tellement la situation ; même s'ils devaient se séparer, elle pourrait être sûre qu'il ne l'oublierait jamais. Elle ne se sentait plus humiliée. Laissant retomber les mains qui cachaient sa poitrine, elle fit volte-face et gagna son dressing-room d'un pas léger.

Hardwick passa la moitié de la nuit à arpenter le jardin qui se trouvait sur le toit en terrasse. Son valet de chambre, qui l'avait accompagné dans l'ascenseur et avait allumé les lumières, resta à attendre des ordres, s'assoupissant de temps à autre, appuyé contre une urne gigantesque.

« Ne vous mariez jamais, Gianni ! » s'exclama Hardwick avec un profond soupir, en s'immobilisant devant l'urne.

Gianni était un habile Italien de Reggio di Calabria, formé à l'hôtel Schweizerhof à Berne. D'ordinaire, son visage **rond** et olivâtre reflétait le contentement et l'aplomb d'un homme qui aimait les bonbons, mais à présent il était voilé par la perplexité : il s'était marié quelques mois auparavant, à peine, et Hardwick lui avait fait cadeau de mille dollars pour la cérémonie et d'un appartement de deux pièces dans la maison. Ses yeux, ses sourcils, **sa** bouche partaient dans tous les sens, s'efforçant de réveiller la partie pensante de son cerveau.

« On dirait que vous avez besoin de dormir.

— Oui, monsieur », soupira Gianni, soulagé.

Hardwick, **c**ependant, était trop agité pour songer à congédier son valet pour la nuit, et il continua de faire les cent pas sur les allées de gravier. Si seulement il pouvait aimer sa femme et s'en satisfaire ! Ou mieux encore, si seulement elle pouvait tomber amoureuse de quelqu'un d'autre !

Car enfin, elle pouvait aller où elle voulait et faire ce qui lui plaisait. Mais non, il fallait qu'elle se cramponne. Elle resterait à tout jamais la créature de son père. Le vieux Montgomery ne l'avait formée à rien d'autre qu'au rôle de bonne petite épouse malheureuse. Songeant à la façon détestable dont elle avait plissé les yeux pour le dévisager, Hardwick conclut qu'elle ne l'aimait plus, ou plutôt – par crainte, par indolence, parce qu'elle était tout simplement incapable de trouver mieux à faire –

qu'elle n'aimait plus que l'idée de l'avoir auprès d'elle et qu'elle se pendait à son cou avec une passion vénéneuse. « Si elle m'aimait pour moi-même, j'aurais peut-être une chance, réfléchit-il, mais elle m'aime avec toute la force de ses limites. Et ça, c'est pour toujours. » Pourtant, il n'avait pas le cœur d'exiger le divorce. Qu'elle eût ou non l'intention de se suicider (et il y en avait des gens qui se tuaient sans en avoir vraiment l'intention), il ne faisait aucun doute que leur mariage était toute sa vie et il ne pouvait s'empêcher de la plaindre. Il ne pouvait non plus s'empêcher de se plaindre lui-même. C'est quand ils sont pris dans de tels dilemmes que les couples en viennent à s'entre-tuer.

Hardwick, cependant, avait les moyens et la possibilité d'adopter une solution moins radicale. Remarquant à la lumière d'un projecteur que les grandes feuilles cirées d'un caoutchouc étaient couvertes de suie, alors qu'on les lavait censément tous les matins, il décida de persuader sa femme qu'ils n'avaient pas le droit d'élever leurs fils dans une ville aussi sale et aussi violente que Chicago.

« Je ne veux pas qu'on nettoie le jardin pendant quelques jours, lança-t-il à son valet, tandis qu'ils reprenaient enfin l'ascenseur. Dites à Miguel de ne pas y toucher. »

Gianni fit une grimace d'excuse en étouffant un bâillement : « Bien, monsieur. »

Hardwick attendit une semaine avant d'emmener sa femme faire un tour sur le toit et feignit la surprise en découvrant à quel point les plantes étaient noires. Une fois de retour dans le salon, il commença à se demander tout haut s'ils n'auraient pas intérêt à trouver un endroit plus sain. La proposition de s'en aller vivre aux Bahamas et d'y fonder leur vrai foyer ressemblait, selon Hardwick, à une manœuvre parfaitement réussie : il allait pouvoir obtenir ce qu'il voulait sans devoir trop s'affirmer. Marianne, pâle et éteinte depuis la scène qu'elle lui avait faite, montra une étonnante docilité.

« Tu seras là les week-ends ? demanda-t-elle en détournant la tête, comme pour soumettre le mur à un examen attentif.

— Comment ça les week-ends ? » Hardwick était l'incarnation même de la franche stupéfaction, balayant d'un geste toutes les sottes questions de sa femme. « Je serai là chaque fois que j'aurai une minute à moi, les week-ends et les jours de semaine. Ce sera notre vrai foyer, ma chérie. Je meurs d'envie de trouver un endroit et de construire notre maison. »

Son impatience de mettre de la distance entre eux filtra dans sa voix et donna à Marianne l'impression qu'on lui déchirait les entrailles. Elle fut inondée de honte à l'idée d'avoir jamais pu aimer assez son mari pour en être jalouse. À cet instant, la jeune fille se transforma en femme et la tromperie devint mutuelle. Jamais plus jusqu'à la fin de leur mariage un seul mot sincère ne serait échangé entre eux concernant ce qu'ils éprouvaient l'un pour l'autre . « Je crois que je vais m'acheter un voilier », dit-elle.

Sa voix chevrotait et ses lèvres tremblaient mais elle ne fit pas d'histoires, et Hardwick se sentit envahi par un énorme soulagement. Finalement, elle avait du cran, cette gosse. Sa pâleur extrême, son air de petite fille perdue la mettaient en valeur, comme une robe seyante qui transforme une femme que l'on connaît trop en prometteuse inconnue. Il ne pouvait manquer d'en être ému et il se rendit compte qu'il allait de nouveau éprouver envers elle une vive affection, une fois qu'il se serait débarrassé d'elle.

La perspective de reprendre sa liberté sans complications plongea Hardwick dans un état d'euphorie pendant des semaines entières. Il se sentait le roi du monde, son esprit était plus agile que jamais; son cerveau devint une véritable mine d'or d'idées géniales. Il ne sert à rien d'être heureux quand on est pauvre, puisqu'il ne reste plus trace de ce bonheur une fois que le désespoir a refait le terrain perdu, mais pour un homme suffisamment riche les périodes d'effervescence ont tendance à se révéler profitables.

Pour commencer, il finança le magazine que Pauline Marshall voulait lancer. (En moins d'un an, *Intérieurs de luxe* devint le magazine de décoration le plus lu d'Amérique, rapportant à HCI un million six cent mille dollars de bénéfices nets; donc même sa petite amie était rentable.)

Lorsque deux de ses chercheurs donnèrent une conférence de presse afin d'annoncer qu'ils quittaient HCI parce qu'ils ne voulaient plus rien avoir à faire avec la production des défoliants utilisés par les militaires au Vietnam et parce qu'ils souhaitaient attirer l'attention sur les effets secondaires meurtriers des herbicides et des pesticides prétendument « paisibles » utilisés aux États-Unis, la mauvaise image qu'ils donnaient de la firme incita Hardwick à fonder une nouvelle entreprise.

« Je serais désolé de perdre deux braves hommes intègres, déclara-t-il aux deux scientifiques déloyaux qui s'étaient attendus à encaisser des récriminations cinglantes lorsqu'ils avaient été convoqués dans son bureau. J'ai le plus grand respect pour votre point de vue, même si je regrette, bien sûr, que vous ne soyez pas venus me voir avant de vous adresser à la presse. » Ce petit reproche fut glissé mine de rien et il continua d'un ton grave. « Je vous assure que je ne demanderais pas mieux que de renoncer peu à peu à tous nos produits prêtant à controverse, si cela ne devait pas avoir pour seul et unique effet de faire les affaires de nos concurrents. » Balayant de la main ce problème qui allait au-delà de ses compétences, il poursuivit d'un ton énergique : « Quoi qu'il en soit, ce qui nous intéresse vraiment, ce sont la paix et la croissance. Je suis aussi soucieux que vous en ce qui concerne les effets secondaires nocifs de nos produits – et même, regardons les choses en face, de la grande majorité des produits industriels. Et il me semble qu'il ne s'agit pas seulement d'une affaire qui touche vos consciences personnelles, mais d'une affaire qui peut devenir pour nous un point de départ. Alors, au lieu de démissionner, que diriez-vous de rester chez nous et de créer une entreprise plus conforme à vos goûts ? Je prévois un grand avenir pour l'environnement. »

Le résultat de cet entretien fut que les produits HCI « Planète Propre » pour traiter les déchets industriels devinrent les premiers sur un nouveau marché qui se développa rapidement. Pour disposer des propres déchets toxiques de HCI, qu'il était impossible de traiter, Hardwick vainquit sa répugnance à l'idée de frayer avec le crime organisé et il accepta les offres du patron de la Mafia à Chicago, Vincenzo Baglione, qui proposait de les faire enlever par camion dans les conteneurs spéciaux de la compagnie des Transports sécurisés de l'Illinois.

Le jeune industriel était dans cet état de béatitude indescriptible propre à l'homme pour qui rien ne peut mal tourner. Afin de fêter l'événement et de se faire plaisir, il acheta un Boeing 707, malgré le vœu qu'il avait fait de ne jamais être propriétaire d'un avion privé. Soucieux de ne plus perdre de temps ni d'énergie lors de ses déplacements, il métamorphosa l'appareil en bureau-appartement-gymnase-club. Les chambres à coucher et les douches n'avaient rien de rare dans les avions privés, mais le sien fut peut-être le premier équipé d'un sauna et d'une salle de massage.

Il prit en fait du plaisir à se rendre dans les îles en compagnie de Marianne afin de choisir un terrain et d'étudier les plans avec les architectes; et elle le laissa seul pendant plusieurs jours, chaque fois qu'elle se rendait en Floride pour y surveiller la construction de son yacht. Pourtant, de temps à autre, il était pris de crises d'angoisse tant il trouvait étrange qu'elle n'eût jamais protesté, ne fût-ce qu'une fois, contre cet arrangement qui les obligerait à vivre séparés la plus grande partie du temps. Ne faisait-elle pas juste semblant d'être raisonnable par pure rancune, tout en mijotant de lui assener son suicide au moment où il s'y attendrait le moins? Il était perturbé par les faits divers qu'il lisait dans la presse, où il était question de cinglés qui se versaient un bidon d'essence sur le corps avant d'y mettre le feu afin de protester contre toutes sortes de choses. Un jour, il envoya une note à tous ses vice-présidents et chefs de section, promettant des actions privilégiées de HCI à quiconque serait capable de lui expliquer ce que ces fanatiques espéraient accomplir en s'immolant par le feu. Cette demande accrut sa réputation de personnage doué d'un sens de l'humour sardonique.

Rétrospectivement, l'idée de se suicider parut si ridicule à Marianne qu'elle fut incapable de s'expliquer comment elle avait jamais pu y songer; et bien plus loin encore de s'imaginer qu'elle avait fait une si vive impression à son mari. Depuis le jour où elle avait enfin compris que Kevin ne voulait plus vivre avec elle, elle avait existé dans un état de surprise permanente, car elle n'éprouvait pas plus d'amertume que de désespoir. Et loin de le haïr ou d'avoir envie de le rendre malheureux, elle parvenait même à lui accorder un bon point, car par égard pour elle il se donnait au moins la peine de feindre. La paix domestique dépend en grande partie des efforts ainsi faits pour prendre les faux-semblants du bon côté; si l'hypocrisie est le tribut que le vice paie à la vertu, les mensonges conjugaux sont le tribut que l'indifférence paie à l'amour. Il y avait même des moments où Marianne était tentée de dire à son mari qu'il n'avait pas besoin de jouer un rôle devant elle, mais aussitôt elle se disait : « Pourquoi pas? Qu'il en sue un peu! »

Une fois qu'ils furent installés à Santa Catalina, Hardwick tint peu ou prou sa promesse et vint passer dans l'île presque tous les week-ends. Ces visites étaient beaucoup moins pénibles qu'il ne voulait bien se le dire; quel homme n'apprécie pas la vie de famille à petites doses?

Le soleil et la mer faisaient un changement agréable dans sa routine, les petits garçons étaient adorables, ils grandissaient et tournicotaient autour de lui, débordant de curiosité, et il n'avait rien contre le fait de faire de la voile et de la plongée avec sa femme. Leurs rapports, fondés à présent sur un profond manque de sincérité de part et d'autre, devinrent plus faciles et plus plaisants. Hardwick attribua cette amélioration aux effets bénéfiques de la vie insulaire; à l'évidence, vivre au contact de la nature avait fait du bien à Marianne. Apparemment, le danger de la voir se suicider n'existait plus, en tout cas tant qu'il continuait de venir la voir. Elle cessa de se plaindre et de poser des questions – surprenant changement qui le frappa d'autant plus qu'il la croyait toujours jalouse de lui et partait du principe qu'elle devait bien se douter qu'il était impossible qu'il menât une vie de moine lorsqu'il était tout seul à Chicago. Et pourtant, elle ne faisait pas la tête, elle finit même par arrêter de l'importuner pour qu'il lui fît l'amour; il avait tout loisir de s'abstenir aussi longtemps qu'il en avait envie. Visiblement, elle cherchait à rendre son séjour le plus agréable possible. Finalement, la pauvre fille était prête à accepter ses conditions, du moment qu'elle ne le perdait pas tout à fait.

En fin de compte, la raison de leur mariage du week-end était la santé et la sécurité de leurs enfants; cette petite île bien protégée, peuplée presque exclusivement de milliardaires, paraissait relativement libre de pollution et de criminalité.

« Si tu étais du genre tourbillon, toujours partie je ne sais où au lieu de t'occuper de créer pour nous un foyer sur cette île, ces petits auraient déjà été poignardés ou kidnappés, déclara

Hardwick à sa femme un jour où il eut l'impression qu'elle commençait à donner des signes d'impatience. Je me demande s'ils comprendront jamais qu'ils te doivent la vie à plus d'un titre et s'ils t'en sauront gré. »

« Marianne est une femme démodée, se plaignit-il à sa maîtresse à son retour à Chicago. On dirait qu'elle vit encore à l'époque victorienne.

— Elle n'a jamais travaillé, la pauvre fille, rien ne l'a forcée à mûrir, soupira Pauline Marshall avec la compassion condescendante d'une rédactrice en chef au faîte de la réussite.

— Oui, c'est vrai. En ce qui la concerne, le mariage, c'est le mariage, son mari, c'est son mari, elle est épouse et mère, et la vie ne va pas plus loin. Bon Dieu, je n'ai même pas trente ans, elle doit bien savoir qu'il m'arrive de tirer des coups, mais elle ne veut pas voir la vérité en face. Même une connerie comme de baiser la masseuse dans l'avion de temps en temps, il ne faut pas le lui dire, elle en ferait une tragédie et tomberait raide morte. Comment veux-tu avoir une conversation sensée avec une femme pareille et se séparer comme des gens raisonnables? Et quand on songe au peu de choses qu'il lui faut pour être heureuse, je me ferais l'effet d'un monstre si je l'envoyais complètement bouler. C'est plus fort que moi : quelque part, je me sens responsable de la mère de mes enfants. Il y a des gars qui parviennent à s'en foutre, mais moi, non, je n'y peux rien, je suis comme ça. »

Pauline Marshall comprenait parfaitement son attitude et ne l'en admirait que plus.

En réalité, Marianne était au courant au sujet de miss Marshall, même si elle ne savait rien sur ses frasques avec la masseuse, et elle était tout à fait capable de regarder en face les exploits sexuels de son époux; simplement, elle ne tenait pas à en parler, car elle sentait que toute discussion à ce propos mènerait à un divorce. Or elle ne voulait pas d'un divorce, ou plutôt, elle ne parvenait pas à décider si elle en voulait ou non. Hardwick avait de bonnes raisons de maudire son indolence et son manque d'ambition innés; elle n'avait ni la confiance en soi, ni l'initiative nécessaires, ni un sentiment d'inconfort suffisamment aigu pour l'inciter à changer de vie. Tout en laissant de plus en plus volontiers vagabonder son regard, elle restait toujours aussi méfiante vis-à-vis des gens qu'elle ne connaissait pas, et la seule conséquence certaine d'un divorce lui paraissait être le problème supplémentaire que poserait le besoin de faire face à l'incompréhension de ses enfants et à la réprobation de ses parents. Pour une personne de son tempérament, il n'y avait aucune porte de sortie autre que les émotions qui donnent de la force même aux plus humbles des humbles : bien qu'elle eût honte de l'avouer, ne fût-ce qu'à elle-même, elle attendait et elle soupirait après l'amour passionné.

Sous ce rapport, l'histoire de Marianne Hardwick était celle de bien des épouses. Elle s'imaginait sans peine en train de s'enfuir avec un autre homme du jour au lendemain, mais elle ne voyait pas pourquoi elle irait anéantir ce qui restait de son mariage, à moins d'être en mesure de le remplacer par autre chose.

15

Pourquoi pas ?

Parfois, mon cœur déborde de tendresse, et à d'autres moments il paraît tout à fait épuisé et incapable d'intérêt chaleureux pour personne.

MARY WOLLSTONECRAFT

Elle se révéla être la personne la plus curieuse que Mark eût jamais rencontrée. Dans la salle de départ de l'aéroport de Nassau, en dépit du bruit environnant et sans trop savoir comment il en était arrivé là, il lui raconta sa vie par le menu, lui parlant de ses parents et de tous les endroits où il était passé. Elle l'interrogea d'une manière inquisitrice et méthodique, sans se départir de son air distant – combinaison qu'il trouva déroutante.

En réalité, il faisait meilleure impression qu'il ne le pensait. Au début, elle s'inquiéta qu'il ait agressé le vice-président Humphrey et se demanda s'il était sujet à la violence, même s'il n'aurait pas pu avoir l'air plus docile, tandis qu'il la déshabillait d'un regard humble. Ne sachant trop quoi penser de lui, elle le trouva fascinant – un étudiant radical qui parlait de ses palais préférés. Ce fut pour elle un véritable choc que de l'entendre annoncer qu'il venait travailler comme réceptionniste au Seven Seas Club à Santa Catalina.

« Mais enfin, vous n'auriez pas pu trouver un boulot plus intéressant ailleurs ? lui demanda-t-elle de but en blanc, abandonnant sa réserve. Qu'est-ce qui vous a donc poussé à venir dans notre petite île perdue ? »

Aussitôt sur ses gardes, Mark répondit par une question. « Pourquoi vous y vivez, vous, dans votre petite île perdue ? »

Elle faillit répondre que les enfants y étaient plus en sécurité, mais elle changea d'avis ; un frémissement de nervosité se transforma en geste tandis qu'elle repoussait ses cheveux derrière ses oreilles des deux mains. « Oh, moi, je suis insulaire par nature.

— Moi aussi, je voulais juste m'en aller loin de tout. » Le regard de Mark passait d'une épaule de Marianne à l'autre, scrutant ses seins au passage et montant par instants étudier son visage à la dérobée ; il devait reconnaître qu'il n'avait jamais fait l'amour avec quelqu'un d'aussi beau. « Est-ce que ça changerait quelque chose ? » se demanda-t-il.

On appela leur vol et Mark, oubliant son pardessus d'hiver qu'il avait laissé sur un siège, suivit la jeune femme dans l'avion. Ce ne fut qu'au bout de plusieurs mois qu'il prit conscience de la perte de son manteau, mais il songea tous les jours au dos de Marianne tandis qu'elle gravissait les marches de la passerelle devant lui.

Alors qu'ils se tenaient tout près l'un de l'autre à l'extrémité de l'allée centrale, une lueur de regret sur le visage du jeune homme l'incita à lui demander s'il préférait le siège à côté du hublot.

Elle pouvait lire ses pensées ! « J'avais envie de découvrir l'île vue d'en haut », avoua-t-il en baissant involontairement la voix pour ne pas être entendu des autres passagers qui se trouvaient derrière eux.

L'attrait mutuel grandissant entre deux étrangers offre un spectacle touchant, mais il n'y a pas un sentiment au monde, ni joie, ni peine, qui ne soit aux yeux de quelqu'un une simple question d'argent. Dernier passager à monter à bord, Sypcovich contempla leurs visages absorbés tandis qu'ils choisissaient leurs sièges ; à présent qu'il était revenu de sa peur, il commençait à évaluer les aspects prometteurs de la situation. Il se carra contre son dossier, d'excellente humeur, décidant d'investir sa prime dans des actions d'ITT si par hasard une idylle se dessinait entre les deux. « Et pourquoi pas ? » se demanda-t-il en malaxant voluptueusement la chair flasque de sa joue entre son pouce et son index.

Il n'y avait guère de bruit à l'intérieur du petit avion, même quand ils eurent décollé, et Marianne et Mark, serrés l'un contre l'autre dans leurs sièges étroits, furent encore rapprochés par la nécessité de parler à mi-voix afin de ne pas déranger les autres et de protéger leurs propos des oreilles indiscrètes. Nombre de soudaines intimités ont pour point de départ les contraintes imposées par des lieux bondés ; la conversation la plus banale devient un complot murmuré contre le reste du monde. À un moment, leurs fronts se touchèrent et en reculant ils eurent tous deux des sourires satisfaits, les visages éclairés par une sorte de joyeuse intuition des sens. On aurait dit que leurs deux corps, dans la sagesse collective des cellules, avaient décidé qu'ils étaient bien assortis.

Se gardant de mentionner qu'il avait en tête un projet bien défini, Mark confia à sa voisine qu'il était venu chercher un trésor englouti.

« C'est drôle quand même, ajouta-t-il en penchant la tête et en regardant fixement les genoux de Marianne comme s'ils tenaient la réponse au mystère de la vie. Ça faisait des années que j'y pensais, mais je n'avais pas les fonds nécessaires et je n'arrivais pas à trouver de boulot aux Bahamas. Mon père ne voulait pas en entendre parler – vous savez comment sont les parents. Mais quand j'ai été mobilisé, il a changé d'avis. Il dit que le boulot d'un père, c'est de garder son fils en vie. En fait, me mettre dans le pétrin était mon plus grand coup de veine. Mon père a même emprunté douze mille dollars pour me les filer. Et il a même dit que j'étais peut-être né pour devenir chasseur de trésors. C'est quand même bizarre, non ? » Il releva son visage puissant et osseux, le regard intense. « Vous croyez au destin ? »

Occupée à le dévisager, elle oublia de répondre.

« Mais, vous savez, c'est juste un passe-temps », s'empressa de lui assurer Mark d'un ton vaguement dépréciatif, avec la ruse du fou qui cherche à se faire passer pour sain d'esprit.

Elle lui adressa un sourire enjôleur et parut se pencher encore plus près, sans bouger pour autant. « Vous avez vu *Elvira Madigan* ? »

Ce sourire concentra toute l'attention de Mark sur ses lèvres douces et fraîches, vierges de maquillage, et il parvint à peine à secouer la tête. « Non. C'est bien ?

— Je ne vous le dirai pas. »

Une promesse brillait dans ses yeux, comme si elle ne gardait le secret que pour mieux le partager avec lui en une occasion plus intime. Dans la cinémathèque de sa maison dans l'île, elle avait une copie de tous ses films préférés, mais elle passait le chef-d'œuvre romantique de Bo Widerberg plus souvent que tous les autres mis ensemble. Reconstituant une vraie histoire d'amour du tournant du siècle, le film ne manquait jamais de l'émouvoir jusqu'aux tréfonds de son être, lui donnant envie de devenir une autre personne – naïve, impétueuse, crédule, audacieuse et heureuse. Elle ne connaissait personne qui aimât le film ou qui pût sympathiser avec les deux personnages principaux, la jeune funambule pas-très-jolie et l'officier pas-très-malin qui désertait pour s'enfuir avec elle ; mais Marianne se sentait une profonde affinité avec ces deux amants fugitifs qui vécurent dans le paradis de leur passion jusqu'au moment où l'argent s'épuisa et qui se tuèrent avant que la faim ne vînt ternir leur félicité. Ils l'incitaient souvent à rêver d'une île peuplée d'êtres vaillants, insouciants et passionnés. Si seulement il existait un endroit pareil sur la carte ! Si seulement elle avait le courage de la jeune funambule, au lieu d'esquiver le chemin de la vie.

Et Mark n'était-il pas, après tout, une espèce de déserteur ?

« Qu'est-ce que vous ferez quand vous serez riche ? demanda-t-elle. Je veux dire, si vous trouvez vraiment quelque chose ? » Peut-être détenait-il la réponse

« Personne ne devient riche en retrouvant un trésor englouti. » Ces mots furent dits d'autant plus volontiers qu'il ne les croyait pas pertinents dans son cas particulier et exceptionnel.

Elle insista.

« Eh bien, pour commencer, je serai obligé d'emprunter une fortune pour récupérer le trésor. » Il indiqua l'épaisse enveloppe qui dépassait de la poche de sa chemise. « Et puis il faudra que je rembourse les douze mille dollars que je dois à mon père. »

À l'époque, cela faisait beaucoup d'argent. Aucun des milliardaires que connaissait Marianne n'aurait transporté une somme pareille dans sa poche de chemise, et ils en auraient encore moins parlé ouvertement ; cette espèce de dédain pour l'argent proprement dit lui plut assez. « Bon, d'accord, mais qu'est-ce que vous ferez du reste ? »

Incapable de poursuivre sa comédie, Mark répondit avec une fermeté et une promptitude qui laissaient deviner des années de réflexion : « Tout !

— Alors, vous non plus, vous n'en savez rien. » Elle était visiblement déçue. « Santa Catalina est remplie de gens riches qui ne savent pas quoi faire. C'est un vrai problème, vous savez, de décider quoi faire quand on n'est pas obligé de faire quoi que ce soit.

— Eh bien, moi, je vais financer les voitures électriques, déclara Mark avec empressement, craignant de la voir se désintéresser de lui. Et je vais écrire une histoire des Indiens et des Espagnols au Pérou. J'ai déjà commencé... Et je vais produire des films pour mon père... »

Elle l'écoutait, observant ses yeux. « Mais vous aurez qui comme amis quand vous serez riche ? Vous vous êtes déjà posé la question ?

— Je ne vois pas pourquoi le fait d'être riche changerait quelque chose aux amis.

— Mais si, figurez-vous. Ou bien les gens vous aimeront pour votre argent, ou bien ils vous en voudront d'être riche. Donc vous vous retrouvez cantonné à un petit groupe de gens aussi riches que vous, et ça ne vous donne pas beaucoup de choix.

— Moi, j'ai toujours cru que j'aurais davantage d'amis, si j'étais riche ! »

La conversation tournait autour d'un quiproquo. « J'imagine que c'est plus difficile pour les filles, hasarda-t-elle d'un ton hésitant. Par exemple, je connais une fille qui est tombée amoureuse d'un peintre sans le sou. Ils ont failli se marier, mais le père de la fille a découvert que le gars voulait l'épouser pour son argent. Alors maintenant, elle est mariée à un richard qui n'a pas besoin de son fric – il est impuissant et il la veut pour parader. »

Pour la première fois, Mark commença à se demander à quel titre elle figurait dans cette île de milliardaires. « Ce couple dont vous parlez, ils habitent ici ?

— Oh, non, ils vivent à Londres. D'un certain côté, elle a de la chance, elle a un vrai talent de chanteuse de lieder, alors elle a une vie très occupée et très réussie.

— Et comment vous la connaissez ? »

Marianne inspira à fond, décidant de dévoiler la vérité sur elle-même, mais de protéger sa sœur. « C'est une amie d'enfance. Mais les filles riches qui n'ont pas de talent n'ont qu'un seul rêve, vous savez. Je me rappelle que quand on était à l'école à Lausanne, on ne parlait jamais de rien d'autre : des garçons qui tomberaient amoureux de nous sans avoir la moindre idée de qui on était vraiment. » Elle fit la grimace pour indiquer qu'elle savait combien c'était bête, mais sa voix était empreinte d'une tristesse rêveuse.

Mark hochait gravement la tête, comme pour dire qu'il savait à quel point la vie était dure pour les filles riches, mais remarquant qu'elle l'observait il cessa de feindre.

« Vous êtes la première fille riche que j'aie jamais vue ! » avoua-t-il.

Ils rirent, et l'avion était l'endroit idéal pour rire de cela. N'ayant pas de compartiment de première classe, le Twin Otter était une espèce de no man's land où tout le monde payait le même prix et avait le même billet. Le voyage moderne, c'est l'Utopie : tous les passagers sont égaux, ou presque. Les grosses fortunes à l'époque n'étaient que de l'argent ; or elle ne voulait pas que l'argent eût de l'importance et lui ne pensait pas qu'il en eût. Aux yeux de Mark, tout était coloré par ses espoirs, l'absence d'argent n'était qu'un simple retard, la période d'attente nécessaire avant de décrocher le gros lot. Il commençait à voir Marianne comme un bon présage. Il n'était pas encore arrivé sur place et déjà il avait rencontré une fille riche à qui il plaisait. Elle rit, les lèvres si près des siennes qu'ils faillirent s'embrasser. Peut-être sentait-elle qu'il avait de la chance. Il n'était pas impossible qu'il découvrît la *Flora* du premier coup et qu'il épousât cette fille. Pourquoi pas ? Il serait plus riche qu'elle.

« Pour tout vous dire, je ne suis pas une gamine », dit-elle en s'écartant. (Autant rire de tout, pendant qu'ils y étaient.) « J'ai un mari et deux fils. »

Le visage de Mark prit l'expression abattue d'un homme qui a fait un long voyage pour se rendre compte finalement qu'il s'est trompé de destination. « Vous devez être très occupée, dit-il, morose. Étant mariée, je veux dire. »

Elle détourna la tête comme pour se rasséréner. « Mon mari est plus occupé que moi.

— Qu'est-ce qu'il fait ? demanda Mark, découragé.

— Oh, il dirige son affaire. »

Essayant de se rappeler s'il avait entendu parler de riches Hardwick, Mark se remémora un dépliant qu'on lui avait distribué sur le campus de l'université. « Ce ne serait pas le Hardwick des Hardwick Chemicals, par hasard ?

— Si, si. » Elle fit un tel effort pour paraître désinvolte qu'elle en rougit ; elle ne voulait rien laisser entendre. « Il travaille très dur – à Chicago, il n'est ici que le week-end. »

N'ayant toujours pas pardonné à l'architecte hollandais qui lui avait pris sa mère, Mark trouvait que l'adultère n'était pas juste et il lui fallut bien une minute entière pour changer d'avis là-dessus. Pourquoi devait-il s'efforcer d'être juste vis-à-vis d'un homme qui gagnait de l'argent en empoisonnant le monde ? « Vous aimez votre mari ? » demanda-t-il abruptement, avec la fermeté de quelqu'un qui venait de résoudre une lutte intérieure.

Elle repoussa ses longs cheveux derrière ses oreilles avec ses deux exquises petites mains. « En voilà une question ! »

Croyant qu'elle cherchait à le réprimander, Mark tourna la tête vers le hublot.

Il paraissait si déconfit que Marianne eut pitié de lui et, tandis que l'avion entamait sa descente mouvementée, elle prit la décision impulsive d'une femme habituée à atermoyer qui avait perdu finalement patience avec elle-même. Elle pouvait le sauver d'un boulot stupide ; ils pourraient chercher des épaves ensemble, vivre et naviguer ensemble à bord de *L'Ermite*, pourquoi pas ? Qu'est-ce qui pouvait bien la retenir ? À ce moment précis, elle se sentait prête à demander le divorce. « À propos, Mark, vous n'aurez pas besoin d'un associé ? Quelqu'un qui aurait un bateau et qui pourrait plonger avec vous ? »

Mark ne saisit pas à quoi tendait cette question ; après des années passées à élaborer soigneusement des plans, il pensait si loin à l'avance qu'il n'avait aucun sens de l'inattendu. « J'achèterai mon propre bateau », dit-il en regardant la mer se remplir de vagues à mesure que l'avion perdait de l'altitude.

« J'engagerai un type pour surveiller la ligne d'ancre et plonger si je suis en difficulté. Je n'ai pas besoin d'autre chose. Jacques Cousteau dit que pour retrouver un trésor englouti, le mieux c'est un gars tout seul. » À présent, il discernait les formations de corail brunâtres ; pour autant qu'il sût, peut-être contemplait-il justement l'endroit où gisait la *Flora*. À travers l'eau transparente, on apercevait çà et là, par plaques, le fond de l'océan, et dans son excitation il cherchait à localiser du haut des airs l'épave perdue depuis si longtemps.

« On ne s'amuse pas beaucoup en solitaire, fit remarquer Marianne d'une voix manifestement suggestive. Ce ne serait pas plus facile avec un vrai partenaire ?

— Les associations se terminent en bagarres, répondit-il, obtus, en se cramponnant à son siège des deux mains. Et de toute façon, en équipe on attire trop l'attention. »

« Loin de moi l'idée d'être un problème ! » pensa Marianne.

Lorsque l'avion vira sur l'aile, Santa Catalina apparut dans le hublot : une masse vert vif, de forme plus ou moins trapézoïdale, qu'un ruban de sable rose pâle séparait de l'océan multicolore. Mark se sentait fiévreux, comme s'il avait trop bu.

La piste, qui s'allongeait jusqu'à la mer, était flanquée d'un champ d'herbe calcinée, où des petits avions et des voitures, parmi lesquelles plusieurs taxis, étaient garés côte à côte ; tout ce qui était en métal paraissait battu et usé par le soleil. De l'autre côté de la piste s'étendaient des potagers qui s'avançaient au bord du tarmac et un tas de petites maisons en parpaings, aux toits de tôle ondulée, au-delà desquelles s'élevait l'énorme décharge à ordures de l'île. Un groupe d'hommes et d'enfants noirs sortirent en courant des maisons afin de voir qui arrivait. Sur cette île verte et ensoleillée d'environ quarante-trois kilomètres carrés, les riches et les pauvres souffraient tous du même mal : l'ennui.

Mark n'était pas très concentré, ce jour-là, ou plutôt, il essayait de faire attention à tout à la fois, inspirant l'odeur tonique du sel et des algues, gratifiant tout le monde, y compris Sypcovich, de signes de tête bienveillants, et ce ne fut que plus tard, en y repensant, qu'il attacha un sens aux adieux assez secs de Marianne, lorsque Fawkes vint la prendre au volant du vieux break cabossé qu'elle utilisait.

Le grand sourire assuré par lequel il prit congé d'elle ne plut pas à la jeune femme. La déception la poussa à douter de la bonne foi de Mark. « Tout ce qui l'intéresse, c'est de m'ajouter à sa liste, et puis d'oublier de m'appeler, se dit-elle. Eh bien, s'il s'imagine qu'il va me baiser juste une fois ! » Seules d'autres jeunes femmes riches et belles apprendront sans surprise, peut-être, que Marianne Montgomery Hardwick, qui possédait tout ce que l'on peut désirer au monde, pouvait s'inquiéter d'une telle possibilité.

16

Crimes passés et une gaffe nouvelle

Toutes les choses que vous pourrez
faire au monde, vous pourrez les faire plus
intensément aux Bahamas.

OFFICE DE TOURISME DES ÎLES BAHAMAS

Lorsque Colomb débarqua aux Bahamas, les îles étaient habitées par les Lucayens, un peuple extraordinairement doux et enjoué, qui ne connaissait pas les armes à feu ni les traditions guerrières Les Espagnols, s'émerveillant de leur disposition paisible et confiante, les réduisirent en esclavage et vinrent à bout de la race entière en moins de deux décennies Certains furent noyés faute d'avoir remonté des perles du fond de l'eau ; les autres furent entassés dans des navires et emportés vers d'autres îles, succombant par milliers pendant le trajet à la suffocation, la faim et la fièvre. Pendant des années, les navigateurs tracèrent leur route en mer des Caraïbes en suivant les cadavres qui flottaient sur l'eau. Les captifs qui survécurent au voyage se suicidèrent ou moururent d'épuisement dans les mines et les plantations d'Hispaniola.

Il ne reste plus aucune trace des Lucayens à Santa Catalina, mais les Espagnols ont laissé un souvenir de leur passage : les ruines d'un fort construit au seizième siècle par l'amiral Nuñez de Alvarado, source d'orgueil local, se dressent encore au sommet de l'unique colline de l'île.

Après cette brève présence espagnole, Santa Catalina resta abandonnée jusqu'à l'abolition de l'esclavage aux Bahamas par le gouvernement britannique en 1834, laquelle incita quelques familles noires de New Providence à venir s'y installer. Ces anciens esclaves vivaient de poisson et des quelques légumes qu'ils parvenaient à faire pousser dans la mince couche arable ; la majeure partie de l'île formait une étendue aride de broussailles et de marais salants, un domaine pour les moustiques.

Le luxuriant paradis que Mark avait vu d'en haut était la création de sir Henry Colville. Habitué depuis longtemps à hiverner aux Bahamas, sir Henry avait acquis Santa Catalina en 1938, signant un bail de quatre-vingt-dix-neuf ans avec le gouvernement britannique, au cas où l'île pourrait se révéler un jour utile. À la fin de la Seconde Guerre mondiale, désespérant de son pays, qui venait d'élire un gouvernement travailliste et qui lui avait permis de *faire cadeau* de l'Inde, il décida de se retirer sur son île. Les Noirs qui s'y trouvaient déjà furent persuadés de lui vendre leurs petites propriétés à raison de mille livres pièce. Afin de rendre l'endroit vivable, comme il disait, sir Henry fit assécher les marais et réquisitionna ses propres navires marchands pour y transporter de la terre de première qualité et d'innombrables tonnes de gazon et de jeunes plants afin de la faire tenir, ainsi qu'un superbe choix de buissons, de fleurs et d'arbres venus du monde entier. Il installa aussi une usine de dessalement qui transformait chaque jour en eau douce plus de trois cent mille litres d'eau salée, volume qui suffisait à garder l'île verdoyante et florissante tout au long des mois sans pluie. Le *National Geographic* salua ainsi le résultat obtenu : « une des grandes réussites paysagères du siècle ». Ce fut aussi une opération immobilière rentable, quoique relativement limitée, car sir Henry ne voulait pas être à l'étroit. Conservant pour lui-même la colline et toute la zone environnante et réservant quelques terrains aux installations d'utilité publique, il divisa le reste de l'île en onze parcelles, dont dix furent vendues à des familles britanniques, canadiennes et américaines. La onzième, qui était la plus grande, fut achetée par la firme North-South International qui y bâtit l'hôtel du Seven Seas Club, ainsi qu'un centre commercial où l'on pouvait se procurer le nécessaire de l'existence et un peu du superflu le plus coûteux ; il allait de soi que les gens feraient la plupart de leurs emplettes à Nassau ou à New York. Quant aux Noirs qui souhaitaient rester sur l'île, sir Henry leur fit construire des maisons dans la zone de service, à côté de la piste d'atterrissage. À cette époque, les capitaux circulaient plutôt dans l'autre sens, vers l'Europe dévastée, et il traita équitablement les insulaires selon les prix de 1947; toutefois, s'ils avaient pu se cramponner à leurs propriétés sur le front de mer jusqu'à la fin des années cinquante, ils auraient pu devenir riches. En l'occurrence, ils furent engagés comme domestiques soit dans les résidences privées, soit au Club. Les laissés-pour-compte continuèrent de vivre de la pêche ou de menus travaux. Charles Weaver, directeur du Seven Seas Club, autorisait certains à conduire les taxis de l'hôtel, chacun à son tour.

Le jeune Bahamien qui conduisit Mark de l'avion à l'hôtel vivait dans une des bicoques en parpaings entre la piste et la décharge à ordures, partageant ces deux pièces avec sa mère, sa sœur et les quatre enfants de sa sœur. Il aurait pu hériter d'une fortune sous forme de terrain au bord de la mer, si son père ne l'avait pas vendu à sir Henry. Les désastres de cet ordre surviennent dans le monde entier : les gens vendent des terres apparemment sans valeur pour trois fois rien, puis ils les regardent rapporter des millions à leurs nouveaux propriétaires, par l'effet du zonage et du lotissement. Toutefois, la perte et l'amertume ne sont nulle part aussi grandes que sur les îles paradisiaques en état de stagnation, où il n'existe aucune possibilité d'avancement et où l'on ne peut pas acquérir grand-chose de plus que ce qu'on possédait de naissance. L'habile transaction immobilière qui laisse les indigènes dans une pauvreté désespérée est un des problèmes sociaux les plus explosifs des pays des Vacances. Les habitants dépossédés des îles Vierges et de Hawaï tuent les touristes dans un esprit aveugle de vengeance; les Bahamiens sont plus paisibles, moins américains – bien que le chauffeur de Mark eût frappé son père mourant lorsqu'il s'était rendu compte qu'il n'aurait plus d'autre occasion de se venger de l'homme qui lui avait volé le monde. En conduisant le taxi depuis la piste d'atterrissage, il ne pouvait compter que sur le pourboire que lui donnerait Mark et sur la moitié du prix de la course en guise de revenus pour la journée entière, ce qui était loin de le satisfaire.

« Tu veux t'faire un peu d'herbe ? demanda-t-il en mettant le contact, tandis qu'il observait son passager dans le rétroviseur d'un air avide. C'est pas d'la mauvaise herbe inférieure comme on t'file à New York, mon pote. Dans mon herbe, y a pas de merde chimique. J'la fais pousser moi-même

— Non merci, je ne fume pas.

— Si t'as besoin d'aide, reprit le chauffeur d'un air entendu, en lâchant le volant pour souligner ses propos des deux mains, de n'importe quel genre d'aide, t'as qu'à prononcer le mot "Coco", c'est comme si tu disais Sésame-ouvre-toi par ici. J'te dis la pure vérité, tu sais, mon pote, t'as qu'à dire Coco. » Ses cheveux grisonnaient, mais le rétroviseur reflétait un visage maigre et juvénile.

« C'est votre nom, Coco ?

— Mon nom officiel, c'est Walter Turnquest, mais moi, j'préfère Coco, c'est plus pittoresque.

— Salut, moi, c'est Mark, Mark Niven », annonça Mark, qui ne se rendait pas compte qu'il était possible d'entendre quelqu'un se présenter sans décliner sa propre identité en retour et qui devait être choqué d'apprendre au Club que les présentations unilatérales sont généralement la règle.

La courtoisie déplacée de son passager incita Coco à adopter un ton gouailleur et condescendant. « Mark, hein ? Tu veux de la nana, Mark ? J'en ai des toutes jeunes, pour de vrai, fraîches comme le matin.

— Non merci.

— Y en a pour tous les goûts. Le con, le cul, la bouche, elles sont pas difficiles, mon pote. C'est mes nièces, je leur ai tout appris moi-même. »

« Eh oui, c'est ça la vie, pensa Mark. Et moi qui m'inquiétais de la savoir mariée ! »

« Des garçons ?

— Non merci.

— Comment tu fais pour baiser ? T'es américain ?

— Ouais... je suppose que oui.

— Dis donc, Mark, tu devrais me parrainer, me signer une attestation sous serment pour que j'puisse aller aux USA.

— Afin de faire quoi ? diriger le Mafia ?

— Pour trouver un boulot. »

Tandis qu'ils roulaient entre des rangées de pins d'Australie, l'idée vint à Mark que Coco le prenait pour un touriste désœuvré comme un autre. « Je ne suis pas en vacances, tu sais, je viens ici pour travailler.

— Y a pas d'travail ici. Y en a déjà pas pour nous autres Bahamiens. Moi, j'ai pas d'boulot et j'suis né ici !

— J'ai un permis de travail du gouvernement.

— Alors là, tu déconnes à plein tube, gars. Y a une nouvelle loi à présent, plus de Blancs. C'est nous qu'on passe les premiers.

— Les propriétaires de l'hôtel ont demandé une dérogation en ma faveur. Il y a des tas de touristes qui viennent d'Europe et d'Amérique du Sud à l'heure qu'il est et je dois leur servir d'interprète.

— Et puis, y a toujours une dérogation pour un petit Blanc américain », nota Coco d'un ton sardonique.

Mark se sentit tenu d'expliquer qu'il était lui-même victime de l'impérialisme américain, un fugitif de l'armée américaine.

Loin d'être favorablement impressionné, Coco se mit dans une telle rage qu'il arrêta sa voiture au bord de la route et se tourna vers Mark pour le foudroyer d'un regard haineux. « Alors toi, tu me rends carrément fou, gars. À t'entendre, on dirait qu't'es un pauvre martyr. Et qu'est-ce qui s'passe quand t'as des ennuis ? Les ennuis, tu sais même pas c'que c'est, tu le sauras jamais. Tu feras toujours partie de la race des patrons, toujours. Tu te contentes de choisir un chouette boulot pépère dans un pays noir, que tu voles à un pauvre connard de Noir au chômage, et tu te refroidis le cul avec de l'air conditionné. Où tu crois que j'vais, moi, si j'ai des ennuis ici ?

— Et qu'est-ce que tu veux que je fasse ? riposta Mark, partagé entre la culpabilité et l'indignation. Que je rentre chez moi pour qu'on me foute en tôle ?

— Fous l'camp ailleurs. Putain, va donc chez des Blancs, mec !

— Mais j'aime la plongée, hasarda Mark prudemment.

— Hé, dis donc, moi, j'aime le ski, j'pourrais p't'être aller en Suisse.

— J'avais l'intention de prendre des photographies sous-marines.

— Des photos ! Pour quoi faire ? Tu viens prendre la place de quelqu'un dans ce pays de pauvres pochetées, mec ! »

Mark hésita. « Et puis… je me suis dit aussi que je pourrais peut-être voir s'il n'y avait pas des vieux canons ou des vieilles monnaies espagnoles qui traînaient dans le coin.

— Des monnaies espagnoles ? Hé, hé ! C'est différent, ça. C'est mieux qu'les photos ! » Coco eut un grand sourire approbateur et frappa le volant de la main en signe d'enthousiasme. « Pourquoi t'en fais un secret ? Moi, j'sais tout sur la pêche au trésor. J'sais tout sur ces grosses pièces d'argent noircies.

— C'est juste pour m'amuser, tu sais, s'empressa de lancer Mark, inquiet. Je ne m'attends pas à trouver quoi que ce soit. Je me suis juste dit que je pourrais aussi bien jeter un coup d'œil, puisque de toute façon je suis là. J'aimerais mieux que tu n'en parles à personne.

— Jésus, Marie, **Joseph**, je s'rai muet comme une carpe. J'voudrais pas qu'les gens rient de toi. » Il parut sur le point de rire lui-même, puis il se ravisa, le coude appuyé sur son volant, comme un homme qui avait tout son temps. « Ouais, j'sais tout c'qu'on peut savoir sur ces vieilles pièces d'argent espagnoles qui roulent dans la nuit ! Quand j'étais môme, j'voulais être un scientifique connu dans l'monde entier et aussi un diplomate à la cour de St James. Sir Walter Turnquest. Quand j'étais môme, ah, bon Dieu, j'allais être célèbre ! J'me voyais déjà en train d'recevoir le prix Nobel de la paix et le prix Nobel de physique. » Ce souvenir qui l'avait tout d'abord mis de bonne humeur lui fit soudain piquer une nouvelle rogne. « Et maintenant, j'm'abaisse à faire avec les putes et tous ces cons de touristes amènent leurs femmes.

— Ça t'intéresserait de t'occuper d'un bateau pour moi ?

— T'as un bateau, toi ?

— Je vais en acheter un et j'ai besoin de quelqu'un qui reste dedans pour s'assurer que tout se passe bien quand je plonge. Prêt à sauter à l'eau pour m'aider s'il y a un problème.

— Alors, j'suis ton sauveur ! »

Mark engagea Coco séance tenante, déjà occupé à faire progresser ses affaires, alors qu'il n'était même pas encore arrivé à l'hôtel. Il avait toujours été la promptitude et l'efficacité mêmes. Pourtant son père avait de bonnes raisons de s'inquiéter à l'idée qu'il n'était pas du tout fait pour être riche : quel milliardaire aurait eu l'idée d'engager un homme parce qu'il était si pauvre qu'il était prêt à vendre ses nièces et parce que ses rêves d'enfant étaient grandioses?

Coco réclama cinq dollars de l'heure, prêt à en accepter la moitié, mais Mark trouva le prix honnête et il accepta aussitôt. Coco, qui n'avait guère eu d'expérience de l'honnêteté et n'en avait jamais acquis par lui-même, prit cet acquiescement instantané pour de la mollesse ou de la bêtise, sinon les deux, et se dit que Mark ne devait absolument rien comprendre à rien.

17

Une île de richissimes

> Seul le mot millionnaire était à blâmer, et non le millionnaire lui-même, rien d'autre que le mot; car tout à fait indépendamment du magot, il y a, dans la simple sonorité du mot, quelque chose qui affecte également les coquins, ceux qui ne sont ni bons ni mauvais, et les gens de bien; bref, qui affecte tout le monde.
>
> GOGOL

> La pauvreté des riches.
>
> GEORGE MIKES

Mark n'avait certainement aucune idée de sa position dans le monde. Considérant son emploi au Seven Seas Club comme un simple moyen de s'assurer le lit et la table, ainsi que le salaire de Coco, pendant qu'il recherchait l'épave, il ne s'attendait pas à être pris pour un larbin par qui que ce fût et, dès qu'il sortit du taxi, il commença à s'attirer l'acrimonie réservée à ceux qui ne savent pas rester à leur place.

Deux porteurs arrivèrent avec un chariot afin d'emmener ses bagages jusqu'aux quartiers réservés au personnel, tandis qu'un troisième le conduisait à l'intérieur de l'hôtel. Il leur donna à tous un pourboire, sans remarquer les regards offensés qu'ils lui jetaient en empochant l'argent. Est-ce qu'il se croyait supérieur aux autres, celui-là?

Il le croyait, en effet, et du coup, de relativement aisé qu'il était, son travail devint difficile et plein de surprises désagréables. Plus tard, il en vint à haïr l'agréable parc ombragé par des arbres gigantesques, et l'esplanade ensoleillée que formaient deux arcades de boutiques en demi-cercle menant au principal bâtiment, imité des demeures coloniales sudistes avec ses colonnes grecques – tout le tralala habituel associé au luxe –, alors que l'ensemble lui avait plutôt plu de prime abord, surtout les jardins. Le hall d'entrée était décoré dans le style espagnol, tout en cuir, bois sombre et fer forgé ; d'ailleurs, comme il l'apprit par la brochure qu'il parcourut en attendant de voir le directeur, toutes les pièces étaient arrangées dans un style différent, allant du style japonais au style Jacques Ier, tandis que les arbres et les buissons du parc avaient été sélectionnés sur les cinq continents. La direction ne voulait pas, semblait-il, que sa clientèle pût trouver quoi que ce fût à désirer. Ce que l'établissement avait surtout à offrir, cependant, c'était le calme, la paix, loin des foules de vacanciers – en un mot, l'exclusivité. Mark ne vit pas un seul client dans le hall, rien qu'une silencieuse armée de réceptionnistes et de porteurs.

Liant conversation avec un des réceptionnistes, il apprit qu'outre les vingt-six bungalows qui se louaient six cents dollars la journée, il n'y avait qu'une douzaine de suites dans l'hôtel lui-même, à quatre cents dollars l'une. À l'époque, il s'agissait encore de sommes fabuleuses pour une seule journée de confort. Les repas venaient en supplément et étaient coûteux.

« Qui a les moyens de séjourner ici ? s'exclama Mark.

— Des gens plus huppés que ceux qu'on voit dans la plupart des hôtels, répondit le réceptionniste avec raideur, en se redressant et en tordant son nez charnu afin de souligner ses propos.

— Quel gaspillage obscène d'argent !

— Nous avons notre propre port pour les yachts et notre golf de dix-huit trous. Et nous avons aussi le seul fort espagnol des Bahamas.

— Ou plutôt ce qu'il en reste, fit remarquer Mark, en se demandant s'il en viendrait jamais à s'identifier à ce point avec un endroit où il devait travailler.

« — De quel droit vous permettez-vous de critiquer, lui lança l'autre en perdant patience. Enfin, regardez-vous un peu, votre tenue elle-même est une impertinence !

— Comment ça une impertinence ? » Mark baissa les yeux vers ce qu'il portait ; il était plutôt fier de son élégante chemise à rayures et de son pull en cachemire.

« Si le directeur vous voit habillé autrement qu'en veston et cravate, vous n'aurez plus qu'à repartir par le prochain avion. Pour qui vous vous prenez ? Pour un client ? »

Tout en filant jusqu'à la maison du personnel afin de se changer, Mark ne s'expliquait pas comment il avait pu ne pas penser à quelque chose d'aussi simple. Pourtant, il en avait fréquenté des hôtels dans sa vie. C'était quand même un règlement stupide. Pourquoi fallait-il qu'on se souciât de la façon dont il était vêtu, du moment qu'il était propre et présentable ? Et pourquoi n'avait-il pas le droit de critiquer ? Le temps que le directeur le fît appeler, il avait fini par se monter la tête sans l'aide de personne. « Alors, voilà un type qui serait prêt à m'enquiquiner pour une saleté de cravate », pensa-t-il en adressant à l'homme assis derrière le bureau un regard de protestation et en se présentant d'une voix forte et ferme.

Charles Weaver répondit par un froncement de sourcils et un léger signe de tête. Rien chez cet Anglais replet, aux cheveux couleur sable, au visage constellé de taches de rousseur, avec cet air de bonne santé propre aux gens qui vivent dans un climat semi-tropical, ne laissait supposer qu'il méritait plus de compassion que de ressentiment, mais c'était en fait un mari trois fois abandonné. Passé trente ans, il s'était pris d'une passion irrésistible pour les gamines de dix-huit ans et il en avait successivement épousé trois en peu de temps, lesquelles, faute d'expérience, n'étaient manifestement attirées que par une notion inexpérimentée de l'état conjugal et l'avaient toutes quitté au bout de quelques mois. Timide et peu sûr de lui de nature, Weaver avait été convaincu par ces fiascos qu'il était quelqu'un d'assommant et de déplaisant, si bien qu'il était devenu aussi renfermé que le lui permettait sa position. Il veillait à n'avoir avec son personnel aucun rapport autre que ceux nécessaires pour leur donner des ordres. Ce nouvel employé, cependant, lui posait problème. Weaver n'avait demandé personne. Prenant la lettre qu'il avait reçue du siège de la firme, signée par Mr Anthony Heller, vice-président des services du personnel, il la relut d'un air perplexe.

« Je vois que vous n'avez aucune expérience préalable dans le domaine hôtelier et que l'on doit vous employer à temps partiel, quatre jours par semaine.

— Oui, c'est ça », dit Mark.

Interloqué par ce commentaire qu'il n'avait pas sollicité, Weaver haussa ses sourcils couleur sable. « J'imagine que vous n'êtes pas le premier membre de votre famille à travailler pour notre organisation.

— Si, je suis le premier.

— Vous êtes peut-être apparenté à Mr Heller, d'une façon quelconque?

— Non, pas du tout.

— C'est un vieil ami de votre famille, alors?

— Mr Heller? Non, j'ai fait sa connaissance quand je suis allé le voir dans son bureau. Au début, il n'a pas voulu me donner de travail, mais quand j'ai été mobilisé je suis retourné le voir et il s'est ravisé. Il m'a dit qu'il se sentait tenu de m'aider en l'honneur de son homonyme qui a écrit *Catch-22* – vous savez, ce merveilleux roman anti-guerre, à pleurer de rire. Puisque j'étais un insoumis, je veux dire.

— Comment?

— Ben, oui, on est tous les deux contre la guerre du Vietnam. Les grands pays devraient laisser les petits pays tranquilles, vous ne trouvez pas? »

Weaver leva les mains. « Je ne veux pas en entendre parler! »

Il éprouvait le genre de perplexité qui le tourmentait au sujet de ses anciennes épouses. Allait-il voir arriver le moment où il devrait s'inquiéter d'entendre les chasseurs et les serveurs se lancer dans des discussions politiques avec la clientèle? « Un employé d'hôtel n'a pas d'idées ni d'opinions sur quoi que ce soit, déclara-t-il, les yeux fixés sur son bureau. Vos opinions, vous les avez laissées à New York, c'est clair?

— Oui, monsieur le directeur, dit Mark en déglutissant.

— Il n'y a que les clients qui ont des opinions. Et rappelez-vous, quand ils se plaignent, ils ont toujours raison, sauf peut-être en ce qui concerne la note.

— Bien, monsieur le directeur. » Mark remua les pieds en jetant un coup d'œil aux deux fauteuils vides devant le bureau.

« Vous devrez vous trouver à la réception chaque fois que des avions arriveront ou partiront, mais autrement vous êtes ici pour servir d'interprète entre la clientèle et le personnel. Mr Heller m'écrit que votre père est un acteur, peut-être pourrez-vous vous rendre utile à miss Little, la responsable des divertissements. Nous avons des courses de crabes sur la plage l'après-midi, ainsi que des spectacles de variétés et des films le soir, mais toute nouvelle idée de divertissement sera la bienvenue. » Pour la première fois, Weaver posa sur le beau jeune homme un regard scrutateur, puis il baissa la tête pour examiner ses ongles. « Je pense que vous savez vous tenir. »

Mark redressa son nœud de cravate. « Oui, monsieur le directeur.

— Vous avez trois jours de liberté par semaine. Qu'avez-vous l'intention de faire pendant ce temps-là?

— Je fais de la plongée, monsieur le directeur.

— C'est un sport dangereux.

— J'ai beaucoup d'entraînement. Ça fait presque six ans que je plonge, enfin, de temps à autre.

— Très bien, nous en toucherons un mot au directeur du front de mer, peut-être pourrez-vous lui être utile. » Weaver, qui commençait à espérer que le nouveau venu serait peut-être quelqu'un de rentable, se détendit un peu. « Vous avez déjà eu un aperçu de l'île. Il n'y avait rien du tout ici, vous savez, avant que sir Henry Colville ne prenne les choses en main. Vous avez sans doute entendu parler de sir Henry?... Vaguement, sans plus? Mon Dieu, mon Dieu. C'était un des grands du pétrole au Moyen-Orient. Il vit encore, figurez-vous, il dîne au Club une ou deux fois par an. À ce propos, ajouta-t-il en changeant de ton, il ne faut pas aller vous promener ailleurs que dans le parc de l'hôtel. En dehors des routes et de l'enclave des indigènes, et aussi des ruines du fort que sir Henry laisse ouvertes au public, tout est privé ici. Et les gens attachent un grand prix à leur vie privée. Et quand je dis "un grand prix", ce n'est pas une simple façon de parler, chacune de ces propriétés a coûté d'un million à un million et demi de dollars, uniquement pour l'achat du terrain. Les chiens de l'île sont des bergers allemands et ils sont dressés à mordre. »

« Quand je pense qu'elle se plaignait du fait que les riches avaient beaucoup de mal à se faire des amis ! » pensa Mark. Il avait eu l'intention d'aller voir Marianne, un soir, mais tout en écoutant Weaver il se rappela qu'elle ne l'avait pas invité.

« Si vous tombez malade, continua Weaver, que cette possibilité vint peut-être effleurer lorsqu'il vit Mark changer de couleur, vous avez le droit, en tant qu'employé de l'hôtel, d'être admis à la clinique de l'île. C'est sir Henry qui l'a fait construire et on dit que c'est une des meilleures du monde pour sa taille. Le médecin qui la dirige gagne trois cent mille dollars par an », ajouta-t-il pour donner du poids à ses propos. Mr Weaver était de ces hommes qui croient qu'un gros salaire est une preuve d'excellence.

« Je ne suis pas du genre à tomber malade, monsieur le directeur. »

Weaver haussa de nouveau les sourcils, troublé par tant de remarques non sollicitées. « Je l'espère bien. J'ai pris les dispositions nécessaires afin qu'on vous mette au courant de la façon dont les choses se passent ici, et vous aurez un jour ou deux pour vous installer. Demain, vous irez trouver notre tailleur à Nassau afin qu'il prenne vos mesures pour l'uniforme de l'hôtel. Encore une chose. Bien que ce ne soit pas moi qui vous ai engagé, je puis vous congédier si cela s'avérait nécessaire, conclut-il avec un air d'autorité résignée. Laissez-vous guider en tout par le chef du bureau. »

« Alors maintenant me voilà un employé, un zéro parfait, réfléchit Mark amèrement en quittant le bureau du directeur. Dès aujourd'hui, je n'ai plus le droit d'exister sauf pendant mes heures de congé. » Cette idée chassa de son esprit toute autre pensée. Le collègue chargé de lui expliquer la routine quotidienne le trouva idiot.

Toujours distrait, Mark quitta le bâtiment principal et se mit à déambuler, sans rien voir, du côté des boutiques disposées en demi-cercle sous les arcades. Il fallut le choc d'une collision pour le réveiller : en marchant ainsi, d'un pas pressé, tête baissée, il avait failli renverser un homme de haute taille qui se tenait devant une vitrine.

Il y eut un éclair d'hostilité mutuelle, puis Mark se trouva soudain soulevé dans les airs.

L'homme l'avait empoigné de ses deux mains et hissé à plus de soixante centimètres du sol. Toutefois, cet exploit remarquable d'haltérophilie avait apparemment suffi à le purger de son accès de colère, car il le reposa aussitôt, avec nettement plus de douceur. « Excusez-moi, mes réflexes ont pris le dessus, dit-il avec un sourire conciliant. Je suis Ken Eshelby. Je tiens le magasin de photo. J'étais en train d'admirer ma nouvelle vitrine quand vous êtes arrivé. »

La première impulsion de Mark fut de frapper l'homme, mais le temps de reprendre son souffle il se sentit moins violent et décida de serrer plutôt la main que lui tendait Eshelby, d'autant plus volontiers que ce dernier le rassurait par son aspect peu conventionnel, puisqu'il portait autour du cou un foulard écarlate en guise de cravate. En plus de quoi, il éprouvait un sentiment d'affinité : ils étaient l'un et l'autre le genre d'hommes ayant tendance à rougir de leur mauvaise humeur et le rapide passage du belligérant à l'aimable indiquait clairement qu'ils étaient membres du même univers civilisé. « Je suis désolé de vous être rentré dedans comme ça, dit Mark, s'excusant à son tour. Je suis nouveau ici, c'est mon premier jour.

— Ah bon ? Alors, dans ce cas, c'est tout à fait différent, dit Eshelby avec un signe de tête bienveillant. On ne peut pas s'attendre à ce que vous évitiez de renverser les gens, le premier jour. »

Mark laissa fuser à ses propres dépens un rire bon enfant qui mit de l'animation dans leur entretien et lui valut aussitôt une invitation à entrer dans la boutique. En franchissant la porte, sous l'enseigne Kodak, il pensa un bref instant qu'ils s'étaient trompés : il y avait à l'intérieur davantage de livres que de lampes-flash. En voyant tous les Penguin et livres de poche qui remplissaient les étagères, il décida qu'Eshelby devait être intelligent et lui avoua qu'il ne trouvait pas leur patron sympathique.

« Le pauvre homme ! Qu'est-ce qu'il vous a fait ?

— Eh bien, pour commencer, il m'a laissé debout pendant toute notre entrevue. »

Eshelby le regarda pensivement. « Je parie que c'est votre tout premier emploi.

— Oui, c'est vrai, comment le savez-vous ?

— J'ai deviné. »

Eshelby plaisait à Mark, en dépit de son persiflage. « Vous êtes malin ! lui lança-t-il en guise de compliment.

— Vous êtes trop bon de vous en apercevoir ! Mais je ne dois pas commettre le même impair que Mr Weaver. Asseyez-vous donc. » Accueillant manifestement à bras ouverts une nouvelle occasion de faire admirer sa force, il souleva d'une seule main un fauteuil pivotant et le fit passer sans effort par-dessus le comptoir. « Le tennis », expliqua-t-il en remarquant l'expression ébahie de Mark. Grand garçon efflanqué d'un peu plus de quarante ans, avec des yeux bleus pleins de vivacité, Eshelby possédait un corps souple et une grâce naturelle, qualités de forme et de style communes aux sportifs raffinés et à certains homosexuels. Il était l'un et l'autre, mais outre le tennis ses deux passions étaient de parler et de lire. (« Le sexe est trop spasmodique pour soutenir la passion », devait-il dire à Mark par la suite, à propos d'un des chasseurs de l'hôtel.)

« J'ai apporté un appareil étanche pour prendre des photos des fonds sous-marins, lui dit Mark, qui souhaitait se poser en tant que bon client. Alors, vous allez avoir pas mal de pellicules couleur à développer. »

Eshelby refusa sur-le-champ d'être mêlé à l'affaire. « Pour moi, ce serait casse-pieds et pour vous, ruineux, répondit-il avec un vague air de dégoût. Ce serait bien mieux si je vous apprenais à développer les pellicules et vous laissais utiliser la chambre noire le soir. N'ayez donc pas l'air si inquiet. Je ne vous compterai rien pour cela. » Il avait été professeur d'école secondaire à Edmonton, province d'Alberta, jusqu'au jour où le fait qu'il habitait avec un autre homme fût découvert, et son intérêt pour le commerce était modéré, pour dire le moins.

L'ancien enseignant et l'ancien étudiant, tous deux obligés par la force des choses d'interrompre leur poursuite du savoir, étaient faits pour s'entendre et, comme l'élan de cette soudaine camaraderie redonnait à Mark le sentiment d'être quelqu'un d'agréable et d'important, il eut envie de parler de Marianne.

S'efforçant de prendre l'air désinvolte, il posa des questions sur les riches résidents de l'île. « On les voit beaucoup au Club?

— Non, très peu.

— Comment ça se fait?

— C'est pour ça qu'ils se sont installés ici, mon cher petit, ils ne veulent pas être vus. L'idée ne vous est peut-être pas venue, mais personne n'a besoin de dépenser les sommes qu'ils dépensent, uniquement pour acheter un lopin de terre et un morceau de plage. Tous ces millions en plus, c'est pour ériger la barrière de l'argent, pour exclure les pauvres, mon Dieu, quelle horreur, la racaille des classes moyennes comme vous et moi, et les riches pas si riches que ça. Tout le monde, en fait. Pour exclure les autres, point.

— Quand on y réfléchit, fit remarquer Mark morose, ils n'ont même pas besoin de chiens, hein?

— Les chiens, c'est pour protéger les toiles de maître. Quant aux chiens, ce n'est rien. Sir Henry a des gardes armés de mitraillettes. On n'est jamais trop bien protégé dans ce monde infâme. C'est tragique.

— N'empêche qu'ils doivent avoir des maisons fantastiques. J'aimerais bien les visiter.

— Eh bien, elles n'ont rien à voir avec vos palais Renaissance, je peux vous le dire. Jadis, quand les grands de ce monde bâtissaient, ils bâtissaient avec leur imagination et du marbre. De nos jours, le béton prêt à l'emploi fait aussi bien l'affaire, ils s'en foutent. La seule exception, c'est sir Henry, lui a fait construire sa gigantesque baraque tout en marbre, les sols, les murs, les plafonds, les escaliers. Non pas pour son caractère grandiose, notez bien! Simplement parce que le marbre est frais et qu'il a horreur de la climatisation. Quant au reste des richissimes, ce qui laisse voir à qui on a affaire, c'est le silence qui les entoure. Je devrais plutôt dire, le silence relatif. La reine d'Angleterre elle-même doit bien supporter les avions.

— Donc, il vaut mieux les laisser tranquilles.

— Qu'est-ce qui a bien pu vous donner cette idée? demanda Eshelby, savourant son propre étonnement. Figurez-vous qu'ils sont affamés de compagnie. Ils ont réussi à s'isoler si parfaitement qu'ils se sentent seuls. Imaginez-vous donc ce que onze familles peuvent trouver à se dire, année après année. C'est plus facile pour les hommes, ils lisent *La Révolution anti-âge* de Saul Kent et vont faire une cure d'oxygène condensé à la clinique tous les jours – ça les occupe de se maintenir en vie. Mais les femmes, Dieu du ciel, les femmes!

— Qu'est-ce qu'elles ont, les femmes? »

Eshelby s'assit sur le comptoir et se pencha vers Mark, visiblement désireux de tout lui expliquer. Bien qu'il eût abandonné le professorat depuis huit ans, il gardait toujours le ton d'autorité qu'il avait en classe et son enthousiasme pour éclairer la jeunesse. « Cette île est une île de vieillards – à l'exception de Kevin Hardwick, notre grand patron de l'industrie chimique, qui va et vient – mais les femmes sont toutes plutôt jeunettes. Car enfin, quel intérêt pourrait bien avoir l'argent s'il n'était pas en mesure de vous acheter un peu de chair fraîche et moelleuse? Vous devriez lire Balzac là-dessus! s'exclama-t-il en fixant sur Mark un regard pénétrant pour voir si le nom lui disait quelque chose. Mais, bien sûr, à l'époque de Balzac, c'était différent; les vieux bonshommes ne pouvaient pas se débarrasser de leurs vieilles bonnes femmes et les filles avaient tout loisir de leur prendre jusqu'à leur dernier sou et puis de les plaquer. Maintenant il y a le divorce avec pension alimentaire, alors les vieux bonshommes versent des rentes à leurs vieilles bonnes femmes pour épouser des filles, et le marché, c'est : Pour le moment tu n'as rien, mais quand je mourrai tu auras tout. Seulement, ils ne meurent pas. Et ils exigent qu'on soit aux petits soins pour eux. Ils ont passé leur vie à faire marcher tout le monde à la baguette et ce n'est pas à leur âge qu'ils vont prendre d'autres habitudes. Les tartines grillées doivent être croustillantes à souhait et dorées à souhait, et pas autrement. Et ils veulent qu'on leur tienne chaud au lit, aussi. Toutes ces pauvres filles pourraient vous citer Eugene McCarthy : "L'opiniâtreté et la pénicilline maintiennent les vieux au-dessus de moi." »

Il fit une grimace afin d'exprimer sa compassion pour les épouses déçues, et se laissa glisser du comptoir pour se mettre à arpenter le plancher. « Alors, les pauvres chéries finissent comme des domestiques et, le temps de piger, leur jeunesse s'est enfuie. Leur tour de taille avec. Et pire encore, l'ovale de leur visage. Elles portent des diamants le soir, mais qui est là pour les admirer? Elles n'ont pour ainsi dire pas de visiteurs – les gens jeunes et riches ont mieux à faire que de venir à Santa Catalina. Alors, tous les nouveaux visages – je devrais plutôt dire, tous les nouveaux visages blancs – font sensation. C'est comme ça que j'ai pu passer. À vrai dire, notre pauvre directeur lui-même a eu sa chance, mais on s'est aperçu qu'il laissait à désirer. Il n'a jamais été fichu d'être un tant soit peu amusant, hélas. Si vous voulez, je vous emmènerai avec moi la prochaine fois que l'une d'entre elles se souviendra de mon existence.

— Moi non plus je ne suis pas amusant, rétorqua Mark avec cette fierté agressive que les jeunes manifestent envers leurs imperfections.

— Vous, vous êtes beau garçon, ce qui vous rend déjà à moitié divertissant. Et pour le reste, vous n'aurez qu'à faire une vaillante tentative.

— À quoi bon ? Je ne serai qu'un employé d'hôtel dans un de ces vestons rouges idiots avec des hippocampes dorés sur les revers.

— Mais voyons, on se change quand on sort le soir. Tout ira très bien, évitez simplement de mentionner les sous-marins.

— Quels sous-marins ? »

Eshelby brandit son index. « Imaginez un peu : vous dépensez des millions pour vous retrancher du monde – du mauvais temps, des agresseurs dans la rue, des gens qui ont des microbes, de la pollution –, tout ça pour vous apercevoir que vous êtes à deux pas du chemin suivi par les sous-marins russes qui font leurs allées et venues en lâchant dans la mer où vous piquez votre petit plongeon matinal Dieu seul sait combien de déchets radioactifs. Alors prononcer le mot sous-marin devant nos milliardaires revient à leur dire que l'argent ne sert finalement pas à grand-chose. Ils le savent bien, ils ne le savent que trop bien, mais ils n'aiment pas qu'on le leur rappelle.

— Ils penseraient quand même que je ne vaux rien.

— Quelle idée extraordinaire !

— Mais c'est comme ça que les gens vous jugent, non ? Vous êtes ce que vous possédez, c'est tout ce que vous valez.

— Si c'était le cas, ils ne m'inviteraient pas. Quoi qu'il en soit, vous pourriez glaner quelques tuyaux sur la bourse, ça vous permettrait de prendre un peu de valeur. Je ne me suis pas si mal débrouillé, moi qui vous parle. »

Mark secoua la tête. « Ça ne m'intéresse pas de gagner de l'argent comme ça, en profitant du travail des autres.

— Juste ciel, mon cher petit, vous êtes difficile à satisfaire ! »

Mark quitta son fauteuil pour aller étudier un tourniquet chargé de diapositives couleur.

« Mais enfin, Mrs Hardwick ne s'est pas mariée pour l'argent. Elle était déjà riche, non ?

— Ha ha ! Je me demandais à quoi rimait toute cette histoire ! Alors, vous la connaissez ?

— Pas vraiment », répondit Mark. Sa voix trahissait une profonde insatisfaction.

« Où l'avez-vous rencontrée ?

— Dans l'avion, en venant ici.

— Vous avez raison. Mrs Hardwick est hors concours. Vous n'avez pas à vous inquiéter à son sujet, elle est incontestablement parfaite, étant elle-même une princesse de l'acier. »

Cette aimable remarque provoqua chez Mark un froncement de sourcils maussade. « Heureusement pour elle. Si elle n'a pas épousé Hardwick pour son argent, c'est qu'elle doit être amoureuse de lui. »

Eshelby leva les mains pour indiquer qu'il n'était dans les confidences de personne. « Je ne peux pas vous dire le contraire. »

Mark se détourna des diapositives afin d'examiner les rangées de livres d'un air désolé, comme s'il avait l'intention de se mettre à lire. « Ils doivent bien s'entendre.

— Bah, écoutez, il y a une chose que je peux vous dire, je pense, dit Eshelby, se laissant attendrir. Puisque vous tenez tellement à elle. » Il y avait dans sa sympathie envers son nouvel ami une attirance physique sous-jacente, mais en dépit de cela, ou peut-être justement pour cela, il était fasciné par la possibilité d'une liaison entre les deux jeunes gens.

« Quoi donc ? demanda Mark en reprenant vie.

— C'est qu'elle a beaucoup de temps de libre. »

Le visage de Mark s'assombrit. « Ça veut dire quoi ?

— Ça veut dire quoi votre ça veut dire quoi ? Ça veut dire que si vous avez du temps de libre, vous êtes déjà à moitié amoureux de quiconque a envie de vous. Les candidates au veuvage ne l'amusent guère, comme vous pouvez l'imaginer, et Hardwick n'est là que le week-end. Il fait la navette depuis Chicago dans son Boeing 707. »

Mark eut l'air absolument horrifié. « Comment ? Il a son propre Boeing 707 ? »

Eshelby écarta les bras, soucieux d'ouvrir toutes grandes les portes de la compréhension. « Eh oui, il a son propre Boeing 707 exactement comme moi j'ai ma propre bicyclette. Remarquez qu'il a plus de problèmes avec son avion que moi avec mon vélo, ajouta-t-il, non sans satisfaction. Le Boeing est trop grandiose pour atterrir sur notre petite piste, alors il est obligé de se poser à Nassau et de venir jusqu'ici en avion-taxi. D'ailleurs, maintenant que j'y pense, avec tous les vols qu'il fait, Marianne Hardwick a plus de chances de se retrouver veuve que toutes les autres épouses du coin. Mais ce que je lui envie, à elle, c'est son sloop, *L'Ermite*. C'est un bateau de toute beauté.

— Un Boeing 707 ! » marmonna Mark, incrédule. Il avait eu beau rêver d'avoir son propre avion à réaction, jamais il n'avait imaginé en acheter un aussi énorme. Son cerveau commençait à fourmiller de platitudes concernant le fossé qui séparait les riches des pauvres – il sentait la distance s'accroître dans son cœur.

Mourant d'envie de mettre son uniforme à la poubelle avant même de l'avoir enfilé, Mark profita de son trajet jusqu'à Nassau pour acheter tout ce dont il avait besoin afin de devenir riche lui-même. Au magasin de plongée Pilot House, il parvint à se procurer d'occasion un compresseur à air à trois étages de quatorze pieds cubes, quatre réservoirs en cascade, diverses fournitures, un magnétomètre au césium et une ceinture de plomb ; il acheta le reste neuf. Les vendeurs de Pilot House l'envoyèrent au chantier naval Brown's, où il choisit un bateau en fibre de verre de quinze pieds, équipé d'une plate-forme de plongée, d'un moteur intérieur (indispensable pour naviguer parmi les récifs de corail qui sont la mort des hors-bords) et d'une cabine de rangement fermée pour son matériel. Cependant, il le choisit surtout pour son taud de toile blanche soutenu par quatre minces poteaux d'acier, qui lui rappelait le baldaquin au-dessus du lit de ses parents dans l'appartement du quai d'Orléans. Pendant qu'il faisait immatriculer son bateau, l'ouvrier de Mr Brown peignit dessus le nom *Île Saint-Louis* et Mark le conduisit jusqu'à Santa Catalina l'après-midi même, passant quatre heures difficiles à apprendre à naviguer au large tout seul.

Mark connaissait par cœur les cartes marines de la région, mais en voyant de ses yeux pour la première fois cette jungle de corail, il eut le sentiment écœurant qu'il vieillirait au milieu de ces récifs. Perspective terrifiante pour un garçon de dix-neuf ans. Il dut faire un détour de quinze milles pour contourner ce que les cartes appelaient le Long Récif; l'épave de la *Flora* pouvait se trouver d'un côté ou de l'autre de cette formation. Plus loin vers le sud, en se rapprochant de l'île, il rencontra les atolls de Santa Catalina – de larges anneaux de corail formant des lagons, si peu profonds par endroits que les algues pointant au-dessus de la surface de l'eau les faisaient ressembler à des champs submergés (ce qu'ils étaient, puisqu'ils s'étaient abîmés dans les flots à la fin de la dernière période glaciaire, quelque quarante mille ans plus tôt). Un ouragan aurait pu pousser la *Flora* à travers les ouvertures entre les récifs, jusque dans n'importe lequel de ces lagons, qui couvraient, avec les étendues d'eau les séparant, plus de trente milles carrés. Encore plus loin vers le sud, à moins d'un mille du rivage, tout le long de la côte atlantique de l'île, se trouvait ce qu'on appelait les récifs frangeants.

Décidant de commencer par ces derniers, Mark partit plonger dès son premier jour de congé. Ni les livres ni les films en couleurs ne lui avaient donné la plus faible idée de la beauté de l'univers dans lequel il descendit. Alors que son jauge de profondeur lui indiquait qu'il se trouvait à quatorze mètres au-dessous de la surface, l'eau était aussi ensoleillée et transparente que l'air au-dessus. Il apercevait l'ombre des poissons sur le sable. Les Bahamas n'ont pas de rivière pour troubler la mer qui les entoure et les eaux bahamiennes, abritées par les récifs de corail, sont les plus limpides du monde. Elles sont aussi plus fourmillantes de vie végétale et animale que la jungle la plus impénétrable. Tout ce que voyait Mark s'épanouissait en couleurs d'un éclat inimaginable. Les coraux roses, rouges, jaunes ressemblaient à des buissons, des cactus, des feuilles géantes, des branches nues, des tours en ruine, des piliers, des arbres penchés ; le sable du fond était constellé de conques roses, d'étoiles de mer violettes et d'éponges rouges ; de longs rubans d'algues vertes, jaunes et brunes ondulaient dans les courants. Tout ce monde chatoyant grouillait de poissons bleus, orange, jaunes, argentés, rouge sang, plus noirs que noir. Ainsi que de poissons qui étaient de toutes les couleurs à la fois. Les poissons-globes venimeux se gonflaient en l'apercevant.

Lorsqu'il se retrouva empêtré dans les tentacules brûlantes de cette bulle bleu vif meurtrière qu'est la méduse appelée galère portugaise, il fut tout content d'avoir enfilé son épaisse combinaison de caoutchouc noir et il espéra que son enveloppe extérieure le protégerait aussi des piqûres des coraux et des anémones de mer. Il commençait tout juste à s'habituer à se déplacer avec précaution, lorsque son magnétomètre au césium lui signala la présence de métal sous un monticule de sable, à quelque sept mètres seulement au-dessous de la surface. Tandis que Coco surveillait le bateau à moteur et remplissait ses réservoirs vides, il passa plusieurs heures à creuser le sable, et à la fin de son labeur il dégagea un conteneur de pétrole rouillé. Chaque fois qu'il plongeait, son magnétomètre repérait un détritus quelconque au fond de l'océan. Il ne trouva jamais rien d'autre. Chaque fois qu'il en avait marre d'être dupé par son détecteur de métaux et qu'il descendait plutôt son appareil photo, les photos lui montraient que ce qu'il ne voyait pas à l'œil nu était aussi des ordures. Il dut s'habituer à être un employé d'hôtel, qui se précipitait vers n'importe quel client qui lui faisait signe.

Un jour, le directeur de la clinique de sir Henry, le Dr Attila Feyer, qui venait souvent déjeuner au Club, convoqua le jeune interprète à sa table, exigeant de savoir « pourrrkvoi » il ne parlait pas le hongrois. Dans un anglais où ne figuraient ni le son *wh*, ni le son *th*, où l'accent tonique tombait sur la première syllabe de tous les mots et où les genres étaient traités par l'indifférence (il dit « elle » en parlant de Mr Weaver et « lui » en faisant allusion à sa propre épouse), il assura à Mark, comme ses compatriotes ont tendance à assurer à tous les étrangers, que le hongrois était une langue qui méritait d'être étudiée en raison de sa poésie. Le médecin, grand et gros, avec une énorme figure que terminait un triple menton tremblant, rappela à Mark un pingouin impérial méditatif qu'il avait vu un jour à Londres, au zoo de Regent's Park. Anciennement employé par le Centre médical presbytérien de Columbia, à New York, et désormais chirurgien consultant à l'hôpital du ministère des Anciens Combattants de l'université de Miami, le Dr Feyer passait trois ou quatre jours par semaine à Santa Catalina afin d'être sur place si jamais sir Henry se cassait quelque chose ou se faisait tirer dessus par un terroriste. (Tels étaient les principaux soucis de sir Henry.) Le directeur de la clinique était un neveu d'Imre Nagy, ancien Premier ministre de Hongrie, qui avait libéralisé le régime communiste au cours du bref dégel de 1953 et prit la tête du gouvernement révolutionnaire en 1956, s'efforçant de libérer le pays de l'occupation russe. Les Soviétiques exécutèrent Nagy, mais ils laissèrent en paix son neveu, et le Dr Feyer prospéra en qualité de chirurgien en chef de l'hôpital de l'université de Budapest. Toutefois, il ne souhaitait pas passer sa vie dans un pays où son oncle avait pu être pendu pour avoir cru à l'indépendance nationale. C'était un homme bien, il soignait les pauvres avec autant de dévouement que les milliardaires et jamais il n'approuvait les examens ou les opérations superflus uniquement parce que le patient avait les moyens de les payer. Pourtant il était complètement fou au sujet de l'argent. Il y avait un vide là où se trouvaient auparavant les lieux de sa naissance, si bien que son malaise et sa colère à l'idée d'être devenu un étranger incapable même de parler correctement se transforma en avarice pathologique. Ce chirurgien de réputation internationale, qui aurait pu mener une vie professionnelle bien remplie et active sur le continent, accepta d'aller s'enterrer à Santa Catalina plusieurs jours par semaine, uniquement pour l'argent que lui versait sir Henry. Il espérait aussi parvenir à s'immiscer dans les testaments de quelques gens riches. Obligé d'endurer par convoitise un ennui incommensurable, il avait deux voitures de sport dans l'île, une Mercedes et une Ferrari, au volant desquelles il fonçait le long de l'unique route qui, avec tous ses tours et ses détours, ne mesurait pas plus de vingt-sept kilomètres de long. Il se plaignit auprès de Mark du fait qu'il gaspillait ses talents; ils n'auraient pu ni l'un ni l'autre imaginer un instant qu'il décrirait Mark un jour comme « lé prémier pazient tigné te moi zur zette île ! ».

Le regard intelligent du nouvel employé lui valut beaucoup de confidences. Toutefois, la plupart des clients se contentaient de lui donner des ordres, ou bien ils ne le remarquaient même pas, comme s'il était transparent. Comme tous les esclaves salariés, il avait deux croix à porter : les gens pour qui il travaillait et les gens avec qui il travaillait.

La façon qu'avaient les clients de l'ignorer et de lui donner des ordres tout à la fois le rendait si malheureux qu'il lui fallut des semaines pour se rendre compte que ses camarades de travail le traitaient comme un chien parce qu'ils l'enviaient. Ils ne pouvaient pas souffrir l'interprète à temps partiel qui ne partageait pas tout à fait leur sort commun et qui était assez riche pour s'acheter un bateau à moteur et même pour se payer l'aide d'un Bahamien. Ne connaissant rien à la susceptibilité des vaincus, Mark commit toutes les gaffes de l'inexpérience. Son bateau fut considéré comme une insulte délibérée, une preuve qu'il avait plus d'argent qu'eux. C'était une de ces petites embarcations que les natifs des Bahamas et de la Floride appellent *inter-island bumboats*, les « rafiots entre les îles », tandis que pour les yachtsmen, ce n'était qu'une « boule puante » parce qu'il brûlait de l'essence ; mais il était neuf et luisant et paraissait valoir encore plus que les trois mille cinq cents dollars que Mark avait versés. Et pour mettre un comble à son insolence, il lui avait donné un nom étranger prétentieux !

« C'est quelque chose de français, dit le barman pendant le déjeuner à la cantine du personnel, en jetant un coup d'œil à Mark, assis à la table voisine, histoire de montrer qu'il se fichait pas mal d'être entendu. Monsieur Je-sais-tout ne voudrait surtout pas qu'on oublie que c'est lui l'interprète ici.

— Ce n'est pas ça du tout, protesta Mark, qui espérait encore parvenir à raisonner les autres. C'est simplement le nom de l'île à Paris où nous habitions quand j'étais môme.

— Vous voyez ! Il tient à nous faire savoir qu'il a habité Paris !

— À Paris, sur une île, corrigea le portier.

— Paris est une grande ville, y a pas d'îles à Paris.

— Il y en a deux grandes au milieu du fleuve qui traverse la ville, expliqua Mark.

— Te fatigue donc pas à discuter avec lui, il sait tout mieux que tout le monde. Nous, on est juste des connards ignorants.

— Je n'ai rien dit de pareil !

— Ouais, nous sommes des connards ignorants, si on l'écoute, mais faut quand même être cinglé pour chercher des trésors.

— Il file des pourboires aux porteurs, mais il est pas question qu'il en accepte un lui-même.

— Pourquoi il en voudrait ? C'est un grand monsieur, il est propriétaire d'un paquebot. »

« Il marche bien ton paquebot ? » n'arrêtaient-ils pas de lui demander.

Il est possible de mettre tant de dérision dans la question la plus banale que celui à qui on la pose en tremblera pendant des heures, et Mark apprit à la dure qu'il aurait dû acheter un vieux bateau solide et se plaindre perpétuellement de ce qu'il lui coûtait. Sa belle gueule, ses yeux pétillants le desservaient, eux aussi : les gens intelligents et séduisants sont en butte à la discrimination comme toutes les minorités.

« On dit que c'est pas bon pour l'intelligence mentale de connaître des langues étrangères, lui lança un jour un chasseur grisonnant, avec un mélange de pusillanimité et de dédain. Tu crois que c'est vrai ? »

Mark fit semblant de ne pas entendre, en décidant de jouer le sourd-muet.

« Vous êtes encore dans vos pensées, lui lança Weaver en traversant le hall. Vous oubliez de sourire. »

Mais sourire et faire ce qu'on lui disait, piétiner sur place pendant des heures, prêt à bondir au premier geste, était bien loin d'être une tâche aussi légère qu'il se l'était imaginé ; il n'y avait pratiquement pas un seul soir où ses articulations ne le faisaient pas souffrir et où son orgueil n'était pas meurtri. Il songeait souvent à Marianne Hardwick, mais il n'essaya pas de la voir. Le garçon qui voulait être prince, historien, milliardaire était profondément abattu par une crise d'identité, maladie qui le privait du courage d'aimer. Il passait ses jours de liberté à plonger et ses soirées dans la chambre noire d'Eshelby, s'abandonnant à sa chasse à l'épave avec l'assiduité opiniâtre d'un jeune homme à qui le premier choc de gagner sa vie avait appris que l'argent pouvait acheter bien davantage que des palais de marbre : il pouvait lui rendre la liberté de son adolescence.

18

Tours et détours du chemin de l'amour

Croyez-moi, Madame, la froide tranquillité, le sommeil de l'âme, image de la
mort, ne mènent point au bonheur ; les
passions actives peuvent seules y conduire.

LACLOS

Stendhal, qui a résumé sa vie par les initiales de douze femmes, soutient dans son traité *De l'amour*, que l'amour n'a pas grand-chose à voir avec la personne aimée et tout à voir avec l'imagination de celui qui aime. Rien n'est aussi séduisant que nos propres pensées ; la passion qui nous emporte est uniquement de notre fait. En tout cas, il ne paraît pas y avoir d'autre moyen d'expliquer pourquoi Marianne Hardwick tomba amoureuse de Mark longtemps avant de le revoir.

Elle commença par se remplir de vie et d'énergie.

Comme la plupart des gens qui ont une tension un peu faible, qui n'ont rien d'urgent à faire, elle avait l'habitude de dormir tard et de se mettre en route tout doucement, passant les premières heures de la journée dans une brume de paresse, mais le matin qui suivit sa rencontre avec Mark, elle se réveilla tôt et fut tout éveillée dès qu'elle ouvrit les yeux ; elle avait l'impression de pétiller, comme si son sang s'était transformé en champagne. Sautant du lit, elle courut à la fenêtre ouvrir les rideaux. La mer était grise et agitée ; la brise nocturne n'était pas encore tombée, même si le soleil annonçait déjà son arrivée en éclairant les nuages par en dessous. Elle enfila un bikini et descendit au rez-de-chaussée, écoutant le silence de la maison « Aujourd'hui, je suis en avance sur tout le monde », pensa-t-elle, avec l'ivresse du coureur qui bat un record. Les deux chiens-loups s'élancèrent de la terrasse dallée et la précédèrent à grands bonds à travers le jardin et jusqu'à la vaste plage de sable blanc, mais ce fut pour reculer dès qu'ils eurent les pattes mouillées, grondant et geignant pour s'excuser.

Marianne avait le sentiment qu'elle aurait pu faire l'amour avec l'océan. Elle s'allongea sur l'eau, laissant le froid la pénétrer, puis elle se mit à nager, les yeux fermés, montant et descendant avec les vagues. Le temps d'avoir assez chaud pour rouvrir les yeux, le soleil était haut dans le ciel, les nuages avaient disparu, le vent était tombé et la mer n'était plus agitée que par une lente et lourde ondulation. Inspirant à fond pour mieux flotter, elle se laissa happer puis rejeter en arrière par les vagues qui lui caressaient les seins, les membres, le bas-ventre. Quand un ruban d'algues lui effleura le ventre, elle se contracta sous l'effet d'un spasme de plaisir, inondée par une vague intérieure – puis elle partit vers le large, couvrant près d'un kilomètre et demi.

Lorsqu'elle revint vers le rivage, tout était déjà prêt pour le petit déjeuner sur la table en pierre ronde à la limite du jardin, et ses fils sautaient sur place sur la plage, agitant les bras pour lui dire de se dépêcher, faisant voler leurs cheveux blonds à chaque saut.

« Dites donc, Marianne, vous devriez aller à New York toutes les semaines ! fit remarquer Joyce, la nounou des enfants, en lui tendant un grand drap de bain duveteux. Ça vous apprend à vous lever le matin du bon pied. »

Marianne ôta son bikini pour se sécher, d'abord à l'aide du drap de bain, puis à la tiédeur du soleil, ouvrant et fermant les cuisses, afin d'attraper les chauds rayons entre ses jambes

Joyce ne put résister à cette occasion de la flatter et de la taquiner du même coup. « Regardez donc votre maman, les garçons ! N'est-ce pas qu'elle a un corps ravissant ? » Elle tendit impulsivement la main pour pincer la taille menue.

Riant avec gêne, Marianne fit un saut en arrière. « Aïe ! »

Le plus petit des deux enfants, Benjamin, fut soudain pris de folie et se mit à courir et à courir autour de sa mère, avant de se jeter sur elle pour essayer de lui mordre la cuisse dans un accès de passion. Sa surexcitation les fit rire jusqu'au moment où il protesta qu'on se moquait de lui et se mit à pleurer convulsivement, comme s'il cherchait à s'étouffer. Marianne le prit dans ses bras, le serra contre elle et l'embrassa, reniflant son cou, humant sa délicieuse odeur, encore aussi fraîche que celle d'un bébé, et tandis que ses pleurs séchaient et qu'il se mettait à glousser doucement de sa voix grave, elle sentit ses propres yeux se remplir de larmes d'émerveillement. Ce ne fut que quand elle reposa Benjamin et qu'il partit en courant avec sa pelle pour aller creuser le sable qu'elle fut soudain déconcertée par la pensée qu'elle était peut-être tellement surexcitée à cause de sa rencontre avec Mark.

La journée cessa d'être parfaite.

Se rappelant le sourire d'adieu plein d'assurance qu'il lui avait adressé, elle cacha son corps nu dans un peignoir sec. « Et même si ça m'excite de penser à lui, ça n'a rien de personnel, réfléchit-elle en s'efforçant de retrouver sa tranquillité d'esprit, la confortable sécurité de l'indifférence. Étant donné l'hébétude émotionnelle dans laquelle je vis, ce n'est pas étonnant qu'un petit flirt suffise à me secouer. Une nouvelle chanson, un bon roman ou un bon film en auraient fait autant. » Mieux elle raisonnait, plus elle se sentait morose.

« Joyce, vous ne vous ennuyez pas ici, avec nous ? demanda-t-elle, tandis qu'ils s'asseyaient tous les quatre à la table du petit déjeuner.

— Pourquoi ? Vous voulez me renvoyer ? » Joyce lâcha un petit rire inquiet, s'en voulant d'avoir pincé son employeuse. Élancée, à l'ossature fine et avec une forte poitrine, sa beauté était une beauté de contrastes, combinant des traits arabes et négroïdes ; elle avait un visage délicat et fragile, un nez aquilin, des lèvres épaisses. Elle venait tout juste d'avoir dix-huit ans, débordait de vie et d'ambition, et elle avait envie de tout apprendre et de mettre de côté tout ce qu'elle gagnait jusqu'au dernier sou, dans l'espoir d'ouvrir un jour un petit hôtel sur l'une des îles, avec l'aide d'un prêt des Hardwick. « Je ne m'ennuie pas, non, pas moi, jamais, protesta-t-elle avec véhémence. Je suis très bien ici.

— Moi, je deviens abrutie, je le sens! s'écria Marianne, sub-mergée par une brusque détresse. On ne pense à rien ici. Quand je suis à New York, je lis les journaux tous les jours; ici, je n'arrive même pas à lire la chronique d'Art Buchwald! J'ai le cerveau qui flanche. Tout ce soleil et cette mer, ça vous donne l'impression qu'il ne se passe rien au-delà de l'horizon. On pourrait aussi bien être une famille de singes! »

Cet éclat qui ne lui ressemblait pas fit deviner à Joyce la nature de son mal, mais comme les deux garçons les observaient avec une intense curiosité, elle commenta en silence, traçant un cercle dans l'air au-dessus du cœur de Marianne. Cette panto-mime dissipa la mauvaise humeur de Marianne, qui répondit par une grimace hésitante. Joyce pouffa. Elles pouffèrent toutes les deux. Cette camaraderie non verbale déboucha sur un échange décisif de confidences qui incita Marianne à prendre la résolu-tion de faire l'amour avec Mark dès qu'il le lui demanderait.

« Vous avez rencontré un homme, déclara Joyce dès que les petits garçons eurent quitté la table pour courir plus loin, accompagnés par leurs gardes du corps, les deux chiens-loups. Oui, oui, oui, quelqu'un qui vous plaît! s'empressa-t-elle d'ajouter afin de couper court à une dénégation tardive. Alors là, je suis vraiment, vraiment contente, parce que je vais pouvoir tout vous dire! » Elle était si heureuse, si soulagée qu'elle pressa les mains contre ses joues afin de contenir ses émotions. « À présent, ça vous sera égal.

— Allez-y, voyons, c'est quoi?

— Mr Hardwick, il a fait quelque chose l'année dernière au mois d'octobre. Ouais. Quand votre sœur est venue vous voir, vous savez, et que j'étais chargée de m'occuper de la maison des invités. Mr Hardwick, il m'a suivie là-bas et il m'a empoignée. Il m'a poussée sur le canapé vert. Et vous, vous étiez ici pendant ce temps-là, ici même, à cette table, en train de prendre votre petit déjeuner avec votre sœur. »

Marianne se berçait encore de l'illusion d'être capable de satisfaire son mari au moins durant le week-end, et au début elle resta les yeux écarquillés.

« Enlève ta culotte, voilà tout ce qu'il m'a dit, et puis il m'a prise. » Joyce fit onduler ses seins, comme pour appuyer ses dires. « Je vous raconte pas d'histoires.

« — Je vous crois.

— Mais depuis ce jour-là, ajouta Joyce, sans chercher à cacher son amertume et son humiliation, il m'a même pas fait la grâce d'un seul sourire. Non, pas une seule fois. Il me regarde, il me regarde comme s'il ne se rappelait même pas

— C'est un salaud.

— Amen ! » dit Joyce en écho

À dater de ce moment, les deux femmes devinrent de vraies amies qui partageaient des secrets. Marianne, peut-être parce qu'elle souhaitait montrer à Joyce qu'elle ne lui en voulait pas de sa confidence, lui raconta sa rencontre avec Mark et elles furent bien d'accord pour dire qu'il allait sûrement téléphoner.

Mais il ne téléphona pas.

Surexcitée et déçue dans son attente, Marianne séduisit son mari le week-end suivant, lui faisant passer des nuits qui le laissèrent hébété d'incompréhension et gonflé de vanité. Comme ces nuits ne changeaient rien, elle en vint à haïr aussi bien Hardwick que Mark, parce qu'elle se sentait malheureuse. Même les petites mains de ses fils ne parvenaient pas à l'apaiser. Elle passait son temps en bateau avec eux, sillonnant les mêmes quelques milles carrés d'eau, sans savoir vers où se tourner.

Installé dans l'ombre fraîche des ruines espagnoles en haut de la colline, Sypcovich fut légèrement troublé de la voir sortir sur le pont seins nus, piégée dans les verres ronds de ses puissantes jumelles de marine. La plupart du temps, cependant, le pont de *L'Ermite* ne lui offrait qu'un insipide tableau domestique. Mrs Hardwick ne laissait les écoutes et les voiles à ses serviteurs bahamiens que pour aller jouer avec ses enfants ou prendre un bain de soleil sur un large matelas encastré dans le pont. Le sloop de seize mètres, construit dans les célèbres chantiers navals Bertram Yards, en Floride, pour filer dans le vent et profiter de la moindre brise, fendait énormément d'eau, mais sans jamais s'approcher trop près de l'*Île Saint-Louis* de Mark.

Sypcovich aurait voulu voir les bateaux de Mrs Hardwick et du fils de l'acteur se heurter et sombrer. Ils lui donnaient la migraine, une douloureuse gueule de bois, due à un optimisme mal placé. Il ne parvenait pas à comprendre pourquoi ils restaient ainsi à l'écart l'un de l'autre, alors qu'ils avaient eu le plus grand mal à laisser deux centimètres entre eux dans l'avion. « Mais qu'est-ce qu'il a, ce morveux ? tempêtait-il tout seul. Avec toutes les petites vierges qui de nos jours baisent avec tout le monde, il n'a probablement jamais eu une femme mariée. Quel monde ! » Sa prime de cinquante mille dollars était en train de se transformer en malédiction ; il ne l'avait pas encore touchée, mais il l'avait déjà perdue maintes fois.

Les jours où Mark travaillait au Seven Seas Club, Sypcovich ne se donnait pas la peine de grimper jusqu'au fort, préférant garder l'œil sur lui à l'hôtel, au cas où Mrs Hardwick arriverait. « Vous êtes trop occupé, dit-il à Mark un matin, avec un sourire amical et paternel, en l'attrapant par la manche de son uniforme, alors qu'il traversait le bar de la Plage. On n'a pas bavardé vraiment depuis le voyage en avion. »

Mark inclina la tête, mais dégagea son bras. « Monsieur ?

— Vous travaillez trop dur. Pourquoi ne vous arrêtez-vous pas de temps à autre ? Cherchez donc quelques distractions.

— C'est le privilège de nos clients, monsieur. » Mark s'inclina et partit, tout à son rôle d'humble serviteur surchargé de travail.

« C'est ce que tu crois », grommela Sypcovich dans son verre, la voix dure, s'efforçant de digérer cette nouvelle rebuffade.

« Ils sont milliardaires, les détectives privés ? se demanda Mark. Ça fait plus d'un mois qu'il est là, ce type. Comment c'est possible qu'il ait les moyens de se payer cet hôtel ? » Cependant, il trouvait l'homme trop antipathique pour continuer de penser à lui.

Le long séjour de Sypcovich était coûteux, mais en ce qui concernait miss Marshall, le détective privé pouvait bien passer des mois au Seven Seas Club s'il le fallait : c'était *Intérieurs de luxe* qui réglait la note.

Dans ses rares accès de bonne humeur, Sypcovich considérait ses visites sur l'île comme les vacances de luxe les mieux payées du monde, mais il avait trop de fierté professionnelle pour se satisfaire d'autre chose que de résultats et il n'existait pas assez de soleil et de bourbon gratuits sur cette terre pour compenser son absence de progrès et ses constantes déceptions. Le jour où il tenta de faire la leçon à Mark au bar de la Plage, il vit Coco traîner du côté de la station de taxis à côté du bâtiment principal, et il lui fit signe de venir faire un tour dans le parc. Ils se connaissaient de longue date : Coco amenait de temps à autre une de ses nièces jusqu'à la suite de Sypcovich, par l'ascenseur de service.

« Je parie que tu saurais quoi faire de cinq cents dollars », commença le détective avec son sourire en lame de couteau lorsqu'ils atteignirent un sentier de gravier désert.

En entendant les mots « cinq cents dollars », Coco prit l'air vertueux d'un homme qui comprend que pour les obèses vieillissants les choses du sexe ne prêtent pas à rire. « Vous voulez du spécial, patron ? Mes filles cherchent qu'à plaire, elles s'encaustiquent le cul pour vous, si c'est ça que vous voulez. »

Sypcovich poussa un grognement impatienté d'homme occupé afin de couper court à cette idée frivole. « Je dois m'absenter et je voudrais que tu gardes l'œil sur Mrs Hardwick et cette pochetée pour qui tu travailles.

— Mrs Hardwick ? » Coco n'en revenait pas. « Il connaît Mrs Hardwick ?

— Ouais. Et moi, je veux savoir s'il se la farcit. »

Coco trouvait l'éventualité aussi improbable qu'une chute de neige, mais il baissa les yeux au sol afin de s'emplir d'humilité, puis il les releva, métamorphosé en chien fidèle prêt à obéir aux ordres de son maître. « OK, patron, marché conclu. Donnez-moi cent billets tout de suite, et moi, je garderai les oreilles et les yeux ouverts.

— Écoute-moi, le rembarra Sypcovich, les types comme toi, j'avais l'habitude de les coffrer dans le temps. Le fric, tu l'auras si tu le gagnes, pas avant. Voilà dix dollars pour payer le télégramme si jamais t'as quelque chose à me faire savoir. »

« Ça alors, c'est un flic, ce mec ! » se dit Coco en empochant l'enveloppe où se trouvaient l'adresse de Sypcovich et le billet de dix dollars. N'ayant pas réussi à le ruser en se faisant payer d'avance, il décida que le détective privé était un saligaud malin et coriace qu'il valait mieux prendre au sérieux. Comme il ne prenait pas Mark au sérieux, il ne se sentait aucune obligation envers lui.

Miss Marshall, Sypcovich et maintenant Coco possédaient un allié inconscient en la personne d'Eshelby. « Pourquoi tu ne l'appelles pas, nom d'un chien ? demanda-t-il à Mark, un jour où ils déjeunaient ensemble à la cantine du personnel.

— Pourquoi veux-tu que je l'appelle ? répondit Mark d'un ton amer. Elle a peut-être l'air d'une jeune fille qui ne sait même pas d'où viennent les billets de banque, mais je parie qu'elle est aussi froide et dure que toutes les autres. Vous n'allez pas me dire qu'elles ne sont pas froides et dures. On se demande vraiment comment elles arrivent à se retenir de venir en aide aux quelques douzaines de Bahamiens qui vivent ici même, sur leur propre île, dans ces monstrueuses cabanes aux toits de tôle. Juste à côté de l'amas d'ordures. Évidemment.

— Qu'est-ce que tu veux qu'elle fasse ? Qu'elle demande à sir Henry de faire transférer la décharge dans son jardin à elle ? Je suis sûre que cette charmante fille aide des tas de gens. Personne ne peut secourir la terre entière.

— C'est une bonne excuse pour ne rien faire.

— Écoute, elle fait partie du conseil d'administration de l'Opéra de Chicago. Il y avait ici même, près de la décharge d'ordures, une gamine qui avait une voix superbe et c'est Marianne qui lui paie toutes ses études à Milan. Elle dit que le monde a besoin de plus d'une Sandra Browne. Et il y a un autre gosse qui étudie la musique à la Juilliard School à ses frais. Elle est aussi membre bienfaiteur de la Canadian Opera Company. Et elle doit encore signer des tas de chèques dont nous ne savons rien.

— Et moi, de quoi je pourrais être membre bienfaiteur ? » demanda Mark, maussade.

Comme tout lui avait paru simple au moment où il avait aperçu les jambes de Marianne ! La nuit, seul dans sa petite chambre de la maison du personnel, il se masturba en pensant à elle, mais il y pensait comme le mendiant hindou pourrait penser à la fille du maharadjah ; elle était la fille qu'il aimerait rencontrer une fois qu'il se serait réincarné dans une forme d'existence supérieure, une fois qu'il aurait découvert l'épave.

Sypcovich reprit l'avion pour Chicago, en jurant qu'il ne remettrait pas les pieds sur l'île tant qu'il n'aurait pas eu de nouvelles de Coco. Il en avait tellement marre de toute cette affaire qu'il ne voyait pas d'autre solution que de conseiller à sa cliente de renoncer une fois pour toutes à Mrs Hardwick. De retour dans son bureau, occupé à préparer son ultime facture, il songea qu'il était sur le point de mettre fin de son propre chef à un engagement lucratif, et son intégrité professionnelle l'impressionna à tel point qu'il eut le sentiment que ce ne serait que justice s'il s'octroyait une modeste récompense en ajoutant quelques frais fictifs sur sa note. C'est grâce à de tels mélanges de rectitude et de fraude que les filous à tous les échelons de la société étayent leur respect d'eux-mêmes tout en faisant avancer leurs fortunes.

« Je pourrais vous mener en bateau, assura-t-il à miss Marshall, en se présentant dans son bureau après un passage chez le coiffeur et la manucure. Je pourrais vous conseiller de m'envoyer là-bas à tout propos et de gonfler mon compte en banque, mais je ne veux plus gaspiller votre argent. »

Miss Marshall avait le plus grand mal à supporter le spectacle du visage bouffi de Sypcovich, de ses yeux porcins, de sa chair malsaine qui laissait imaginer des odeurs déplaisantes derrière le nuage de lotions. Elle le trouvait parfaitement repoussant, et à présent qu'il lui conseillait d'abandonner elle commença à se demander s'il avait jamais eu dans sa vie l'occasion d'apprendre à connaître les femmes. « Elle finira bien par faire un faux pas, dit-elle de sa paresseuse voix de gorge qui pouvait répandre des frissons le long de la colonne vertébrale de Hardwick ou l'envelopper entièrement comme un bain chaud. Elle fondra pour l'homme de sa vie. »

Sypcovich grogna et se hissa sur ses pieds. Croyait-elle donc qu'il ne savait pas de quoi il parlait ? « Miss Marshall, demanda-t-il en rentrant le ventre et en s'efforçant de ne pas le laisser ressortir, effort qui fit prendre à son visage une expression solennelle, avez-vous jamais entendu parler de cette reine Élisabeth d'Angleterre qui n'a jamais eu de rapports intimes avec un homme ? Celle qu'on appelait la reine vierge ? Elle avait tous ces vieux châteaux à sa disposition, remplis de coins et de recoins – de centaines de chambres à coucher –, et tous ces chevaliers et ces seigneurs qui n'attendaient qu'un signe d'elle. Mais, oh que non, elle ne voulait pas s'abaisser ! Personne n'était assez bien pour son royal je-vous-dis-pas-quoi. Eh bien, c'est la même chose pour votre Mrs Hardwick. »

La rédactrice en chef d'*Intérieurs de luxe* ne se laissa pas impressionner. « La bonne reine Bess devait avoir plus de recoins que vous ne l'imaginez. Mais dites m'en un peu plus long sur ce fils d'acteur.

— Qu'est-ce que vous voulez que je vous en dise ? explosa Sypcovich, relâchant son ventre dans son exaspération. Je vous l'ai dit, il n'essaie même pas de se la faire. Il ne trouve pas son fric à elle assez bon pour lui, il lui faut le sien. Ils sont impossibles, ces deux-là.

— Mais ma parole, Mr Sypcovich, vous n'êtes pas en train de laisser tomber, non, vous êtes en train de laisser vos émotions prendre le dessus ! »

Peut-être cette idylle malheureuse n'aurait-elle jamais abouti s'il n'y avait pas eu les enfants Hardwick. Un jour qu'ils commençaient à s'ennuyer et à ne plus tenir en place sur le pont du bateau, Fawkes leur montra du doigt l'*Île Saint-Louis*, au loin, et leur parla du plongeur que l'on disait occupé à chercher des vieilles pièces de monnaie. Bien que Creighton n'eût que quatre ans et Benjamin pas tout à fait trois, ils avaient chacun leurs palmes, leur masque et leur tuba et ils étaient tous les deux presque aussi à l'aise dans l'eau qu'à terre ; les histoires de Fawkes au sujet des navires engloutis les passionnèrent tant qu'ils annoncèrent qu'ils allaient à la chasse au trésor.

Mais leur mère ne voulut pas en entendre parler.

« Pourquoi ? lança Creighton de la même voix impérieuse que son grand-père Montgomery.

— Parce qu'il y a des requins et des barracudas par ici, voilà pourquoi.

— Je parie que c'est que des bébés requins, riposta Creighton en envoyant un coup de pied à son petit frère et en le foudroyant d'un regard autoritaire afin de l'encourager à harceler leur mère, lui aussi.

— Juste des bébés barracudas, ajouta docilement Benjamin.

— Oh, bon Dieu, on ne finira jamais d'en entendre parler, de ce trésor », soupira Marianne en se préparant à une longue lutte.

Chaque fois que les deux enfants apercevaient l'*Île Saint-Louis*, ils se mettaient aussitôt à discuter afin de mettre à bout leur mère, et, tout en essayant de leur faire entrer dans le crâne l'idée que la mer pouvait être dangereuse, elle commença à se faire du souci pour Mark. Comment pouvait-il avoir l'imprudence de plonger en solitaire ? Personne ne l'avait donc prévenu au Seven Seas Club ? Il n'y avait pas plus de six mois, un yachtsman parti plonger tout seul au milieu des récifs avait disparu sans laisser de traces, et les recherches les plus poussées n'avaient même pas récupéré son scaphandre autonome. Cet incident la hantait et elle prit l'habitude de surveiller le bateau de Mark avec ses jumelles. (L'observation à distance faisait décidément partie intégrante de leur histoire.) La vue de Coco, assis à l'arrière, en train de faire rouler un fusil-harpon entre ses doigts, ne fut pas pour calmer ses angoisses. De quelle utilité serait-il si jamais Mark était attaqué par un requin ? Il n'aurait même pas le temps de se mettre à l'eau.

Fawkes, désireux d'aider sa patronne à persuader les deux garçons qu'ils ne devaient même pas songer à plonger, n'avait plus désormais que le mot « requin » à la bouche et, s'étant mis à guetter ces prédateurs, il remarqua un jour une nageoire et une queue rapides en train de fendre l'eau à une dizaine de mètres derrière eux. Bien que *L'Ermite* filât vent arrière, toutes voiles dehors, la nageoire et la queue gagnaient du terrain.

« C'est un mako, celui-là, annonça Fawkes. C'est les plus rapides. »

En doublant le bateau à toute vitesse, le requin marsouin au nez pointu bondit dans les airs, tel un mince projectile, le dos bleu cobalt et le ventre blanc comme la neige, les yeux morts, la gueule ouverte. Il ne resta ainsi que quelques secondes avant de retomber dans une gerbe d'eau et de disparaître, mais pas un mot ne fut prononcé sur le pont de *L'Ermite* pendant un bon moment.

Puis Fawkes finit par dire : « Alors, Creighton, t'as vraiment envie d'aller nager avec celui-là ? »

Creighton haussa les épaules. « Je sais pas.

— Ces bestiaux non seulement ils peuvent te bouffer, mais en plus ils te tuent même si c'est toi qui les bouffes ! Figure-toi que le foie de ce requin-là, tu peux rien trouver de plus toxique. Il te ferait geler tous les muscles jusqu'à ce que tu sois mort ! »

Cette nuit-là, Marianne fit un cauchemar au sujet de Mark. Ils se rencontraient de nouveau à l'aéroport de Nassau, sauf que cette fois l'aéroport était au fond de la mer et que Mark la regardait à travers une eau remplie de têtes et d'entrailles de poisson qui flottaient. Du regard, il appelait au secours et elle nageait vers lui, mais sans pouvoir se rapprocher. Tandis qu'il faisait à tout moment des gestes brusques de la tête pour éviter les débris gluants, ses yeux jaillissaient de leurs orbites, laissant deux trous noirs sous son front. Détournant le regard, elle remarquait qu'il avait la poitrine déchiquetée et que des petits poissons arrachaient la chair qui adhérait à ses côtes. Puis il disparaissait derrière un nuage de sang et elle se réveilla en essayant de hurler. Moite de sueur et frissonnante, raidie d'horreur, encore en proie à l'espèce d'hébétude qui la prédisposait à croire aux prémonitions et aux pressentiments, elle pensa qu'elle devait faire quelque chose pour le sauver.

Le lendemain, afin de se mettre en route le plus tôt possible, elle emmena son petit équipage prendre le petit déjeuner à bord et, toujours sous l'influence de son cauchemar, elle dit à Fawkes de faire le tour de l'île, tandis qu'elle fouillait la mer à l'aide de ses jumelles. Lorsqu'elle repéra l'*Île Saint-Louis*, la première chose qu'elle vit fut Coco endormi à l'ombre du taud de toile. Il n'y avait aucun signe de Mark ; à l'évidence, il était quelque part sous l'eau. « Bon, très bien, dit-elle aux enfants d'une voix tremblante, en s'efforçant de maîtriser la panique qui montait en elle. On va aller regarder de plus près, voir ce qu'ils fabriquent. »

Fawkes vira de bord vent devant en direction du bateau à moteur.

Elle sentait qu'il se passait quelque chose d'épouvantable. Son cœur se glaça et tous les bruits changèrent. Le claquement des voiles devint plus dur et plus ferme ; en se brisant contre la proue, les vagues assenaient des coups sourds et menaçants. Au bout d'un moment, le spectacle de Coco qui continuait de dormir avec une expression d'insouciance béate pendant que Mark était en danger la mit dans une telle rage qu'elle trouva la force de bouger ; elle courut prendre le fusil d'alarme logé dans le cockpit, le souleva des deux mains, le pointa dans l'air au-dessus de la tête de Coco et tira. Réveillé par la forte détonation de la fusée qui explosait, Coco se redressa en sursaut et regarda autour de lui. Apercevant *L'Ermite*, il agita le bras avec enthousiasme.

« Il devrait être dans l'eau au lieu de nous faire signe ! cria Marianne. Approchez encore, John ! Il faut retrouver le plongeur !

— Je sais pas à quelle profondeur sont les récifs par là-bas, patronne, répondit Fawkes. Faut pas aller plus près. »

L'*Île Saint-Louis* était ancré à environ un mille au large de la côte nord-est de l'île, au bord des récifs frangeants, tout près de deux longues crêtes montagneuses de corail étoilé, qui s'élevaient hors de l'eau, ici et là, comme d'énormes rochers, et à beaucoup d'endroits la formation submergée n'était guère qu'à une trentaine de centimètres au-dessous de la surface.

« Ne faites pas attention aux récifs, John, avancez ! Les garçons, Joyce, tâchez de repérer le plongeur ! Regardez si l'eau est rouge quelque part, vite ! » Des deux mains, elle leur fit signe d'aller regarder de chaque côté du pont, oubliant qu'elle tenait encore le lourd fusil.

« Le voilà ! hurla Creighton en montrant du doigt une silhouette dans l'eau transparente.

— Où ça ?

— Là ! »

Le regard égaré, comme si elle ne savait plus si elle pouvait ou non se fier à ses sens, Marianne baissa les yeux pour contempler fixement la silhouette en combinaison noire, masque et gants, avec des bouteilles sur le dos et des palmes aux pieds, qui se propulsait des deux jambes vers la surface. « Parfait, dit-elle enfin, en se reprochant avec agacement d'avoir pris peur. Il n'aura pas besoin de nous. »

Les deux petits, doués d'un instinct infaillible lorsqu'il s'agissait de reconnaître les moments où il valait mieux ne pas embêter leur mère, gardèrent le silence ; Fawkes et Joyce échangèrent des regards entendus.

« Je comprends pas pourquoi Mr Niven il a engagé ce maquereau pour l'aider, fit remarquer Fawkes tandis qu'ils laissaient Coco derrière eux. Qu'est-ce qu'il croit, que les Bahamiens honnêtes ça existe pas par ici ?

— Oui, j'ai bien peur qu'il ne soit pas très intelligent », dit Marianne sèchement. Elle s'imaginait que si elle n'avait eu aucune nouvelle de Mark, c'était à cause de quelque jolie serveuse au Club; l'idée ne lui vint pas qu'un garçon assez brave pour plonger tout seul au milieu des requins pouvait avoir peur de l'appeler sans y avoir été invité. L'incident tout entier n'avait duré que quelques minutes, mais elle avait éprouvé une telle frayeur qu'elle se sentait sans force. Elle laissa tomber le fusil d'alarme par-dessus bord et dit à Fawkes de retourner à terre.

« Ah, bon Dieu, ce que tu peux être lent ! » déplora Coco lorsque la tête et les épaules de Mark sortirent de l'eau.

Mark retira l'embout de sa bouche, repoussa son masque sur son front, tendit à Coco son magnétomètre au césium, puis il se hissa sur le bateau, en bougeant au ralenti, comme un homme arrivant d'un autre univers.

« Tu viens juste de rater une bonne compagnie ! » poursuivit Coco en aidant Mark à se débarrasser de son scaphandre autonome.

Trop fatigué pour être curieux, Mark fit glisser la fermeture de sa combinaison et s'allongea à plat dos afin de remplir ses poumons d'air frais. Il s'accordait vingt minutes de repos, souvent le temps d'un petit somme, entre deux plongées. « Je n'ai aucune envie de faire ami ami avec quiconque par ici, dit-il quand il eut repris son souffle. Avant qu'on ait le temps de dire ouf, voilà qu'ils veulent venir plonger avec vous. »

Coco le regarda avec dégoût. « Tu crois vraiment qu'elle en voudrait, elle, de tes vieux conteneurs de pétrole rouillés ? C'est le bateau de Mrs Hardwick que tu vois là-bas. »

Mark se redressa pour regarder, mais le sloop était parti, il n'était plus qu'un trait blanc prêt à se dissoudre dans le bleu de la mer et du ciel.

« Elle a pas besoin de regarder des zozos cinglés; pour la faire rigoler, elle a des vrais films comme au cinéma, chez elle. T'es pas au courant ?

— Non.

— Elle a pas besoin de tes boîtes de bière vides, elle.

— Je sais.

— Elle a pas besoin de toi, pas besoin de quoi que ce soit.

— Je sais, je sais, bon Dieu ! hurla Mark pour se faire entendre par-dessus le vacarme d'un petit avion qui les survolait.

— Mais tu la connais, toi, pas vrai ?

— Je l'ai vue une fois.

— Tu veux me raconter un peu c'qui s'est passé ? proposa Coco, du ton de l'ami qui ne demande qu'à aider. Je serai muet comme une carpe.

— Il n'y a rien à raconter. Nous avons juste bavardé un peu dans l'avion. »

Quelle chose que la mémoire ! Le cerveau humain retient chaque image, chaque bruit, chaque sensation qui est jamais parvenu jusqu'à lui ; chacun de nous porte dans sa tête le déroulement de sa vie entière, minute par minute ; mais parvenir à en récupérer le moindre bout, c'est une autre affaire. La majeure partie de ce que contient notre esprit nous reste à tout jamais inconnue ; les cellules de la mémoire ont tendance à ne nous repasser que ce que font resurgir au hasard de nouvelles impressions. Au cours des six semaines qui s'étaient écoulées depuis leur rencontre, Mark avait souvent remâché sa conversation avec Marianne, pourtant il ne s'était pas rappelé une seule fois les mots qu'elle avait prononcés au moment où leur avion descendait vers l'île. Mais à présent, le bruit du petit appareil et le dernier éclair de voile blanche à l'horizon lui remirent en mémoire la voix de sa voisine lui demandant s'il n'avait pas besoin d'un associé. « Quelqu'un qui aurait un bateau et qui pourrait plonger avec vous ? » Il l'entendait tout à fait distinctement dans sa tête et il lui parut soudain évident qu'elle avait dû vouloir parler d'elle-même. En ce moment même, ils auraient pu être ensemble, si seulement il lui avait prêté attention.

Que ce fût à cause d'un changement dans la position du soleil ou de son sentiment dévastateur de ce qu'il avait perdu, Mark trouva soudain la lumière trop vive. L'océan se transformait en gigantesque miroir étincelant, à l'éclat blanc et métallique. « Je redescends, dit-il à Coco en s'empressant de se harnacher.

— Tu préfères pas piquer un petit roupillon ? demanda Coco, qui avait envie de bavarder.

— J'ai bien assez roupillé comme ça. »

Dans son désir de s'éloigner de lui-même, Mark replongea dans le chenal qui séparait les deux crêtes de corail étoilé qu'il explorait depuis le petit matin. Ce chenal, bondé de poissons qui brillaient au soleil, ne mesurait que six ou sept mètres de large et il était peu profond ; près du sable, au fond, son jauge de profondeur indiquait quatre ou cinq mètres. Mark nageait à mi-chemin entre les deux récifs, déplaçant son magnétomètre de gauche à droite, puis de droite à gauche, par la force de l'habitude.

Pourquoi ne l'avait-il pas écoutée ? Un barracuda vint se cogner le nez contre son masque, mais il s'en aperçut à peine. Il oublia qu'il ne voulait pas d'associé, qu'il ne voulait pas partager avec qui que ce fût : il sut brusquement, avec une certitude absolue, que si elle était avec lui, il serait heureux. Pourquoi l'avait-il quittée des yeux ?

Alors, elle le trouvait à son goût, elle était prête à vivre avec lui, à plonger avec lui et il l'avait envoyée promener. Était-il complètement fou ? Fallait-il donc qu'il fût toujours son propre ennemi juré ? Elle devait le mépriser à présent – elle l'avait sûrement oublié !

Mark n'était pas d'humeur à se fier à sa bonne étoile. Submergé par ce sentiment de désespoir et de haine de soi bien particulier qui s'empare des gens au moment où ils se rendent compte qu'ils ont commis une sottise irréparable, il en commit une seconde : il omit d'attacher l'importance voulue au fait que c'était le brusque mouvement de l'aiguille de son magnétomètre qui avait attiré son attention sur la grosse anémone de mer juchée au sommet d'un monticule de sable. Celui-ci était de forme oblongue, étrangement symétrique ; mais dans l'état d'agitation qui était le sien, ce fut la forme de la créature vivante qui capta son regard. L'anémone de mer ressemblait à un vase en terre cuite rayé, rempli de verdure gracieusement ondulante. En passant devant le masque de Mark, un poisson-soldat chercha à happer un poisson-clown à travers la verdure ondulante, mais dès qu'il fut à sa portée, celle-ci se transforma en tentacules affamées, s'empara du poisson-soldat et l'engloutit. Les tentacules disparurent avec leur proie et l'anémone en forme de vase s'effondra pour ne plus être qu'une masse grise et boursouflée.

Fasciné par le trépas du poisson-soldat, si parfaitement au diapason de ses idées noires, Mark poursuivit mollement son chemin, agitant ses palmes et scrutant le fond de l'océan par pure habitude, sans rien observer, puis presque aussitôt il renonça. À quoi bon?

Toutefois, la matinée ne fut pas entièrement perdue. La rencontre manquée de peu entre les deux amants en puissance près des deux crêtes de corail étoilé marqua un tournant décisif dans leurs rapports. À présent, chacun d'eux se détestait à cause de l'autre ; il devait se passer quelque chose.

19

Tours et détours du chemin de l'amour (suite)

> Rien n'est aussi intéressant que la passion, parce que dans la passion tout est inattendu.
>
> STENDHAL

Après avoir amarré l'*Île Saint-Louis* et payé Coco, Mark se rendit à la cantine du personnel et s'assit au comptoir, tournant le dos aux personnes installées aux tables, principalement des serveurs et des aides-serveurs buvant une dernière tasse de café avant d'aller pourvoir au déjeuner de la clientèle. « Hé, Doris, tu devrais lui servir sa soupe dans une assiette en or ! » lança l'un d'eux à la serveuse derrière le comptoir. Une vague de rires parcourut la salle. Depuis que la blague sur le paquebot n'amusait plus personne, on s'était mis à asticoter Mark avec des vannes concernant les trésors engloutis.

En principe, ces moqueries lui étaient tout à fait égal. Tant que personne ne le prenait au sérieux, on n'irait pas se donner la peine de surveiller ses déplacements en mer, ni de remarquer son intérêt pour les récifs au nord-est de l'île. Les sourires sarcastiques et les quolibets cachaient son entreprise derrière un écran de fumée de dérision, si bien qu'il avait appris à les tolérer. Les grandes ambitions émoussent la souffrance du ridicule.

Cette fois-ci, cependant, les dards de la malveillance collective s'enfoncèrent plus loin que les autres jours et en entendant quelqu'un parler de « doublons d'or » il se retourna soudain avec un regard meurtrier.

« Qu'est-ce que t'as? Tu comprends pas la plaisanterie? »

Une multitude de visages blancs et noirs lui souriaient avec la familiarité du mépris.

« Si, bien sûr que je la comprends », répondit Mark et il se retourna vers sa soupe. Mais il était trop agité, trop déprimé, trop furieux contre lui-même pour voir les choses à long terme et reprendre sa cuiller. Au lieu de cela, il bondit sur ses pieds et fonça sur le type qui affichait le plus large sourire. Presque aussitôt, ils se roulaient par terre, renversant tables et chaises, se battant au milieu du bruit de la vaisselle et des verres brisés. La violente réaction de Mark avait pris tout le monde par surprise et deux bonnes minutes s'écoulèrent avant qu'on ne séparât les combattants.

Ce fut pendant qu'elle observait la lutte que l'idée vint à Sarah Little, la responsable des animations culturelles, que l'intéressant jeune interprète était terriblement esseulé et avait besoin d'une amie. Tandis qu'il reprenait sa place au comptoir, se refusant ostensiblement à quitter l'endroit, elle alla s'asseoir à côté de lui pour s'assurer qu'il n'était pas blessé.

« Il t'a fait mal? demanda-t-elle.

— Il boitera pendant quelques jours », répondit Mark en inspirant à fond. Puis il inspira à fond une seconde fois et oublia Marianne. Sarah sentait le pain frais. À l'occasion il l'avait aidée à organiser les courses de crabes sur la plage, mais jamais il n'avait été assis aussi près d'elle. C'était une brunette dodue et rose, aux profondes fossettes, qui débordait de libido, une déesse nourricière de vingt ans. Elle possédait une telle force de gravité qu'il sentit sa tête pencher d'elle-même vers ses seins.

« Tu es sûr que tu vas bien? insista-t-elle, avec un regard qui disait : "À moi aussi, tu me plais."

— J'ai la tête qui tourne un peu.

— Tu devrais finir ton déjeuner.

— Je n'ai pas envie de manger.

— Tu devrais finir ton déjeuner et puis aller t'allonger un peu », lui conseilla Sarah en rougissant.

Mark se força à manger et elle chercha à le rassurer en lui disant que les autres n'avaient pas vraiment voulu lui faire de la peine. Ils avaient juste envie de faire les imbéciles. La foi aveugle de Sarah dans les louables intentions d'autrui, la bonne volonté avec laquelle elle était prête à voir toutes sortes de vertus chez tout le monde avaient incité Mark à la fuir jusqu'à présent, car il la soupçonnait de ne pas être très intelligente. Mais il n'y a rien de tel qu'un coup de pied dans l'estomac pour rendre un homme sensible à la bonne volonté, et la chaleur du corps de Sarah, l'expression de ses grands yeux gris firent fondre le cœur de Mark – c'est-à-dire qu'elles produisirent dans sa poitrine une sensation de fusion qui se diffusa vers le haut jusqu'à sa tête et s'y attarda. Il convint avec elle que les autres ne lui voulaient pas de mal.

« N'empêche que c'est vraiment moche de débarquer dans un endroit nouveau, hein ? Quand on ne connaît encore personne...

— J'ai horreur de ça.

— Je sais très bien ce que tu ressens », mentit Sarah pour le consoler ; elle était à l'aise partout.

« Ça fait longtemps que tu es là ?

— Il y a juste un an j'étais à Manchester, avec ma culotte en laine », dit-elle, tandis qu'un frémissement de nostalgie se glissait dans sa voix, en même temps que l'accent de son Lancashire natal. Elle le regarda, puis détourna les yeux. « Ça me rappelle que je dois retourner à la maison des employés pour me changer.

— J'y vais aussi, s'empressa de dire Mark, redoutant de la voir partir sans lui. Je crois que je vais suivre ton conseil et m'allonger un petit moment. »

Tandis qu'ils regagnaient ensemble les quartiers du personnel, Mark s'arma de courage pour demander à Sarah de venir lui rendre visite dans sa chambre. Jamais il n'avait eu assez de cran moral pour se montrer plus direct avec une fille. Il savait très bien ce qu'il voulait, mais au moment de faire sa proposition il se mettait à douter d'être capable de satisfaire celle qu'il sollicitait ainsi. Il en était encore au stade où les jeunes hommes s'inquiètent à l'idée que leur pénis n'est peut-être pas de la bonne taille.

« J'aimerais beaucoup voir ce que tu as fait de ta chambre, déclara Sarah.

— Tu es ma première invitée », avoua-t-il en lui ouvrant la porte et en se reculant.

Il aurait été bien difficile de faire quoi que ce soit du minuscule cagibi qu'un lit, une commode et un lavabo remplissaient totalement. Le lit offrait la seule possibilité de s'asseoir, mais les photographies encadrées de la Madone de Lima et du général San Martín que Mark avait accrochées aux murs les tirèrent d'embarras; ils pouvaient aller se planter devant et les contempler, comme s'ils visitaient une exposition.

« Il a un beau visage, dit Sarah en indiquant San Martín. Qui est-ce?

— C'était un grand général argentin qui a essayé de venir en aide à son prochain, mais qui a fini par y renoncer, dégoûté », expliqua Mark en s'identifiant étroitement à son héros. Depuis qu'il avait mis de côté son histoire du Pérou et décidé de ne plus s'occuper des affaires de ce monde, et surtout depuis tous ses ennuis avec ses camarades de travail, il avait le sentiment de comprendre San Martín mieux qu'il ne l'avait jamais compris.

« Je ne trouve pas qu'il ait l'air dégoûté. »

Mark eut un large sourire. « Eh bien, il aimait beaucoup les jeunes filles.

— Tu ne parais pas avoir beaucoup d'amis par ici, dit Sarah en s'asseyant sur le lit.

— Je m'entends bien avec Eshelby, répondit Mark en prenant place à côté d'elle. On a des tas de choses à se dire. »

Tout en parlant d'Eshelby, ils ne cessaient de se tortiller nerveusement, se cognant l'un contre l'autre, et la sensation de ces collisions faisait naître des sourires épanouis sur leurs visages tendus.

« On rougit facilement, tous les deux ! » s'écria Sarah, enchantée, en changeant de couleur jusqu'à la naissance de ses petits seins dodus. Détournant les yeux du visage de Mark, elle jeta un regard à la reproduction de la Madone de Lima, accrochée au mur. « Tu es pieux?

— Il m'arrive de prier quelquefois », répondit-il d'un air songeur, sentant son pénis prêt à jaillir hors de son pantalon.

Sarah se recula pour le regarder. Il y eut dans ses yeux un moment de doute, mais l'expression suppliante de Mark régla l'affaire; elle prit sa tête entre ses mains potelées et l'embrassa légèrement sur le front. Puis elle bondit sur ses pieds, rondelette et pourtant légère comme une plume, tout à fait dans son élément, toujours prête à organiser des activités agréables et à encourager les clients solitaires à prendre part à ce qui était prévu pour les distraire. « Vas donc fermer la porte à clef, moi, je tire les rideaux et je rabats le couvre-lit », dit-elle en répartissant les tâches. Ce que les femmes apprennent sur leur lieu de travail leur est souvent fort utile dans la chambre à coucher.

S'étant coupés du monde extérieur, ils se déshabillèrent, s'allongèrent sur le lit et se mirent à se passer mutuellement les mains sur le corps afin de faire connaissance. À chaque contact, ils se sentaient plus forts et plus déchaînés.

« Je croyais que tu n'aimais pas les grosses, dit-elle, tandis qu'il lui malaxait les cuisses et l'embrassait dans le cou.

— Maintenant, si. »

Elle lui offrit ses mamelons salés et, ne voulant rien lui cacher, elle lui confia d'une voix ferme. « Moi, je crois au partage, au sexe et aux astres. »

Les astres ne paraissaient pas si déplacés sur les lèvres de cette fille extraordinaire, qui l'accueillit par un tremblement de terre et une inondation, lui donnant le sentiment de la Création et une immense confiance dans son pouvoir de créer de la joie.

« C'est tellement bon quand on en a envie, tu ne trouves pas ? demanda-t-elle quand elle se fut un peu reposée.

— C'est génial. Je n'ai plus une once de moelle dans les os. J'ai l'impression d'être un pichet vide.

— J'adore les premières fois, soupira-t-elle en lui léchant l'épaule comme s'il était en crème fouettée. La première fois, c'est la meilleure. Tu te sens davantage chez toi maintenant ?

— Ouais, c'est sûr... dit Mark, mais soudain, au contact du mur froid contre sa peau, il fronça les sourcils, regrettant de ne pas se trouver dans la vaste chambre à coucher d'une villa palladienne en Vénétie. Mais je déteste les petites chambres.

— Tu as une grande fenêtre, c'est chouette quand même. Et une vachement belle vue sur le parc.

— Ouais, d'accord, je sais que je n'ai pas à me plaindre ! » Il n'avait pas bougé un muscle depuis son grand moment d'accomplissement.

Ils restèrent allongés paisiblement pendant quelque temps, puis elle se mit à bouger doucement sous lui. « Je n'ai vraiment pas envie de te laisser, Mark, dit-elle avec une grimace à la fois comique et contristée, mais il faut que je me lève. Je dois filer, je suis de service. »

Depuis le lit, Mark la regarda se rhabiller, débordant de bonne humeur, convaincu que Marianne Hardwick serait folle de lui s'ils en venaient jamais à faire l'amour. Il lui semblait qu'il n'avait jamais cessé de penser à elle et il attribua son sentiment de bien-être au fait qu'il y pensait encore. Telle est l'ingratitude de ceux qui sont déjà en proie au désir.

Dès que Sarah lui eut fait un dernier geste d'adieu depuis la porte, il bondit hors du lit. Une demi-heure plus tard, environ, il sonnait à la grille percée dans le mur qui entourait le jardin des Hardwick, déclenchant des aboiements qui paraissaient provenir d'une meute entière de chiens féroces. Mark se rappela que Weaver lui avait dit que les chiens de l'île étaient dressés à mordre, mais cela lui était bien égal. « Je l'aime et elle m'aimera », se dit-il. Il se sentait tout-puissant.

Depuis qu'elle était revenue à terre, Marianne était allongée sur son lit. Après sa tentative hystérique pour sauver la vie de Mark, alors qu'il n'était absolument pas en danger, elle se sentait si sotte, si humiliée, si épuisée qu'elle avait laissé Joyce prendre les enfants en charge et qu'elle était partie dormir, dormir et tout oublier. Elle sombra dans un sommeil agité, se tournant et se retournant, et elle se réveilla en se cognant la main contre le bord de la table de nuit. Le coup lui fit mal et lui rendit ce réveil solitaire encore plus douloureux. Frissonnant un instant, en dépit de la chaleur, elle se pelotonna sur elle-même et se frotta les bras. Son petit somme ne lui avait pas fait le moindre bien ; elle était aussi tendue et malheureuse qu'avant. Si seulement Mark était là ; ensemble, ils pourraient se sentir douillettement en sécurité. Elle glissa les mains sous son tee-shirt et se mit à caresser le bout de ses seins pour se sentir mieux, mais elle n'en eut que plus envie de Mark. Elle voulait avoir son corps sur le sien ; elle voulait se sentir écrasée sous son poids, pour ne plus avoir qu'à respirer et à se détendre. Pourquoi n'était-il pas là ? Sa main droite descendit à l'intérieur de son short. Elle chercha à s'imaginer que c'était la main de Mark. Puis elle ne pensa plus à rien ; elle se concentra sur sa jouissance. Mais au moment où elle arriva au bord de la contraction, le plaisir se transforma en répugnance et elle retira sa main ; elle ne voulait pas jouir toute seule. Elle ferma les yeux, recherchant le sommeil par la force de sa volonté, mais il n'y eut rien à faire ; elle avait les nerfs en pelote. Elle se rappela son cauchemar, le visage sans yeux de Mark, parmi les poissons flottants. Et s'il était retourné plonger pendant qu'elle dormait ? Le requin marsouin bleu cobalt lui traversa l'esprit, tel qu'il avait jailli dans les airs, avec son ventre blanc arqué au-dessus de la mer et sa gueule meurtrière grande ouverte.

Marianne était en train de respirer à fond afin de dissiper son angoisse, lorsqu'elle entendit les chiens aboyer, puis Joyce entra pour annoncer le visiteur.

« Je l'ai laissé dans la maison des invités, en train de regarder les tableaux. Je l'ai fait entrer là pour que vous ayez une maison entière rien qu'à vous, pas d'enfants, ni de domestiques, dit Joyce, surexcitée et affairée. Vous êtes encore dans votre rêve. Ne pensez à rien, ne vous lavez pas la figure pour faire disparaître les traces de sommeil, vous êtes bien plus sexy comme ça, allez, levez-vous et foncez ! J'ai dit à Ruby de faire porter un grand saladier de fraises et un bol de crème fraîche pour les tremper dedans. Un vrai plateau d'amoureux. Le temps que vous arriviez, tout sera là-bas.

— Mais, qu'est-ce que vous racontez ? »

Joyce leva les bras, comme le prédicateur baptiste de son enfance à Governor's Harbour. « La vengeance m'appartient, dit le Seigneur ! »

Mark était en train de faire le tour du salon de la maison des invités, étudiant les lithographies de Libby Hague et les scènes de courses de chevaux et de régates signées Dufy, accrochées aux murs, s'efforçant désespérément de trouver une remarque spirituelle afin de combler le fossé de six semaines qui béait entre eux, lorsque Marianne fit son entrée, le visage rosi par sa course et son excitation.

« Vous voilà enfin, sain et sauf ! » s'écria-t-elle en lui prenant les deux mains.

Un sentiment tellement sincère perçait dans cette remarque que la domestique qui l'entendit en apportant le plateau éprouva un pincement de jalousie et se demanda ce que ce jeune homme avait bien pu faire pour l'inspirer.

Le lendemain matin, quand il vit que Mark ne venait pas embarquer à bord de l'*Île Saint-Louis,* Coco partit à sa recherche, mais sans pouvoir le trouver où que ce fût. Il se renseigna un peu partout et plus tard dans la journée il expédia un télégramme à Howard Sypcovich à Chicago.

20

Deuxième chance

N'est-ce pas le moment d'unir nos jours
[les meilleurs,
Nos plus grandes bontés, nos plus
[saintes humeurs.

GEORGE JONAS

Le sexe est un bienfait mitigé. La nouvelle ne date pas d'hier, mais elle est pourtant quotidienne. Les hommes et les femmes ne sont pas faits pour se satisfaire mutuellement. Les femmes ne peuvent s'épancher sans cesse et, même dans leurs moments d'épanchement, elles sont lentes à sourdre, alors que les hommes ont la vélocité du torrent; ils sont programmés par la nature pour jaillir à des moments différents. Certes, il existe des occasions où deux amants sont emportés sur la même vague, mais cela ne sert qu'à les troubler en ajoutant foi au soupçon plein de ressentiment qui les pousse à croire que le monde regorge de femmes passionnées et d'hommes amoureux capables de se mettre au lit et de se retrouver à mi-chemin sans aucun effort – chaque fois – et que cela est dans la nature des choses. Il serait difficile de concevoir une autre notion susceptible d'infliger à un si grand nombre d'êtres humains parfaitement normaux un sentiment aussi amer d'insuffisance. Ils endossent le blâme, alors que c'est la nature qui est en faute, et se tourmentent à l'idée de la perfection imaginaire de leurs voisins, si bien qu'une condition presque universelle reste une honte privée.

Mark et Marianne étaient trop jeunes pour nourrir de l'amertume, mais ils n'étaient pas des observateurs très perceptifs de leurs expériences sexuelles, si bien que leurs plaisirs et leurs déconvenues étaient pour eux des mystères. Mark avait peur d'être trop petit et trop rapide, Marianne avait peur d'être trop lente; ce n'était pas souvent que l'un ou l'autre avait franchi l'intervalle des vingt minutes, cet abîme entre les sexes. Mais quand ils firent l'amour ensemble, il n'y eut pas de décalage entre eux; il la laissa prendre de l'avance sur lui. Luttant pour obtenir ce qu'il y a de meilleur dans la vie, ils furent trois fois mouillés par sa joie à elle avant que lui n'eût épuisé ses forces. Les amants expérimentés – expérimentés en matière de frustrations et de déceptions – comprendront quel lien solide devait constituer un tel début. Il les laissa allongés tout étourdis sur le couvre-lit blanc matelassé dans la chambre blanche de la maison des invités, où de minces rais de soleil filtraient à travers les persiennes pour nimber de leur éclat la moquette de haute laine, aussi immaculée et poudreuse que de la neige fraîchement tombée. Marianne sentait le lait, ils sentaient tous les deux le pin, et ils ne remuaient leurs mains que pour faire plaisir à leurs doigts.

« J'aime bien ta chambre, dit enfin Mark, quand il eut repris assez de forces pour se soulever sur un coude et regarder autour de lui.

— Ce n'est pas la mienne, pour moi aussi, elle est nouvelle. C'est mieux comme ça, tu ne trouves pas ? » C'est un luxe de femme riche que de ne pas être confinée à la chambre conjugale, même chez soi. Un nouvel amour pouvait-il s'épanouir sur le même vieux lit, entre les mêmes vieux murs? Marianne ne voulait même pas rester sur la même vieille île. « Partons d'ici, quittons cet endroit abominable », dit-elle en soufflant ces mots contre la poitrine de Mark comme si elle souhaitait parler directement à son cœur.

Mark avait beau déborder de fierté, il n'arrivait pas à la croire : « Tu partirais avec moi?

— Demain. Aujourd'hui.

— Et ton mari?

— Il est fini... liquidé. » Son visage rayonnait, sa voix possédait la fermeté de sa satisfaction. Du bout de l'index, elle lui lissa les sourcils. « C'est toi qui l'as liquidé, il n'existe plus. »

Plus tard, tandis qu'ils se savonnaient mutuellement sous la douche et que Mark, fou de bonheur, lavait le vagin de Marianne d'une main et de l'autre son anus et ses petites fesses arrondies, il se laissa aller à lui avouer sa rencontre avec Sarah Little un peu plus tôt dans la journée. Elle le repoussa et lui dit de partir. « Comment as-tu pu venir me trouver tout de suite après avoir été avec une autre fille ? C'est sordide.

— Je ne l'ai pas fait exprès, protesta Mark, tout prêt à lui demander pardon, mais souriant malgré lui. C'est la première fois qu'il m'arrive une chose pareille. »

Elle le poussa encore et il glissa sur le carrelage mouillé. Craignant qu'il ne se fût fait mal, elle l'aida à se relever et lui pardonna presque. « J'espère au moins que tu as pris une douche après ?

— Non, j'étais trop pressé. Trop impatient de te voir. »

Elle lui sauta dessus avec la savonnette, s'efforçant de faire disparaître toute trace de l'autre femme, même s'il était trop tard. « Et tu lui as fait l'amour pendant une demi-heure ? demanda-t-elle en lui serrant impitoyablement le pénis.

— Hé !

— C'est oui ou c'est non ?

— Pendant bien moins que ça. »

Les mains de Marianne s'adoucirent, aidant Mark à se durcir. « Pendant combien de temps ?

— Je n'en sais rien. »

Peu inspiré par ce sujet, Mark concentra son intérêt sur les seins pleins d'allant de sa compagne, qui, rendus glissants par la mousse, paraissaient avoir leur vie propre. « Trois ou quatre minutes, probablement. Comme d'habitude.

— Alors, c'est qu'elle te plaît davantage. » Elle ouvrit la douche, le robinet d'eau froide, pour le punir.

« Pourquoi ? Qu'est-ce que tu racontes ? »

Ils étaient en train de se sécher (séparément, car elle refusait de se laisser toucher) avant qu'elle ne lui répondît.

« Tu as mis plus longtemps avec moi, ça veut dire que tu n'en avais pas autant envie.

— J'en avais plus envie, mais je n'étais pas au bord de l'explosion. »

Leurs regards se croisèrent en un éclair de soudaine compréhension. Les amants heureux ne le sont pas de naissance, ils apprennent à berner la nature par des manœuvres détournées.

Ils étaient assis côte à côte au bord du lit, en train de manger des fraises à la crème, lorsqu'ils furent surpris par les voix des enfants. Marianne posa sa main sur la bouche de Mark et ils écoutèrent silencieusement dans la pénombre.

« Elle n'aurait pas dû s'en aller à Nassau sans rien me dire ! protesta Creighton.

— Elle nous rapporte des cadeaux ! » répondit Benjamin. Bien qu'il fût le cadet, il avait une voix grave et rauque qui donnait l'impression qu'il était plus âgé que son frère.

« Allez, on fait la course, pour voir qui court le plus vite ! lança Joyce. Un, deux, trois, partez ! » Grâce à elle, les garçons se laissèrent convaincre de passer à toute allure devant la maison des invités, qui vue de l'extérieur paraissait fermée. Les fenêtres étaient ouvertes, mais les volets des cinq pièces étaient clos.

Mark tourna vers Marianne un regard scrutateur, s'efforçant d'imaginer cette gamine à cheveux longs sous les traits d'une mère.

« Ça y est, maintenant il me prend pour une vieille ! » pensa-t-elle.

Mark l'embrassa entre les sourcils pour les défroncer, mais elle ne pouvait plus tenir en place. Et si les enfants ne lui plaisaient pas ? Ou bien si lui ne leur plaisait pas ? Elle demandait à Mark s'il avait assez faim pour un vrai repas.

« Je n'ai même pas fini mon déjeuner ! s'exclama-t-il.

— Bon, d'accord, alors on va dîner avec Creighton et Ben », dit-elle d'une voix curieusement sévère.

Ils gagnèrent la grande maison en traversant la pelouse récemment rafraîchie par l'arrosage automatique. Avec le crépuscule arrivèrent les simulies, des moucherons invisibles qui piquaient Mark comme des aiguilles ; Marianne ne les sentait plus, mais sa peau à lui n'était pas encore accoutumée aux insectes des semi-tropiques.

« On va dire que je suis qui ? » demanda Mark, avec la gêne d'un homme qui avait dû affronter une épreuve de trop au cours de la journée.

Elle lui pressa la main. « Toi, tout simplement. »

Les deux petits étaient dans leur salle de jeux et, en voyant entrer leur mère, ils réclamèrent leurs cadeaux.

« Je vous ai amené un ami en guise de cadeau, lança-t-elle en poussant Mark devant elle. Vous le connaissez, d'ailleurs, c'est lui que vous avez vu plonger à la recherche de pièces de monnaie ! » Elle se tourna vers Mark. « Ils veulent tout savoir sur les navires engloutis.

— Non, on veut pas, dit Creighton en lançant un camion en caoutchouc contre le mur. Mon poney, il a mal à la patte. »

Mark resta silencieux. Ce ne fut qu'à ce moment, en voyant de ses yeux les deux petits garçons, avec le visage ovale et les cheveux blond cendré de leur mère, qu'il commença à comprendre que sa vie était désormais mêlée non pas à celle d'une fille, mais à celle d'une famille. Devinaient-ils qu'il avait fait l'amour avec leur mère ? Le plus petit, Benjamin, s'approcha de lui pour le dévisager de ses grands yeux observateurs. Mark fut à deux doigts de s'enfuir au galop.

« Je vais avoir droit ! » dit l'enfant gravement.

Mark le regarda, perplexe.

« Ben a presque trois ans, expliqua Marianne.

— Ah ! Tu vas avoir trois ans. C'est formidable !

— Et mon mien, il a pas ! ajouta Benjamin.

— Qu'est-ce qui n'a pas quoi ? demanda sa mère, contrariée. Il faut faire des phrases entières, mon chéri, autrement les gens ne comprendront pas ce que tu racontes.

— Mon poney, il a pas mal à la patte ! hurla Benjamin triomphalement, marquant pour la première fois de sa vie un point contre son frère.

— Alors, comme ça, vous avez des poneys ! s'écria Mark, sur un ton de surprise teintée d'envie.

— Ce sont des petits poneys, des shetlands, il n'y a aucun danger », Marianne s'empressa de le rassurer.

Mais les garçons ne s'étaient pas mépris sur le ton de sa voix et ils étaient assez contents de rencontrer quelqu'un qui les enviait. « Je te donne mon paon en cadeau, annonça Benjamin, magnanime. Je n'en veux plus.

— Maman, tu nous as pas dit que tu partais ! dit Creighton d'un ton accusateur.

— Je suis désolée, mon chéri. »

Creighton agita le doigt en la foudroyant du regard. « T'as pas intérêt à recommencer !

— Je ne recommencerai plus, c'est promis », dit Marianne, soulagée de voir Mark se mettre à rire. Déjà, elle imaginait la nouvelle famille qu'ils allaient former. « Mangeons dans la cuisine », proposa-t-elle.

La cuisine, vaste et lumineuse, était remplie de monde. Mark fut présenté à John Fawkes, qu'il avait aperçu à l'aéroport ; à Joyce, qui l'avait accompagné jusqu'à la maison des invités un peu plus tôt ; à la domestique, qui avait apporté les fraises, à la cuisinière, au jardinier et à sa femme. Il s'inclina en saluant chacun d'eux et tâcha de se soustraire à l'embarras mutuel en admirant les batteries de casseroles en cuivre et de récipients en terre cuite, ainsi que les longues guirlandes d'oignons violets suspendues aux poutres.

Creighton voulut lui montrer la cave. Sur les îles de corail, il n'y a pas de sous-sol, tout doit être construit au-dessus du niveau du sol, et la cave à vin des Hardwick était une pièce climatisée sans fenêtre qui donnait dans la cuisine. Mark fut étonné de n'y voir que quelques casiers de bouteilles de vin français et des milliers de bouteilles d'eau minérale, française elle aussi. Tandis qu'ils passaient à table et que la cuisinière vidait plusieurs bouteilles d'eau minérale naturelle dans une bouilloire, Joyce lui expliqua qu'ils utilisaient de l'eau importée pour tout. La cuisinière, une femme d'un certain âge, qui avait l'habitude de ne se mettre à chercher la théière qu'une fois que l'eau était arrivée à ébullition, laissa la bouilloire siffler sur le fourneau tandis quelle fouillait sans se presser, et Mark contempla les nuages de coûteuse vapeur avec une expression si angoissée que les autres se mirent à rire. Comprenant qu'ils riaient de lui, il s'esclaffa à son tour, ce qui le rendit sympathique à tout le monde.

Marianne se pencha par-dessus la table pour lui prendre la main et la garder dans la sienne ; il y eut un silence électrique et elle sourit aux domestiques, comme pour dire : « C'est mon homme ! »

Entre le choc et la joie qu'il en éprouva, Mark trouva le courage moral de regarder Fawkes droit dans les yeux. Si Hardwick avait été là, il aurait été prêt à le défier en duel. Le silence fut rompu par les enfants qui voulaient tous les deux tenir la main de leur mère.

Une fois qu'elle eut mis Creighton et Benjamin au lit, en leur disant qu'elle repartait pour Nassau, Marianne emmena Mark dans sa salle de projection voir *Elvira Madigan*. Blottis l'un contre l'autre sur le canapé, ils s'étreignirent en pleurant sur le triste sort de ce couple pour qui l'amour était tout. Voyant les larmes briller dans les yeux de Mark, Marianne se rappela que Kevin s'était endormi au milieu du film. « Il n'y a pas que l'argent qui l'émeut. Mark n'est pas comme lui ! » pensa-t-elle, triomphante.

Cependant, lorsqu'ils regagnèrent la maison des invités et s'allongèrent sur le lit, tout habillés, Mark lui raconta l'histoire de la *Flora*; à présent qu'il croyait de nouveau en sa chance, il voulait qu'ils se missent tous les deux à la recherche du navire le lendemain matin.

En l'écoutant, Marianne perdit son éclat, ses traits si doux devinrent durs et sévères, son visage prit un pitoyable aspect chevalin; elle était obsédée par l'image du corps déchiqueté qu'elle avait vu dans son rêve et la peur la rendait laide.

« Qu'est-ce qu'il y a? demanda Mark, inquiet.

— Je croyais qu'on était d'accord pour quitter l'île !

— Mais oui, mais oui, on partira dès qu'on aura retrouvé le navire. Enfin, je veux dire dès qu'on l'aura renflouer

— Et ce sera quand?

— Ben, on pourrait tomber dessus dès demain. »

Les yeux de Marianne s'écarquillèrent. « Demain? Tu crois vraiment que tu vas retrouver ce truc demain?

— Il est là, quelque part, au milieu des récifs. À mon avis, tu dois passer juste au-dessus tous les deux jours avec ton voilier, soupira Mark. Il suffirait d'un coup de pot; nous avons autant de chances de le découvrir tout de suite qu'après des années de recherches.

— Mais enfin, tu me parles d'une trentaine de milles carrés de récifs.

— De quarante-cinq milles carrés, corrigea Mark sèchement.

— Eh bien, alors?

— Quelle est la différence? Ça pourrait quand même être la

semaine prochaine, le mois prochain, l'année prochaine... ou bien demain !

— Ou bien jamais. »

Mark se détourna.

Mais pourquoi s'embêter avec ça, on n'a besoin de rien », dit-elle en l'attirant de nouveau vers elle et en lui baisant les yeux et la paume des mains. Elle lui raconta son cauchemar et lui avoua qu'elle y croyait. Ou plutôt qu'elle n'y croyait pas exactement, mais qu'elle n'était pas tranquille. Oui, la première fois qu'ils s'étaient vus, elle avait pensé qu'ils pourraient plonger ensemble, mais depuis qu'elle avait rêvé que des poissons lui dévoraient les côtes, elle avait changé d'avis. Elle lui décrivit, jusque dans leurs plus horribles détails, les blessures infligées par les charybdéides, les clams tueurs, les pastenagues, les murènes, les poissons-chats venimeux, les poissons-scorpions. Sa combinaison de plongée le protégerait souvent, mais pas toujours. Elle lui parla du plaisancier qui avait voulu plonger tout seul et qui avait disparu sans laisser de traces : les requins avaient même dû avaler son scaphandre autonome. Elle fit son possible pour l'effrayer, pour lui faire voir le cadavre mutilé qu'elle avait vu.

« C'est fou comme elle peut devenir affreuse ! pensa Mark, submergé par une nouvelle sorte d'amour protecteur. Il faut vraiment qu'elle m'aime pour que ça l'enlaidisse, elle qui est si belle. » Mourant d'envie de la consoler, de lui remonter le moral, il s'efforça de ravaler son impatience. « Bon, d'accord, je vais arrêter de plonger pendant quelques jours. »

Elle continua de le dévisager, toujours aussi laide.

« Bon, bon, je ne plongerai plus. » Il mentit d'une voix humble, dans l'espoir que l'effet du cauchemar s'atténuerait d'ici un jour ou deux. « Oublie tout ça, j'y renonce pour de bon.

— Tu ne crois pas ce que tu dis. Les hommes ne renoncent jamais à rien pour les femmes. »

Mark pâlit, puis il affronta les yeux égarés de Marianne avec un regard de défi. Puisqu'elle ne croyait pas à son mensonge, il se mit, lui, à y croire. Si elle pouvait se le représenter succombant à un horrible désastre, il pouvait, lui, se voir sous les traits de l'homme qui avait renoncé aux richesses de Lima pour le sourire d'une femme. Ils étaient tous les deux dans cet état d'épuisement exalté au cours duquel tout paraît possible. « Je laisse tomber, dit-il.

— C'est promis?

— Je veux que tu sois heureuse.

— Tant mieux ! »

En prenant conscience du pouvoir qu'elle avait sur lui, Marianne redevint radieuse et belle. La nuit était limpide, calme, sous le clair de lune éclatant, et elle lui proposa de se rendre à bord de *L'Ermite*. Ils regagnèrent la maison, silencieux comme des ombres pour ne réveiller personne ; elle réunit quelques effets et ils traversèrent le jardin au pas de course, sous la vigne de mer et les fromagers, passant devant les palmiers nains et les crotons à grandes feuilles, d'un pourpre surnaturel sous les rayons de la lune, tandis que les chiens geignaient avec inquiétude sur leurs talons, déroutés par les activités nocturnes de leur maîtresse. Sur le bateau, Mark regarda Marianne hisser les voiles, tenant ce qu'elle lui disait de tenir. Il avait l'air confus, si bien qu'elle essaya de le réconforter en lui récitant de l'Edward Lear.

> *Hibou et Minou partirent sur la mer,*
> *Dans un beau bateau comme un petit pois vert.*
> *Ils emportaient du miel et tout plein de monnaie*
> *Dans un billet de cinq cents francs enveloppée*
> *Ils voguèrent sur les flots un an et un jour...*

« Que vous êtes jolie, que vous me semblez belle, jolie comme un cœur et belle comme un astre ! » intercala Mark et il lui baisa la nuque en lui répétant le compliment que lui avait fait sa mère, bien longtemps auparavant. Un homme n'aime pas vraiment tant qu'il n'a pas retrouvé son cœur d'enfant.

Ils allèrent se mettre hors de portée de vue de l'île et jetèrent l'ancre au bord du lac d'argent dans la mer. C'était la fin du mois d'avril, il faisait assez doux pour dormir dehors ; ils s'allongèrent sur le matelas encastré dans le pont, en se tenant la main, et contemplèrent les étoiles. L'atmosphère était si claire qu'elles paraissaient rondes et presque tangibles. Soudain, Marianne bondit sur ses pieds et descendit en courant dans la cabine; un instant plus tard, Mark entendit la musique du film qu'ils venaient de voir résonner par les haut-parleurs installés sur le pont. Cet air lui avait plu pendant la projection, mais cela lui fit mal de le réentendre. Il additionna deux et deux. Elle était membre du conseil d'administration de l'Opéra de Chicago et lui ne connaissait rien à la musique. Il ne comprenait pas ce qu'une femme aussi intelligente, aussi cultivée, aussi belle et aussi riche pouvait lui trouver. Elle connaissait tout le monde! Si elle en avait soupé de son mari, elle pouvait s'enfuir avec un chanteur ou un chef d'orchestre de renommée mondiale. « Elle doit me prendre pour un gamin ignorant, se dit-il en la détestant. Elle va forcément se lasser de moi. » Il aurait voulu se retrouver auprès de Sarah.

Marianne revint en courant et s'allongea, souleva le bras de Mark, le passa sous sa nuque et plaça la main du jeune homme sur son sein; Mark veilla à ne pas bouger, à ne pas la serrer de près, convaincu qu'elle n'avait pas besoin de lui.

Pour ne rien arranger, elle était en train de lui citer une phrase d'un livre qu'il n'avait pas lu. Heureuse de son amant, de cette nuit, des étoiles brillant d'un éclat si proche qu'elle avait l'impression que le piano de Géza Anda devait parvenir jusqu'à elles, elle venait de se rappeler la définition de l'art qu'avait donnée Turner dans son livre sur Mozart. « Elle m'est restée dans la tête, dit-elle en enfonçant son coude dans les côtes de Mark. Turner dit que l'art est l'expression du rapport entre l'individu et l'univers. C'est vrai, tu ne trouves pas? » Elle n'en aurait pas parlé si elle n'avait pas eu envie de partager cette pensée avec lui. Mais il essaya de ne pas écouter. Et Mark savait-il que quand Mozart était petit il se couvrait les oreilles de ses mains et se mettait à pleurer dès qu'il entendait une trompette? Quand il n'était pas sage, son père le punissait en soufflant dans cet instrument. Il voulait toujours faire de la musique avec les adultes et il n'était pas content lorsqu'on lui donnait un rôle de second plan. « Tout le monde peut jouer les parties de second violon! » avait-il protesté à l'âge de quatre ans, l'âge qu'avait Creighton à présent. « Ni Creighton ni Ben ne seront de grands musiciens, ajouta-t-elle tristement. On s'en serait déjà aperçu. »

En songeant à ses fils, elle prit conscience de la raideur du corps de Mark et de son silence, si bien qu'elle aussi se tut en écoutant battre le cœur du jeune homme. Au bout d'un moment, elle lui demanda qui était son peintre favori. Il n'y eut pas de réponse.

« Tu sais des tas de choses sur la peinture, la sculpture, l'architecture, moi c'est sur la musique, dit-elle d'un ton câlin. Donnant, donnant. »

Mark s'étira et, tandis qu'elle se mettait à lui souffler des petits baisers sur la poitrine, il comprit tout le ridicule de sa vanité en comparaison de l'ampleur du monde au-dessus d'eux. Pourquoi était-il si susceptible ? Il se mit à écouter le concerto, parce qu'il savait qu'elle en avait envie, et la musique de l'amour et de la tristesse lui fit sentir avec acuité à quel point ils étaient sans défense s'ils n'étaient pas dans les bras l'un de l'autre. Jamais il n'avait vu le ciel nocturne aussi bleu.

« Tu as promis, tu te rappelles, dit-elle.

— Je me rappelle, je laisse tomber », assura Mark, trop content de dire tout ce qui lui ferait plaisir.

Elle savait qu'il n'était qu'à moitié sincère, mais c'était suffisant pour commencer. Elle avait le temps, elle pouvait attendre.

Elle était patiente en tout et pour tout. « Ne t'inquiète pas pour moi, lui dit-elle lorsqu'il la laissa loin derrière lui le lendemain matin. Je vais attendre le second avènement. »

Ils passèrent la majeure partie de la journée à bord de *L'Ermite* – les amoureux aussi sont des ermites – à manger, à faire l'amour, à dormir, à écouter de la musique. Ils vivaient nus, encore que Marianne eut toujours l'air à demi vêtue sous ses longs cheveux. Elle se fit raconter tout ce qu'il savait de l'histoire du Pérou. « Mon père dit que pour une femme aimer un homme et le prendre pour un génie, c'est la même chose, lui dit-elle. Mais je suis sûre que je reste objective à ton sujet. Dès que nous avons commencé à bavarder à l'aéroport, j'ai su que tu étais quelqu'un de brillant. Il faut que tu termines tes études et que tu finisses ton livre, au Pérou, en Espagne, en Angleterre, où tu voudras. Et moi, je subviendrai à nos besoins pendant que tu étudieras. Ça n'a rien d'avilissant, tu sais, il y a des tas de filles riches qui épousent des étudiants en médecine et, en fin de compte, ils se retrouvent à égalité. »

Mark ne put s'empêcher de soupirer. « Ce serait quand même plus simple si on était tous les deux riches ! »

« Il ne parle plus de son navire, nota Marianne avec satisfaction. Finalement, c'était une bonne chose cette chasse au trésor. S'il n'était pas obligé de renoncer à quelque chose pour l'amour de moi, comment est-ce que je saurais qu'il m'aime vraiment ? »

Elle lui offrit de nombreuses consolations ; pour la première fois de sa vie, Mark eut de vraies vacances. Ils écoutèrent *Così fan tutte* dans la cabine, assis dans des fauteuils, les pieds sur un pouf commun, orteils contre orteils, et, de temps à autre, ils bondissaient sur leurs pieds, le visage grimaçant, et ils interprétaient et chantaient le magnifique double jeu de l'opéra :

> *Siete così contenti ?*
> *Contentissimi !*

Le lendemain, le vendredi, ils se séparèrent. Marianne attendait son mari pour le week-end et Mark devait reprendre son travail au Seven Seas Club. Elle le raccompagna jusqu'à l'hôtel dans son vieux break et quand ils se dirent au revoir devant la maison des employés, elle l'attira vers elle pour l'embrasser, sans se préoccuper de la présence de plusieurs personnes, ni du passage inopiné de Mr Weaver, qui les salua en s'inclinant avec effusion. Remarquant deux chasseurs dont les regards la suivaient avec concupiscence tandis qu'elle regagnait sa voiture, Mark regretta qu'elle ne portât pas des jupes un peu moins courtes.

La liaison publiquement affichée par Mrs Hardwick fut bientôt connue de l'île entière et fit forte impression. Les résidents qui venaient déjeuner au Club, surtout les épouses, portaient sur le beau jeune interprète des regards songeurs. Sarah le croisa avec un pâle sourire et Eshelby lui adressa de la main le V de la victoire. Les réceptionnistes, les porteurs et les chasseurs qui ne s'étaient jamais lassés de faire enrager Mark le traitaient avec un respect qui confinait à la révérence.

« Qui aurait une meilleure opinion d'elle à cause de moi ? » se demandait-il, morose, tout en se tenant debout à la réception, en uniforme, les jambes écartées, les mains derrière le dos – posture commune aux employés et aux soldats qui doivent rester sur leurs pieds pendant des heures. « Je suis toujours un rien-du-tout. » Il fut soudain envahi de remords à l'idée de son indolence. « Si je continue comme ça, je ne serai jamais bon à rien. Elle m'aime et elle est bonne et courageuse; ce n'est pas si souvent qu'une femme mariée ose embrasser son amant en public, sans parler de songer à quitter son mari pour quelqu'un qu'elle connaît à peine. N'empêche que ce sont les grandes manières d'une femme qui n'a pas besoin de s'inquiéter de la pension alimentaire. Les gens peuvent bien dire ou faire ce qu'ils veulent, en ce qui la concerne, ça ne change strictement rien à son mode de vie. Elle fait ce qu'elle veut, rien n'a la moindre conséquence matérielle. Elle ne comprend pas ce que c'est que d'être pauvre! »

Mais comment pouvait-il le lui expliquer?

« On pourrait coucher ensemble toutes les nuits, lui avait-elle dit avant de le quitter. À partir de demain, tu pourrais venir vivre ici. Kevin arrive pour le week-end, mais j'ai l'intention de le mettre à la porte au plus vite. Il n'y a aucune raison pour que nous ne puissions pas nous mettre d'accord pour un divorce rapide, à l'amiable. Je vais lui conseiller vivement d'épouser son mannequin. Je lui dirai que je n'ai rien à lui reprocher. Je vois bien maintenant que je ne l'ai jamais aimé et que dans ces conditions il était bien normal qu'il coure le jupon, en quête de véritable affection. Comme ça, il se sentira vraiment libre d'agir à sa guise, tu ne crois pas? »

Malheureusement, Hardwick décida à la dernière minute de s'en aller skier dans les Laurentides avec miss Marshall, et il appela sa femme le vendredi après-midi afin de lui annoncer qu'il était trop occupé pour les rejoindre. Il vint le week-end d'après, mais alors Marianne n'avait plus aucune raison de lui parler de divorce, ni d'amour.

21

Une remarque monstrueuse

La conception féminine du bonheur subit le sort de toutes les conceptions féminines : elle n'intéresse pas les hommes.

MONTHERLANT

Après avoir écoute son mari lui expliquer qu'il était trop occupé pour venir retrouver sa famille, Marianne raccrocha joyeusement, courut jusqu'à sa voiture et reprit la route du Club pour aller chercher Mark : cela faisait six heures qu'ils étaient séparés et elle ne voulait pas passer sans lui un instant de plus. Mark, qui était de service dans le hall quand elle arriva, se rendit dans le bureau du directeur afin de lui demander l'autorisation de s'absenter une semaine de l'emploi à temps partiel qu'il remplissait depuis moins de deux mois. Si le jeune homme n'avait eu que le soutien de Mr Heller, à New York, Weaver l'aurait peut-être renvoyé ; s'il n'avait été qu'un ami de Mrs Kevin Hardwick, peut-être aussi l'aurait-il renvoyé ; mais il ne se sentait pas le courage de se mettre à dos à la fois un cadre haut placé de la firme qui l'employait et la plus grande dame de l'île. Clignant des yeux d'un air surpris et esquissant un sourire malheureux, il accorda à Mark une semaine de congé sans solde.

Lorsque les nouveaux clients du jour se présentèrent en masse dans le hall de l'hôtel, tout juste descendus d'avion, Mark et Marianne étaient déjà partis. Sypcovich, qui figurait parmi les arrivants, fut ravi de remarquer l'absence du jeune homme, même s'il continua d'exercer la plus grande prudence, prenant bien soin d'ignorer le personnage m'as-tu-vu qui le précéda à la réception.

Le personnage m'as-tu-vu – un barbu pâle et maigrichon, entre trente et quarante ans, paré de guirlandes d'appareils photographiques et de chaînes en argent – venait tout juste de remplir sa fiche d'enregistrement sous le nom d'Anthony Edward Masterson, cinéaste de son état, et parachevait l'effet produit en ordonnant à haute voix au réceptionniste de bien vouloir couper court aux « paperasses à la con ». Radouci d'entendre le réceptionniste lui demander s'il préférait la suite Louis XV, la suite Old West ou la suite Hokusai, il opta pour l'Old West.

Plus tard, on put le voir dans les jardins du Club, le cou ceint de quatre appareils photographiques, occupé à mitrailler les arbres de paradis jaunes et les flamboyants aux fleurs d'un rouge incandescent, après quoi il descendit jusqu'à la plage photographier la « lumière ». Comme il l'expliqua à quelques clients et aux chasseurs curieux qui vinrent l'entourer, il « cherchait des extérieurs » afin de décider s'il allait tourner son prochain film dans les îles excentrées.

En dépit – ou peut-être à cause – de son abord grossier, Masterson était très convaincant dans son rôle de cinéaste. Ce prétendu artiste était persuadé qu'il serait un jour aussi célèbre que ses idoles, Hitchcock, Fellini et John Huston. Ayant d'ores et déjà acheté plusieurs caméras coûteuses, fait arranger son nez par un chirurgien esthétique et arrondi son menton ridiculement pointu en se laissant pousser la barbe, il croyait progresser vers son but à pas de géant. En attendant de devenir un grand cinéaste par une sorte de transmutation, il jouissait de ce qu'il qualifiait de « revenus raisonnables » en pratiquant le chantage, surtout dans les petites villes où les réputations avaient encore une certaine valeur. Il travaillait principalement à l'aide de son bien-aimé Apollo 220, une caméra portable de seize millimètres équipée d'un téléobjectif qu'il appelait son « bébé dérivé » parce qu'elle devait son existence aux innovations techniques dans le domaine de la photographie aérienne mises au point dans le cadre du programme spatial américain. Avec son Apollo 220 il pouvait filmer des couples derrière des fenêtres fermées ou à une distance de plusieurs kilometres. Fasciné par tout ce que racontait Masterson sur les gens qui refusaient de se soumettre au chantage quand on les menaçait de révéler des photos compromettantes, mais qui étaient prêts à payer bien au-delà de ce qu'ils possédaient pour les mêmes scènes sous forme de film, Sypcovich aimait fournir à ses clients, s'ils avaient les moyens de les payer, ce genre de preuves au goût du jour, et il lui arrivait de détourner Masterson de ses activités criminelles pour le faire travailler « honnêtement » dans des affaires de divorce. Les deux hommes avaient fait connaissance lorsque Sypcovich avait été engagé par un homme d'affaires inquiet que Masterson faisait chanter, et il avait réuni assez de preuves contre Masterson pour le faire coffrer à vie ; en faisant chanter le maître chanteur, il avait sauvé son client et s'était assuré les services d'un cameraman obligé de lui obéir au doigt et à l'œil. Sypcovich n'était peut-être qu'un petit travailleur indépendant mais il choisissait ses collaborateurs selon le même principe sagace qui avait permis au Président Lyndon Johnson de faire taire les mises en garde concernant le manque de fiabilité d'un allié politique par cette phrase historique : « Je lui fais confiance – j'ai ses couilles dans ma poche. »

Le détective privé et son opérateur feignirent de faire connaissance et de se lier d'amitié au bar du Club, le soir de leur arrivée.

Le lendemain matin, Coco, plus riche de cinq cents dollars, les conduisit jusqu'au repaire préféré de Sypcovich, les ruines du fort espagnol situé au sommet de la colline. C'était un endroit romantique : de hautes herbes et des arbres bas et sauvages sortaient du sol calcaire ; les murs de pierre, épais et croulants, qui par endroits s'élevaient à près de deux mètres, étaient couverts de plantes grimpantes aux clochettes vertes et violettes, et des fleurs poussaient dans tous les interstices, car, pour reprendre les paroles du poème d'Earle Birney :

Les fleurs vivent ici aussi aisément que l'air
... la lumière les fait pousser
une petite feuille festonnée gisant sur une marche
enflera ses boutons roses et prendra racine dans la pierre...

Une brise douce et constante soufflait de la mer, et les oiseaux, aussi vivement colorés que des fleurs volantes, faisaient entendre toutes leurs notes. À quelque quatre-vingt-dix mètres au-dessus du niveau de la mer, ce sommet était en outre un excellent poste d'observation, offrant une vue panoramique sur le jardin et la plage des Hardwick, ainsi que sur les eaux environnantes.

Coco repartit pour le Club et les deux hommes de Chicago déployèrent leurs nattes de paille à l'ombre des ruines. Ils n'attendaient que depuis une trentaine de minutes, quand les deux amants, marchant sur la plage, la main dans la main, entrèrent dans le champ des jumelles et de l'Apollo 220. Masterson, debout, filmait le couple avec assiduité depuis plusieurs minutes, lorsqu'il sentit quelque chose de froid sur ses doigts de pied nus. Il baissa les yeux et – en citadin peu habitué à être touché par une créature vivante – il poussa un hurlement inhumain qui fit taire les oiseaux. Le lézard se figea et devint aussi pâle que la peau de Masterson.

« Et s'ils t'entendaient! siffla Sypcovich entre ses dents.

— On dirait un crocodile! s'écria Masterson en s'éloignant du lézard à grandes ruades, dès qu'il fut en état de bouger et de parler. Il y en a dans tous les coins! » S'efforçant de surmonter sa peur, il posa sa caméra, ramassa un bâton et se mit à pourchasser les lézards parmi les ruines, bien résolu à anéantir ces créatures qui comptent parmi les plus ravissantes et les plus utiles de la nature, qui se déplacent à une allure fulgurante, changent de couleur de façon tout à fait cocasse et mangent les mauvais insectes, le tout sans faire le moindre bruit : contrairement à leurs cousines bruyantes et moites, les grenouilles, ils sont frais et secs au toucher et n'éprouvent jamais le besoin de coasser pour faire connaître les services qu'ils rendent. Si le sommet de la colline n'était pas envahi de taons et de moustiques, c'était grâce à ces lézards que le maître chanteur s'efforçait vainement de tuer.

« Tu as raté le baiser, lança Sypcovich, qui avait gardé ses jumelles braquées sur la plage. Allez, au boulot!

— Pour quoi faire? demanda Masterson, qui ne songeait plus qu'à filer de là. On les a la main dans la main. Ça devrait suffire au plus con des maris.

— Je veux des preuves pornos! »

Masterson sourit de toutes ses dents et, en agitant vivement les doigts, il se gratta la barbe des deux côtés ; il croyait comprendre. « T'es un futé, toi... ces films, tu ne vas pas les filer à miss Marshall, tu vas les vendre à Mrs Hardwick. Elle nous paiera plus cher ! Tant mieux. »

Le détective privé, qui, assis sur sa natte, le dos appuyé contre un vieux mur, observait Mark et Marianne, abaissa ses jumelles et leva la tête. Ses petits yeux brillaient entre les plis de graisse ; il n'avait pas songé à la possibilité de chantage. « Personne ne nous paie, grommela-t-il. Tu travailles pour moi au forfait.

— Je l'ai déjà gagné, mon forfait. »

Le temps qu'ils eussent fini de se chamailler, les amants étaient entrés dans l'un des cottages.

Le lendemain, Masterson parvint à les filmer à bord de *L'Ermite* : Mrs Hardwick arpentait le pont les seins nus, et plusieurs fois le fils de l'acteur vint l'entourer de son bras, la main en conque sur son sein.

« Bon, maintenant, on peut retourner à la piscine, déclara Masterson. J'ai des kilomètres de pellicule où on les voit à moitié nus sur le bateau. Et j'ai envie de nager ! » Il rangea le « bébé dérivé » dans son étui et se mit à essuyer la sueur qui ruisselait de ses aisselles.

Sypcovich se contenta de secouer la tête, il avait trop chaud pour parler. C'était un de ces après-midi de mai qui dans les environs du vingtième parallèle virent à l'été brûlant.

« Bon, eh bien alors, surveille-les et dis-moi s'il y a du nouveau, reprit Masterson d'un ton maussade. Moi, je vais m'asseoir un peu pour me reposer. » L'ombre s'était déplacée et il traîna sa natte jusque-là. Après avoir soigneusement scruté le sol, il s'allongea sur la natte et s'endormit, mais il fut presque aussitôt réveillé, car il fallait filmer Mrs Hardwick et le petit merdeux allongés sur le matelas encastré dans le pont. Pourtant, cela ne tirait guère à conséquence : ils bavardaient.

Sypcovich obtint ses preuves pornos le septième matin. « Je te l'avais bien dit qu'il fallait s'y mettre tôt ! » s'exclama-t-il triomphalement en braquant ses jumelles sur *L'Ermite*, mouillé à moins de cinq kilomètres d'eux ; il les voyait clairement.

Masterson aussi. « Je les ai en gros plan », annonça-t-il d'une voix rauque, ne voulant pas avoir l'air troublé ; il était toujours agité quand il voyait une femme qui était aux petits soins pour un homme. Un lézard lui passa sur le pied en courant, mais il ne le sentit même pas. « Écoute, Howie, elle a sûrement du pognon, continua-t-il d'une voix précautionneuse, afin de ne pas ébranler la caméra et nuire à la netteté de l'image. Si c'est la fille du grand Montgomery, comme tu m'as dit. Tu piges ? C'est ton affaire, je n'essaie pas de la reprendre à mon compte ; mais enfin, il y a quand même davantage à glaner que des honoraires pour une affaire de divorce. Tu devrais lui donner la possibilité de racheter les documents pour cinquante mille fafiots.

— Payer, pour elle ce n'est rien, mais si on fait voir ce film en plein tribunal quand l'affaire passera devant le juge, elle n'aura jamais fini d'en entendre parler ! exulta Sypcovich en ouvrant sa chemise de la main gauche pour profiter au maximum de la brise. Elle ne pourra jamais plus remettre les pieds à Chicago. » Il était très fier de sa ville d'adoption et l'idée d'en être exclu lui apparaissait comme une véritable catastrophe.

« C'est bien ce que je dis, Howie. Elle ne demandera pas mieux que de payer cinquante mille, soixante-quinze mille.

— On lui enlèvera ses enfants et elle se dira que c'est la faute de ce petit merdeux !

— Ce film, il lui plairait, Howie, je t'assure, elle voudrait le garder ; tu lui rendrais service. »

Le détective privé secoua ses lourdes épaules comme pour chasser un sentiment d'oppression. Il voulait savourer le plaisir de la vengeance et Masterson gâchait tout. « Ces gens-là n'en ont rien à foutre des services que tu peux leur rendre, cracha-t-il. Tu vas trouver ce petit merdeux, tu lui parles, juste histoire d'être sympa, d'établir un contact, de se comporter en êtres humains, et il te dira qu'il a mal à la tête ! Mais oui ! Et pourquoi est-ce qu'elle fricote avec lui ? Parce que le papa du gamin est une espèce de vedette de cinéma à la gomme...

— Écoute, ces soixante-quinze mille, on pourrait se les partager, Howard ! C'est une dame de la haute, cette somme-là, elle la verserait rien que par timidité. »

Sypcovich se gratta violemment le ventre, qu'il avait aussi gonflé qu'une femme enceinte et aussi velu qu'un singe. « J'ai mon éthique professionnelle, figure-toi. Je ne double pas mes clients.

— Ou tu dorlotes ton client, ou tu touches le magot, c'est aussi simple que ça. » En ce qui concernait Masterson, ne pas doubler les gens revenait à les dorloter.

« Je te dis qu'elle perdra ses enfants et que lui la perdra. Comme ça, ils auront tous les deux mal à la tête. Il s'apercevra que ce n'est pas si facile de dénicher une autre nana avec un yacht.

— Mais arrête donc de t'occuper d'eux, tu veux, dit Masterson. Du moment qu'elle raque, qu'est-ce qu'on en a à foutre ?

— Regarde ! ronfla Sypcovich, offusqué. Ils n'ont aucune pudeur. Il n'y a rien de sacré pour ces gens-là. »

Les amants « sans pudeur » à bord de *L'Ermite* en étaient encore au stade de l'obsession mutuelle pour le corps de l'autre qui a sa source dans la jeunesse, la bonne santé et le frisson de la découverte, mais – car il y a bel et bien une différence entre les sexes – Mark avait besoin de se reposer de plus en plus, alors que chez Marianne c'était l'inverse. Ce matin-là, elle était réveillée depuis des heures, assise à côté de lui sur le matelas encastré du pont, les genoux ramenés contre sa poitrine et les bras repliés sur ses tibias, le regardant dormir, jusqu'au moment où le soleil levant l'inonda de sa chaleur et où elle décida de tirer Mark du sommeil.

Ce fut ce moment que Masterson filma et sur lequel Sypcovich fondait son espoir de voir la jeune femme séparée de ses enfants, bien que ce soit une façon naturelle et courante qu'ont beaucoup d'amants de se dire bonjour : de la langue, elle souleva le pénis de Mark et le prit dans sa bouche. Avant de tomber amoureuse de lui, ce genre de geste intime lui était apparu comme quelque chose de dégoûtant et elle ne l'avait jamais fait pour son mari, mais au cours de ces derniers jours c'était devenu un rite ; c'était ainsi qu'elle commençait à faire l'amour avec Mark tous les matins. Elle voulait l'avoir d'abord dans sa bouche, afin de le guérir de son impatience et d'avoir, elle, sa deuxième chance, afin de le sentir s'émouvoir au-dedans d'elle pendant un long, un très long moment, ce qui lui permettait de jouir encore et encore jusqu'à en frôler la mort. Toute humide de plaisir anticipé, elle le caressa de ses lèvres, puis quand il eut repris conscience, elle l'attira contre elle et ils firent l'amour comme le font les amants quand ils veulent se boire l'un l'autre.

Masterson avait tout filmé – quoiqu'il fût impossible de filmer tout ce que l'acte avait d'important.

Quel est le moyen de communiquer l'extase sexuelle, le chant de tous les sens?

Après, ils restèrent quelque temps immobiles, comme s'ils écoutaient encore.

Mark, à plat ventre, contemplait l'eau, ou plutôt l'ombre des mâts de *L'Ermite* sur le sable jaune à près de six mètres de profondeur, tandis que Marianne se serrait contre lui, la tête sur son épaule. De son corps émanait cette fraîcheur singulière que certaines femmes partagent avec les fruits et les fleurs lorsqu'elles sont exposées au soleil, au vent et à l'eau.

Une seule chose clochait.

Une horloge égrenait son tic-tac dans la tête de Mark, sonnant chaque heure, comptant tous les instants qu'il n'avait pas consacrés à la recherche de la *Flora*. Tant que Marianne resta près de lui, il parvint à l'ignorer, faisant de son mieux pour s'adapter au rythme paisible et lent des vagues. Mais soudain, elle se leva et descendit dans la cuisine s'occuper du petit déjeuner. Dès que son absence se fit sentir, il fut terrassé par un sentiment intense de culpabilité et d'angoisse.

Qu'est-ce qu'il foutait, à prendre des vacances sur un yacht, quand son avenir était toujours totalement incertain?

Il n'avait pas cherché l'épave depuis six jours!

Était-il un de ces bons à rien qui hantent les plages?

Un gigolo?

Marianne n'avait plus parlé de partir ensemble, pour lui permettre de finir ses études et d'écrire son histoire du Pérou; elle n'avait pas envie de le voir faire quoi que ce fût. Il ne pouvait compter sur personne, pas même sur elle. Il se rappela sa mère, prête à sauter par la fenêtre à Madrid parce que tout le monde se fichait de ce qui pouvait leur arriver; il se souvint d'avoir eu faim et il se sentit brusquement certain qu'un jour il mourrait de ce mal. Dès que Marianne le laissait seul, toutes les cruelles vérités de la vie s'amoncelaient sur lui. Il décida de lui parler sérieusement, de lui expliquer qu'elle devait cesser de se conduire en femme riche et gâtée qui le menait à la baguette. (Quand elle n'était pas là, il était capable de porter sur elle un regard très critique.) Il se jura qu'il lui ferait comprendre qu'il y avait bien autre chose dans la vie que de faire l'amour et d'écouter de la musique, qu'il ne voulait être entretenu par personne, qu'il devait découvrir son navire afin qu'ils fussent sur un pied d'égalité, que les requins n'étaient pas si dangereux pourvu que l'on fît attention... Mais quand elle revint, les yeux rieurs, il se souvint de son visage laid et ne dit rien. À chaque fois, l'amour le rendait couard : il n'avait pas le courage de la rendre malheureuse.

Elle apportait un pichet de jus d'orange dans lequel elle avait enfoncé deux pailles (n'ayant jamais vécu sans domestiques, c'était sa façon de cuisiner lorsqu'ils étaient seuls tous les deux). Remarquant l'air morose de Mark, elle crut qu'elle lui avait manqué et se serra contre lui en lui offrant une des pailles. « Si Kevin vient demain, je ne le laisserai pas passer la nuit à la maison, annonça-t-elle. Qu'il dorme au Club! Bientôt, on pourra se marier, si tu veux. »

Tandis qu'ils inclinaient leurs têtes l'une vers l'autre pour siroter le jus d'orange, Mark ne put s'empêcher de penser que s'ils avaient cherché l'épave pendant tout ce temps ils l'auraient peut-être déjà trouvée. Et alors, il n'y aurait plus de conflit entre eux.

« À quoi tu penses? lui demanda-t-elle, avec l'idée de refaire l'amour.

— Je me disais que le temps passe trop vite, soupira-t-il. On a perdu six jours entiers! »

La surprise ne fit que rendre l'insulte plus cuisante. Elle avait encore le goût de son sperme dans la bouche, mêlé à celui du jus d'orange. « Comment ça, *perdu*? » demanda-t-elle en s'écartant pour le dévisager, incrédule.

Elle se leva et alla s'appuyer au bastingage, comme pour mettre entre eux le plus de distance possible. Mark bondit sur ses pieds et tendit la main vers elle, mais elle le repoussa. « Je méprise les gens qui ne pensent qu'à l'argent! » lança-t-elle, les larmes aux yeux.

Une telle hostilité perçait dans sa voix que Mark fut agité par un tremblement incoercible. « Qu'est-ce qu'il y a? Qu'est-ce que j'ai dit de si horrible ? Toi, tu es riche, alors tu trouves que ça devrait m'être égal d'être pauvre, c'est ça ? Tu es comme tous les riches, l'argent tu le respires comme si c'était de l'air, alors tu as l'impression que ce n'est rien du tout ! »

Ils se disputèrent, s'éloignant davantage l'un de l'autre à chaque mot, rendus fous par la froideur et le mépris que chacun entendait dans la voix de l'autre. Mark empoigna Marianne, à deux doigts de la frapper, mais l'éclair de peur qu'il vit luire dans ses yeux le ramena à la raison. « Marianne, je t'en prie, supplia-t-il. Pourquoi on se met dans un état pareil ? Je t'aime et tu m'aimes et une fois que nous aurons retrouvé la *Flora*, nous aurons nos vies entières pour nous donner du bon temps ! »

Elle le regarda comme s'il était devenu un étranger. « Non merci. J'ai déjà un mari qui dit : "Les choses importantes d'abord !" »

Tout était fini.

Du haut de la colline, les deux hommes regardèrent Mark essayer de la prendre par le bras. Elle se dégagea et descendit en courant à l'intérieur du bateau, et quand elle remonta elle était habillée.

« Ils se sont disputés », fit remarquer Sypcovich, remisant ses jumelles dans leur étui. Sans se donner la peine de ramasser sa natte en paille (il n'en aurait plus besoin), il se mit à descendre la pente.

« S'ils se séparent, elle voudra le film en guise de souvenir, déclara Masterson en lui emboîtant le pas. Soixante-quinze briques, Howard, peut-être cent, cent briques !

— Ouais, c'est ça, cent mille dollars ! » grogna Sypcovich, comme s'il avait le nez bouché par tous ces billets de banque. Titubant sous son propre poids, il respirait de plus en plus fort à chacun des pas incertains qu'il faisait. « Ils me coûtent une fortune. Je ne fais pas de faveurs aux gens comme ça. »

Le temps d'arriver au Club, Coco les attendait devant le bâtiment principal pour leur annoncer que Mark était de retour, l'air lugubre, et qu'il s'était terré dans sa chambre dans les quartiers du personnel.

« Demain, c'est vendredi, le mari arrive et elle ne veut pas d'histoires », dit Masterson avec un regard entendu.

Les plantant là sans proférer un mot, Sypcovich monta dans sa suite et s'effondra dans un fauteuil Lorsque Masterson vint le rejoindre une heure plus tard, il le trouva immobile, les yeux perdus dans le vague.

« Rends-moi un service, Howie, commença-t-il. Et rends-toi un service ! »

Sypcovich foudroya son bourreau du regard. « Qu'est-ce qu'il y a, à la fin ? Est-ce que tu cherches à m'impliquer dans le crime de chantage ?

— Si tu ne veux pas être impliqué, j'irai la voir moi-même. Et puis on partagera.

— Tu ne serais pas en train d'essayer de foutre ton nez dans mes affaires ? demanda Sypcovich, de sa voix la plus pâteuse.

— Je te soumets simplement une idée, tu ne vas pas monter sur tes grands chevaux ! » supplia Masterson. Il n'aurait pas pu prendre un ton plus désespéré ni plus persuasif s'il avait été en train de plaider pour sa vie. « Moi, je pensais que c'était ça que tu avais en tête depuis le début. Allez, Howard. Ça fait des années que je te connais. Qu'est-ce qui te prend, nom de Dieu ? Parle-moi. Qu'est-ce qui t'arrive ? Pourquoi tu te tortures comme ça, pourquoi tu souffres ? Tu as perdu la foi ? Tu ne crois plus à l'argent ? »

Sypcovich poussa un profond soupir. Il se voyait déjà en train de rendre visite à Mrs Hardwick et de lui ficher la trouille de sa vie à l'aide de quelques mots soigneusement choisis. Il était convaincu qu'il pourrait lui extorquer davantage que ce qu'imaginait Masterson dans ses rêves les plus délirants.

Et pourquoi pas ? Qu'y avait-il en dehors de l'argent ?

S'il avait succombé à la tentation – et il était lui-même persuadé qu'il devrait y succomber, qu'il n'y échapperait pas –, les films de Mrs Hardwick et de son amant auraient été détruits. Mais à son intense surprise, à sa profonde stupeur, il y avait chez lui quelque chose de plus fort encore que la convoitise : il pouvait haïr, quoi qu'il lui en coûtât. C'était son heure de gloire.

Ayant repris son service dans le hall de l'hôtel, quand les deux hommes vinrent régler leurs notes, Mark fut étonné d'apercevoir la silhouette obèse et bien connue parmi les clients en instance de départ. À en juger par les apparences, ce n'était pas pour le soleil que le détective privé était revenu : son visage était aussi blême qu'à l'accoutumée. « Il est au boulot, le vieux privé ? se demanda Mark. Je me demande qui il peut bien espionner par ici ? »

Il était loin de s'imaginer que c'était lui qu'espionnait le vieux privé. Marianne n'avait jamais caché leur liaison à qui que ce fût ; elle l'avait embrassé devant une demi-douzaine de personnes ; il n'y avait rien à découvrir à leur sujet. De toute façon, tout était fini : elle l'avait fichu dehors sans même lui laisser le temps de ramasser sa brosse à dents. En plus de quoi, ce qui comptait dans la vie de Mark, telle qu'il la concevait, c'était de retrouver ou de ne pas retrouver la *Flora*, et non pas de s'occuper de ce que fabriquaient les détectives privés. Sans même réfléchir à la chose, il partait du principe que tout ce qui pourrait jamais lui arriver d'important serait lié à son ambition. Il ne partageait pas les craintes de Marianne et n'avait pas peur d'être déchiqueté par les requins en cherchant l'épave ; c'était un des risques inhérents aux chasses au trésor et il l'acceptait. La vie était logique. Bien qu'il fût accablé par sa rupture avec Marianne, il trouvait normal d'avoir rompu avec elle à cause de la *Flora*. Si expert fût-il à trouver les rapports les plus tirés par les cheveux, il comprenait comment Napoléon avait aidé la carrière de son père, comment le général San Martín et les guerres d'Indépendance en Amérique du Sud l'avaient amené, lui, jusqu'à Santa Catalina, jamais il n'aurait pu envisager qu'il deviendrait le chaînon manquant dans un complot de divorce. Qu'est-ce que Sypcovich ou le clown aux caméras avaient à voir avec le navire du capitaine Parry ?

« C'est qui, ce type ? demanda-t-il à un chasseur en lui désignant des yeux Masterson.

— Un grand cinéaste américain, répondit l'autre.

— Tu rigoles !

— Regarde donc son matériel ! » rétorqua le chasseur, surpris de voir Mark mettre en doute la parole d'un client. Quiconque avait de quoi régler sa note au Seven Seas Club était au-dessus de tout soupçon ; en plus de quoi, le chasseur aimait bien Masterson, qui n'était pas trop fier pour causer avec le petit personnel. « Il a filmé partout sur l'île… C'était quoi que vous filmiez, Mr Masterson ? » demanda le chasseur.

Celui-ci s'arrêta au passage et adressa un signe de tête à Mark comme s'ils se connaissaient déjà. « Bonjour. Oh, je vais juste chercher des extérieurs. J'ai rempli quelques bandes pour essayer de saisir l'atmosphère de l'endroit.

— Et qu'est-ce que vous en pensez? Vous allez venir tourner un film ici, Mr Masterson? » voulut savoir le chasseur.

Masterson exécuta une petite danse de la tête et des mains.

« Je ne peux rien promettre, mais ce n'est pas impossible. Enfin, je veux dire, il ne vous reste plus qu'à prier pour vos couleurs, voyez? Si les couleurs rendent suffisamment bien, je serai de retour avec Paul Newman et toute mon équipe. On occupera l'hôtel entier, vous serez obligés de renvoyer tous les autres clients. Ouais, ce n'est pas impossible! »

Le film avec Paul Newman ne se concrétisa jamais; quelques mois plus tard, un camion banalisé qui suivait la voiture de Masterson sur un viaduc de l'autoroute l'envoya voler par-dessus la rambarde et s'écraser sept mètres plus bas, sur une autre autoroute de l'État de l'Illinois. Le photographe maître chanteur était encore en vie quand l'ambulance arriva, mais il avait la colonne vertébrale brisée, la rate éclatée, et il mourut avant d'avoir atteint l'hôpital.

22

Une femme accomplie

L'amour, la puissance, la fortune, la
réussite, un beau mariage, la jouissance
sexuelle, l'épanouissement ne sont pas des
rêves impossibles. Ils peuvent être à vous,
si vous les voulez.

Dr Joyce Brothers

Les seuls moyens de l'avancement sont
le talent et le calcul.

Burckhardt

Les médecins, les dentistes et les avocats accrochent leurs
diplômes aux murs de leurs cabinets ; le bureau de Pauline
Marshall au siège d'*Intérieurs de luxe* était décoré d'énormes
reproductions encadrées des couvertures de magazines pour lesquelles elle avait posé. Les plus anciennes lui étaient consacrées
en raison de la beauté de son visage et de son corps ou des vêtements qu'elle présentait, mais les plus récentes saluaient ses
triomphes professionnels : VOTRE INTÉRIEUR LUI TIENT À CŒUR,
LA RÉUSSITE ABSOLUE ET LE PANACHE EN PLUS et LA PLUS ENSOR-
CELANTE FEMME D'AFFAIRES AMÉRICAINE DE MOINS DE TRENTE ANS.

« Je ne suis pas très brillante, mais j'ai du sens pratique »,
disait-elle aux interviewers, avec cette modestie désarmante
tout à fait indispensable aux ambitieux.

Du sens pratique, elle en avait dans tous les domaines. En
entendant Hardwick se plaindre des idées de Marianne, qui

pensait que les hommes et les femmes devaient s'engager de façon égale en amour, elle avait parfaitement compris pourquoi leur mariage avait échoué; et si elle avait été au courant, elle aurait assurément trouvé grotesque de la part de Marianne de rompre avec Mark parce qu'il voulait n'en faire qu'à sa volonté. Pauline Marshall ne s'attendait jamais à voir un homme faire preuve de justice ou de considération; jamais elle ne rêvait d'amour et de respect partagés, donnant donnant, œil pour œil, dent pour dent. Ses rapports avec Hardwick étaient fondés sur quelque chose de beaucoup plus substantiel.

« La seule façon d'asservir un homme, c'est d'être son esclave », conseilla-t-elle à une amie de toute confiance, un cadre dans la publicité, qui était venue dans son bureau parler affaires et découvrir, pendant qu'elle y était, le secret permettant de mettre le grappin sur un homme non seulement riche, mais jeune, beau et brillant, et de le garder. « C'est lui le patron.

— Voyons, Pauline, personne ne me croirait si je répétais ça en disant que je cite mot pour mot la directrice du magazine américain qui monte en flèche.

— Eh bien, ne me cite pas, dans ce cas.

— Trêve de plaisanterie, ma chérie – toi, une esclave?

— J'ai toujours essayé d'être une femme accomplie, répondit miss Marshall avec un sourire satisfait.

— Et comment dois-je faire pour devenir esclave?

— Mets-toi à genoux. Donne-lui tout ce qu'il veut.

— Mais enfin, Pauline, s'écria l'amie découragée, comment peux-tu savoir ce que veut vraiment un homme? »

La plus ensorcelante des femmes d'affaires américaines de moins de trente ans haussa la courbe parfaite de ses sourcils sombres. « Tu n'as jamais vu un porc devant une auge?

— Tout le monde n'a pas eu la chance de grandir à la ferme, mon chou.

— On apprend des tas de choses quand on grandit à la ferme. On découvre, par exemple, qu'il ne sert à rien d'essayer d'améliorer la nature d'un être vivant, quel qu'il soit.

— Ce qui veut dire? »

Pauline soupira, se sentant seule dans sa sagesse. Elle comprenait tout tellement mieux que tous les gens qu'elle connaissait. « Les hommes ne veulent pas une femme comme ci ou une femme comme ça, ils veulent toutes les femmes. Et ils ne veulent pas que tu les harcèles à ce sujet.

— Alors, tu me dis de renoncer à mon homme dès que je l'aurai trouvé?

— Tout ce que je te dis, c'est : ne lui complique pas la vie… ne sois pas jalouse… ne fais pas de ton corps sa prison », répondit Pauline, avec la tranquille suffisance d'une femme qui possédait des jambes et des seins faits pour éblouir le monde et des yeux aussi humides que ses lèvres, autant de preuves visibles du fait qu'il n'y avait chez elle rien de dur ni de sec et qu'elle n'avait rien à craindre de la concurrence.

Cela dit, elle n'avait aucune intention de tout dire à son amie. Pour sa part, elle faisait encore mieux que de ne pas être jalouse. Dès sa première rencontre avec Hardwick, elle avait aussitôt compris que la dernière chose dont le jeune mari mécontent avait besoin, c'était de s'engager dans un autre rapport de couple exclusif, et elle fut assez inspirée pour organiser une partouze à son intention.

Depuis, il n'avait jamais cessé de compter sur elle.

Dans les soirées, si le regard de Hardwick s'attardait sur un joli visage, elle le remarquait très vite et se liait d'amitié avec les femmes qui l'attiraient; elle les invitait à déjeuner et leur dévoilait les détails de sa propre vie sexuelle, leur tournant la tête par ses confidences. Pour un homme, le moyen le plus aisé de séduire une femme, c'est de passer par l'intermédiaire d'une autre femme. Pauline Marshall aidait Hardwick à séduire les femmes, puis elle l'aidait à les tenir à distance; elle lui servait les rêves d'un célibataire, exactement comme une autre maîtresse aurait pu lui cuisiner des petits plats riches et épicés pour lui faire plaisir. Elle était même un peu jalouse – juste assez pour lui faire voir qu'elle tenait à lui, mais pas suffisamment pour l'importuner. Maîtresse, maquerelle, organisatrice de partouzes occasionnelles au cours desquelles elle réservait à Hardwick le rôle du seul et unique mâle, elle refusait, toutefois, obstinément de se laisser toucher par quelqu'un d'autre que lui; et pourtant, il la pressait quelquefois d'essayer l'amour à trois, en lui assurant qu'il ne lui en voudrait pas de s'abandonner entre les bras d'une autre fille.

C'était la seule chose qu'elle n'était pas prête à faire pour lui.

« Toi, tu appartiens à toutes les femmes, mais moi, je n'appartiens qu'à toi », chuchotait-elle à l'oreille de Hardwick, en le serrant dans ses bras.

Comme elle ne voulait pas lui donner la moindre raison d'être jaloux, elle n'engagea pour son magazine que des femmes, et des hommes chauves ou grisonnants, le genre de professionnels chevronnés qui connaissaient le boulot de A à Z et qui avaient l'habitude de diriger eux-mêmes les opérations, mais qui, ayant perdu leurs postes de cadre supérieur, avaient du mal à retrouver un emploi en raison de leur âge. C'était leur riche expérience qui faisait d'*Intérieurs de luxe* un tel succès, même s'ils n'auraient, bien sûr, pas eu l'occasion de la mettre à profit sans l'intérêt que portait miss Marshall à la tranquillité d'esprit de Hardwick.

Veillant à satisfaire les appétits de son amant ainsi que sa vanité, gagnant de l'argent pour lui grâce à son magazine, elle était convaincue d'être la seule femme qui lui convenait et c'était surtout pour cette raison qu'elle tenait à lui. La fortune de Hardwick était la moindre de ses qualités. Il la rendait heureuse. En réagissant comme elle l'escomptait à ses talents de manipulatrice, il lui apportait la preuve vivante de sa propre intelligence, de sa finesse, de sa connaissance de la nature humaine. En plus de quoi, ils avaient un avenir ensemble. Dans l'esprit de la jeune femme, il était bien entendu qu'ils se marieraient, qu'elle confierait la direction d'*Intérieurs de luxe* à l'un de ses assistants chauves, qu'elle monterait au poste de premier vice-président de HCI, et qu'elle aurait un bébé.

En attendant, il y avait la femme de Hardwick!

Sa femme. L'exaspérante et vaniteuse compassion de Hardwick pour sa femme. Et son exaspérante peur de son beau-père. Dans tous les articles consacrés à *Intérieurs de luxe* et à sa directrice, la *superwoman* de Chicago, Pauline était obligée de faire croire qu'elle cherchait toujours l'homme de sa vie; elle était obligée de garder son appartement, et bien qu'elle occupât les pièces réservées à sa femme chez les Hardwick, elle n'avait pas le droit de changer le décor. Il y avait toujours une petite chose pour lui rappeler que leur union n'était pas légitime. Le week-end où ils partirent faire du ski dans les

Laurentides, par exemple, elle aurait préféré se rendre à Aspen, où les Hardwick possédaient un chalet, mais comme les Montgomery y avaient aussi un chalet, Kevin préféra l'emmener à Mont Tremblant.

Le pire de tout, c'était l'attente. Fidèle à sa philosophie, elle ne faisait pas d'histoires, ne se plaignait jamais, ne disait pas à Kevin ce qu'elle pensait; elle le laissait agir à sa guise sur tous les plans, elle ne voulait pas le presser de quitter sa femme, mais elle devenait de plus en plus impatiente, surtout depuis que son gynécologue lui avait dit que le taux de cancer du sein était plus bas chez les femmes qui allaitaient un enfant avant d'avoir trente ans.

Quand ils revinrent de Mont Tremblant et que Sypcovich lui téléphona en annonçant qu'il avait un film pour elle, sa joie fut indescriptible. Elle fut enchantée de voir Hardwick partir pour Santa Catalina le week-end suivant, la laissant libre d'organiser la surprise qu'elle lui réservait. Le chèque certifié de soixante-deux mille cinq cents dollars qu'elle remit au détective, couvrant la prime de cinquante mille dollars et l'ultime note de frais, ne laissait plus que quelques milliers de dollars sur son compte en banque, mais elle avait le sentiment qu'elle avait fait un bon investissement.

Lorsque Hardwick regagna Chicago le dimanche soir elle avait déjà fait installer le projecteur et l'écran dans la bibliothèque afin de lui montrer le film de Masterson. Juste à temps.

« Marianne veut revenir ici », lui annonça Hardwick d'un air lugubre tandis qu'elle l'installait, un verre à la main, dans le fauteuil en cuir vert usé de son grand-père, dans la pièce qui avait été le fumoir à l'époque où le solide et vieil hôtel particulier du Near North Side de Chicago était encore un édifice neuf. « Je ne comprends pas ce qui lui prend ! » avoua-t-il, les sourcils froncés de perplexité. « Quand je l'ai appelée il y a huit jours, tu te rappelles ? elle avait l'air en pleine forme au téléphone, tout allait pour le mieux, elle n'était même pas déçue de savoir que je ne viendrais pas la voir. Et maintenant, elle est malheureuse comme les pierres. La ville lui manque et elle veut revenir, elle veut s'occuper de politique, faire campagne contre la guerre aux côtés de Gene McCarthy, militer en faveur des droits de la femme – Dieu sait quoi d'autre. Je vais périr d'ennui. Si elle insiste pour revenir à la maison, il va falloir qu'on divorce. Je suis prêt à accepter des tas de choses, mais il y a des limites.

— Qu'est-ce que tu lui as dit? demanda Pauline, assise sur l'accoudoir du fauteuil pour lui masser la nuque, ne songeant qu'à son confort.

— J'ai compati, bien entendu, soupira Hardwick en allongeant les jambes. J'ai pris note de ses raisons. Je me suis simplement demandé tout haut si ce n'était pas injuste pour les enfants. On va y réfléchir, voilà ce que j'ai dit. On en est restés là. » Il traça une ligne sur la moquette avec le talon de sa chaussure. « Pour être juste, je dois reconnaître qu'elle n'a pas essayé de m'avoir par le sexe. Elle a passé tout le week-end roulée en boule – Dieu merci. Néanmoins c'est un vrai crampon et j'en ai par-dessus la tête.

— Elle sait qu'elle te fait pitié, alors elle en profite, dit Pauline de sa voix paresseuse, aussi douce et forte que ses doigts.

— Tu as raison. J'ai dû consommer je ne sais combien de millions de litres de carburant pour aller la voir là-bas. Attends, non, j'exagère, je devrais en déduire les deux tiers pour les gosses. Mais ça nous laisse quand même une sacrée quantité d'énergie consommée au nom de la bonté humaine.

— Du calme, du calme, détends-toi, mon chéri, tu as la nuque crispée.

— Je n'ai pas l'intention de la laisser tout gâcher, ça, c'est sûr », déclara Hardwick en tendant la main derrière lui pour caresser le bras de Pauline.

Elle le récompensa d'un coup de langue derrière l'oreille en se disant que d'ici six à huit mois ils seraient mariés et qu'elle aurait un enfant avant ses vingt-neuf ans. Cependant, elle garda sa grande nouvelle pour après le dîner. Elle n'aurait jamais songé à dire quelque chose d'important à un homme tant qu'il n'avait pas le ventre plein.

« Tu as l'air soucieux, dit-elle, tandis qu'ils sirotaient leur café après le dîner, débarrassés de la présence des domestiques. Ne la laisse pas te mettre dans cet état. À mon avis, la seule raison de cette brusque envie de revenir, c'est qu'elle s'est disputée avec son amant. Pour ce que tu en sais, à l'heure qu'il est, ils se sont rabibochés et elle est de nouveau ravie de rester là-bas.

— Ouais, ce serait vraiment le rêve, ça! s'exclama Hardwick avec ferveur. Bon Dieu, ce que je voudrais qu'elle prenne un amant. Comme ça, je pourrais la quitter sans m'inquiéter de sa réaction.

— Je n'aurais jamais rien dit, mon chéri, mais elle finit par te culpabiliser, toi. Je ne veux pas que tu sois trop furieux contre elle, c'est quand même la mère de tes deux superbes petits garçons. Mais, par contre, si elle ne te cause que des embêtements et qu'en plus elle te rend ridicule, ce n'est pas juste.

— Si seulement elle dégotait quelqu'un d'autre, je pourrais demander le divorce et même son cinglé de père n'y trouverait rien à redire. »

Elle bondit sur ses pieds pour aller se planter devant lui, frappant dans ses mains afin de l'obliger à lui prêter attention. « Voyons, mon chéri, c'est exactement ce que j'essaie de te dire, mais tu ne m'écoutes pas! le gronda-t-elle en riant et en pivotant sur la pointe des pieds, abandonnant toute retenue. Figure-toi qu'elle a quelqu'un!

— Ce serait trop chouette! » répondit le mari entêté Toujours la même chanson – *la mia Dorabella capace non è!*

Pauline tira sur ses poignets pour le mettre debout. « Laisse-moi te faire voir quelque chose, dans la bibliothèque. Tu peux la quitter, tu peux divorcer et elle n'aura rien à dire, tout est de sa faute. »

Le visage bronzé de Hardwick blêmit. « Ça me paraît trop beau pour être vrai. »

« Tout le monde est nudiste de nos jours, cela ne veut pas dire grand-chose », pensa-t-il, assis dans la bibliothèque, en regardant sa femme arpenter le pont de *L'Ermite* les seins nus avec un jeune inconnu à ses côtés.

Quand le garçon passa le bras autour d'elle et lui posa la main sur le sein, Pauline éteignit le projecteur. « Tu vois ce que je veux dire? Elle prend du bon temps là-bas et quand tu fais tous ces kilomètres pour aller la retrouver, elle n'arrête pas de te harceler!

— Remets en marche, voyons la scène de A à Z, insista Hardwick de la voix sèche d'un patron d'entreprise qui entend connaître tous les détails. À propos, où as-tu trouvé ce truc?

— Je l'ai acheté, dit-elle fièrement en le regardant droit dans les yeux. Je l'ai payé soixante-deux mille cinq cents dollars. J'aurais payé n'importe quel prix pour l'empêcher de te ridiculiser. J'espère que tu es content de moi.

— Il faut que je te rembourse », répondit Hardwick d'un ton neutre.

Elle ralluma le projecteur; Marianne et l'inconnu reprirent vie.

« Eh bien, voilà qui m'enlève un sacré poids, fit remarquer Hardwick, d'une voix peut-être un peu trop forte. À leur santé!... La seule chose qui me chiffonne, ce sont les ramifications... Ils sont allongés sur ce matelas, ils ne font rien, mais ce con lui a tripoté les nichons pendant qu'ils se promenaient. Mes cousins pourraient se servir de ce film pour essayer de prouver que Creighton et Ben ne sont pas mes fils. S'il m'arrivait quelque chose, ils pourraient les déshériter. Il va falloir que je fasse détruire toutes les copies... Autrement, bien sûr, la situation évolue de façon tout à fait positive. »

Quand il parlait il lui semblait plus facile de regarder, en tout cas jusqu'au moment où il vit sa femme se pencher sur l'inconnu (et comme l'inconnu le répugnait, il la vit se pencher sur un *répugnant* inconnu) et prendre dans sa bouche la révoltante bitte de ce répugnant inconnu.

C'était obscène.

Projetée telle quelle sur cet écran portable, la pellicule de seize millimètres, parfois floue, faisait un effet de pacotille. Mais même si le résultat avait eu l'air coûteux, il aurait été obscène, parce qu'il était faux. Comme tous les films de sexe, il était aussi grotesque qu'aurait pu l'être le film d'un concert sans musique, montrant les membres de l'orchestre en train d'agiter la tête, de pincer les lèvres, de gonfler les joues, de faire glisser des archets silencieux sur des cordes silencieuses, de se livrer à toutes sortes de contorsions – quel lamentable faux-semblant qu'un tel spectacle, si on cherchait à le faire passer pour une symphonie de Beethoven! Les mouvements des corps des amants ne disaient rien de leurs battements de cœur, l'acrobatie de la copulation ne communiquait rien de ce qu'ils éprouvaient; la vie intérieure était montrée en tant que phénomène extérieur. Hardwick n'essaya pas de réfléchir à la fausseté du film, mais il la sentit; elle rendait toute la scène encore plus profondément choquante, et quand il se rappela dans un moment de lucidité que sa femme consentait à ce répugnant inconnu quelque chose qu'elle lui avait toujours refusé – à lui, son mari, le père de ses enfants –, il fut incapable de se contenir : il empoigna le projecteur, arrachant le cordon de la prise, et le lança contre le mur.

« Je vais le tuer ! » hurla-t-il par-dessus le vacarme du métal fracassé et du verre brisé. Mais aussitôt, retrouvant le sang-froid cuirassé si caractéristique des hommes de pouvoir, il ajouta très calmement : « Je vais le faire tuer. »

Pauline Marshall resta figée sur place, horrifiée, incrédule.

Ébranlée dans son jugement de l'homme dont elle croyait comprendre les faiblesses, elle commit l'erreur de répondre à toutes ses questions sur l'inconnu de *L'Ermite,* ainsi que sur le détective et l'opérateur qu'elle avait employés.

« Je ne te cache rien, je te dis tout, je suis la seule personne sur qui tu peux compter », lui dit-elle désespérément en le cajolant, trop affolée pour se rendre compte qu'elle lui disait qu'il se laissait berner par tous les autres. « Tu as besoin d'une femme en qui tu puisses avoir confiance ! »

Quand elle lui eut dit tout ce qu'elle savait, Hardwick composa le numéro de la gouvernante et lui annonça que miss Marshall et sa femme de chambre devaient partir et qu'elles auraient besoin de son aide pour faire leurs bagages.

« Tu peux garder ton boulot au magazine, pourvu que personne n'entende parler de cette histoire, dit-il à son ancienne maîtresse.

— Mais Kevin, tu en as marre de ta femme, s'écria Pauline, pleurant, riant, suppliant. Elle s'accroche à ton cou et te tourmente ; à présent, t'en voilà débarrassé et c'est elle qui est responsable de ça ! Tu ne comprends donc pas ? C'est exactement ce que tu voulais. C'est toi la partie lésée ! Tu peux te débarrasser d'elle et elle n'aura même pas le droit de se plaindre. Tu ne comprends donc pas ? Tu es libre et tout est de sa faute ! »

Hardwick tourna vers elle un regard haineux. « Si tu m'avais aimé, jamais tu ne m'aurais montré ça. »

23

Le triangle

Il est si quiet qu'il semble passer
La tempête à dormir, comme les loirs en hiver :
Les maisons hantées sont bien tranquilles
Jusqu'à ce que le diable s'éveille.

WEBSTER

Être jaloux d'une femme qu'on n'aime pas est la forme de vanité la plus ridicule qui soit, mais Hardwick, environné de personnes qui dépendaient de lui pour leur gagne-pain, n'avait pas la moindre idée qu'il pouvait être ridicule. Il arriva chez lui, sur l'île, sans crier gare au beau milieu de la semaine, espérant surprendre les amants ensemble, et vit la surprise se refléter sur tous les visages. Même les enfants furent étonnés par cette arrivée inopinée. Il n'y avait aucune trace du jeune homme du Seven Seas Club.

« Je travaille trop dur ces temps-ci et vous m'avez manqué, tous autant que vous êtes, déclara Hardwick, jovial, le bras autour de sa femme. Quoi de neuf ?

— Je suis malade », répondit Marianne.

Alléguant des règles douloureuses, elle se réfugia dans sa chambre.

La liaison était-elle donc finie, se demanda Hardwick. Il passa quelque temps en compagnie de ses fils et de la cuisinière en attendant que quelqu'un lui révélât quelque chose.

Personne ne dit rien.

Il invita Fawkes à venir boire une bière avec lui dans le jardin. « Hé, pote », commença-t-il en s'efforçant de parler comme un

Noir, comment ça va ? Vous savez que je compte sur vous pour être le patron ici quand je ne suis pas là.

— Tout va comme sur des roulettes, Mr Hardwick, répondit Fawkes. Mrs Hardwick, elle prend soin de nous tous.

— Bon, vous savez, pote, je veux que vous soyez heureux chez nous. Justement, je voulais vous demander si votre salaire vous paraissait correct.

— Un peu plus sera pas de refus, dit Fawkes avec un petit rire.

— Je veux que vous sachiez que vous pouvez toujours venir me parler s'il y a quelque chose qui vous inquiète », continua Hardwick.

Fawkes garda les yeux résolument baissés sur sa bouteille de bière, comme s'il s'était attendu à cette remarque. « Oui, Mr Hardwick... Il me semble que les jardins ont besoin de plus de terre de Floride...

— Parfait. Vous n'avez qu'à passer commande, pas de problème. C'est tout ? N'hésitez pas à venir me trouver s'il y a quelque chose d'autre dont vous ne pouvez pas vous charger tout seul.

— Oui, ben, à propos... j'ai trouvé des mottes de pétrole sur la plage, ces temps-ci, Mr Hardwick. Il y a trop de bateaux à moteur et de paquebots autour de l'île. »

« Un de ces quatre, je vais te foutre à la porte, toi, sans un sou de compensation ! » se dit Hardwick en opinant d'un air maussade.

Un peu plus tard, se rappelant la nounou des enfants, il partit à sa recherche et la prit par le bras quand il la trouva seule. Elle était trop réservée, lui dit-il, il regrettait de ne pas entendre plus souvent le son de sa voix ravissante. « De quoi vous voulez que je parle ? demanda Joyce d'un ton effronté et elle se dégagea, confiante de l'amitié que lui portait son employeuse. Les seules nouvelles que j'aie sont déjà anciennes, et c'est à Mrs Hardwick que je les dirais. »

Hardwick ne questionna pas Creighton, ni Benjamin – il ne voulait pas leur rappeler ce qu'ils savaient, s'ils savaient quelque chose –, mais quand sa femme fit enfin son apparition dans le living, avant le dîner, et que les petits garçons foncèrent sur elle comme jamais ils ne fonçaient sur lui, il ne put s'empêcher de retenir Creighton. Il le souleva et le balança dans les airs, ce qui le fit glousser, puis il l'assit sur son genou et lui demanda d'une voix cajoleuse de raconter à daddy tout ce qu'ils faisaient, son frère et lui. Ils avaient des copains ?

Creighton s'écarta de lui en se renfrognant. « Tout le monde il est mon copain !

— Non, je voulais dire des nouveaux copains, rectifia Hardwick. Vous allez chez les voisins ? Leurs petits-enfants ne viennent pas vous voir ? Pour faire du poney ? Daddy aimerait juste savoir ce que vous avez fait. »

Les questions de son père rendirent le petit garçon, d'ordinaire si turbulent et si bavard, curieusement taciturne. Il regarda sa mère.

Marianne n'avait pas averti ses fils du fait qu'il ne fallait pas parler de Mark ; elle ne voulait pas leur apprendre à mentir, ni à faire semblant. Donc, elle était à présent occupée à jouer avec les cheveux de Ben, à renifler son crâne tiède, en se disant qu'elle allait laisser faire les enfants. S'ils disaient quelque chose, elle demanderait le divorce à Kevin, elle serait la première à en parler. S'ils gardaient le silence, elle se contenterait d'attendre et de voir venir. Elle sentit un agréable frisson la parcourir : c'était la première fois de sa vie qu'elle tentait un coup de dé.

« Raconte à daddy tout ce que tu as fait, dit-elle.

— Mon poney, il avait mal au pied, déclara Creighton en se retournant vers son père, très sûr de lui. Mais maintenant il va mieux.

— Oui, son poney, il avait mal au pied, répéta Ben en écho, de sa voix grave.

« Alors, comme ça, vous me prenez tous pour un con ! » hurla Hardwick en son for intérieur.

Comment deux petits garçons de moins de cinq ans savaient-ils qu'ils devaient garder le secret de leur mère ? C'est un de ces mystères d'amour et d'intuition qui se forment dans la matrice. Peut-être avaient-ils remarqué que ces derniers temps leur mère et Joyce et tous ceux qui les entouraient avaient cessé de parler de leur nouvel ami.

Leur père, de son côté, ne révéla rien non plus. Il régnait sur son visage en maître absolu : il sourit, plaisanta et fit du charme à tout le monde. Le président et principal actionnaire de HCI n'aurait pas été capable de diriger sa vaste entreprise s'il n'avait pas appris que la liberté d'action c'est de savoir et de ne rien dire.

Le lendemain lorsque le 707 de Hardwick regagna les États-Unis, il avait à son bord non seulement Hardwick mais aussi sa femme, ses deux enfants, leur nounou et des monceaux de bagages.

Marianne en était venue à détester l'île et elle avait décidé de retourner à Chicago. Dégoûtée de l'amour, dégoûtée des hommes, elle s'était entichée de l'idée de devenir une femme indépendante et elle éprouvait un désir intense de faire des choses n'ayant rien à voir avec sa condition de femme.

Hardwick avait l'intention de coucher avec sa femme dès que ses règles – ou ses prétendues règles – seraient terminées : il voulait se venger de toutes les façons possibles. Mais lorsqu'il rentra de son bureau le premier soir, Marianne avait quitté la maison. « Elle ne sera pas absente plus de quelques jours », annonça Joyce. Hardwick ne fit aucun commentaire; il pensait que Marianne l'avait quitté pour de bon et il était grandement soulagé d'entendre le bruit, reconnaissable entre tous, des galopades de ses fils de l'autre côté de la porte de son bureau.

C'était le printemps des élections primaires mouvementées de 1968 et Marianne se porta volontaire pour participer à la campagne électorale d'Eugene J. McCarthy, poète et sénateur subalterne du Minnesota, qui, en passant à deux doigts de triompher de Lyndon Johnson dans l'élection primaire du New Hampshire, avait secoué le Président au point de le convaincre d'abandonner l'idée de briguer sa réélection et établi pour la première fois le fait que la plupart des Américains souhaitaient la fin de la guerre du Vietnam, quel qu'en fût le vainqueur. C'était un de ces moments historiques, rares même en démo-cratie, où les dirigeants du pays paraissaient en passe de devoir s'incliner devant la volonté du peuple et où des centaines de milliers d'Américains, suivant l'exemple d'Eugene McCarthy, se lancèrent dans la politique sans autre motif que la satisfac-tion de servir leur pays. Hardwick était convaincu que sa femme ne s'en mêlait que pour avoir une raison de l'éviter, mais il joua le rôle du mari compréhensif et ne décocha ses sarcasmes que derrière son dos. « Je lui permets de se réaliser, je lui permets d'*élargir ses horizons* », lançait-il quand d'autres hommes le questionnaient à ce sujet.

Leur mariage se réduisait désormais à une suite de communications téléphoniques interurbaines : Marianne appelait tous les jours afin de parler à Creighton et à Ben, et quelquefois elle parlait aussi à son mari, avec qui elle discutait des derniers événements électoraux. Quand le sénateur Robert Kennedy se présenta comme candidat du Parti démocrate aux présidentielles, elle resta loyale à McCarthy, mais elle tenta de convaincre son mari de se joindre à elle afin de financer un comité dont le rôle serait de réunir les électeurs derrière le candidat réformateur et anti-guerre, quel qu'il fût, qui recueillerait le plus grand soutien populaire.

Sans lui rappeler que c'était depuis longtemps une tradition dans leurs deux familles que de donner des sommes considérables à tous les candidats viables à la présidence, il accepta de verser de l'argent au comité dès qu'elle jugerait le moment opportun. Pendant qu'il mettait au point sa prochaine manœuvre, il ne voulait donner à sa femme aucune raison de se plaindre de lui.

Hardwick était assoiffé de vengeance, mais il avait trop de choses à faire. Diriger un gigantesque conglomérat, de quelque espèce que ce fût, était déjà assez de travail, mais diriger une entreprise de produits chimiques était la tâche la plus ingrate au monde.

Pour décrire ses problèmes, le mieux serait peut-être de citer divers produits et sous-produits tels que la dioxine 2, 3, 7 TCDD, dont une petite trentaine de grammes suffit pour tuer un million d'êtres humains. HCI se retrouvait chaque année à la tête de trois cents kilos de ce poison violent, issu de la fabrication du trichlorophénol, utilisé pour produire l'herbicide 2, 4, 5-T et le désinfectant connu sous le nom d'héxachlorophène. Étant donné que ces deux articles, qui se vendaient comme des petits pains, rapportaient plus de dix-huit millions de dollars par an, il n'était pas concevable d'en cesser la production, en dépit des déchets indésirables qu'ils engendraient. À un moment donné, le directeur d'une des usines de

Hardwick voulut disposer de la TCDD en la brûlant afin qu'elle s'envolât en fumée par la cheminée, mais cette tentative avait débouché sur des accusations de fausses couches, de déformations congénitales, de leucémies et sur des poursuites judiciaires encore en cours. Et la dioxine n'était qu'un des nombreux casse-tête de Hardwick.

Ce dernier ne fabriquait que cent vingt-quatre des trente-cinq mille insecticides et herbicides répertoriés en vente aux États-Unis, mais chacun d'eux lui valait des ennuis – de même que les matériaux d'isolation, les matières plastiques, les peintures, les décapants, les teintures, les laques, les adhésifs, les solvants, les produits de nettoyage, les shampooings à moquette. Même les engrais et les additifs pour l'alimentation du bétail s'avérèrent toxiques par certains côtés. Il était loin le bon vieux temps où l'unique souci que l'on pouvait avoir était d'écouler tous ces produits et où seuls des idéalistes sentimentaux venaient l'enquiquiner avec des problèmes d'après-vente !

Hardwick, qui regrettait souvent de ne pas avoir hérité d'une chaîne de magasins de fleurs, était obligé d'écouter ses scientifiques qui le chapitraient de plus en plus souvent quant aux effets biologiques de l'hydrocarbure chloruré, du phosphore organique et des composés de carbamate – le chlordane, le lindane, les benzènes, les phénols, les PCB, l'uréthane, le CIPC et ainsi de suite.

Que pouvait-il faire ?

Il bannit de chez lui tous les aérosols, les détergents et les nettoyants liquides, donna à ses domestiques la consigne de n'utiliser que du savon, ordonna au régisseur de la vieille ferme de famille dans l'Illinois de passer aux méthodes biologiques, mit toutes ses maisonnées à l'eau minérale en bouteille et s'efforça de se débarrasser du mieux qu'il put des résidus toxiques de sa firme. Tandis que son épouse parcourait le pays en faisant campagne et en claquant de l'argent, un fonctionnaire des services d'hygiène de Floride publia un rapport qui imputait à l'usine locale de HCI, spécialisée dans les phosphates, et à ses étangs de stockage à ciel ouvert remplis de déchets acides d'où émanaient des fluorures et du radon, le taux anormalement élevé de fausses couches et de malformations congénitales constaté dans la région. Ces étangs avaient été creusés dans les années quarante, du temps du père de Hardwick ; Kevin ignora d'ailleurs leur existence jusqu'au jour où son contentieux lui signala les problèmes survenus en Floride. Grâce à la guerre du Vietnam et aux élections primaires dramatiques, le problème des étangs occasionna peu de publicité nationale, mais le danger de poursuites judiciaires pour les dommages et intérêts était quand même réel. Il y eut d'innombrables réunions à ce sujet et Hardwick dut prendre l'avion jusqu'à Tallahassee et contribuer en personne aux campagnes de plusieurs membres clés du comité législatif de l'État, avant de parvenir à faire transférer ailleurs l'auteur du rapport alarmiste et de le voir remplacé par un expert médical qui comprenait que son boulot était de rassurer le public et non de le rendre malade d'angoisse.

Pour neutraliser un seul bureaucrate trop zélé, Hardwick dut s'affairer pendant plus d'une semaine ; bref, une chose en amenant une autre, certains jours il avait l'impression que la duplicité de sa femme était le moindre de ses soucis.

Du côté des Bahamas, les gens avaient amplement le temps de s'intéresser à la vie amoureuse de Mrs Hardwick.

Les bateaux de pêche, petits cargos et embarcations de plaisance qui sillonnent la mer entre les îles de cet archipel constituent une communauté quasi villageoise où chacun fait l'objet d'une surveillance ininterrompue et de commérages intensifs. Les capitaines, qui se hèlent cordialement chaque fois qu'ils se croisent, s'arrêteront volontiers pour bavarder un moment, échangeant des informations concernant les bateaux du coin ou les navires en détresse dans des lieux aussi éloignés que la mer du Nord ou le Pacifique Sud ; ils parlent des bulletins météorologiques, d'un poisson rare ou d'une prise record, du fléau que représentent les grands paquebots de croisière et les pétroliers ; on jase aussi sur les ondes des émetteurs radio et on continue de papoter le soir dans les bars des ports, passant en revue les mérites relatifs du sexe et de l'alcool, l'art de vivre et les affaires de ceux qu'on connaît et qu'on ne connaît pas. Parmi ces gens, dont le caractère a été forgé par la solitude de la mer et la solidarité d'un groupe étroitement soudé, les mystères du mariage des Hardwick et de la brève liaison de

Mrs Hardwick continuèrent longtemps d'alimenter les conversations. Le mari était-il au courant? Quelle déchéance pour cette snobinarde, membre du conseil d'administration de l'Opéra lyrique de Chicago, que de s'amouracher d'un employé d'hôtel!

Avant leur liaison, Mark n'avait guère eu de réputation : on avait pris note de ses errances sans but parmi les récifs de corail, ainsi que du fait qu'il s'y livrait seul, à part la présence d'un homme à tout faire engagé pour surveiller son bateau. Étant donné qu'à l'époque tout le monde s'accordait à dire que tout ce qui valait la peine d'être tenté ne pouvait être qu'un travail d'équipe, personne ne prenait au sérieux ses plongées solitaires; tout au plus confirmaient-elles qu'il n'était pas très doué. Mais on se demandait ce que Marianne Hardwick pouvait lui trouver en dehors de son physique, à supposer qu'il y eût effectivement autre chose.

Pendant quelque temps, la curiosité générale valut à Mark une notoriété qu'un beau jeune homme désireux de prendre du bon temps ou de se faire des relations n'aurait eu aucun mal à exploiter. Des vieillards multimilliardaires, poussés par leur femme, vinrent le trouver dans le hall du Seven Seas Club afin de le convier à dîner, ou lui firent parvenir des invitations par l'intermédiaire de Ken Eshelby. Chaque fois qu'il était à bord de l'*Île Saint-Louis*, occupé à reprendre son souffle entre deux plongées, il y avait toujours un yachtsman pour venir mouiller à côté et s'efforcer de lier conversation, en l'invitant à prendre un pot et à faire causette. N'ayant rien d'un arriviste, Mark opposait un « non merci » à toutes ces offres, préférant discuter avec Marianne dans sa tête.

Qu'avait-il donc dit de si terrible en faisant remarquer qu'ils avaient perdu six jours entiers? Cela ne voulait pas dire qu'il ne l'aimait pas. Ça ne lui arrivait jamais, à elle, de dire des bêtises? Elle qui croyait même aux rêves! Et comment pouvait-elle ne pas comprendre qu'il était avilissant d'être l'amant sans le sou d'une femme riche? Mais il avait beau trouver des tas de choses à lui dire, elle n'était pas là pour les entendre. À certains moments, il ne pouvait même plus se rappeler la longueur de ses cheveux blond cendré, ni la nuance verte de ses yeux bleu-vert, et ces défaillances de sa mémoire lui rendaient l'absence

de Marianne intolérable. Il éprouvait un désir lancinant de gar
der d'elle un souvenir précis et il ne se pardonnait pas de ne
pas avoir pris de photo d'elle tant qu'il en avait eu la chance.
Mais tout était-il vraiment fini entre eux ? La propriété des
Hardwick n'avait pas été mise en vente ; Fawkes, la cuisinière,
les femmes de chambre, les jardiniers, les palefreniers, les
paons et les poneys étaient toujours là, tous autant qu'ils
étaient... En plus de quoi, n'avait-elle pas eu les larmes aux
yeux quand elle l'avait chassé ? Par moments, quand son cœur
était mort à tout sentiment d'espoir, il se disait que c'étaient des
larmes de rage, les larmes d'une femme gâtée et furieuse ; à
d'autres, il avait le sentiment qu'elle avait pleuré parce qu'elle
était blessée et qu'elle était blessée parce qu'elle l'aimait.

Un soir, hanté par les remords et la nostalgie, il s'en fut
jusque chez les Hardwick demander de l'aide à John Fawkes.
« Oubliez pas que je vous ai rien donné du tout », lui dit ce dernier en lui remettant un billet où était notée l'adresse de la
demeure des Hardwick à Bellevue Place à Chicago, ainsi que le
numéro de téléphone privé de Mrs Hardwick.

Mark appela Marianne le soir même, depuis une alcôve
déserte du hall de l'hôtel. À Chicago, ce fut Joyce qui décrocha :
« Je suis contente de vous entendre, Mr Niven, vrai de vrai ! »
Marianne était à Los Angeles, où elle faisait campagne contre la
guerre du Vietnam, expliqua-t-elle. « Je vous jure que c'est un
peu à cause de vous, dit-elle, désireuse de faire la paix entre
eux. Vu que vous êtes déserteur et tout. C'est peut-être ça qui
lui a donné l'idée. Vrai de vrai ! Elle ne s'intéressait pas du tout
à la politique avant de vous connaître. Je vais vous donner son
numéro de téléphone à Los Angeles. » Mark la remercia avec
encore plus d'effusion qu'il n'avait remercié Fawkes, ému aux
larmes de voir que l'entourage de Marianne ne le méprisait
pas.

N'était-ce pas un bon présage ?

La suave voix masculine qui répondit au téléphone de la suite
qu'occupait Marianne dans un palace de Los Angeles demanda
trois fois le nom de Mark et voulut savoir à quel sujet il appelait.

« C'est personnel », répondit Mark en voyant le monde s'as-
sombrir sous ses yeux. Il dut attendre un long moment avant

que Marianne ne vînt au téléphone et pendant qu'il attendait il essaya de ne pas devenir fou en écoutant les voix à l'arrière-plan : au moins, elle n'était pas seule avec ce type !

La voix suave appartenait à un maître de conférences qui enseignait les sciences politiques à l'université de Stanford, un certain David Roman, brun, attrayant, un aimable célibataire de vingt-huit ans. Depuis qu'ils s'étaient rencontrés dans le New Hampshire, il avait répété à Marianne – sur le ton de la taquinerie, sans jamais pontifier – qu'elle était une pauvre petite fille riche qui ne songeait qu'à s'amuser, et qu'elle s'amusait avec la politique parce qu'elle était bourrée d'inhibitions concernant le sexe. Finalement, Marianne décida qu'elle n'aurait jamais d'autre homme si elle attendait de retomber amoureuse, si bien qu'elle avait couché avec David juste trois jours auparavant. Après coup, ils s'étaient mutuellement assurés que c'était merveilleux. Il l'avait remerciée et elle l'avait remercié à son tour. « Il faut recommencer », lui avait dit David ; ils avaient donc recommencé tous les soirs et s'étaient remerciés tous les matins. C'était merveilleux, mais ce n'était pas de l'amour.

En apprenant que Mark était au bout du fil, elle eut brusquement la gorge nouée. Elle sentit son visage devenir brûlant et se mit à trembler. Elle trouva odieux le spectacle des sourcils haussés de David et de son sourire sardonique lorsqu'il lui annonça le nom de celui qui appelait, ainsi que sa façon de s'attarder pour observer sa réaction, se penchant vers elle afin de la dévisager calmement avec toute l'assurance d'un homme qui l'avait menée à l'orgasme trois nuits de suite. « Qu'est-ce qui lui donne le droit de me regarder comme ça ? » se dit-elle. Elle se leva pour passer dans sa chambre, en demandant à son amie, Millie Rowland, de raccrocher lorsqu'elle aurait décroché sur l'autre poste.

« Salut, Mark dit-elle, agitée, en s'efforçant de prendre un ton désinvolte. Pourquoi m'appelles-tu ? Tu as trouvé ce que tu cherchais ? Ou bien tu as décidé de ne plus perdre ton temps ? »

Secoué de constater qu'elle pouvait le traiter aussi cavalièrement, Mark n'eut même pas assez de présence d'esprit pour dire bonjour.

Le silence à l'autre bout du fil la rendit malheureuse : elle lui manquait, il était désespéré, elle le sentait bien. « Mark, tu es là ?

— Quand est-ce que tu reviens ? demanda-t-il d'une voix rauque. Je suis tout prêt à accepter cette offre que tu m'as faite dans l'avion, quand on s'est rencontré. Tu sais, chercher la *Flora* ensemble et partager ce qu'on trouvera. »

Ce n'était pas la réponse qu'elle souhaitait entendre et pourtant elle s'en réjouit. Son cœur battait si fort qu'elle se demanda s'il ne l'entendait pas, là-bas, sur Santa Catalina. S'il avait été près d'elle, elle l'aurait serré dans ses bras, mais il était si loin. Essayant de retrouver son sang-froid, elle parla d'une voix glaciale, hostile, dirigée davantage contre elle-même que contre Mark : elle voulait empêcher son cœur de battre la chamade. « Je ne vais nulle part. On va voter au sujet de la guerre, je ne peux pas partir en ce moment. »

Combien de vies sont gâchées au téléphone ! Les yeux, les mains ne peuvent pas dire ce qu'ils ont à dire, il n'y a que les mots.

« Je vois que tu m'en veux toujours autant.

— Je ne t'en veux pas, mais nous tenons à ce que les jeunes Américains tels que toi reviennent aux États-Unis, au lieu de courir le monde comme des fugitifs.

— Ça ne me gêne pas d'être un fugitif. Ce qui me gêne, c'est que tu ne sois pas là.

— Et la guerre, elle ne te gêne pas ? Ça t'est égal qu'elle continue indéfiniment ? » En discutant avec Mark, qui lui faisait exactement le même effet que n'importe quel autre abstentionniste, elle ressortit les arguments auxquels elle avait recours quand elle faisait du démarchage électoral, et grâce à ces arguments, dont dépendaient tant de vies humaines, elle retrouva cette griserie que lui causait le fait de participer à quelque chose qui la dépassait. « Je ne crois pas qu'il me sera possible de retourner vivre sur une île, s'empressa-t-elle d'expliquer pour empêcher sa voix de trembler. Il y a beaucoup de gens engagés dans cette campagne qui pensent que je ne suis qu'une salope de riche qui ne pense qu'à s'amuser. Il y en a même qui me le disent. C'était vrai quand tu m'as connue, mais je ne suis plus comme ça.

— C'est sûr que tu parais différente à entendre ! s'exclama Mark amèrement.

— On ne devrait même pas se parler au téléphone. Tu devrais revenir ici pour nous aider.

— Comment veux-tu que je revienne, Bozzie? demanda-t-il en utilisant le diminutif qu'on lui donnait dans sa famille et qu'ils avaient toujours employé quand tout allait pour le mieux entre eux. Tu viens de le dire, je suis un fugitif. Si je reviens, on me mettra en prison. Si nous retrouvions le navire, nous pourrions financer toute la campagne.

— Tu ne pourrais pas mûrir un peu! soupira-t-elle.

— Bon, eh bien, je suis désolé de t'avoir dérangée. » Ne se fiant plus à sa voix, Mark préféra raccrocher.

Il décida de l'oublier, mais quelques nuits plus tard il rêva qu'elle était allongée auprès de lui. Il en éprouva une telle joie qu'il se réveilla. Prenant conscience qu'il était seul, il se mit à frissonner. Incapable de se rendormir, il quitta son lit, enfila un maillot de bain, un pull et des tennis et se glissa hors de la maison du personnel pour descendre jusqu'au port. Au clair d'une lune presque pleine, il largua les amarres de son bateau et, mettant le moteur au ralenti, il décrivit un grand cercle, s'éloignant du rivage pour y revenir à l'endroit où se trouvait le yacht des Hardwick. En se rapprochant, il coupa le moteur et laissa son bateau glisser silencieusement jusqu'au quai. Que ferait-il si quelqu'un le surprenait? Il dirait qu'il était ivre, décida-t-il. Tandis qu'il amarrait son bateau, un des chiens-loups arriva en bondissant, mais il ne poussa qu'un bref aboiement avant de s'asseoir pour le regarder faire. « Bon chien, murmura Mark. Tu as plus de mémoire que ta maîtresse. »

À pas furtifs, il monta à bord de *L'Ermite* et, en se servant de son couteau de plongée, il força la porte de la coupée menant à l'intérieur. Il espérait trouver quelque part une photo de Marianne, mais il avait oublié d'apporter une lampe de poche et dut passer de longs moments à rôder dans le salon et les cabines en essayant d'y voir quelque chose dans la lumière diffuse qui filtrait par les hublots. Il ne découvrit pas la moindre photo, mais sur la coiffeuse il y avait un peigne en écaille dans lequel étaient restées deux fines mèches de longs cheveux d'un blond argenté. Et dans un tiroir il découvrit une culotte en soie blanche; il y enfonça le visage et s'imagina sentir l'odeur de sa jouissance.

Tourmenté par le souvenir de sa voix glaciale au téléphone, il ne parvint pas à rassembler assez de courage pour l'appeler une seconde fois. Mais quand il apprit qu'elle était de retour à Chicago, il lui écrivit pour lui avouer qu'il avait volé son peigne et une de ses culottes en soie blanche.

> ... Je me réveille souvent la nuit en pensant à toi et je m'imagine que toi aussi tu es réveillée et que tu penses à moi... Je n'arrive pas à croire que tu es retournée avec ton mari. Tu disais que tu ne l'aimais pas. Tu as même dit que je l'avais « liquidé », tu ne te rappelles pas ? Comment supportes-tu de vivre avec un homme que tu méprises ? Tu as promis de le quitter ! Serait-il possible que tu sois retombée amoureuse de lui ? Dis-le-moi, au moins, si tu es amoureuse de lui ! Il faut que tu reviennes ! Je t'en prie. Je me déteste sans toi.

24

Amour et tromperie

> ... puisque tu n'as rien voulu sauver de
> moi, j'ensevelis un peu de toi.
>
> JOHN DONNE

Comme des millions de personnes de sa génération, des
Américains aux tendances libérales qui prirent part à la campagne électorale de 1968, emplis de l'espoir de changer le
monde pour le meilleur, et qui virent Martin Luther King assassiné, Robert Kennedy assassiné, Eugene McCarthy rejeté par la
convention nationale démocrate, Hubert Humphrey vaincu
lors de l'élection présidentielle et Richard Nixon élu Président,
Marianne se fit l'effet d'être une parfaite idiote pour s'être
mêlée de politique et jura de ne plus jamais lire un seul journal.
Et elle regrettait d'avoir eu une aventure avec David Roman
à Los Angeles. Ce qui la chagrinait le plus, c'était la façon dont
il avait joué avec ses longs cheveux, les peignant de ses doigts et
s'en servant pour recouvrir ses seins, exactement comme Mark
l'avait toujours fait. Chaque fois qu'elle se rappelait Mark en
train d'habiller son corps de ses cheveux, de les enrouler
autour de ses mamelons quand ils étaient érigés, elle ne pouvait
s'empêcher de se rappeler aussi David, et cela était mortel. La
pensée de l'amant qu'elle n'aimait pas gâchait ses meilleurs
souvenirs. Elle était si bourrelée de remords, si dégoûtée
d'elle-même qu'elle décida de se faire couper les cheveux. Ils

appartenaient à Mark. Elle ne voulait plus laisser personne d'autre jouer avec. Pas même Ben.

Le coiffeur fit son travail contre son gré et lorsqu'elle étudia sa nouvelle tête dans le miroir à la fin de l'opération, elle fut horrifiée de constater combien sa coiffure la rapetissait. « Tu vois, mon amour, je me suis enlaidie pour toi », pensa-t-elle en essayant de se voir avec les yeux de Mark. En rentrant chez elle au volant de sa voiture, elle fut tentée de croire à la télépathie. Elle pensa à Mark sur son bateau, assis, se redressant, regardant autour de lui, troublé, ne sachant pas pourquoi elle venait soudain de lui manquer – elle trouvait son air perplexe irrésistible. Se rappelait-il ses cheveux ? « J'ai décidé de ne plus les laisser pousser tant que nous ne serons pas ensemble, dit-elle tout haut. C'est une promesse. Alors pourquoi tu ne m'appelles pas, pourquoi tu ne m'écris pas un petit mot ? »

Et s'il pouvait l'entendre ? S'il pouvait, Dieu sait comment, deviner ses pensées ?

« Dieu du ciel, qu'est-ce que vous avez fait à vos cheveux ? s'écria Joyce lorsque Marianne rentra chez elle.

— Il y a un message pour moi ? » demanda Marianne impatiemment.

Plusieurs semaines auparavant, quand la première lettre de Mark arriva à Bellevue Place, Marianne dormait dans sa chambre à l'étage. Hardwick, qui prenait comme d'habitude son petit déjeuner tout seul, remarqua le timbre bahamien sur la lettre adressée à sa femme dans le plateau du courrier, et il la glissa dans sa poche pour la lire au bureau.

Bien qu'il eût vu le film, Hardwick fut choqué. Une lettre d'amour à sa femme dans laquelle l'amant avouait être entré par effraction et avoir volé sa lingerie intime et lui rappelait, en outre, qu'elle n'aimait pas son mari et qu'elle avait promis de le quitter ! Et que voulait-il dire quand il prétendait l'avoir liquidé ? Hardwick se mit dans une telle rage qu'il déchira la lettre en petits morceaux avant de se rendre compte de ce qu'il faisait.

Cependant, une fois que le mari offensé eut digéré ce qu'il considérait comme une « réaction émotionnelle », un « inutile gaspillage d'énergie », il fut tout prêt à envisager l'incident d'un autre point de vue et décida que les choses prenaient un tour tout à fait positif, en l'avertissant d'avoir à censurer le courrier de sa femme.

En des temps moins troublés, la tâche aurait pu se révéler fort difficile, compte tenu du fait que la maison était pleine de domestiques auxquels il ne pouvait pas se fier, car c'était à sa femme et non à lui qu'allait leur loyauté. Mais les temps étaient bel et bien troublés. Quelques semaines plus tôt, un cadre haut placé d'une firme de produits chimiques avait été assassiné à Venise par les Brigades rouges, et ce meurtre, en focalisant l'attention sur l'hostilité et la violence croissantes dirigées contre tous ceux qui étaient liés à l'industrie chimique, fournit à Hardwick une raison tout à fait plausible de faire réacheminer vers les bureaux des services de sécurité au siège de HCI tout le courrier envoyé chez lui, afin qu'on pût s'assurer qu'il ne contenait pas d'explosifs. Les lettres étaient ensuite apportées jusque dans ses propres bureaux au dernier étage, où il les passait au crible avant de les transmettre à sa secrétaire, qui les faisait rapporter à Bellevue Place par un motard de la firme. Bien entendu, le courrier était aussi examiné afin de vérifier qu'il ne contenait pas d'explosifs. Hardwick était passé maître dans l'art de prendre des dispositions servant plus d'un dessein à la fois ; il avait le chic pour faire d'une pierre plusieurs coups.

Mark écrivait tous les jours à Marianne, sans se douter un instant que c'était une invitation au meurtre. Il savait, certes, que Hardwick était un homme riche et puissant, mais il avait trop entendu parler de l'égalité des êtres humains pour se rendre compte qu'il fallait craindre les hommes puissants. Il partait du principe que Hardwick ne lui était en rien supérieur ; il lui était même plutôt inférieur, puisque Marianne ne l'aimait pas. (La plupart du temps, il parvenait à se persuader du fait qu'elle détestait encore son mari.) En plus de quoi, elle lui avait dit que Hardwick ne l'aimait pas, qu'il était amoureux d'une autre femme et qu'il avait des tas d'autres filles. Mark n'était pas vaniteux et il n'imagina jamais que Hardwick pût devenir son ennemi mortel par pure vanité ; rares sont les gens, et plus rares encore les gens de dix-neuf ans, qui soupçonnent autrui de posséder des défauts ou des qualités qu'ils ne possèdent pas eux-mêmes. Mark se demanda quelquefois, puisqu'il ne recevait pas de réponse, si ses lettres avaient pu échouer entre de mauvaises mains, mais il rejetait toujours cette idée. Il était certain que si le mari de Marianne tombait sur l'une des lettres, il ferait des histoires mais, comme il n'était pas amoureux de sa femme, il s'inclinerait devant l'inévitable et se retirerait. Dans ses humeurs les plus désespérées, il souhaitait même que Hardwick découvrît tout et se fâchât. Si son mariage s'effondrait, Marianne reviendrait. Donc, il continua de lui écrire, en la suppliant de se rappeler qu'elle l'aimait.

« Mais enfin, il est fou ou quoi, ce type ? » se demandait Hardwick. Il déchira vingt-trois lettres avant qu'elles ne cessassent enfin d'arriver.

Marianne ne se douta pas que quelqu'un d'autre que l'expert en lettres piégées avait touché à son courrier. Elle éprouvait même une certaine reconnaissance envers Kevin, qui les protégeait tous – c'était la preuve qu'il était une personne prévenante, à sa façon – et c'était une chose à laquelle elle pensait toujours lorsqu'elle se demandait pourquoi elle restait avec lui.

Néanmoins, une quinzaine de jours après l'élection de Nixon, Marianne annonça qu'elle voulait regagner Santa Catalina.

« Quelle bonne idée ! s'exclama Hardwick, débordant de cordiale animation. On va tous y aller pour le week-end ! » Elle ne pouvait guère laisser son mari à Chicago, mais elle insista pour qu'il l'emmenât déjeuner au Seven Seas Club.

Elle espérait que Mark serait là et qu'ils se reverraient ; un seul regard suffirait pour le faire retomber sous son charme.

Mark se tenait dans le hall, vêtu de l'uniforme qu'il exécrait, et il venait juste d'avoir un déprimant aperçu de lui-même dans la glace lorsqu'il vit Marianne entrer avec son mari. Accablé par un profond sentiment de sa propre insignifiance, il s'esquiva à reculons dans un corridor, sortit du bâtiment, traversa le jardin en courant et s'engouffra dans la maison des employés, où il ferma à clef la porte de sa chambre avant de s'effondrer sur son lit. Ainsi, elle était de retour, cette garce richissime, orgueilleuse et sans cœur, qui n'avait pas daigné répondre à ses lettres ! Qu'elle avait donc l'air méchant et sévère. Elle avait coupé ses cheveux, ses superbes et longs cheveux d'un blond argenté qu'il avait eu tant de plaisir à entortiller autour de ses mamelons ; elle les avait sacrifiés uniquement pour lui faire de la peine. Comme elle devait le mépriser et se dire qu'il ne serait jamais bon à rien. Il n'arrivait pas à décider si elle l'avait remarqué ou non dans le hall, mais, dans l'affirmative, il espérait qu'elle avait pu voir à quel point il la haïssait.

On frappait à sa porte. Et si c'était Marianne ? Il l'imagina franchissant le seuil et parcourant d'un regard dédaigneux son affreuse petite chambre. « Alors voilà jusqu'où tu es arrivé depuis que tu as cessé de perdre ton temps avec moi ! disait-elle avec un sourire mauvais. À propos, où est mon peigne ? Et ma culotte, qu'en as-tu fait ? »

Une honte brûlante le consumait. Et pourtant, pourquoi devait-il avoir honte ? Il n'avait tué personne ! Il n'avait aucune raison d'être honteux.

Les coups à sa porte devenaient plus violents ; pour finir, il fut obligé d'aller ouvrir. Dans le couloir se tenait son vieil ennemi, le chasseur grisonnant, qui lui dit en ricanant que Mr Weaver lui enjoignait de regagner la réception et plus vite que ça. Mark lui dit de répondre qu'il était malade. L'homme aurait été enchanté d'aller rapporter que Mark mentait, mais il voyait bien qu'il disait la pure vérité : il était blême et claquait des dents. Une fois seul, Mark referma sa porte à clef et retourna s'effondrer sur le lit.

Il était trop tard.

En volant les lettres, Hardwick avait poussé Mark et Marianne à désespérer l'un de l'autre. Autrement, comment Mark aurait-il pu supposer aussitôt qu'elle s'était coupé les cheveux pour lui faire de la peine ?

En la voyant entrer dans le hall de l'hôtel, la seule pensée qui lui était venue en tête, c'était qu'elle le méprisait parce qu'il était un rien-du-tout qui n'avait jamais rien accompli (Marianne, qui ne savait pas ce que signifiait le mot « ambition » !) et lorsqu'elle avait surpris le regard de Mark, chargé d'amertume, elle avait senti qu'à ses yeux elle avait perdu tout son charme. « Il ne peut plus me voir en peinture », décida-t-elle.

Ni l'un ni l'autre n'eut la moindre pensée pour le mari, qui ne paraissait rien remarquer.

Le lundi, Hardwick regagna les États-Unis tout seul, laissant sa femme et les enfants sur l'île. Elle attendait, elle ne savait pas pourquoi ; elle attendait d'avoir davantage de certitude. Elle attendait un signe de Mark. Quand le bruit lui parvint, quelques jours plus tard, qu'il avait une liaison avec la directrice des animations du Club, elle prit le premier vol pour Chicago.

« Tout est pour le mieux, dit-elle à Joyce dans l'avion. J'ai eu raison de me fâcher comme je l'ai fait. Il est évident que pour lui ce n'était pas du sérieux, il pensait réellement qu'il perdait son temps avec moi. Sinon, il aurait sûrement essayé de reprendre contact. Ce n'est pas si facile de décourager quelqu'un qui tient vraiment à vous !

— Vous vous êtes fâchée contre lui pour rien du tout ! »

Marianne porta les mains à ses joues brûlantes et dévisagea Joyce avec intensité en réfléchissant à ce qu'elle venait de dire. « Vous avez raison. » Elle opina d'un air sévère. « Je ne me suis pas comportée en femme amoureuse. Nous n'étions sans doute pas faits l'un pour l'autre. Donc, même si j'étais revenue quand il m'a téléphoné, notre liaison aurait mal tourné.

— Et votre mariage, lui, il est en train de bien tourner, fit remarquer Joyce, avec une pointe de sarcasme.

— Bon, Kevin a changé, répondit Marianne sur la défensive Il est différent, plus gentil.

— Peut-être qu'il a entendu dire des choses. Ce ne sont pas les grandes gueules qui manquent sur l'île et tout le monde était au courant. Il a entendu dire des choses et il cherche à vous reconquérir !

— Vous croyez qu'il sait et qu'il est jaloux ? » demanda Marianne, incrédule.

Elles pesèrent le pour et le contre de façon exhaustive. Il y a des millions de gens comme elles, qui passent des heures entières avec des amis à tâcher de comprendre ce que savent ou pensent leurs maris, leurs femmes ou leurs amants.

« Si Kevin savait quoi que ce soit, et s'il y attachait la moindre importance, ou bien il me ferait un tas d'histoires ou bien il essaierait de me faire l'amour, finit par dire Marianne. Or, il ne fait ni l'un ni l'autre. »

Cet argument parut concluant aux deux femmes.

« Non, il a changé parce que sa grande aventure avec le mannequin est terminée. Il a sûrement une vie sexuelle quelque part, mais il est évident qu'il nous considère comme sa famille... »

Afin de se convaincre elle-même, Marianne s'efforça de convaincre Joyce du fait qu'il y avait des tas de choses à dire en faveur de son mariage. « Il joue avec les enfants, il s'inquiète de tout ce que nous mangeons et buvons, il envoie toujours l'avion nous chercher, il veille à notre sécurité ; c'est plus que bien des femmes ne peuvent en dire en faveur de leur mari. Il n'est pas aussi sans cœur, ni aussi cynique qu'il veut bien le paraître. »

Joyce leva les yeux au ciel. « Puisque vous le dites.

— Mon père dit que Kevin fait plus que n'importe quel autre fabricant de produits chimiques pour contrôler la pollution. Maintenant, on utilise les épurateurs de chez HCI dans les cheminées des aciéries.

— Je le sais déjà, merci beaucoup, répondit Joyce, vexée. Je sais qu'il a reçu une médaille pour cela. » Il ne lui semblait pas juste qu'on puisse trouver la moindre vertu chez l'homme qui l'avait violée et qui depuis la regardait sans même la voir, ne manifestant pas plus d'intérêt que de culpabilité.

« Et puis c'est le père de Creighton et de Ben, soupira Marianne. Ça, je ne dois jamais l'oublier. Notre mariage est un mariage fondé sur l'amitié. Il n'y a pas de conflit entre nous. Au moins, nous sommes amis. »

Kevin les attendait à l'aéroport, les bras tendus, le sourire aux lèvres. Quand elle vit sa haute et imposante silhouette, son sourire de bienvenue, Marianne se blinda le cœur et lui rendit son sourire en se disant : « Oui, au moins nous sommes amis. »

« Que c'est bon de vous voir tous ! » s'écria Hardwick. Pendant cette séparation, il avait décidé que le salopard qui avait baisé sa femme et les hommes qui les avaient filmés en flagrant délit devraient être supprimés par Baglione. Quant à sa femme, il se contentait plus ou moins de la voir malheureuse.

25

Les associés

Il faut permettre aux grands hommes
de prendre leur temps.

WEBSTER

On ne pourrait jamais dire assez souvent que HCI fabriquait, vendait et utilisait quelques-uns des meilleurs moyens technologiques disponibles pour la détoxification, le filtrage, le recyclage et l'incinération à hautes températures. Toutefois, sur les plus de trente-huit milliards de kilos de déchets chimiques toxiques produits aux États-Unis chaque année, on pouvait en imputer environ trois cents millions à HCI, et Hardwick avait beau faire, en restant dans des limites budgétaires raisonnables, il se retrouvait quand même à la tête d'énormes quantités de détritus meurtriers, ce qui faisait du patron du crime organisé à Chicago, Vincenzo Baglione, un de ses plus importants associés. Non pas que Baglione fût en mesure de s'occuper de tout. Hardwick présidait aux destinées de trop de bombes à retardement, telles que les bacs de Floride, pour pouvoir passer une semaine sans crise. Néanmoins, sa vie était incontestablement plus facile depuis que la firme de Baglione, la compagnie des Transports sécurisés de l'Illinois, dirigée par des hommes de paille qui n'avaient pas de casier judiciaire, s'était chargée de disposer des résidus non traités de HCI contre un paiement annuel fort raisonnable.

Au cours des affaires qu'ils faisaient ensemble, Hardwick vendit à Baglione vingt pour cent d'actions dans la nouvelle usine établie par HCI au Brésil dans la vallée de Cubatao (connue localement sous le nom de « Vale de Morte »), où il n'y avait pas de réglementation gouvernementale pour entraver la croissance industrielle. Ils se rencontraient régulièrement, tous les trois mois environ, d'ordinaire quelque part loin de Chicago et de préférence en dehors des États-Unis. Les affaires étaient les affaires, mais plus Hardwick était en contact avec son associé, puis il le méprisait – ce qui était assez naturel.

S'imaginant que l'opération mise en place par la compagnie des Transports sécurisés de l'Illinois pour disposer des déchets faisait partie du plan d'ensemble de la Mafia pour se lancer dans les affaires légitimes, plan dont il était constamment question dans la presse, Hardwick crut d'abord Baglione, qui lui assura que ses camionneurs emportaient les déchets jusqu'à des sites de décharge officiellement approuvés au Canada. L'opération était censée être propre, mais à la fin Baglione, qui préférait réellement faire du jeune industriel son complice consentant, lui confia que les sites autorisés coûtaient des sommes exorbitantes, si bien que ses camions roulaient la nuit avec des soupapes ouvertes, laissant leur contenu s'écouler le long des autoroutes, ou bien qu'ils l'évacuaient dans des fossés, carrières, gravières, ruisseaux et rivières longtemps avant d'arriver à la frontière avec le Manitoba.

Comme la plupart des hommes d'affaires qui s'acoquinent avec des criminels dans l'espoir pieux de les ramener dans le chemin d'une entreprise honnête, Hardwick découvrit que c'était le contraire qui se passait : c'était Baglione qui l'entraînait dans l'univers du crime. Ce n'était pas tant l'écoulement aléatoire de tous ces poisons qui l'ennuyait – il fallait bien que la population fût réduite d'une manière ou d'une autre si quelqu'un devait survivre. Ce qu'il trouvait impardonnable, c'était que Baglione essayât de le mêler à des délits punissables par la loi.

Quelques meurtres de plus ou de moins n'auraient aucune importance pour un homme de cet acabit, pensait Hardwick.

Et ce serait un jeu d'enfant à côté de l'assassinat d'un Président.

Hardwick était horripilé par des théories de conspiration : il ne pensait pas que John F. Kennedy avait été tué par les

Cubains, ou par la CIA, ou par les Russes. Il était convaincu que l'assassinat avait été organisé par la Mafia. Il savait, bien entendu, que beaucoup de crétins pensaient la même chose, mais il avait, lui, de bonnes raisons d'y croire : quelques étranges remarques faites par Baglione la première fois qu'ils s'étaient rencontrés, à un dîner de bienfaisance, quelques semaines avant la journée sombre de Dallas. « Je n'ai rien contre JFK, avait déclaré Baglione, mais avec un frère comme ce Bobby, qui ferait n'importe quoi pour faire parler de lui, le pauvre type n'a aucun avenir. » Hardwick avait été amusé par la façon dont Baglione avait dénigré Robert Kennedy, le premier ministre américain de la Justice à chercher à faire parler de lui en débarrassant son pays du crime organisé, mais il ne comprenait pas pourquoi Baglione traitait le Président des États-Unis de « pauvre type ». John Kennedy était un jeune Président très populaire qui remplissait son premier mandat ; dire qu'il n'avait aucun avenir semblait ridicule à ce moment-là ; mais quand le Président fut mort et que son frère ne dirigea plus le département de la Justice, cela devint éminemment raisonnable.

Surtout la nuit du 5 juin 1968, où Hardwick fut réveillé par un coup de téléphone hystérique de Marianne, à Los Angeles : Robert Kennedy venait tout juste d'être assassiné à l'Ambassador Hotel, quelques heures à peine après sa victoire dans les élections primaires de Californie. Ce fut alors, en écoutant sa voix criarde – une voix qu'il n'avait encore jamais entendue et qu'il trouvait particulièrement agaçante au milieu de la nuit –, que Hardwick commença à songer sérieusement à demander à son associé mafieux de lui faire une faveur. L'assassinat du deuxième Kennedy, qui privait les Américains de l'occasion d'élire un Président anti-Mafia, le confortait dans sa conviction que Baglione pouvait arranger n'importe quoi pour lui rendre service.

Leur rencontre suivante eut lieu à l'aéroport de Recife, où le patron de la pègre de Chicago monta à bord de l'avion privé de Hardwick pour gagner Cubatao. Jouant l'hôte gracieux, Hardwick mit tous les conforts du Boeing 707 à la disposition du vieil homme et Baglione prit une douche avant de passer entre les mains de la discrète et efficace masseuse, puis d'aller s'asseoir en face de Hardwick pour le dîner. Toujours plein de vie, bien qu'il approchât des soixante-dix ans, Baglione ne cachait pas à quel point il était satisfait de la jeune femme : des étincelles de joie dansaient entre ses rides. Toutefois, dès que Hardwick commença à se plaindre de la liaison que son épouse avait eue avec un employé d'hôtel à Santa Catalina, toute trace de sentiment disparut du visage de Baglione. De la main il balaya l'air devant son nez comme pour chasser une mouche.

Hardwick, qui ne comprenait pas le langage gestuel des Siciliens, continua de pérorer. Il n'était pas disposé à fermer les yeux sur cet adultère.

« Vous voulez divorcer, alors?

— Non, car ainsi je punirais mes fils. J'ai l'esprit de famille, ce n'est pas à un Italien que je vais expliquer ce que c'est, n'est-ce pas? C'est du petit ami de ma femme que je vous parle. »

Baglione opina de la tête, plein de compréhension compatissante. « Faites-lui un procès.

— Quoi?

— Vous devriez lui intenter un procès », répéta le patron de la pègre de Chicago. Ce petit bonhomme ratatiné, qui donnait l'impression de ne jamais avoir eu assez à manger, rappelait à Hardwick un moineau triste, mais quand il souriait son nez de prédateur éclipsait tous ses autres traits : c'était un bec de vautour. Et il avait aussi les yeux d'un rapace. « Il faut le poursuivre pour vous avoir aliéné l'affection de votre femme. »

Hardwick secoua la tête en silence, jusqu'à ce qu'il eût digéré l'insolence du vieux truand. « Vincenzo, je ne vous raconterais pas cette histoire si c'était d'un avocat que j'avais besoin. »

Baglione posa son couteau et sa fourchette et croisa les bras afin de signifier qu'il ne souhaitait pas se mêler de l'affaire. « Je comprends votre problème, Kevin, mais qu'est-ce que vous voulez que je fasse à un gosse?

— Je pensais que vous auriez peut-être des idées sur la façon de se débarrasser des enquiquineurs qui ne savent pas rester à leur place. Écoutez, ce type m'envoie des lettres d'amour. »

Baglione leva la tête et huma l'air. « Il vous écrit des lettres d'amour? Ça alors!

— Enfin, il les écrit à ma femme – ce qui revient au même. J'attends un nouveau billet doux de sa main à tout moment. »

Le visage flétri de Baglione se fit plus maigre, plus triste. « Vous voulez qu'on le passe à tabac ?

— Non. » La réponse était ferme, impitoyable.

Le vieux mafioso ferma les yeux comme s'il souhaitait communier en privé avec lui-même. « La vie d'un homme est une chose sacrée », dit-il enfin de sa voix la plus solennelle.

Hardwick se redressa sur sa chaise. « Je vous demande pardon ? »

Le ton tranchant sur lequel fut posée cette question choqua Baglione. Cet imbécile cousu d'or, cet enfant gâté osait sous-entendre que lui, Baglione, n'attachait aucune valeur à la vie humaine ? Pour qui le prenait-il ? Pour un animal qui tuait les gens à tort et à travers, prêt à faire couler le sang parce que Hardwick n'était pas fichu de s'occuper de sa femme ? Baglione se sentait insulté. Il était habitué à être traité avec respect. Et par tout le monde. Quelques années plus tard, lorsqu'il mourut de mort naturelle, le *New York Times* lui rendit hommage, saluant en lui « le personnage le plus éminent du crime organisé aux États-Unis ». Dans un pays où un voyou de la pire espèce pouvait être qualifié d'« éminent » par le journal qui donnait le ton à la nation en matière de moralité, Baglione n'avait eu aucun mal à s'élever jusqu'aux sommets de la pègre en gardant son respect de soi toujours intact. C'était un homme qui avait réussi dans son domaine de prédilection, et il ne tolérait pas qu'on portât atteinte à son honneur.

« La vie d'un homme est une chose sacrée », répéta-t-il avec raideur.

Hardwick acceptait mal l'idée qu'un vulgaire criminel pût se donner de grands airs en sa présence. « D'ailleurs, ce n'est pas simplement le petit ami, reprit-il avec entrain, sans paraître remarquer la mine renfrognée de Baglione. Il y a aussi un photographe du nom de Masterson. »

Baglione opina une fois de plus. « Je comprends ce que vous ressentez. Mais les sentiments peuvent changer.

— Ce Masterson travaille au téléobjectif. Il a filmé ma femme avec ce garçon d'hôtel – qui est, soit dit en passant, le fils d'un acteur très connu, s'empressa d'ajouter Hardwick. Il voulait la peau de ce saligaud, mais il lui déplaisait qu'on crût que sa femme couchait avec le premier venu. On dirait les vedettes d'un film porno. Si ça se trouve, ce Masterson est en train de faire des copies qu'il ira vendre à tous les sex-shops de Chicago.

— Là, vous avez un vrai problème.

— Ça pourrait être très gênant pour toute la famille. Je pense surtout à mes gosses.

— Je peux envoyer quelqu'un causer à ce type, s'assurer qu'il laissera tomber les films et tout ce qui s'ensuit.

— Je n'aime pas les demi-mesures. »

Baglione pencha sa tête d'oiseau sur le côté, avec une mine lugubre. « Kevin, pourquoi prendre des mesures extrêmes ? »

Hardwick haussa les sourcils. Il s'étira, sourit de toutes ses dents, se renversa contre le dossier de son siège, puis se pencha en avant, sourit encore une fois, essayant de gagner du temps, comme un écolier monté en graine à qui l'enseignant a posé une question à laquelle il ne sait pas répondre. Il n'avait absolument pas songé à ce qu'il dirait pour justifier sa demande. Il n'aurait pas tué le fils de l'acteur, ni les deux types responsables du film, s'il avait dû le faire lui-même. Mais pourquoi tolérer leur existence, s'il n'y était pas obligé ? À quoi cela lui servait-il de faire des affaires avec un type comme Baglione s'il ne profitait pas au maximum de leurs relations ? Il voulait prendre des mesures extrêmes parce qu'il connaissait Baglione et parce que Baglione gagnait trop d'argent grâce à lui pour lui refuser une faveur. « Il y a aussi un détective privé mêlé à l'affaire, dit-il avec sang-froid.

— Je vais vous aider, Kevin, c'est dans ma nature d'aider les autres – *sono nato così !* Mais laissez-moi donc vous dire ce que je dis à mes propres têtes brûlées. Nous ne sommes pas en Sicile, ce n'est pas le dix-neuvième siècle. Et vous n'êtes même pas italien, mon ami. Vous autres gens du Nord, vous êtes censés rester maîtres de vous-mêmes. Vous croyez vraiment aux solutions drastiques ?

— Je suis parfaitement maître de moi, répondit le mari jaloux avec un rire bref. Je tiens seulement à protéger ma vie privée.

— Quand on se met en rogne, on veut tuer tout le monde, mais ensuite on change d'avis. Il ne faut pas agir avec précipitation dans ce genre d'affaire. »

Le visage de Hardwick s'empourpra, puis se figea. « Je pensais que vous auriez envie d'aider un ami, mais ça n'a aucune importance. N'en parlons plus. »

Ils se firent la tête et parlèrent dans le ciel au-dessus du Brésil, en proie à une mutuelle incompréhension. Hardwick pensait parler à un tueur professionnel, mais Baglione ne se considérait pas comme un tueur. Partant du principe qu'il était juste et convenable d'éliminer les gens qui le gênaient, détenant le pouvoir de tuer tous ceux qu'il avait envie de tuer, il se prenait pour un homme vertueux et compatissant, exerçant une retenue extraordinaire. Jamais il ne pensait aux neuf hommes qu'il avait abattus dans sa jeunesse, aux deux qu'il avait fait sauter à l'explosif, à celui qu'il avait étranglé et dépecé de ses propres mains, aux dizaines d'autres dont il avait ordonné l'exécution – non, il pensait aux centaines qu'il avait épargnés. Cela dit, combien de gens se jugent d'après ce qu'ils ont fait ? La bonne conscience des méchants repose sur toutes les vilenies qu'ils n'ont pas commises.

Les deux hommes, tous deux profondément offensés, grignotèrent leur saumon fumé et leur filet mignon en silence, luttant avec toute l'hostilité que leurs corps étaient capables d'engendrer. Même assis, l'Anglo-Saxon, grand et bien en chair, était presque deux fois plus volumineux que le petit Italien, pourtant le combat se solda par un match nul jusqu'au moment où la masseuse, qui faisait aussi office de serveuse, vint leur verser leur café d'après-dîner. Sa présence fugitive, le parfum qu'elle laissa derrière elle eurent un effet apaisant.

« J'ai entendu parler de Masterson, ce n'est pas son vrai nom, c'est un chien, se rappela soudain le plus éminent trafiquant d'héroïne, commençant à entrevoir une possibilité de compromis.

— Nous ne parlons que de trois hommes et deux d'entre eux sont des zéros », dit Hardwick avec emphase. Il ne demandait pas grand-chose.

Décidant que l'industriel était fou à lier en dépit de ses façons impérieuses, et qu'il ne lui ficherait pas la paix tant qu'il n'aurait pas promis de faire liquider quiconque manquerait du respect adéquat envers ses grands sentiments de mari et de père, Baglione leva les mains de la table, les paumes vers le ciel, comme pour montrer qu'il n'y avait dedans que des bonnes choses. « Je ne sais pas dire non à un ami. »

Visiblement soulagé, Hardwick tendit la main vers une autre table pour y prendre un dossier, d'où il sortit un agrandissement réalisé à partir du film de Masterson, montrant les deux amants qui marchaient sur la plage. Quand Baglione eut étudié la photo, Hardwick la déchira en deux, mit l'image de sa femme dans sa poche et tendit à son compagnon celle de Mark. « Vos hommes en auront sans doute besoin. »

Baglione trouvait Mrs Hardwick fort jolie femme et il n'avait aucune intention de faire du mal à un jeune homme pour avoir fait l'amour à une jolie femme négligée par son mari. Surtout pas un fils d'acteur. Baglione avait un faible pour les acteurs et les chanteurs ; il aimait les membres du showbiz. Mais, ayant trouvé le moyen de berner son associé, il devint tout à fait accommodant et agréable.

« Comment puis-je dire non si cela vous fait plaisir, dit-il en mettant la photo de Mark dans sa serviette.

— Je n'ai pas de photos des deux autres, s'excusa Hardwick. J'ai leurs adresses.

— Nous les trouverons, ne vous inquiétez pas. » Baglione n'avait pas non plus l'intention de s'occuper du détective privé, mais en ce qui concernait Masterson, c'était une autre affaire. Il y avait trop de gens qui se plaignaient de ce porc ; il démolissait un trop grand nombre de ménages, de réputations. À la manière d'un juge condamnant un criminel, Baglione avait décidé de débarrasser le monde du photographe maître chanteur et de se servir de ce meurtre pour différer les deux autres, jusqu'à ce que Hardwick se fût calmé et se fût résigné à ses cornes. « Je vais m'occuper d'eux à votre place, mais je ne peux pas m'occuper d'eux tous à la fois. Cela prendra du temps, mon ami. »

Ayant obtenu ce qu'il voulait, Hardwick se montra déférent envers cet homme plus âgé que lui. « Si vous me dites que vous vous occuperez d'eux, Vincenzo, déclara-t-il en inclinant le buste et en écartant ses longs bras, je sais que vous vous occuperez d'eux. »

Baglione n'avait jamais l'air plus honnête et plus digne que quand il mentait. Il prit un air grave, fixa sur Hardwick un regard entendu et direct, puis il ferma les yeux et hocha lentement la tête afin de confirmer que les hommes dont il était question quitteraient ce monde. « N'y pensez plus. »

Protégé par le sens de l'honneur et de la vertu d'un gangster, Mark se retrouva libre de se nuire autant qu'il le pouvait.

26

Moment de vérité

Ah, quand, pour le cœur de l'homme,
Ne fut-ce jamais moins qu'une trahison
Que de se laisser aller au fil des choses,
De céder de bonne grâce à la raison,
De s'incliner et d'accepter la fin
D'un amour ou d'une saison ?

ROBERT FROST

Travaillant quatre jours par semaine au Seven Seas Club comme réceptionniste et interprète, Mark passait toutes ses journées de liberté à plonger et ses soirées dans la chambre noire d'Eshelby à développer des pellicules, ou bien dans sa propre chambre à étudier minutieusement ses photos des fonds sous-marins et ses cartes des récifs afin de délimiter les zones qu'il avait déjà explorées.

« Je crois qu'il se sent coupable quand il dort », déclara Eshelby à Sarah Little.

Ils étaient ses seuls amis. Il laissait les autres tranquilles et les autres le laissaient tranquille. Même ses collègues de travail cessèrent de se moquer de son trésor englouti. Il était arrivé au bas de l'échelle sociale : on le trouvait ennuyeux.

Il n'était désœuvré que durant les orages tropicaux et les jours de grosse mer, quand Coco refusait de sortir en bateau avec lui, et pendant des mois sa vie sociale consista à aller prendre du thé et des petits gâteaux secs chez Eshelby quand il faisait mauvais.

Eshelby, dont l'appartement dans la maison des employés était principalement meublé de livres, qui débordaient un peu partout et jusque dans les placards de la cuisine, tenta de faire un lecteur de son jeune ami renfrogné. L'ancien enseignant, à qui la salle de classe manquait cruellement, lui remit Stendhal et Balzac en livres de poche en lui disant qu'ils étaient le Mozart et le Beethoven de la littérature, et il fit de son mieux pour le convaincre qu'il était sot de chercher des trésors alors que l'on pouvait mener une vie riche pour pratiquement rien, tout simplement en lisant de grands romans. « Et si c'est pour ne les lire qu'une fois, ce n'est pas la peine, mon cher petit, l'avertit-il.

— Pourquoi pas ? » Mark aurait bien voulu qu'Eshelby lui parlât de Marianne, mais souhaitant ardemment la compagnie de quelqu'un qui se fichait de ce qu'il faisait, il était content d'écouter tout ce que son ami avait à dire.

« On ne retire pas grand-chose d'un roman à la première lecture, pas davantage que d'une symphonie à la première audition. Un grand roman s'enrichit chaque fois qu'on y retourne… C'est le secret du bonheur, mon cher petit. Il ne faut pas lire, il faut relire ! » Ces admonitions étaient entrecoupées de pauses patientes. L'enseignant et le joueur de tennis étaient également manifestes dans la façon dont Eshelby s'exprimait : il veillait à ne pas laisser ceux qui l'écoutaient trop loin derrière lui, mais il parlait toujours debout, servant chaque idée avec un geste qui s'élançait, comme une balle de tennis. « Si tu continues de relire les livres importants, reprit-il d'une voix tentatrice, tu seras aussi sage d'ici deux ans que la plupart des gens peuvent l'être à l'âge de soixante. La sagesse n'est pas très utile aux vieux, mais être jeune et sage, voilà le véritable trésor, c'est moi qui te le dis ! »

Mark promit de lire quand il en aurait le temps.

« Prends-le, ce temps, mon cher petit !

— Je ne peux pas passer mon temps à me distraire, je n'ai encore rien accompli. »

Eshelby lui cita un vieux proverbe persan à ruminer : « Un bon livre, c'est un jardin de roses dans ta poche.

— Un jardin de roses dans ta poche… c'est beau, ça ! » Néanmoins, à la seule idée de se détendre, Mark ne tenait plus en place. Les roses qu'il avait l'intention de cueillir un jour viendraient le récompenser d'avoir retrouvé la *Flora*; il avait pris l'habitude de tout différer sauf son ambition. « Quand je serai riche, je pourrai passer le reste de ma vie à lire, assura-t-il à son ami. J'aurai de vastes bibliothèques dans chacune de mes demeures.

— Reprends donc encore des biscuits, soupira son hôte. Dans la discussion, je ne tiens que sur les courtes distances. »

Sarah Little était une autre élève d'Eshelby à qui il dispensait des livres et des conseils. Lorsqu'elle croisa Mark dans l'appartement de leur mentor, un jour de tempête, Eshelby (marieur invétéré, comme beaucoup d'homosexuels) prétendit qu'il préférait rester seul et les anciens amants quittèrent les lieux ensemble. Tandis que les vents déchaînés secouaient les fenêtres, ils terminèrent la soirée sous une même couverture dans la chambre de Mark. Cet intermède dans sa vie solitaire le rendit volubile. Dressant une liste de tout ce qu'il aimait chez Sarah, il lâcha sans réfléchir – le cerveau ramolli par le plaisir – qu'il lui était reconnaissant aussi de sa liaison avec Marianne. « Sans toi, sans la confiance en moi que tu m'as donnée, déclara-t-il, je n'aurais même pas eu ces quelques jours avec elle. »

Sarah le pinça le plus fort qu'elle put et refusa de lui parler pendant des semaines.

« Toutes les femmes se lassent de moi, pensa Mark. Je n'ai aucun talent et je ne suis même pas un compagnon agréable. Je ne suis qu'un de ces fils minables de pères célèbres. Et si je me trompe au sujet de la *Flora*, je suis aussi un idiot! »

Poussé par le désespoir tout autant que par l'ambition, il se fixa la tâche assassine de plonger pendant sept heures à chacune de ses sorties. Quelquefois, quand il avait l'impression qu'il allait se dissoudre dans la mer ensoleillée, il s'arrêtait pour observer les foules chatoyantes et étincelantes de minuscules poissons tropicaux, les nuages de plancton qui se soulevaient soudain pour révéler une flèche de corail, les mérous à grande gueule qui passaient dans leur armure argentée, fixant sur lui leurs yeux immobiles qui paraissaient ne pas le voir, mais qui le voyaient quand même assez bien pour les inciter à se détourner ou à plonger sous son ventre. Submergé dans ce monde four-millant, où la survie était une occupation à plein temps, il enviait aux poissons leur disposition flegmatique, se rappelant que Marianne lui avait soutenu avec insistance que la vie était trop courte, trop précieuse pour perdre son temps à chercher des choses matérielles. Les requins étaient des ombres véloces et distantes qui ressemblaient à des éclairs gris.

Étant donné qu'il était bon plongeur, et de surcroît jeune et en bonne santé, plusieurs mois s'écoulèrent avant qu'il ne se ressentît des effets de ses séjours prolongés au fond de l'eau. Il commença à souffrir de crises de vertige et de violents maux de tête, et une fois après être remonté trop vite à la surface il souffrit d'un « emphysème des caissons » – des bulles d'azote sous la peau qui le rendirent fou de douleur pendant plusieurs jours. Ce qui montre bien qu'un homme ne peut se transformer en poisson même avec l'aide de la technologie moderne.

« Si tu continues comme ça, lui dit Eshelby, à vingt ans tu seras mort ou dément. Je ne sais pas ce qui est pire. »

Face à l'opposition, Mark reprenait toujours confiance. « Mais quand j'aurai mon navire, songea-t-il en son for intérieur, tout en paraissant écouter attentivement, je pourrai dire à Marianne : Tiens, regarde, voilà ce que je voulais absolument retrouver, ça valait le coup de se donner un peu de mal, non ? »

Le jour de ses vingt ans, Mark dut supporter la visite de son père. La série de représentations du *Disciple du diable* à Broadway était terminée et Niven, séduit par la possibilité de tourner avec James Garner, s'était engagé à participer à une série télévisée, à titre d'invité spécial. Avant de partir pour Los Angeles, il fit un saut aux Bahamas. Ayant la fibre paternelle, il se sentait coupable de ne pas avoir donné à son fils un meilleur départ dans la vie, et il était plein d'idées à son sujet.

Mark ne pouvait pas retourner à Columbia, bien sûr, mais n'avait-il pas envie de continuer ses études en Angleterre ? « Je te paierais ton voyage et je te donnerais de quoi vivre jusqu'à ce que tu aies obtenu ton diplôme, expliqua-t-il à son fils. Tu pourrais essayer d'être admis à Oxford. Ou alors, il y a la Sorbonne. Avec toutes les langues que tu parles, tu pourrais aller à peu près partout. Que dirais-tu de Bologne ? À moins que tu ne préfères Rome ? Tu pourrais faire tes études à Rome, et moi je t'enverrais un chèque mensuel. Ton vieux père est presque une vedette, tu sais, il gagne des sommes folles. Pour l'amour du ciel, profite de moi pendant que je suis en vogue !

— J'aimerais vraiment que tu arrêtes de te tracasser à mon sujet, ne cessait de dire Mark. C'est ma vie, tu ne peux pas la vivre pour moi.

— Encore quelques années sur cette île et tu ne seras plus bon à rien qu'à être employé d'hôtel. Tu as vraiment envie de passer le reste de ta vie à dire : « Oui, monsieur, bien monsieur » ? Moi, ça m'est égal, mais est-ce que tu pourras t'en contenter ?

— Papa, je t'en prie, je n'aime pas quand tu te ronges les sangs comme ça.

— Ton ami Eshelby, c'est un garçon tout à fait intelligent, il me donne l'impression de savoir de quoi il parle, il me dit que tu vas devenir chauve si tu passes ta vie dans l'eau.

— J'aurai retrouvé mon navire bien avant. » Mark veilla bien à ne pas parler de ses migraines ni de ses vertiges, et à garder sa chemise boutonnée jusqu'au menton de peur que son père ne piquât une crise d'hystérie en voyant sa peau marbrée.

« Ce qui me fait le plus peur, lui confia Niven sur la piste d'atterrissage avant de monter à bord du petit avion à destination de Nassau, c'est que tu comprennes toi aussi à quel point toute cette entreprise est sotte, mais que tu continues quand même par pur entêtement. Ne te laisse pas piéger par ton orgueil. »

Jusque-là, Mark avait plongé dans les eaux peu profondes autour des atolls et des récifs frangeants, mais après la visite de son père il décida de tenter sa chance là où le danger était le plus grand, du côté atlantique du Long Reef. En risquant davantage, il sentait qu'il pourrait gagner plus.

Cela faisait des semaines qu'il plongeait par là sans succès mais sans problèmes lorsqu'il fut emporté un jour par une lame soudaine et puissante, une de ces vagues immenses et profondes déclenchées par des secousses des fonds sous-marins qui sillonnent les océans à la vitesse d'un train express. La masse d'eau le propulsa loin des récifs, le fit tournoyer sur lui-même et le lança par-dessus un précipice qui se trouvait sous l'eau. Totalement désorienté, il ne sut qu'une chose, c'était qu'il avait dû s'enfoncer à plus de cinquante pieds, parce que la pression de l'eau au-dessus de lui fit coller sa combinaison à son corps comme une seconde peau. Flottant dans le mauvais sens sans même s en rendre compte, il tenta une poussée désespérée vers ce qu'il prenait pour la surface et s'enfonça encore plus loin dans les profondeurs. Le choc de l'obscurité et du froid le rendit frénétique et, toujours inconscient du danger, il continua de descendre comme s'il avait l'intention de ressortir aux antipodes. Heureusement, une douleur qui lui fit reprendre ses esprits le fit se retourner. De la nuit ténébreuse et glaciale il remonta à coups de pied vers le grand jour : au bout de quelque temps, il put distinguer des poissons. Se dirigeant vers les zones où ils paraissaient être plus nombreux, il parvint bientôt à discerner vaguement les contours des éminences de corail, dans une pénombre semblable à celle qui règne juste avant l'aube. Un peu plus haut, c'était déjà midi, le corail étincelait de vives couleurs, blanc bleuté et rouge sombre, puis il aperçut le plateau de sable où son bateau était ancré. La joie le saisit lorsqu'il sentit que l'eau était de nouveau tiède, mais il était remonté trop vite et il s'évanouit.

Il resta inconscient plusieurs minutes, ou plusieurs secondes, il ne sut jamais combien de temps, jusqu'à ce qu'une panique intérieure, un sentiment tardif du danger, ne le fît revenir à lui. Au début, il crut que la menace venait de la douleur qui lui vrillait les mains; elles étaient toujours crispées de façon convulsive sur l'enveloppe étanche de son appareil photographique. Tout en assouplissant ses doigts, il se rendit compte de ce qui l'inquiétait. Tous les poissons avaient disparu. La foule scintillante et affairée s'était volatilisée, dispersée en toute hâte par une lointaine vibration, un sentiment d'alarme : la mer était vide.

Dans cette immobilité surnaturelle, deux grosses têtes plates sortirent des ténèbres, des têtes qui faisaient presque un mètre de large, exhibant des rangées de crocs, pointus comme des aiguilles, dans leur gueule béante et rien où auraient dû se trouver les yeux. Ce ne fut que lorsque les monstres se rapprochèrent, faisant onduler d'un côté à l'autre leur énorme masse (des corps longs de quatre mètres au moins, des mouvements aussi véloces et aisés qu'un claquement de doigts), que Mark vit qu'il y avait des yeux comme des pommeaux à l'extrémité de leurs grotesques expansions latérales ; et pis encore, que ces yeux le voyaient.

Les deux requins marteaux glissèrent devant lui.

Paralysé par la terreur, il avait besoin d'un moment pour décontracter ses muscles et se retourner afin de chercher encore une fois sa ligne d'ancre. Lorsqu'il parvint enfin à accomplir la manœuvre, un des marteaux reparut et fonça droit vers lui. À deux mètres environ, il s'arrêta net, sombrant dans un état d'immobilité totale, caractéristique des marteaux juste avant d'attaquer leur proie.

D'un geste automatique d'autodéfense, histoire de mettre quelque chose entre lui-même et la gueule hideuse du requin, Mark poussa son appareil vers les rangées de crocs monstrueux et se figea, les bras tendus. « Tu ne m'auras pas ! » fut la première pensée qui lui traversa l'esprit, car l'opiniâtreté qui lui avait permis de persister était toujours intact.

Il n'y a rien au monde de plus abominable et de plus haïssable qu'un requin marteau. Couleur de boue, difforme, il donnait l'impression de laisser suinter de la merde et de la pisse par tous les pores de sa peau, d'être un gigantesque étron flottant. Mark crut même en discerner la puanteur, quoiqu'il respirât par son scaphandre autonome. Le poisson paraissait putréfié, et pourtant il était vivant et puissant, avec une gueule recourbée faite pour déchiqueter la chair : c'était comme si la mort avait une bouche.

L'horreur opéra chez Mark une transformation instantanée. Il comprit ce qu'il n'avait jamais compris auparavant : il devait céder, il fallait bien en finir.

Il avait gâché sa vie, mais cela n'avait plus d'importance. Ses intentions de retrouver le trésor et de voir revenir Marianne n'étaient que pure folie. Elle l'avait oublié. Il en avait souffert, mais plus maintenant – adieu, Marianne.

Il savait instinctivement que quand le requin attaquerait, il ne pourrait pas survivre plus de soixante secondes, quatre-vingt-dix au maximum, et la pensée lui vint avec la force d'une révélation qu'il était capable de supporter n'importe quelle douleur pendant ce laps de temps. Ce serait rapide et cela résoudrait tout. Cette certitude l'emplit d'un sentiment de soulagement étrangement béat comme il n'en avait jamais éprouvé.

Quelques secondes à peine s'écoulèrent avant que le squale ne se remît à bouger, mais Mark eut encore le temps de s'imaginer qu'il aurait pu retourner parler aux gens, passer à la télévision et expliquer à tout le monde qu'il était facile de mourir, que c'était glorieux, c'était comme de se sortir d'un guêpier ! Jamais il n'avait éprouvé un tel sentiment de bien-être. Il avait l'impression qu'on venait de soulever un énorme fardeau pesant sur chaque centimètre carré de son corps et ce n'était qu'à présent qu'il en était libéré qu'il comprenait à quel point ce poids l'avait écrasé. Il avait une conscience si aiguë de cette soudaine délivrance qu'il n'en revenait pas.

« Alors, c'était donc ça le fardeau de la vie ! » pensa-t-il.

27

Les amis

.. sans qui
ce monde exhalerait l'odeur de ce qu'il
[est, un tombeau.
SHELLEY

Mark ne se rendait pas compte qu'il tenait encore l'appareil photo entre ses mains tendues, mais le requin, quand il bougea, vint se cogner contre l'étui en plastique. Aussitôt, il pencha son énorme tête et s'éloigna en glissant; la houle déclenchée par son sillage frappa Mark à l'estomac.

Pris de dégoût pour son Calypso-Nikonos qu'avait touché le monstre, il le jeta et le regarda descendre tout doucement et se nicher dans les algues au fond de l'eau. En état de choc, mourant un instant, vivant l'instant d'après, il se sentait plus en vie qu'il ne l'avait jamais été, il avait même l'impression que sa vue s'était améliorée. Il croyait pouvoir discerner les branches ondulantes des algues quelque dix mètres plus bas. Presque hypnotisé par le mouvement sinueux de tout ce qu'il voyait autour et en dessous de lui, il dut exercer un douloureux effort de volonté pour se retourner et se laisser flotter vers la surface et son bateau.

« T'as vu les requins? demanda Coco en soulevant la bouteille d'oxygène accrochée aux épaules de Mark. J'ai mis le moteur en route pour les déranger. »

Prenant soudain conscience du bruit du moteur tournant au ralenti, Mark dégrafa sa ceinture de plomb avec lenteur et déli-

286

bération, mais ensuite il jeta les bras autour de Coco et l'embrassa avec passion sur les deux joues. « Tu m'as sauvé la vie!

— Hé, t'es dingue ou quoi? T'es tout mouillé! »

Empoignant Coco par les épaules, Mark se mit à le secouer.

« Assieds-toi, espèce de maboul!

— On doit s'aimer tous les deux, Coco », supplia Mark d'un ton pressant. Cet amour mutuel était urgent.

« Tu vas faire chavirer le bateau! Assieds-toi! »

Démonté par la voix rude de Coco, Mark laissa retomber ses bras, fit coulisser la fermeture à glissière de sa combinaison jusqu'à mi-poitrine et s'allongea au fond du bateau. Puis il se rassit brusquement. « Coco, tu ne peux pas t'imaginer... cette chose que j'ai vue là-bas... il ne faut pas être trop durs l'un envers l'autre.

— Je suis pas dur, je t'ai sauvé la vie! Je suis facile, mon pote. »

Mark éclata de rire. « Non, tu n'es pas facile, mais ça ne fait rien. Tu me parles toujours comme si tu étais en rogne après moi, et tu ne fais aucun effort pour me cacher que tu me trouves con comme la lune, mais ça m'est égal. Je sais que tu as perdu tout un grand terrain au bord de la mer et ça, c'est terrible. Tu as eu la vie dure et tu as un sale caractère, tu as besoin de t'en prendre à quelqu'un. Je suis là pour ça.

— Dis donc, qu'est-ce qui s'est passé là-bas? » demanda Coco, soudain curieux.

Mark se contenta de secouer la tête. Il regarda la mer autour de lui comme un soldat contemple un champ de bataille une fois que les coups de feu se sont arrêtés, puis il se mit à frissonner.

« Qu'est-ce qui s'est passé?

— Un des requins s'est cogné le nez contre mon appareil.

— Hé, t'aurais dû prendre sa photo!

— Ouais.

— Où il est ton appareil? »

Haussant les épaules, Mark se détourna de l'océan. Tandis qu'il s'extirpait de sa combinaison, il remarqua son couteau de plongée, qu'il portait dans un étui accroché à sa jambe de façon à pouvoir se libérer s'il se trouvait pris dans des algues ou du corail. « J'ai oublié que j'avais mon couteau! s'écria-t-il.

J'aurais pu m'en servir si je m'étais rappelé que je l'avais sur moi!

— T'as de la veine d'avoir oublié. Les couteaux, ça les rend fous furieux, les requins. »

La matinée n'était pas encore terminée, mais Coco vit bien qu'il ne serait plus question de plonger ce jour-là et il reprit le chemin du port.

« Bon Dieu, qu'est-ce qui t'arrive? s'exclama Eshelby, alarmé, en voyant Mark faire irruption dans son magasin, les yeux hagards, blême sous son hâle, tremblant de tous ses membres. Tu as l'air de quelqu'un qui a failli se noyer. »

Mark le regarda bouche bée. « Comment tu le sais? C'est fantastique. J'avais complètement oublié. C'est vrai, tu as raison, en plus j'ai failli me noyer!

— Comment ça, en plus? En plus de quoi?

— J'ai regardé dans la gueule d'un requin marteau. »

Eshelby lui passa une chaise par-dessus le comptoir. Sans paraître la remarquer, Mark se mit à faire les cent pas dans le magasin en secouant la tête, stupéfait. « Il faut vraiment que tu sois génial pour deviner que j'ai failli me noyer. Tu as des intuitions qui frisent l'anormal. C'est pour ça que j'aime nos conversations. D'ailleurs, c'est à ce sujet que je suis passé; je voulais te dire à quel point j'apprécie nos discussions, même si je ne le montre pas. C'est très important pour moi de parler de choses sérieuses. Et tu ne me croiras sans doute pas, mais je me rappelle tout ce que tu me dis. » Il s'assit, mais il était incapable de fixer son regard. « Ah, oui, j'allais oublier, je voulais te dire une chose, tu devrais te documenter sur San Martín, c'est lui qui a fondé la Bibliothèque nationale du Pérou, tu sais. Et ce n'était pas un républicain, comme Bolívar! ajouta-t-il en fronçant les sourcils, résolu à continuer de parler sérieusement comme un ivrogne est résolu à marcher droit. Moi, je croyais qu'un homme qui se rebellait contre la couronne espagnole ne pouvait être qu'un républicain, mais pas du tout, il était en faveur de la monarchie constitutionnelle. Son argument, c'était que les gens ont tout le temps besoin de quelqu'un à qui ils peuvent s'identifier et qu'ils peuvent admirer; mais la personne en question ne doit pas avoir le moindre pouvoir, parce qu'elle en abuserait forcément. On nous disait la même chose quand j'étais à l'école en Angleterre, mais je pensais que c'était simplement parce que les Anglais avaient une reine.

— Mon cher petit, tu es épuisé. Vrai de vrai, comme on dit ici. Il faut que tu prennes du repos, un repos long et complet, et puis que tu vendes ton matériel de plongée. »

Mark le dévisagea, les larmes aux yeux. « Tu es la seule personne qui se soucie de ce qui peut m'arriver. Toi et Sarah. Je ne voulais pas en parler, je pensais que tu le prendrais peut-être mal, mais tu es le premier homosexuel que j'ai vraiment bien connu et tu es quelqu'un de merveilleux. »

Eshelby rit et posa un moment la main sur l'épaule de Mark, c'était le maximum de contact physique qu'il se permettait avec son jeune protégé hétérosexuel. « Écoute, moi aussi je vais te faire un compliment. Quand je pense à tous les gens qui ne demandent qu'à risquer la peau de tout le monde pour un oui ou pour un non, c'est formidable de voir que toi tu es si acharné à ne risquer que la tienne. Sauf que je n'arrive vraiment pas à comprendre pourquoi. Tu me dis que tu ne sais même pas si un navire a jamais coulé par ici.

— J'ai menti, avoua Mark. Mais j'ai menti en légitime défense. Si le bruit se répand, les gens m'espionneront, et dès que j'aurai repéré mon navire englouti ils s'empresseront d'aller plonger au même endroit que moi. Ils nettoieront l'épave avant que j'aie eu le temps d'organiser le renflouement. » Il leva les mains pour mettre Eshelby en garde. « Alors, pas un mot à quiconque. Je t'en prie. Dix-sept tonnes de lingots d'or, ce n'est pas une plaisanterie. Beaucoup de gens ont été assassinés à cause du trésor que je cherche. »

Eshelby se recula, feignant d'être horrifié. « Juste ciel ! Pourquoi m'en as-tu parlé dans ce cas ?

— Dis donc, écoute un peu ! s'écria Mark, oubliant tout le reste. Est-ce que tu as déjà entendu une des chansons sur San Martín ? Figure-toi qu'il y en a dans toute l'Amérique du Sud, et que même les pauvres Indiens qui ne savent ni lire ni écrire les connaissent. Je vais t'en chanter une, tiens :

Nuestra Señora de Cuyo
Contempló la cruzada de los Andes

Y bendijo el General San Martín
El más grande entre los grandes..

Il s'interrompit, fendant l'air de son bras. « À propos, je sais que tout est fini entre Marianne et moi.

— Oui, c'est vraiment dommage qu'elle ne revienne plus dans l'île, soupira Eshelby, compatissant. C'est ça l'ennui avec les gens riches, ils ne sont pas obligés de vivre quelque part juste parce que l'endroit leur appartient.

— Je n'ai absolument pas compté dans sa vie. Si elle m'avait aimé, elle m'aurait compris. C'est fini, répéta-t-il en secouant la tête. Je ne vais pas m'imposer à qui que ce soit.

— Écoute donc, je ne suis pas du genre à courir chez le médecin au moindre bobo, mais tu dois vraiment te faire porter pâle. Si j'étais toi, je rentrerais directement me mettre au lit et j'y resterais. Tu es un garçon plein de cran, mais il n'est pas question que tu sois à la réception ce matin. On va te trouver un tranquillisant et tu vas filer dans ta chambre pour dormir. »

Le lendemain matin, ayant dormi près de vingt heures d'affilée et se sentant tout à fait reposé, Mark repartit avec Coco pour le Long Reef. Ils ancrèrent l'*Île Saint-Louis* du côté atlantique du récif et Mark se harnacha. Il était sur le point de se laisser tomber à la renverse dans la mer depuis la plate-forme de plongée lorsqu'il changea d'avis, se redressa et se dirigea, dans un grand battement de palmes, jusqu'à l'échelle. Il ne parvint pas à la descendre avec ses palmes, si bien qu'il regagna la plate-forme, toujours à grand bruit, et se laissa tomber dans l'eau. Mais au lieu de s'enfoncer, il regagna le bateau à la nage, empoigna l'échelle des deux mains et s'y cramponna, tremblant violemment de tous ses membres.

Coco le regarda d'un œil circonspect, en attendant qu'il s'arrêtât de trembler. « Hé, qu'est-ce que t'as? » demanda-t-il enfin.

Mark retira son embout. « C'est mes muscles.

— Mon cul, t'as la trouille.

— Ouais, j'ai une trouille de tous les diables.

— Faut pas être poltron, Mark. Si t'as la trouille maintenant, t'auras toujours la trouille de descendre.

— Ils ont des rangées de dents qui font penser à une déchiqueteuse. Ils te débitent en tranches, Coco. Tu ne les as pas vus

— Putain, mais je suis là! dit Coco d'une voix joviale, commençant à s'inquiéter pour ses cinq dollars de l'heure. Si je revois des requins, je remettrai le moteur en route. Ça les a fait fuir hier.

— Et si ça ne marche pas aujourd'hui?

— Tu prends des risques tous les jours, pas vrai? demanda Coco.

— Ouais, c'est vrai. »

Sans cesser de trembler, Mark remit son embout en place et fit une nouvelle tentative pour se laisser glisser dans l'eau, mais il fut incapable de lâcher l'échelle. Il finit par retirer une main, mais ce fut uniquement pour ressortir l'embout de sa bouche. Cramponné à l'échelle, dans l'eau jusqu'aux épaules, il ne savait plus quoi faire.

Coco le regarda d'un air lugubre. « Écoute, mon pote, t'as pas envie de retrouver ton appareil photo? T'as toujours dit qu'il coûtait vachement cher.

— Le sable est toujours en mouvement au fond, Coco...

— Tu te rappelles plus où tu l'as lâché? Il doit encore y être si les requins l'ont pas bouffé. Essaie donc de te rappeler où tu l'as laissé tomber!

— Écoute, je viens juste de me rappeler qu'on est le treize aujourd'hui, dit Mark tout d'un coup. Il vaut mieux ne pas tenter le sort. »

Coco commençait à se fâcher. « Hé, dis donc, attends un peu, tu vas pas me dire que me voilà au chômage, à présent? Tu m'as pas donné de préavis! »

Mark remonta dans le bateau et s'assit, s'efforçant de maîtriser sa respiration. « C'est juste pour aujourd'hui. Demain, je recommence à plonger.

— T'es un homme de parole?

— Bien sûr.

— Tu me referas plus le coup du mec qu'a la trouille? Tu promets que tu replongeras?

— Demain, je te dis. »

Coco regarda Mark droit dans les yeux et dit lentement, en cherchant à l'hypnotiser : « OK, t'as bien compris, demain je t'emmène plonger. Demain, c'est d'accord. Tu veux pas être un poltron, non. »

En regagnant la maison des employés, épuisé par la peur et espérant retrouver le cran nécessaire grâce à une autre longue séance de sommeil, Mark croisa Sarah dans le jardin. Elle lui trouva l'air si déprimé qu'elle se rendit jusqu'à sa chambre pendant son heure de déjeuner afin de voir comment il allait.

Il était allongé sur son lit, les mains croisées derrière la nuque, scrutant le plafond. Elle s'assit auprès de lui.

« Qu'est-ce qui ne va pas, mon loup ? »

Mark lui prit la main et la garda dans la sienne, mais il resta allongé et ne répondit pas.

« Qu'est-ce qui s'est passé ? Tu penses toujours à ce requin marteau ?

— Non », dit-il sans détourner les yeux du plafond, comme s'il contemplait une autre sorte de mort, la futilité. Et s'il ne parvenait jamais à retourner au fond de l'eau ? Avait-il fait tout ça pour rien ?

« Tu es encore tourneboulé par ton expérience d'hier. Parlons-en un peu, ça te fera du bien. » Elle tenta de lancer le débat en lui demandant de lui en dire davantage sur le requin, sur la manière dont il avait perdu son appareil photo, mais Mark se montra si laconique qu'elle finit par se lever pour partir.

Ce geste parut le tirer de sa torpeur : il refusa de lui lâcher la main.

« Je ne veux pas que tu t'en ailles, supplia-t-il. Si tu me laisses, je vais probablement devenir fou. » Il s'exprimait avec tant de conviction, une lueur si désespérée brûlait dans ses yeux, qu'elle se rassit. « Je ne suis plus le même. Je comprends à présent à quel point les amis sont importants. Tu es une fille adorable et pleine d'amour. Reste, je t'en prie. Tu as toujours été bonne et généreuse avec moi, je n'aurais pas pu tenir le coup sans toi, je le sais.

— Oui, les amis, il n'y a rien de mieux », s'accorda Sarah, sans fausse modestie.

De sa main libre, elle se mit à déboutonner sa blouse, pensant le consoler par le meilleur moyen qu'elle connaissait. Tandis qu'il l'aidait à se déshabiller, ils parlèrent de la valeur de l'amitié, mais Mark conserva son air déprimé même quand elle n'eut plus rien sur elle. Elle se lova à côté de lui, le retourna sur le ventre, plaça sa tête sur ses seins; elle attendit de le sentir se raidir contre son ventre, puis elle lui releva le menton pour voir comment il se sentait. Il avait toujours la même tristesse au fond de ses yeux sombres.

Elle faillit perdre courage; mais il sourit en la pénétrant.

« Ah, voilà, tu vois ! s'écria-t-elle en écartant aussitôt les jambes et en les levant triomphalement au ciel. Les amis vous redonnent le moral ! » Ces acrobaties mêmes étaient un geste plein de considération : elle levait et écartait les jambes au maximum parce qu'elle avait de grosses cuisses et qu'elle voulait lui donner toute la place nécessaire pour s'enfoncer profondément et bouger à son aise.

Mark était encore en elle quand tout lui revint à l'esprit – le jour où il avait fait l'amour pour la première fois avec Sarah et Marianne. Il se souvint de son humeur noire ce matin-là en regardant la verdure ondulante de l'anémone de mer s'emparer du poisson soldat, en haut du monticule de sable oblong. Il se rappelait tout. Le bond de l'aiguille de son magnétomètre au césium lui signalant la présence de métal, le chenal éclairé par le soleil, entre les deux bandes de corail étoilé, à l'extrémité septentrionale des récifs frangeants, à un mille à peine de l'île, pas davantage. Il se rappelait même qu'il n'avait pas prêté attention à l'aiguille du magnétomètre, ni à la forme du monticule. C'était celle d'une boîte, d'une malle. D'un coffre. Il eut l'impression d'avoir deux cœurs, un de chaque côté, qui battaient la chamade simultanément.

Tandis qu'il retombait sur le lit, Sarah crut qu'il avait un malaise. Elle le supplia de prendre un peu plus soin de lui-même, de grandir, d'arrêter cette chasse au trésor puérile. Elle était bête, dangereuse, vaine.

« Tu as raison, dit Mark d'un ton contrit, certain, désormais, de son triomphe. Il est temps que je m'assagisse ! »

Il raccompagna Sarah jusque dans le hall de l'hôtel, puis il descendit en courant jusqu'au port.

« Tu vas sortir ton bateau? lui demanda le capitaine du port. Coco dit que tu as eu la trouille de ta vie hier et que tu replongeras plus jamais.

— Peut-être que non, dit Mark d'un ton philosophe. On a vraiment les jetons, là-bas, du côté du Long Reef. » Il voulait que tout le monde se rappelât précisément où il avait plongé tous les jours depuis plusieurs semaines ; une fois qu'il aurait retrouvé son navire et que le bruit se répandrait, il aimait mieux voir les aspirants pirates s'en aller le chercher au mauvais endroit. « Mais je vais peut-être me mettre à la navigation. Il fait trop chaud.

— Ouais, notre chaleur d'août, c'est la pire », reconnut le capitaine du port. C'était un Écossais des Orcades, costaud et jovial, qui se flattait de posséder un groupe sanguin O extrêmement rare, lequel prouvait, à l'en croire, qu'il descendait des anciens habitants de l'Atlantide. « C'était un requin marteau, si j'ai bien compris ? Coco dit qu'il t'a sauvé la vie en le chassant. Moi aussi, je me suis trouvé nez à nez avec un marteau un jour...

— Je crois que je vais essayer d'aller trouver une petite brise », dit Mark, dès qu'il put prendre congé sans paraître trop pressé.

Il partit vers le nord et il attendit d'être hors de portée de vue du port pour faire un vaste demi-tour et prendre la direction du sud. Ce détour lui demanda une demi-heure. Brouillait-il la piste pour rien du tout ? Faisait-il des ronds dans l'eau pour dénicher encore un vieux bidon de pétrole ?

Il n'y avait plus de monticule de sable oblong dans le chenal que formaient les deux bandes de corail étoilé. En seize mois, les marées et les courants qui agitaient le sable avaient modifié le fond de l'océan. Mark ne voyait plus ni anémones de mer, ni monticules d'aucune sorte. Ce qu'il vit en revanche, c'étaient la cloche d'un navire, un espar brisé et un coffre ancien entièrement découvert. Il n'y avait pas d'épave en vue, si bien qu'il se faufila par un interstice dans le mur de corail et descendit dans une vallée rocailleuse, et là il vit l'épave d'un navire, ou plutôt, l'épave d'une épave, appuyée contre la pente abrupte d'une colline de corail, la proue à demi ensevelie dans le sable. On ne pouvait discerner la forme de l'embarcation que de l'étrave jusqu'au milieu, où elle s'était cassée en deux ; le reste s'était détaché, et les fragments étaient coincés entre de gros rochers de corail de diverses hauteurs, recouverts de hautes herbes. Mark remonta à la surface afin de vérifier où il se trouvait par rapport à son bateau, et en baissant les yeux d'en haut vers l'emplacement de l'épave, il ne parvint à distinguer qu'un creux sombre parmi les rochers et l'épaisse végétation. La colline de corail s'élevait jusqu'à la surface en crêtes déchiquetées qui auraient lacéré la coque même d'un petit bateau ; l'épave était protégée non seulement des courants, mais aussi de la curiosité humaine. Plongeant une seconde fois, il consulta sa jauge de profondeur. Il n'y avait que douze mètres jusqu'au fond et il y voyait encore un peu, même si la lumière était insuffisante. Il était plus simple d'examiner d'abord le coffre qui se trouvait dans le chenal moins profond et plus ensoleillé.

Mark n'eut guère de mal à le déloger, en se servant de son couteau pour faire levier, puis il l'emporta vers l'ombre que son bateau projetait sur le sable. Au fond, le coffre paraissait ne rien peser, mais il devint de plus en plus lourd à mesure que Mark flottait vers la surface, et il dut finir sa remontée à grands coups de pied. Il parvint très difficilement à appuyer le coin du coffre sur le premier barreau de l'échelle, lequel se trouvait pourtant encore sous la surface, et quand il voulut le soulever jusqu'au deuxième barreau, il lui échappa des mains et retomba au fond. Mark remonta dans son bateau pour enlever sa ceinture de plomb et ses bouteilles, inspirer une longue et profonde goulée d'air frais, puis il replongea afin de saisir le coffre et de le hisser jusqu'à la surface d'un seul coup. Cette fois, il parvint à coincer son fardeau contre le troisième barreau de l'échelle, auquel il resta accroché quelques moments, haletant, la tête hors de l'eau, avant d'exercer sur son butin une nouvelle poussée qui le fit passer par-dessus le plat-bord. En tombant dans le fond du bateau, il se brisa en plusieurs morceaux. Mark remonta à bord, s'assit et contempla ses quatre membres qui tremblaient d'eux-mêmes. « Ça y est, voilà que j'ai encore la tremblote », pensa-t-il.

Quand il fut en état de remuer, il se mit à écarter les débris, ramassant les morceaux de bois friable incrustés de coquillages et de corail, pour les rejeter par-dessus bord. Il saisit un objet en métal noirci qui n'était pas encore entièrement mangé par la rouille et l'examina avec soin sous tous les angles – s'agissait-il de la serrure du coffre ? – s'efforçant de différer l'atroce moment de la désillusion. Finalement, il empoigna une plaque de suie, de forme étrange, et se mit à la frotter pour éliminer la vase. Lorsqu'il souleva l'objet pour le regarder, il vit qu'il tenait dans sa main une croix en filigrane d'or, où étincelaient des émeraudes. Il les compta, puis il les recompta : il y en avait sept. Plusieurs autres mottes de boue noire, plus petites, se transformèrent en bijoux et en réales, aussi neufs et brillants que le jour où ils avaient été frappés en Espagne sous le règne de Charles IV Une fois lavée et essuyée avec la serpillière du pont, une masse longue et solide s'avéra être une réplique en or, impeccable, de la Madone de la cathédrale de Lima.

Une joie intense a sur le corps le même effet qu'une douleur intense. Alors qu'il s'attendait à être heureux, Mark fut terrassé par une nausée. Ses nerfs, ses glandes, ses entrailles étaient incapables de savoir quel genre de nouvelle les soumettait à cette pression tout à fait intolérable : il était aussi durement secoué que s'il venait d'apprendre qu'il allait être pendu, éviscéré et écartelé. Il se pencha par-dessus bord et vomit.

Quand il releva la tête, il contempla le ciel comme s'il n'avait pas été là auparavant, se rappelant le ciel de Tolède le jour où il avait vu la ville flotter dans la brume, le jour où il s'était juré qu'il découvrirait la *Flora*. Songeant à toutes les catastrophes qui auraient pu survenir au fil des ans mais qui l'avaient épargné, il fut émerveillé par l'étrange façon dont tout s'était passé pour le mieux. Il pensa avec affection au vice-président Humphrey, aux hautes instances de l'université de Columbia qui l'avaient renvoyé, au général Hershey qui l'avait incorporé dans l'armée. N'avaient-ils pas tous contribué à le mettre dans le droit chemin ? Son cœur s'emplit d'humble gratitude. Dès qu'il serait arrivé à Nassau, il enverrait des dépêches à son père et à sa mère, le même message pour chacun : MERCI DE M'AVOIR MIS AU MONDE – LE COMTE DE MONTE-CRISTO. La dépêche qu'il enverrait à Marianne dirait : REVIENS, JE T'EN PRIE – J'AI RENONCÉ POUR TOUJOURS À LA CHASSE AU TRÉSOR – JE NE CHERCHERAI JAMAIS RIEN D'AUTRE QUE TOI – MARK.

Mais cela viendrait plus tard dans la journée.

Il resta longtemps, très longtemps, assis dans son bateau, incapable de se sortir de sa torpeur béate, contemplant fixement la Madone en or.

Ceux qui connaissent l'original, ou qui ont vu l'une des répliques en or récupérées dans la *Flora* qui enrichissent aujourd'hui la plupart des grands musées du monde, sauront que la Madone de Lima est une jeune mariée indienne à peine pubère, au petit visage sans défense, au sourire confiant. Mark lui rendit son sourire. Il y avait un Dieu après tout, et Il était un ami.

28

Une conférence très coûteuse

Que la vie est donc merveilleuse !
Donnant substance à des riens impal-
pables, elle réalise nos rêves d'enfant.

THOMAS MANN

« Croyez-moi, Mr Niven, si vous y connaissiez quoi que ce soit
en matière fiscale, vous vous estimeriez heureux d'être imposé
aux Bahamas, déclara la directrice des évaluations du ministère
des Finances, la femme la plus haut placée de la bureaucratie
de Nassau, qui régnait sur un bureau au dernier étage du nou
vel immeuble du Trésor public. Si nous avons une qualité,
c'est d'être justes, demandez à n'importe lequel de nos résidents blancs. Nous avons ici des réfugiés fiscaux du monde
entier. Bien entendu, vous ne pouvez pas vous attendre à tout
garder pour vous. Il faut bien que l'État ait sa part, Mr Niven,
mais une fois que vous m'aurez satisfaite, je ne vous demanderai rien de plus. » Elle lui lança un sourire éclatant depuis
l'autre côté de son bureau afin de laisser entendre qu'un aussi
beau garçon n'avait aucune raison de sombrer dans un désespoir suicidaire. Ayant obtenu sa licence en droit à l'université
de South Florida, sa maîtrise à l'université de Toronto et son
doctorat à la London School of Economics, le Dr Mavis Rolle
avait l'autorité taquine d'une jolie femme possédant les qualifi-
cations voulues et un poste important; elle était capable d'écraser un homme et de flirter avec lui en même temps.

Mark était assis entre son avocat et son banquier, dévisageant le Dr Rolle d'un regard fixe. Il était trop abasourdi pour protester, tandis que l'avocat et le banquier étaient trop avisés pour commencer à contredire prématurément la directrice des évaluations du ministère des Finances.

« Je fais véritablement preuve de générosité à votre égard, Mr Niven, lui assura-t-elle de cette voix douce, chaude, chantante qui est la plus belle musique des Bahamas. Votre sort serait bien pire dans n'importe quel pays surdéveloppé. » Quand elle articula les deux mots pays surdéveloppé, ses yeux étincelèrent et ses doigts flottèrent un instant dans l'air. Le Dr Rolle ne portait pas de bijoux, mais elle aimait à faire briller les gemmes de son esprit. « Ici-bas, la plupart des gens doivent faire face à une infinité d'impôts, il y en a trop pour les compter ! Et ce sont des gens qui gagnent à peine de quoi vivre – les vendeuses, les conducteurs d'autobus, les pauvres. Impôt sur le revenu prélevé à la source, puis taxes sur tout ce qu'ils achètent ou utilisent. Taxes sur les achats, taxes sur les marchandises et les services, sur les spectacles, sur les routes, taxes foncières, impôts locaux ; les gens sont imposés au travail, ils sont imposés chez eux, ils sont imposés quand ils sortent s'amuser. Et ceux qui sont trop pauvres pour être imposés sur le revenu reversent jusqu'à quarante pour cent de leurs allocations sociales à l'État sous forme de contributions indirectes. J'ai cru comprendre que vous aviez grandi en Europe, Mr Niven, donc vous devez connaître la Communauté économique européenne ; ces gens-là ajoutent à toutes les autres taxes ce qu'ils appellent la taxe sur la valeur ajoutée, la TVA. Vous êtes non seulement obligé de la payer vous-même, mais encore de la faire payer à tous ceux qui font des affaires avec vous. Et si vous ne le faites pas, on vous met en prison. Vous devez servir de percepteur au gouvernement, à titre gracieux, bien sûr, sans quoi on vous colle sous les verrous. Ce n'est même plus de l'imposition, Mr Niven, c'est les travaux forcés. Donc vous voyez bien, n'est-ce pas, qu'il vaut mieux avoir affaire à nous ?

— Dr Rolle, que nous importe les pratiques fiscales existant dans d'autres pays ? plaida l'avocat bahamien de Mark, Franklin Darville, un bel homme d'une trentaine d'années, corpulent et vif, en allongeant ses deux bras tendus dans un geste de supplication théâtral. Laissez-nous donc ce genre d'argument à nous autres avocats. Nous avons l'art de tout justifier en le comparant à quelque chose de pire. Vous avez le caractère trop fin pour vous abaisser à ce genre d'artifice. Par comparaison on peut faire passer les crimes les plus atroces – et je dis bien les plus atroces – pour des exemples de vertu éclatante. » Il laissa retomber ses bras, bouleversé par sa propre éloquence, puis il se redressa et baissa la voix afin d'exprimer toute la profondeur de son indignation. « Notre propre loi sur les épaves abandonnées de 1964 n'allouait que vingt-cinq pour cent au Trésor public.

— Dans ce cas particulier, nous ne pouvons pas nous laisser guider par la loi de 1964.

— Et pourquoi pas dans ce cas ?

— Il y a trop d'argent en jeu », expliqua-t-elle avec l'air de sereine autorité qui fait passer pour raisonnables les remarques les plus effrontées.

Avec un air de s'excuser, Thomas Murray, directeur de l'agence de la Royal Bank of Canada à Nassau, se mêla à la discussion. « Il semble que le renflouement de l'épave risque d'être une entreprise assez sérieuse, soupira-t-il. Peut-être pourriez-vous prendre ce fait en considération lorsque vous fixerez le prélèvement. » Mr Murray, Canadien d'origine écossaise, homme de haute taille, au crâne étroit, au nez dominateur, possédait les manières hésitantes et effacées d'un homme qui gérait des milliards de dollars et savait à quel point les gens pouvaient être chatouilleux en matière d'argent. « Mr Niven est sur le point de prendre le bail d'une barge spéciale qui lui coûtera, équipage compris, soixante mille dollars par semaine. Il aura besoin de plongeurs professionnels, d'équipement coûteux ; je crains que l'assurance à elle seule n'aille dans les quatre cent mille...

— Il y aura aussi les frais de banque, les frais de justice... » glissa l'avocat, autant pour avertir son client que pour plaider en sa faveur.

Toute trace d'amusement disparut du visage du Dr Rolle tandis qu'elle les écoutait. Avec les professionnels, elle devenait une professionnelle ; elle se concentra pour avoir l'air peu impressionnée. « Je ne vois vraiment pas, messieurs, comment vous pouvez seulement soulever la question des coûts, dit-elle sèchement en tapotant ses dossiers du bout des doigts pour souligner ses propos. Vos propres experts à la banque, Mr Murray, estiment que la croix déjà récupérée par Mr Niven vaut sept cent cinquante mille dollars ! Tous les journaux que je lis assurent que la cargaison de ce navire va chercher au bas mot dans les trois cent millions de dollars. Et, à en croire Mr Niven, il n'y manque rien. Il y a donc ici plusieurs fortunes – largement assez pour tout le monde. Alors, à quoi riment ces discussions? Assurément, messieurs, vous n'allez pas contester que la part que je laisse à Mr Niven est plus que suffisante?

— Justement, Dr Rolle ! s'exclama l'avocat. Il y a ici plusieurs fortunes, plusieurs en effet, mais c'est Mr Niven qui les a toutes trouvées !

— Qu'est-ce que vous cherchez à prouver, Mr Darville? demanda le Dr Rolle en laissant percer un soupçon d'exaspération. Les choses les plus claires lui paraissaient obscures si elles n'allaient pas dans son sens.

Mark était pétrifié. Il voulait parler, mais il était incapable de mouvoir sa langue. Qu'est-ce qu'elle racontait, avec sa part plus que suffisante? S'il avait voulu une part suffisante, jamais il ne se serait mis à la recherche de la *Flora*. Et de toute façon, comment pouvait-elle lui laisser une part de son navire à lui? Un mari possessif à qui on aurait conseillé de ne pas s'inquiéter du nombre d'amants qu'avait sa femme, parce que ceux-ci lui laissaient d'elle une part plus que suffisante, n'aurait pu être plus offensé, ni plus déboussolé.

« Bien sûr, ce que dit le Dr Rolle est tout à fait vrai, se hasarda à faire valoir Thomas Murray, en manière d'acquiescement partiel. Mr Niven serait plus fréquemment imposé ailleurs. S'il vendait tout ce qu'il a trouvé et plaçait l'argent, il serait obligé de payer l'impôt sur les plus-values, l'impôt sur les investissements – ça, je ne le conteste pas. Certains pays européens parlent même d'adopter par-dessus le marché un impôt annuel sur la fortune, qui dans le cas de Mr Niven, et compte tenu de sa jeunesse, pourrait se monter à des sommes considérables. Et il y aurait aussi par la suite des droits de succession. D'un autre côté, nous ne savons pas non plus ce qu'il va advenir des lois fiscales bahamiennes, donc il ne serait peut-être pas entièrement déraisonnable de prétendre que l'impôt initial ne devrait pas être aussi élevé. »

La directrice des évaluations trouvait la discussion oiseuse. Elle n'avait pas l'habitude de concéder quoi que ce fût. Elle ne se radoucit que lorsqu'elle se retourna vers Mark avec un sourire plein de sympathie, afin de lui montrer dans quel camp elle se rangeait. « Croyez-moi, Mr Niven, la plupart des gouvernements s'acharneraient jusqu'à ce qu'ils vous aient réduit à la mendicité. Et si vous étiez assez malin pour parvenir, je ne sais comment, à vous cramponner à un petit quelque chose… Dieu du ciel, on vous confisquerait ce petit quelque chose à votre mort et il n'y aurait pas moyen de le transmettre à vos enfants. Ici, vous payez un prélèvement et c'est fini. Ce qui vous reste vous appartient définitivement. C'est à vous et à personne d'autre. Et ça sera toujours à vous. Nous n'avons ni impôt sur le revenu, ni taxe sur les plus-values, ni impôts sur les investissements, ni droits de succession. Nos impôts locaux sont les plus bas du monde. Vous n'avez affaire qu'à un seul gouvernement et il n'est pas bien grand. Nous sommes coulants avec vous de votre vivant et nous vous fichons la paix quand vous mourez. » Elle adressa à Mark un regard espiègle qui n'avait rien à voir avec la mort, ni avec les impôts. Ses brèves œillades, ses sourires, sa voix chaude et chantante exprimaient la conviction que la négritude était belle, que la sexualité était belle, que l'intelligence était belle, et que le pouvoir était la chose la plus belle de toutes. « Je vous assure, Mr Niven, que si vous y réfléchissez un tant soit peu, vous vous rendrez compte qu'un prélèvement de soixante pour cent n'est pas une telle affaire ! »

Elle souleva ses longs doigts délicats de ses dossiers afin de mieux souligner le fait qu'un prélèvement de soixante pour cent n'avait aucun poids.

L'avocat et le banquier ne cessaient d'élever des objections, tandis que le Dr Rolle s'attardait sur ses propres arguments; ils discutaient tout à loisir, étudiant le problème sous tous les angles, se répétant, énonçant toutes les idées qui leur passaient par la tête, comme on le fait dans les conférences, consacrant à ces bavardages des heures grassement payées. Pour finir, cependant, le silence sombre de Mark commença à ralentir la conversation. Il se tenait recroquevillé dans son fauteuil, comme s'il sentait la lourde main du fisc sur son épaule.

Darville passa le bras autour du corps raidi de son client afin de le mêler au débat, en y introduisant sa chair et son sang mêmes à titre de preuve. « Regardez, Dr Rolle, il n'y a pas si longtemps, Mr Niven a côtoyé des requins de tout près, pour de vrai. Bon, eh bien, aucun fonctionnaire du Trésor n'était à ses côtés pour partager sa peur, n'est-ce pas ? Alors, comment le Trésor pourrait-il tirer de ses déboires un profit plus grand que le sien ? Je ne dis que ce que vous pourriez dire vous-même, Dr Rolle, Mr Niven a enrichi le monde grâce à ces trésors, et il l'a fait sans aucune aide de la part de notre cher gouvernement ! N'eussent été son labeur, sa persévérance, sa bravoure, vous n'auriez pas la moindre fortune à taxer, aucune possibilité de prélèvement ! »

Le Dr Rolle l'écouta dire en arborant une expression de droiture morale ; elle savait que l'avocat tirerait sûrement davantage de cette affaire qu'elle ne le ferait elle-même, à moins que sa fermeté concernant le prélèvement ne lui valût un poste ministériel. « À vous entendre, on pourrait croire que Mr Niven a risqué sa vie uniquement pour l'argent, fit-elle remarquer, sur ce ton moralisateur et condescendant si caractéristique des fonctionnaires, indépendamment de leur nationalité, de leur race, de leur couleur, de leur foi ou de leur sexe. Contrairement à vous, messieurs, je ne crois pas que Mr Niven soit mû par la cupidité, je vois bien qu'il n'est pas le genre d'homme à vouloir garder pour lui toutes ses richesses. Je suis sûr qu'il a conscience du fait que l'épave se trouve dans les eaux territoriales des Bahamas et qu'elle est de ce fait la propriété du gouvernement de nos îles. Il ne voudrait sûrement pas priver le peuple bahamien de son patrimoine. »

N'ayant aucune idée de l'horreur qu'elle lui inspirait, elle chercha à ranimer Mark par un autre sourire éclatant. « Je vois bien, messieurs, qu'au fond de son cœur Mr Niven croit en la justice sociale. Il est plus raisonnable que vous ne voulez bien le dire. Il ne me fait pas l'effet d'une personnalité parasitique. »

Cette dernière remarque piqua Mark au vif ; il releva la tête et dévisagea le Dr Rolle avec des yeux brûlants. Les trois autres se tournèrent vers lui, pleins d'intérêt.

« Ce n'est pas juste, ce n'est pas juste, c'est trop, lui souffla Darville.

— Pourquoi soixante pour cent seulement? demanda Mark d'une voix rauque. Pourquoi pas davantage? Pourquoi ne prenez-vous pas tout? »

La directrice des évaluations cessa de sourire. Si Mr Niven ne voulait pas d'une licence selon des termes convenant aux services du Trésor public, elle n'aurait pas d'autre choix que de faire saisir la statuette en or et la croix aux émeraudes, étant donné qu'il les avait sorties des eaux bahamiennes sans autorisation. Et, afin de s'assurer qu'il ne prendrait rien d'autre dans l'épave, elle proposerait à ses collègues de le faire déporter des Bahamas en qualité d'étranger indésirable.

Ces menaces n'eurent pas l'effet souhaité; Mark était trop profondément offensé pour céder. « Je laisserai tout aux poissons, hurla-t-il. Que le Trésor prenne donc tout. Qu'il se serve à cent pour cent! Il ne vous reste plus qu'à trouver l'épave. Et vous ne la trouverez jamais. Si je ne peux pas l'avoir, moi, vous ne l'aurez pas non plus.

— Il me semble qu'il est temps pour moi de demander un ajournement, intervint Darville. Nous avons besoin d'un peu de temps afin de considérer notre position. »

Le Dr Rolle brossa l'air de ses doigts. « Comme vous voudrez... J'ai cru comprendre qu'il y avait des tas de plongeurs autour des récifs que fréquentait Mr Niven. Étant donné que je n'ai accordé aucune licence de renflouement, ils sont tout à fait habilités à revendiquer tout ce qu'ils pourront trouver. Si Mr Niven ne veut pas d'une licence selon les termes agréés par le Trésor, je ne demande pas mieux que d'en octroyer une à toute personne se présentant après lui. Une fois que ces plongeurs auront repéré le site et obtenu la licence, l'épave leur appartiendra.

— Vous voulez dire quarante pour cent de l'épave, corrigea Mark en lui décochant un sourire fugitif et féroce.

— Mais bien entendu, Mr Niven, riposta-t-elle avec une politesse triomphante. Chacun de nous a sa dette envers la société. Aucun homme n'est une île; la vie ne consiste pas à prendre, prendre, prendre! »

« Vous avez entendu parler de l'élection de Miss Secrétaire organisée ici il y a quelques mois ? demanda Darville tandis qu'ils quittaient l'immeuble du Trésor public pour regagner les bureaux de Thomas Murray à la Royal Bank of Canada. Je sais que ce n'est pas nouveau pour vous, Tom, mais j'ai envie de raconter la chose à Mr Niven – peut-être que ça le fera rire un peu. » L'air s'était légèrement refroidi pendant leur visite aux bureaux du Trésor, et l'avocat était heureux : il sentait encore la pluie et il avait à raconter une histoire qu'il envisageait de proposer à *Playboy*.

Ils descendaient Bay Street, la grand-rue des îles Bahamas, où les banques d'affaires du monde entier sont flanquées de marchés au poisson, de night-clubs fonctionnant vingt-quatre heures sur vingt-quatre, et de magasins de souvenirs festonnés de paniers d'osier. Un flot d'humanité, en short ou costume trois-pièces, y déferlait en permanence ; à Nassau, même les gens les plus importants se déplacent à pied.

« Qu'est-ce que la justice sociale vient faire là-dedans ? demanda Mark, qui, dans sa tête, discutait encore avec le Dr Rolle.

— La première rencontre avec les représentants du Trésor public est toujours difficile, répondit le banquier en ployant sa haute silhouette afin de faire sa remarque rassurante d'une altitude moins rébarbative.

— C'est incroyable, continua Darville, persistant dans sa tentative de changer de sujet, mais je faisais partie du jury de veinards chargé d'élire Miss Secrétaire des îles Bahamas. À un moment donné, on a demandé à chacune des finalistes ce qui était, à ses yeux, la qualité la plus importante chez une bonne secrétaire et elles ont toutes cité des machins du genre ponctualité, ordre, tact, savoir protéger le patron des visiteurs indésirables – vous connaissez le topo. Et puis est arrivée une ravissante créature, secrétaire d'un ministre, d'une vingtaine d'années, peut-être vingt-deux, très jolie, très timide, qui parlait dans un murmure, on l'entendait à peine. Elle a baissé la tête, elle s'est pour ainsi dire cachée derrière ses cils, qu'elle avait longs et fournis, et puis elle nous a fait partager son secret : "La qualité la plus importante chez une bonne secrétaire, a-t-elle chuchoté, c'est d'être passionnée !"

— Moi, j'ai toujours cru que le fait de priver les gens du fruit de leur labeur, c'était de l'exploitation, pas de la justice sociale ! déclara Mark.

— J'aurais voulu couronner Miss Passionnée, mais les autres juges ont préféré voter pour une vieille toupie efficace », reprit l'avocat avec une touche de raideur; il ne lui était encore jamais arrivé de raconter cette histoire sans soulever les rires. « Toutes les meilleures secrétaires sont des vieilles toupies. La mienne est une vieille toupie géniale.

— Dans le Nord, j'ai l'impression que les secrétaires hommes sont à la mode ces temps-ci, fit remarquer Murray. Je me demande quelle est la qualité la plus importante chez un secrétaire homme.

— La résistance, lança Darville, taquin. L'avantage de l'homme, c'est d'être résistant. »

Mark s'arrêta brusquement en plein milieu du trottoir, comme s'il venait d'être foudroyé par un éclair mental. « Vous voulez dire que cette fille était la secrétaire d'un membre du gouvernement bahamien ? Pour qui travaille-t-elle ? Pour le ministre des Finances ?

— Voyons, Mr Niven, il n'y a pas un seul avocat au monde qui serait assez bête pour répondre à une question pareille !

— Alors, voilà ce que je dois à la société, financer le sexe gouvernemental ! s'écria Mark, sans remarquer les regards appuyés des passants. Aucun homme n'est une île, les ministres doivent avoir de la compagnie, la vie ne consiste pas à prendre, prendre, prendre; non, la vie consiste à baiser, baiser, baiser !

— Écoutez, c'est encore ce qu'ils peuvent faire de moins nocif avec votre argent, dit Darville presque en colère, froissé par la sortie de Mark, qu'il prenait pour une insulte raciste. Les gouvernements blancs vous piquent votre pognon et s'en servent pour vous baiser ! Qui construit tous ces sous-marins nucléaires qui viennent pisser leur eau lourde dans la mer tout autour de nos îles? Alors vous n'allez quand même pas en vouloir à un vieux bonhomme de se farcir Miss Passionnée.

— C'est vous qui avez dit qu'on peut tout justifier en le comparant à quelque chose de pire, si je ne m'abuse? »

Thomas Murray fut grandement soulagé lorsqu'ils se retrouvèrent enfin à l'intérieur de son bureau privé à la banque, hors de portée de voix de tout le monde. Il aborda la possibilité d'un compromis.

Mark paraissait vouloir essayer chacun des sièges du bureau, qui par égard pour les artisanats locaux était meublé en rotin. Assis ou debout, il se montra intraitable. L'inoffensive petite anecdote de Darville l'avait mis hors de lui et rendu sourd à la raison. Ce qui le rendait plus fou que tout, c'était de se dire qu'il avait perdu Marianne – sa dépêche était restée sans réponse – pour la bonne raison qu'il ne pouvait pas attendre d'aller contribuer au budget-sexe d'un politicard vieillissant! Il avait dit à la plus divine femme de la terre qu'ils avaient perdu six jours entiers – les jours les plus heureux de sa vie –, et à présent le seul plaisir qui lui restait à espérer était de faire le bonheur du ministre des Finances! Il ne pouvait pas l'accepter. En vain son avocat et son banquier firent-ils valoir la nécessité d'en venir à un prompt accord avec le Trésor public, le danger de voir d'autres que lui découvrir l'épave; Mark leur opposait des arguments tordus qui n'avaient rien à voir avec sa fâcheuse situation. « Pourquoi voulez-vous que je cède? demanda-t-il. Les États-Unis sont nés d'une révolte contre les impôts!

— Si on ne le savait pas, on ne risquerait pas de le deviner, fit remarquer Murray, se risquant du côté de l'humour pince-sans-rire.

— Mr Niven, protesta l'avocat, exaspéré par ces absurdités, dans le cours entier de l'histoire du monde je ne pense pas qu'il existe un seul exemple d'un homme refusant des tonnes d'or et des sacs de diamants.

— Vous croyez? demanda Mark, un instant interloqué. Oui, j'imagine que vous avez raison, je serais bien le premier! ajouta-t-il, les yeux brillants, enflammé par l'idée de faire quelque chose que personne d'autre n'avait jamais fait dans l'histoire des hommes.

— Vous le regretteriez, vrai de vrai, lui assura Darville.

— Ma chance tiendra! lança Mark en se forçant à espérer. Personne d'autre ne trouvera l'épave et, vous verrez, le Dr Rolle finira par comprendre qu'ils ne peuvent rien avoir sans moi. Ils baisseront leur demande, ils n'auront pas le choix, ils deviendront raisonnables! »

Darville secoua la tête. « Pour l'amour du ciel, Mr Niven, je suis navré de vous décevoir, mais quand il y a conflit entre un simple citoyen et le gouvernement, c'est le citoyen qui n'a pas le choix. Nous allons essayer de faire légèrement baisser le prélèvement, mais ne soyez pas trop optimiste. »

Mark haussa les épaules, d'un air de défi. « Tant que personne d'autre ne peut toucher à mon navire, je suis heureux.

— Vous voulez dire que quarante pour cent, c'est pire que rien du tout ? demanda Darville, ne cherchant plus à contenir son exaspération. Vous avez une façon de compter qui n'appartient qu'à vous.

— Je suis passé par l'enfer, et je ne me laisserai pas plumer ! jura Mark et, sentant les larmes lui monter aux yeux, il se tourna vers la fenêtre. Je ne laisserai pas ces gens-là me couper en morceaux ! »

L'avocat exprima de l'étonnement, de la stupéfaction, de l'incrédulité, comme il aurait pu le faire en plein prétoire. « Qui vous coupe en morceaux ? Je n'ai pas vu de couteaux dans les bureaux du Trésor public, vous ne saignez pas, que je sache. Personne ne vous touche, Mr Niven. Il n'est même pas question de vous. Vous êtes une personne, un être humain ; nous parlons du sort d'objets inanimés qui reposent au fond de l'océan, à des kilomètres d'ici. Alors, qui est-ce qui vous coupe en morceaux ?

— Je n'ai pas risqué ma vie pour quarante pour cent de quoi que ce soit !

— Écoutez, nous ferons de notre mieux pour vous, dit Darville d'un ton menaçant, mais strictement entre nous, d'avocat à client, je me sens tenu de vous faire savoir que même si nous en arrivons au pire des cas et si vous n'obtenez pour finir que quarante pour cent des trois cent millions de dollars, vous n'avez pas intérêt à vous plaindre tout haut, parce que là, quelqu'un pourrait vous trancher la gorge ! Voilà, c'est comme ça que vous risquez de vous retrouver en morceaux ! »

La signature de l'accord du renflouement par le ministre des Finances des Bahamas et Mark Alan Niven, habitant de Santa Catalina, eut lieu dans la salle des conférences de l'immeuble du Trésor public, huit jours plus tard. Ce fut une occasion cérémoniale, à laquelle assistèrent le Premier ministre et tout son gouvernement, ainsi que des hauts fonctionnaires, banquiers, avocats, journalistes, photographes, amis et autres spectateurs. Comme le fit remarquer Franklin Darville, c'était comme de signer un traité devant les caméras de la télévision. Miss Passionnée était présente, dans une robe floue de chez Sonia Rykiel, en soie abricot pâle.

Cette cérémonie marquait l'apogée d'un déchaînement d'activité diplomatique. Darville avait négocié avec un conseiller politique qui offrait de diminuer le prélèvement de cinq pour cent en échange d'un malheureux dépôt de cent mille dollars, versé sur un compte privé à New York. Si le marché avait été conclu, ces cent mille dollars auraient permis d'obtenir ce qui se montait à une réduction fiscale de seize millions de dollars; un peu d'argent privé achète beaucoup d'argent public dans la plupart des pays du monde. De son côté, Thomas Murray s'était entretenu avec le ministre des Finances et avait eu recours à la méthode peu conventionnelle de l'honnête persuasion. Mais avant que ces négociations ne pussent aboutir, Mr Bethel, le Premier ministre, intervint et régla l'affaire en personne. À l'instigation d'un mystérieux bienfaiteur, il ordonna aux services du Trésor de réduire le prélèvement à cinquante pour cent. Selon les termes de l'accord, le détenteur de la licence, Mark Alan Niven, avait le droit de récupérer au fond de l'eau les objets gisant dans un rayon de cinq cents mètres autour d'un point central qu'il devrait révéler au début des opérations de renflouement. (Mark refusait toujours de faire savoir aux autorités où se trouvait l'épave.)

Le gouvernement exercerait « son droit de préemption sur tous les objets récupérés, à concurrence de cinquante pour cent de leur valeur totale en dollars ». Laquelle valeur devait « être déterminée par un comité d'experts choisis d'un commun accord ».

Une autre clause stipulait : « La répartition des frais de sauvetage entre les deux parties en présence fera l'objet de nouvelles négociations. »

« N'oubliez pas, tout cela ne concerne que des choses, des objets inanimés ! rappela Darville à son client, sur un ton d'avertissement, lors de la signature.

— Je sais, je sais. »

Mark, qui avait enfilé pour l'occasion un complet et une cravate, paraissait insouciant et content de son sort, se comportant en homme conscient de l'aubaine que représentaient ses cinquante pour cent. Tout en attendant l'arrivée du Premier ministre, il bavardait avec son avocat et Eshelby. « Bien entendu, aucun d'entre nous n'aime à se faire détrousser, mon cher petit, mais il faut bien faire une exception dans le cas du gouvernement », lui dit Eshelby. Mark rit de bon cœur, étant d'assez joyeuse humeur pour apprécier un trait d'esprit. Plus tard, s'approchant des dignitaires groupés autour de la longue table couverte d'un tapis vert, il écouta respectueusement Mr Bethel et devisa avec tout le monde, y compris le Dr Rolle.

« Je ne vous en veux pas de notre petite algarade, Mr Niven, lui dit-elle, tout sucre. Notre problème tenait à votre manque d'expérience. Vous êtes jeune et la plongée était un passe-temps de dilettante. Vous étiez un solitaire, un outsider, vous ne connaissiez pour ainsi dire rien à rien. Mais, à présent, c'est différent, n'est-ce pas? Un homme riche est accepté partout, il est mêlé à tout, il apprend les règles du jeu; il risque trop gros pour qu'il en aille autrement.

— Oui, je fais un apprentissage éclair », répondit Mark, l'air résolu.

Cependant, après avoir signé les documents et regardé Darville se porter témoin de sa signature, il s'éloigna de la table d'un pas incertain et, adressant à un journaliste un signe de tête et un pâle sourire, il s'effondra sur le sol, inconscient.

« Bon Dieu, de quoi peut-il bien souffrir? demanda Thomas Murray à Darville, alors que plusieurs personnes se précipitaient au secours de Mark. Ce n'est quand même pas possible d'avoir une crise cardiaque à vingt ans, si?

— À sa place, moi, je mourrais, riposta l'avocat, qui devait être le premier à infliger à Mark la violence d'une note d'honoraires salée, en lui réclamant 241 204 dollars pour services rendus concernant le prélèvement. Ce navire est encore au fond de l'océan et il en a déjà perdu la moitié! »

29

La gloire

Le câble que Mark expédia à Marianne le jour où il découvrit la *Flora* fut intercepté, comme l'avaient été ses vingt-trois lettres, et échoua sur le bureau de son mari.

Kevin Hardwick ne perdait alors guère de temps à penser à Mark. Il était convaincu d'avoir trouvé la bonne solution à ses problèmes matrimoniaux et de n'avoir plus aucune mesure à prendre personnellement. Sa femme avait eu une brève aventure avec un bon à rien; ils l'avaient ridiculisé, mais à présent il se vengeait : elle était malheureuse. Elle était malheureuse et Vincenzo Baglione avait promis de s'occuper du petit ami. À cette époque, la jalousie de Hardwick ressemblait à une maladie en rémission : il avait des moments difficiles, mais dans l'ensemble il se portait comme un charme. Il couchait avec un grand nombre des femmes qui croisaient son chemin et dînait la plupart du temps en compagnie de son épouse.

Le film obscène gisait, à demi oublié, dans un coffre-fort bien climatisé, dissimulé dans le mur à côté de son bureau. Lors des rares occasions où il fut tenté de le visionner encore une fois, il se rappela à quel point le spectacle l'avait indisposé la première fois et il renonça à cette idée. Pourquoi se rendre malade?

La seule question était de savoir si Baglione tiendrait sa promesse. Tout bien considéré, Hardwick était enclin à lui faire confiance. Le vieux mafioso paraissait réglo : au cours d'une nouvelle rencontre en plein ciel, il lui avait annoncé la mort de Masterson dans un accident de voiture et lui avait remis le négatif du film, ajoutant qu'on n'en avait trouvé aucune copie, ni dans l'appartement du maître chanteur, ni dans son labo photo. Lorsque Hardwick eut enfermé le négatif dans son coffre, en compagnie de l'unique copie du film, et biffé un des trois noms de sa liste, il crut qu'il pouvait commencer à oublier tout cet épisode déplaisant. À ce moment-là, les inquiétudes dues aux menaces qui pesaient sur ses affaires étaient d'une tout autre intensité que celles qui concernaient sa vie privée.

Le mouvement en faveur de l'environnement fit monter les ventes de son système de traitement des déchets, mais ni le chiffre d'affaires annuel des produits Planète Propre, supérieur à soixante millions de dollars, ni sa nouvelle auréole d'ennemi des pluies acides ne pouvaient le protéger de l'hystérie publique au sujet de la pollution. Toutes les semaines, quelqu'un quelque part soumettait une nouvelle loi ou un nouveau règlement qui l'auraient obligé à sacrifier tous les bénéfices de HCI à seule fin d'apaiser des gens qui paraissaient croire que si les produits chimiques n'existaient pas ils pourraient vivre éternellement.

« Nous avons affaire à des mabouls, dit-il lors d'une réunion privée avec ses cadres les plus haut placés, en leur conseillant vivement de prêter une attention toute particulière aux relations publiques. On n'est jamais trop prudent avec les gens qui réclament le beurre et l'argent du beurre. Il leur faut des maisons ignifugées, mais ils ne veulent pas d'amiante. Il leur faut tout ce que l'industrie est capable de produire, mais ils ne veulent comme ingrédient que du lait maternel. Je n'ai pas l'intention de démanteler une multinationale pour leur faire plaisir, mais nous devons les ménager d'une façon ou d'une autre. Parlez surtout de la recherche. Il faudra encore beaucoup de recherches avant de pouvoir seulement commencer à juger si un produit est nocif ou non... »

Ce franc-parler était, bien entendu, à usage exclusivement interne ; en public, Hardwick se montrait beaucoup plus circonspect que ses concurrents. Il n'avait jamais fait partie de la faction militante de la Chemical Manufacturers Association, dont les porte-parole se livraient à de violentes attaques contre les « écologistes qui se mêlent de tout », les « tactiques alarmistes de minorités opportunistes », les « commentateurs de télévision qui exploitent le public à coup de bons sentiments », et ainsi de suite. Hardwick appartenait à ce groupe sélect de PDG qui préféraient réfléchir plutôt que de faire du tapage. Par la créativité de leur vie intérieure, ces hommes ont davantage en commun avec les philosophes, les producteurs de films ou les romanciers qu'avec les comptables qui décortiquent les bilans annuels : ils observent la nature humaine, puis ils jouent leur va-tout sur la foi de leurs intuitions psychologiques.

Lorsque l'Organisation mondiale de la santé publia son rapport qui imputait de soixante-dix à quatre-vingt pour cent de tous les cancers à des substances fabriquées par l'homme et présentes dans l'environnement et lorsqu'un chroniqueur bien connu reprit les assertions de l'OMS, afin de faire valoir que le cancer était une « affaire de prévention, un problème politique plutôt que médical », Hardwick décida de riposter non pas en paroles mais en faisant don de cinq cent mille dollars à l'American Cancer Society. Il était assez fier de cette idée, espérant qu'elle apporterait à HCI un répit qui vaudrait bien un million de dollars, mais c'était quand même un coup de dé. Il fit ce don à la condition que la somme serait employée à solliciter d'autres dons de la part du public, grâce au slogan AIDEZ-NOUS À TROUVER COMMENT GUÉRIR LE CANCER ! Selon son raisonnement, de tels slogans persuaderaient peut-être les gens de moins s'inquiéter des minuscules quantités de ceci ou de cela contenues dans ce qu'ils mangeaient et buvaient et de commencer en revanche à imputer les morts dus au cancer à la médecine, qui se révélait incapable de les guérir – et, dans son idée, tout ce qui allait dans ce sens ne pouvait que renforcer la position de HCI. Voyait-il juste ? Avait-il correctement estimé l'effet de sa campagne publicitaire ? Ou bien avait-il fichu en l'air cinq cent mille dollars ? Jamais il ne pourrait l'affirmer avec certitude ; il savait ce qu'il savait quant au fonctionnement de l'esprit humain et force lui était de deviner le reste.

Et puis il y avait tous les problèmes judiciaires, tous les groupes de pression à Washington auxquels il fallait prêter attention, tous les biologistes universitaires dont il fallait financer les projets de recherches s'ils devaient fournir des résultats utiles, tous les cadres sur lesquels il fallait garder l'œil, tous les gens à débarquer et à engager... comment un homme occupé pouvait-il être jaloux ?

Comme c'était ce qu'il y avait de plus simple, ce qui lui demandait le moins de temps, il partait du principe qu'on n'entendrait jamais plus parler du bon à rien et que Marianne avait complètement oublié sa toquade.

« Loin des yeux, loin du cœur, trouva-t-il l'occasion de lancer un soir où il avait fallu rappeler aux enfants que c'était bientôt l'anniversaire de leur grand-père Montgomery. L'absence tue toutes les émotions.

— Ah oui alors ! » À son immense satisfaction, Marianne fit chorus sur un ton plutôt gai.

Elle était si certaine que Mark l'avait oubliée qu'elle cessa de se croire belle. Il lui manquait toujours, mais chaque fois qu'elle prenait conscience d'un vide mortel à l'intérieur d'elle-même, elle le prenait pour de la « maturité ». À vingt-quatre ans, elle avait le sentiment que sa jeunesse était entièrement révolue et elle était soulagée de voir que Kevin se désintéressait d'elle sur le plan physique. Mark était son dernier amour ; après son bref engouement politique, il ne lui restait plus qu'à élever ses enfants et à trouver des mécènes pour l'Opéra de Chicago et le Chicago Symphony. Toutefois, si mûre qu'elle se sentît, son cœur était encore vivant ; il avait besoin d'exprimer de l'affection, de l'amour, de la passion. Ben était capable d'absorber tout l'amour du monde, mais Creighton commençait à reprocher à sa mère de le câliner trop souvent et de le serrer trop fort. Elle se prit, en outre, d'un regain de béguin pour Claire, sa sœur aînée, et passait des heures à bavarder avec elle au téléphone.

Le câble atterrit sur le bureau de Hardwick la veille du jour où la découverte de la *Flora* prit l'actualité d'assaut et il n'en revenait pas. C'était comme un message d'outre-tombe.

REVIENS, JE T'EN PRIE — J'AI RENONCÉ POUR TOUJOURS
À LA CHASSE AU TRÉSOR — JE NE CHERCHERAI JAMAIS
PLUS RIEN D'AUTRE QUE TOI — MARK.

« Comment se fait-il qu'il soit encore là, Vincenzo ? » grommela-t-il tout haut. Et comment ce zéro désaxé et insolent osait-il s'imaginer qu'elle se souviendrait de lui après tout ce temps ? Qu'est-ce qui le rendait si sûr de lui ?

Hardwick passa une mauvaise journée et une nuit agitée chez lui, seul dans la maison avec les domestiques.

La matinée suivante fut pire. L'article qui s'étalait à la une du *Tribune* le troubla encore plus que le câble. Il ne lui était pas possible de considérer un multimilliardaire comme un vaurien. Le fils de l'acteur était désormais un jeune membre de sa propre classe. (Comme pour la plupart des Américains, la classe supérieure était pour Hardwick la classe moyenne qui avait de l'argent.) D'ailleurs, ce n'était pas seulement une question d'argent. Hardwick était trop souvent aux prises avec des employés nuls et inefficaces pour ne pas savoir apprécier les résultats. Il aimait les gens qui agissaient, surtout quand ils savaient ce qu'ils faisaient, les gens qui menaient leurs tâches à bien, les gens qui réussissaient. Ce jeune Niven était forcément un crack. « Donc, ce n'était pas un mensonge », pensa le mari jaloux en se rappelant la première lettre dans laquelle son rival prétendait l'avoir « liquidé » et disait que sa femme avait promis de le quitter. Il lut les journaux en prenant son petit déjeuner ; la pensée la plus cuisante ne le frappa qu'à retardement, une fois qu'il fut dans sa voiture en route pour son bureau. Le plongeur qui avait retrouvé un navire chargé de trésors se montant à plus de trois cent millions de dollars allait devenir célèbre ! Il passerait aux actualités, serait invité à participer aux causeries télévisées ! Il y avait de quoi tourner la tête de Marianne, même si elle ne l'avait pas connu. La moitié des Américaines étaient amoureuses de types qu'elles avaient vus à la télévision. La pensée que son rival pouvait pénétrer dans leur chambre le soir et qu'il n'avait même pas la possibilité de le frapper, de lui casser la figure, de lui balancer son pied dans les couilles, faillit le rendre fou.

C'était une bonne chose que Marianne fût partie rendre visite à sa sœur à Londres. Il espérait qu'elle ne reviendrait pas de sitôt.

Les hommes des services de sécurité postés devant l'entrée principale de l'immeuble HCI furent étonnés de voir que le patron, d'ordinaire si amical, ne leur rendait pas leurs saluts.

« Quel effet fera-t-il à la télé, ce salopard ? » se demandait-il. À quoi ressemblait-il, d'abord ? Hardwick ne se le rappelait pas clairement. Il fallait reprendre le dossier, étudier les faits. Remettant toutes les affaires courantes à son adjoint, il s'enferma à double tour dans son bureau, sortit le film du coffre-fort mural et se rendit dans la salle de projection, où il inséra la bobine dans le projecteur et s'assit pour regarder.

Ce fut le commencement de la folie.

Elle était là, sa femme, se promenant sur le pont de *L'Ermite* avec son amant à côté d'elle. Hardwick s'attendait à ce que le fils de l'acteur fût conforme au souvenir qu'il avait de lui, le souvenir d'un voyou répugnant, mais à présent le jeune homme qu'il voyait sur l'écran lui paraissait beau, intelligent, fort, athlétique. En le regardant, il se pinça involontairement le ventre des deux mains, afin de mieux sentir la graisse. Il avait passé la trentaine !

Le beau jeune homme plaçait sa main en conque sous le sein de Marianne, qui ne demandait pas mieux. Elle souriait. Elle était aux anges.

Hardwick les regarda marcher, bavarder, rire, se toucher, s'embrasser, se reposer. Ils paraissaient ne pas avoir le moindre souci. Ils étaient bercés par la mer, chauffés par le soleil, rafraîchis par la brise ; ils étaient détendus et heureux. Ils dormaient comme des bébés sur le matelas du pont. Ce n'étaient pas eux que tourmentait l'idée des dix millions de salaires mensuels qu'il fallait assurer.

Il y eut une coupure, puis Hardwick vit sa femme assise toute nue sur le matelas à côté de son amant endormi, les genoux contre sa poitrine, les bras repliés sur ses tibias. Au bout d'un moment elle se retourna, se pencha vers le beau jeune homme et souleva de la langue son sexe amolli. Hardwick vit le membre se gonfler dans sa bouche, puis il les regarda se lécher et se peloter, il observa le plaisir sur leurs deux visages et sentit poindre un désir furieux pour sa femme.

Il la voulait là, tout de suite, même si elle était à Londres. Après avoir remis le film dans le coffre, il décrocha son téléphone et donna l'ordre de tenir son avion prêt à décoller et de prévenir le chauffeur qu'il voulait se rendre immédiatement à l'aéroport.

Il ne permit pas à la masseuse de le toucher pendant la longue traversée de l'Atlantique ; c'était sa femme qu'il voulait. Il voulait sa soumission totale. Il voulait la voir prendre son sexe dans sa bouche et le sucer jusqu'à ce qu'il jouît, et, en plus, il voulait la voir aimer ça.

Claire, la sœur de Marianne, avait quitté son brave homme de mari, brave mais impuissant, et s'était acheté une demeure édouardienne dans les Little Boltons, le genre de demeure que pouvait se payer une chanteuse célèbre et bien payée du moment qu'elle était aussi née richissime, et elle avait invité sa sœur à venir à Londres avec les enfants et Joyce afin de « réchauffer le lieu ». Marianne fut heureuse d'aller apporter à Claire son soutien moral pour ce nouveau départ dans la vie, mais, comme cela se trouvait, Claire Montgomery, qui avait toujours parlé d'une voix si déprimée au téléphone quand elle était mariée, n'avait à présent plus guère besoin de soutien, moral ou autre. C'était une beauté plantureuse, éclatante, aux cheveux bruns, à l'opulente poitrine de chanteuse d'opéra, solidement campée sur de longues jambes fines ; elle était tout à fait enchantée de sa liberté, de son concert au Queen Elizabeth Hall et de ses amours inattendues avec un ténor italien en visite. Elle avait aussi acquis cette espèce d'insensibilité particulière qui paraît être un effet secondaire du bonheur : elle avait le sentiment que tout le monde devait être assez fort pour regarder la vérité en face et qu'il valait toujours mieux savoir exactement à quoi s'en tenir.

« Tu as laissé passer ta chance, Bozzie, dit-elle à Marianne, lorsqu'elles furent installées dans la cuisine pour passer la nuit entière à bavarder, en buvant du thé et en discutant de la nouvelle qui avait révélé le trésor retrouvé de Mark. Je veux dire ta chance de l'aider à faire ce qu'il voulait. Et ça, aucun homme ne pourrait te le pardonner.

— Oh, je sais bien qu'il me déteste, reconnut Marianne, lugubre. La dernière fois que je l'ai vu, il m'a regardée comme s'il avait envie de me tuer.

— Et maintenant, c'est encore pire, il est parvenu à ses fins sans toi. »

Les yeux de Marianne rougirent. « Oui. Il n'avait pas vraiment besoin de moi, tu sais. Il est fort, il sait ce qu'il veut, il est courageux, il allait plonger tout seul au milieu des requins. Ce n'est pas simplement un bel homme avec une peau divine.

— Oh, Bozzie, mais qu'est-ce qui t'a pris de quitter un type pareil! Je n'ai pas beaucoup d'expérience dans ce domaine, mais on m'a dit que les hommes qui risquent leur vie sont les meilleurs amants. Et de le quitter pour ton mari, en plus!...

— Kevin ne peut pas me faire de mal.

— Et Mark, dis-moi? Il te battait?

— Mark, lui, il pouvait me faire du mal.

— Oh, Bozzie, ne sois pas une telle lavette! supplia Claire de sa voix profonde de contralto, en prenant la main de sa petite sœur. Si tu vois passer un autre homme courageux, saute-lui dessus et ne le lâche pas!

— Oui, je l'ai déçu et maintenant c'est trop tard pour arranger les choses, dit Marianne, espérant que sa sœur allait la contredire.

— Ma foi, ce n'est pas moi qui vais te dire le contraire, ça fait trop longtemps que vous êtes séparés, soupira Claire d'un ton de regret. Si vous aviez rompu il y a deux mois je te dirais de prendre le prochain avion. Mais si tu n'as pas eu de nouvelles de lui en dix-huit mois, c'est qu'il t'a oubliée. Je ne voudrais pas te voir arriver chez lui comme une intruse et t'humilier pour rien. Depuis le temps, il a dû passer entre les bras d'une douzaine d'autres filles. Et après ce qui lui arrive!... Il n'y aura plus de limites. Écoute, mon petit cœur, je suis une romantique, tu le sais, je crois que les gens tombent amoureux, mais je ne crois pas qu'un homme puisse tomber deux fois amoureux de la même femme.

— Tu ne m'apprends rien de nouveau », dit Marianne d'une voix morne.

S'imaginant Mark environné de jeunes beautés qui ne lui avaient jamais dit d'aller se faire pendre ailleurs, Marianne laissa ses fantasmes l'enfoncer dans un état d'esprit si noir qu'elle fut non seulement étonnée mais contente de voir arriver Kevin et de l'entendre annoncer qu'il était venu à Londres sur un coup de tête, parce qu'elle lui manquait. S'excusant auprès de sa belle-sœur, il sortit en tête à tête avec sa femme : un spectacle du Royal Ballet à Covent Garden, suivi d'un souper chez Annabel's, qui était à l'époque le repaire de prédilection des jeunes membres de la famille royale. Et ils eurent beau parler de tas de choses, ni l'un ni l'autre ne mentionna le trésor que l'on venait de découvrir à deux pas de leur île.

« Elle a dû lire la nouvelle dans la presse, décida Hardwick en remarquant que sa femme s'était tue et contemplait le fond de son verre d'un air morose. Je me disais qu'on devrait peut-être changer de programme cet hiver, annonça-t-il. Si on louait une ferme au Kenya ? Je suis sûr que les garçons adoreraient ça.

— Quelle idée géniale ! s'écria Marianne, dont le visage s'éclaira à la perspective de s'en aller très loin. Comment as-tu su que j'avais besoin de changement ?

— Je suis ton mari, non ? dit-il avec un grand sourire qui la fit penser à Creighton.

— Au fait, c'est vrai ce que tu dis là », pouffa-t-elle. Il était grand, imposant, de loin le plus bel homme de la salle.

« C'est comme ça qu'on s'est connus, tu te rappelles ? lui murmura-t-il à l'oreille en l'enlevant dans ses bras pour l'emporter sur la piste de danse. Et tu es toujours légère comme une plume. »

« À quoi faut-il imputer le fait que tu t'aperçois de nouveau de mon existence ? » eut-elle envie de lui demander, mais sans passer à l'acte. Pourquoi gâcher la soirée ? Ils dansèrent, serrés l'un contre l'autre, il lui pelotait les seins et elle se prit à songer qu'elle n'était peut-être pas complètement finie.

Kevin la ramena dans sa suite au Connaught, où elle découvrit des freesias et du muguet, ses fleurs préférées, dans des coupes et des vases sur toutes les tables. Elle se laissa séduire et s'efforça de ressaisir avec lui les bons moments qu'ils avaient connus avant la naissance des enfants. Mais, il n'y avait rien à faire ; assez vite, tout mourut en elle.

Il avait eu l'intention d'attendre qu'elle fût parvenue à l'orgasme, mais la sentant redevenir sèche, il se retira et monta s'agenouiller au-dessus de sa tête. « Allez, prends-la, cajola-t-il.

— Kevin, je n'arrive plus à respirer.

— Essaie. Tu devrais être plus gentille avec moi, je te man querai quand tu seras au Kenya.

— Non, je ne peux pas. »

Hardwick quitta le lit, se rendit dans la salle de bains et revint. « Je l'ai lavée », dit-il, cherchant à prévenir l'objection qu'il sentait venir. Il avait la voix d'un homme au bord du meurtre.

Par un énorme effort de volonté, elle se soumit à ses exigences et la grandiose soirée romantique se termina pour elle par une quinte de toux qui la mit à deux doigts de l'asphyxie.

Elle était prête pour l'Afrique.

30

Tendresse conjugale

.. la vie à New York lui avait enlevé tous
ses scrupules en matière de moralité.

BALZAC

Par une pluvieuse soirée d'octobre, à New York, le marchand d'art et millionnaire John Vallantine se mit au lit de bonne heure avec sa femme pour regarder la télévision et, tombant sur une interview réalisée par CBS du garçon qui avait découvert la *Flora*, décida de devenir sérieusement riche.

« Je suppose qu'il s'imagine avoir fait quelque chose de spécial ! » protesta Shirley Vallantine de sa voix aiguë de femme maigre mieux pourvue en nerfs qu'en rondeurs ; cela faisait plus de cinquante ans qu'elle était irritée par une chose ou une autre. « Ce ne devrait pas être aussi facile de s'enrichir. C'est une insulte pour les pauvres !

— Chut !...

— Les gens s'échinent toute leur vie pour rien du tout !

— Chut !...

— Il est trop jeune, il ne l'a pas mérité.

— Il est bien, ce garçon, déclara son mari, indulgent. Je vais lui servir d'agent. »

La célébrité ne mit sur le chemin de Mark aucun adversaire plus redoutable : Vallantine avait volé son premier million alors qu'il n'avait pas encore trente ans. À l'époque, il travaillait en qualité de dessinateur pour une firme de promoteurs de sociétés à Montréal, sa ville natale, et il eut soudain une idée qui se révéla être une véritable mine d'or : il inventa une mine d'or en Nouvelle-Écosse et la vendit par actions. Maître inné du crime à longue portée – le type de crime le plus difficile à déceler ou à poursuivre –, il s'arrangea pour faire figurer les actions de la firme Cape Breton Gold à la bourse de Montréal pendant plusieurs mois, mais il n'en fit la promotion, par l'intermédiaire de quelques agents et d'une magnifique brochure, qu'en Floride et en Californie exclusivement. Après cette fraude couronnée de succès, qui anéantit l'épargne de plusieurs milliers de retraités et précipita leur décès, Vallantine loua un yacht et son équipage pour emmener sa femme en croisière autour des îles grecques, afin de changer d'air. Lors de ce voyage, le hasard le mit en présence d'un groupe occupé à piller les temples en ruines et les nécropoles de Grèce et d'Asie Mineure. Ces forbans étaient justement sur le point d'étendre leurs opérations aux églises italiennes qui se trouvaient sans surveillance, projetant de dissimuler le vol des peintures, statues, sculptures et chandeliers anciens en laissant à leur place d'habiles copies, et Vallantine décida de prendre part à l'entreprise. Peu après, il ouvrit sa galerie dans la 57e Rue, à quelques mètres à l'est de la Cinquième Avenue. S'il était obligé d'évoquer son passé, il déclarait que, comme la plupart des New-Yorkais, il venait d'ailleurs. Marchand d'art jouissant d'une excellente réputation, c'était un voleur sans pitié et un receleur, mais les biens qu'il recelait étaient volés à l'étranger et achetés par des clients de choix – musées, célèbres collectionneurs privés –, si bien que sa galerie était souvent mentionnée dans les pages culturelles des journaux, rehaussant sa bonne renommée. Il avait en outre un avocat irréprochable, William T. MacArthur – ancien juge de la Cour suprême de l'État de New York, ancien président du comité judiciaire du Parti démocrate de l'État de New York, et ancien vice-président du barreau new-yorkais. Ce parangon de vertu préférait défendre les innocents; à New York, il était bien rare qu'un de ses clients eût été reconnu coupable de quoi que ce fût. Il pouvait assurer à Vallantine l'entière protection de la loi.

« Je crois que je vais lui demander une commission d'agent de six pour cent, annonça Vallantine lorsque des spots publicitaires vinrent interrompre l'émission.

« — Mais enfin, nous ne nous sommes jamais occupés d'or, ni de diamants », protesta Shirley Vallantine, oubliant de retirer ses lunettes, si bien qu'elle regarda son mari avec des yeux magnifiés et une inquiétude magnifiée.

Vallantine fit semblant de mal le prendre, haussant et abaissant ses sourcils gris et touffus. « Qu'est-ce que tu me chantes avec ton "nous ne nous sommes jamais occupés d'or"?

— Ça, c'était différent.

— Et comment! s'exclama le vieux marchand d'art obèse d'un ton de regret, en poussant un profond soupir. Dire que je ne serai plus jamais aussi jeune! Je n'étais qu'un gamin qui faisait les quatre cents coups. »

À présent, Vallantine faisait des affaires en tout genre, y compris des affaires honnêtes. Au cours de la meilleure année de sa carrière, il vendit, entre autres choses, une déesse de la fertilité des Cyclades, acquise de façon tout à fait légitime ; un lion de pierre ancien, dérobé au plus profond de la nuit parmi le troupeau d'Apollon sur l'île de Délos, où il était tapi dans les hautes herbes, prêt à bondir, depuis près de deux mille cinq cents ans ; un saint Jean Baptiste du Ghirlandaio, volé dans une petite église isolée de Toscane ; et deux lampes à huile mésopotamiennes qui passaient pour anciennes, malgré leur récente facture.

Pressé par la demande croissante de tout ce qui était ancien, à une époque où l'on ne cessait de détruire le présent, Vallantine avait judicieusement mêlé des faux à ses biens volés authentiques. Le Ghirlandaio fut vendu pour un million et demi de dollars, le lion de pierre pour huit cent mille, mais il brada les lampes à huile au prix dérisoire de cinq mille dollars pièce. Non seulement ses méfaits l'enrichissaient, mais ils le rendaient moins vulnérable aux soupçons. La plupart des conservateurs de musée, hommes autrement pleins de discernement, n'étaient pas assez alertes pour imaginer que John Vallantine, dont la galerie valait plusieurs millions de dollars, et qui était, de surcroît, un homme cultivé et intelligent, irait courir le risque de leur offrir des faux objets disparates pour glaner cinq mille dollars imposables dont il n'avait manifestement que faire. C'était le temps du libéralisme, le temps où l'on apprenait aux gens à faire confiance aux escrocs riches en leur serinant des maximes aussi sottes que : « La cause du crime est la pauvreté. » Certaines des victimes de Vallantine étaient peut-être plus avisées, mais elles n'en étaient pas moins vulnérables. Il existe des idées qui colorent notre façon de pensée alors que nous savons qu'elles ne sont pas vraies; on nous instille tous les jours tant de mensonges qu'il est impossible d'échapper à leur influence. À force d'entendre constamment parler des causes sociales de la criminalité, bien des gens ne pouvaient s'empêcher de croire que les criminels devaient être de pauvres diables ou des aventuriers cherchant à se remplir les poches – des hommes qui ne possédaient pas encore ce qu'ils convoitaient. Personne n'aurait songé à soupçonner le PDG de la galerie Vallantine de commettre de menus larcins – et, d'ailleurs, personne non plus n'eut le moindre soupçon lorsqu'il fourgua le Ghirlandaio volé à un musée de l'Arizona. « Pourquoi un millionnaire irait-il courir le danger de se faire pincer et convaincre de vol, quelle que soit la somme en jeu? » Ainsi raisonnaient ses victimes, lorsqu'elles raisonnaient, sans se rendre compte que la convoitise des hommes doués de sens pratique est aussi irrationnelle que n'importe quelle autre passion et que la plupart des crimes d'argent sont commis pour la même raison que les folies amoureuses – pour la satisfaction intérieure qu'ils apportent.

Bien entendu, il n'y avait pas le moindre risque de se faire prendre, sans parler d'être convaincu de vol. La copie du lion volé qui avait remplacé l'original à Délos était fort bien exécutée et le vol n'a pas encore été découvert à l'heure qu'il est. La copie du Ghirlandaio, en revanche, n'était pas des plus convaincantes, mais quand le gouvernement italien commença à mener son enquête à New York, la galerie Vallantine put montrer des faux documents parfaitement exécutés prouvant que le tableau avait été acheté à un agent suisse, dont il était impossible de retrouver la trace. Au cas où les administrateurs du musée de l'Arizona auraient décidé de rendre leur tableau aux Italiens, MacArthur offrit de la part de son client de compenser en partie la perte de l'établissement, qui avait payé l'œuvre un million cinq cent mille dollars, en leur cédant les deux cent mille dollars de profit réalisé par la galerie en qualité d'intermédiaire innocent de cette malheureuse transaction. Les excellents administrateurs, poussés par la fierté civique que leur inspiraient les richesses artistiques de leur État, ne purent se résoudre à se séparer de leur Ghirlandaio, si bien que Vallantine ne fut pas, en définitive, contraint de renoncer au moindre cent du million de dollars de bénéfice que lui avait rapporté le chef-d'œuvre volé, mais son offre de rendre les deux cent mille dollars était de ces gestes qui commandent le respect, la confiance, le bénéfice du doute, ou au moins permettent de gagner du temps.

Bref, le rang qu'occupait Vallantine dans le monde était aussi élevé que celui de n'importe quel marchand d'art honnête – et même plus, car il était plus riche que la plupart d'entre eux – et il possédait les références et les relations nécessaires pour montrer un intérêt professionnel envers les trésors historiques. Il avait vu les gros titres de la presse, mais sans leur prêter grande attention ; ce ne fut qu'en regardant l'interview à la télévision qu'il apprit la nouvelle capitale que le propriétaire de ces richesses était jeune et seul.

Daisy, le terrier d'Aberdeen, dormait à côté du lit, mais quand son maître se leva, elle se mit à tourner en rond en aboyant. Le marchand d'art augmenta le volume sonore de son poste afin de ne pas perdre un mot de ce qui se disait, et fila d'un pas traînant jusque dans son bureau prendre un bloc qui lui servirait de pense-bête ·

> *il a toujours su*
> *père – grand acteur*
> *musique préférée – opéras de Mozart*
> *Così fan tutte*

Après s'être recouché et avoir pris encore quelques notes, Vallantine tendit le bras par-dessus l'espace qui séparait les deux lits jumeaux, afin d'offrir le bloc à sa femme, qui tendit elle aussi le bras d'un geste impatient pour le prendre. Empoignant un stylo sur sa table de chevet, elle traça trois grands points d'interrogation sur le bloc et le rendit à son époux. Cela faisait largement plus de dix ans que le couple dormait dans des lits séparés, mais ils étaient liés l'un à l'autre par d'incessantes discussions. Shirley Vallantine était l'assistante de son mari, et quand ils ne parlaient pas ils échangeaient des petits billets.

« Je n'aime pas les jeunes gens, dit-elle, dès que survint une nouvelle pause publicitaire. Ils refusent de s'intéresser à tous ceux qui ont plus de vingt-cinq ans. Pour eux, l'âge mûr est une espèce de maladie. Tu as les cheveux gris et, en plus, tu les perds. »

Vallantine frotta la peau nue de son crâne au-dessus du front, s'efforçant de stimuler sa matière grise. « Tu ne l'as donc pas entendu dire que son père était un grand acteur ? Il aime son père et son père ne doit pas être beaucoup plus jeune que nous – ça, ça peut me servir… ça peut me servir de plus d'une façon !

— Et nos procès ? demanda sa femme, toujours loyale, toujours inquiète.

— On va p… prendre l'avion jusque-là et je lui remettrai un c… c… c…contrat qui fera de nous ses agents exclusifs, répondit Vallantine, un petit quelque chose de son bégaiement d'enfant s'infiltrant dans son discours à la pensée de ses poursuites monstrueusement coûteuses.

— On va perdre un temps fou à descendre aux Bahamas et puis quelqu'un ira lui révéler que le gouvernement italien nous traîne en justice parce que nous lui avons pris son cher tableau, comme s'il avait servi à quelque chose dans cette petite église sombre, et alors il mettra fin à toute relation.

— Tu dis toujours que nous l'avons ppp… pris, gronda gentiment Vallantine, en tournant son cou épais. Ils prétendent que nous l'avons pris.

— Je ne veux pas que tu te lances là-dedans de tout ton cœur.

— Ce n'est que ce qu'ils p… prétendent, ce qu'ils allèguent.

— Je te connais, tu sais. Tu vas te donner un mal de chien et dépenser des sommes folles, tu seras exténué, et après il refusera de signer et tu seras déprimé pendant des mois. Tu as déjà recommencé à bégayer.

— S'ils sont incapables de le prouver devant les tribunaux, ce n'était j… jamais arrivé. Ça, c'est notre héritage anglais. Tant qu'on ne fait pas la preuve de ta culpabilité, tu es innocent selon la loi.

— Il n'est pas avocat, il ne comprendra rien à ces distinctions.

— Je les lui expliquerai.

— S'il veut bien t'écouter !

— Pourquoi il ne m'écouterait pas ? Ça ne coûte rien d'écouter.

— C'est vrai, reconnut-elle en lissant sa couverture. Mais si nous devons tenter le coup, je ne vois pas pourquoi tu ne réclamerais qu'une commission de six pour cent. Il faut lui expliquer que s'il était peintre, pas une seule galerie digne de ce nom n'accepterait moins de cinquante pour cent pour s'occuper de vendre ses tableaux. C'est la même chose à New York, à Paris ou à Londres : cinquante pour cent au peintre, cinquante pour cent au marchand, c'est la règle dans tous les pays civilisés. Et un peintre, il les peint, ses tableaux, il ne se contente pas de les trouver ! Six, c'est beaucoup trop bas, tu devrais demander au moins quarante pour cent. »

Vallantine écarta les mains, avec une grimace entendue et penaude qui aurait fait honneur à ce grand interprète de Molière qu'était Walter Matthau. « Quelle différence ? »

Elle retira ses lunettes pour le dévisager fixement. « Tu vas tout lui prendre ?

— Dieu du ciel, non ! On lui laissera… qqqqquelque chose. »

Sa femme réfléchit à la chose pendant quelques instants en se demandant s'ils en avaient le droit. « Bon, évidemment ce n'est pas comme s'il avait besoin d'émeraudes pour avoir de quoi manger et un toit sur sa tête, dit-elle tout haut lors de la prochaine pause publicitaire, pesant le pour et le contre. Il est jeune et en bonne santé, il peut travailler. En plus, il est plutôt joli garçon ; je suis sûre qu'il y a des tas de filles qui ne demanderaient pas mieux que de le prendre en charge. Il ne manquera jamais du nécessaire. Et puis, il y a toute cette publicité – passer à la télévision, ça doit compter beaucoup pour un garçon comme ça. » Jamais Shirley Vallantine n'aurait accepté de prendre la moindre chose à quelqu'un, si cette chose avait eu une véritable valeur pour ce quelqu'un. « Si c'est de l'argent qu'il veut, il peut en gagner à la pelle en faisant de la publicité pour les équipements de plongée. »

Le marchand d'art ne cessait de s'éclaircir la gorge afin de rassembler ses idées. « Il a sa vie entière devant lui », convint-il gravement.

Ils étaient là-dessus du même avis, ils pensaient tous les deux que le jeune homme pouvait fort bien se passer des trésors. Les voleurs sont des juges et des philosophes : ils convoquent la victime à la barre de leur conscience et découvrent qu'elle n'a pas vraiment besoin de ce qu'ils ont l'intention de lui dérober. Ils croient, eux aussi, à l'impératif marxiste : « À chacun selon ses besoins. » Que pourrait-il y avoir de plus juste et de plus philosophique ? Ou de plus convaincant ? Les gens ont tendance à penser que les autres possèdent trop de biens et qu'eux-mêmes manquent d'un très grand nombre de choses, si bien que « à chacun selon ses besoins » se traduit, en termes psychologiques, par la formule : « Moins pour les autres et davantage pour nous ! » C'est une affaire de justice naturelle, tout simplement

L'interview de CBS avait été enregistrée au Seven Seas Club, où Mark séjournait à titre de client en attendant la barge de renflouement qui devait arriver de Galveston, au Texas. On avait mis dans l'entretien des images de la statue de la Madone de Lima (quarante kilos d'or massif) et de la croix aux Sept Émeraudes afin de donner aux téléspectateurs une idée de ce que le jeune interviewé avait eu la chance de découvrir. Ce dernier, cependant, paraissait beaucoup moins ravi de son coup de veine que ne s'y attendait Caroline Adams, la journaliste de CBS. Il était même contrarié d'être l'objet d'un tel intérêt. « Plus je deviens célèbre, plus les gens cherchent à me voler », dit-il sèchement. Il n'aurait pas pu se montrer plus méfiant s'il avait observé les Vallantine depuis le poste de télévision comme eux l'observaient de l'autre côté de l'écran.

« Allons, allons, vous devez avoir certaines consolations. J'ai entendu dire que vous aviez un crédit illimité auprès d'une des banques de Nassau. Vous avez dû vous acheter des tas de choses merveilleuses.

— Oui, je me suis acheté un fusil automatique M60.

— Dieu du ciel, mais pourquoi ? » s'écria miss Adams, feignant la terreur.

Sentant qu'elle se moquait de lui, Mark la foudroya du regard. « Il n'est pas difficile de voir que vous ne savez pas ce que c'est que d'être riche.

— Vous ne croyez pas si bien dire ! C'est d'ailleurs pour ça que je suis ici, occupée à vous interviewer. »

Mark frotta les cicatrices qu'il avait sur les doigts. « Être riche, lança-t-il avec beaucoup de conviction, c'est comme d'avoir une flasque remplie d'eau dans le désert, au milieu d'une foule qui meurt de soif. »

Caroline Adams, qui en sa qualité d'intervieweuse de premier plan de la télévision américaine saisissait toutes les occasions de faire étalage de la foi qu'elle avait dans le public, se demanda tout haut si le jeune millionnaire ne se méfiait pas trop de son prochain.

« Dommage que vous ne puissiez pas interviewer Pizarro ou Philippe le Bel ! riposta Mark, alarmant son interlocutrice par cette allusion à des noms que certains téléspectateurs risquaient de ne pas reconnaître.

— Mais enfin, parlez-nous de toutes les choses agréables qui doivent certainement vous arriver, s'empressa-t-elle de demander, histoire de changer le sujet. On me dit que vous recevez des lettres par sacs entiers tous les jours – des gens vous écrivent des quatre coins du monde. Ça ne vous fait pas plaisir ?

— Aujourd'hui, j'ai reçu une lettre qui disait : "J'ai besoin de deux mille dollars d'urgence, pas de chèque, rien que du liquide, s'il vous plaît !"

— Je me demande bien de quoi votre correspondant avait besoin.

— Il ne le disait pas. Les gens qui se donnent la peine de préciser pourquoi ils veulent de l'argent réclament d'habitude beaucoup plus de deux mille dollars.

— C'est passionnant. Continuez.

— Eh bien, il y a un type qui veut que je finance la fabrication de stickers qui diraient "imposition = castration". D'ailleurs, il n'est pas impossible que je fasse cette dépense.

— Oh, pitié, supplia miss Adams d'un ton moqueur, vous n'allez quand même pas devenir un de ces richards casse-pieds qui n'arrêtent pas de geindre parce qu'ils paient des impôts !

— Il n'y a que les richards qui geignent ?

— Et vous tirerez sur tous les gens qui chercheront à vous voler. »

Mark se mordit la lèvre, puis il leva la tête, planta son regard droit dans l'objectif de la caméra et répondit très distinctement, souhaitant être entendu de tous les intéressés : « Parfaitement. »

« C'est un fou furieux ! s'exclama Shirley Vallantine à la fin de l'émission. John, oublie tout ça. Et de toute façon, qui c'était ce Philippe le Bel ? Qu'est-ce qu'il racontait, ce garçon ?

— Il faisait allusion aux Templiers, dit Vallantine, qui aimait beaucoup raconter des petites histoires à sa femme. C'étaient des espèces de moines chevaliers au Moyen Âge. Ils possédaient des monceaux d'or et des tas de terres et de châteaux en France, et le roi de France, Philippe le Bel, leur devait beaucoup d'argent. Alors, il a fait ramasser tous les Templiers à travers le pays entier et il les a fait torturer jusqu'à ce qu'ils avouent qu'ils avaient pratiqué la sodomie, volé sur des balais, baisé le trou du cul du diable, tout ce genre de choses – des crimes pour lesquels tu étais brûlé vif, et tous tes biens passaient à la couronne. Donc tous les moines sont morts, les dettes du roi ont été abolies et il est redevenu riche ! Hein, qu'est-ce que tu en penses ? Et dire que de nos jours les gens râlent si on a le malheur de… bbbbbouger un tableau ! »

Shirley Vallantine avait cessé d'écouter dès qu'elle s'était rendu compte que c'était une histoire compliquée. « C'est une personne impossible, John, il hait l'humanité, dit-elle impatiemment. Nous sommes avertis, avec un type pareil, il faut rester au large. Ça ne vaut pas la peine de s'embêter.

— Baaah, ce n'est qu'un enfant gâté, tu verras. Un fils d'acteur, le produit d'une éducation libérale. Je te parie tout ce que tu veux qu'on ne l'a jamais frappé. Quand il veut t'expliquer à quel point les gens sont atroces, il est obligé d'aller chercher ses exemples dans les livres. De toute façon, on a besoin de prendre des vacances quelque part où il fait chaud.

— Oui, mais avant de partir, on devrait essayer de se renseigner un peu mieux sur la carrière de son père. Tu pourrais appeler ton copain à la Warner. Peut-être qu'il pourrait nous arranger une projection de ce film sur Napoléon. C'était quel magazine, déjà, qui avait son père en couverture, le *New York Times Magazine*, non ? Je passerai à la bibliothèque.

— C'est une bonne idée ! dit son mari, ravi de lui adresser un compliment. On va faire sa connaissance sur le plan amical. Et on sera amis, tu peux m'en croire. » Il ajouta le mot « impôts » à la liste sur le bloc.

« Mais imagine qu'il se méfie de toi, mon chéri? »

Vallantine lissa du doigt ses sourcils touffus, puis il se mit à les tortiller comme d'autres hommes tortillent leur moustache, tandis que son esprit se concentrait sur les principales faiblesses de son adversaire. « Il ne se méfiera pas, il croit en sa chance!

— Comment le sais-tu?

— Il a dit qu'il avait toujours su qu'il découvrirait l'épave. »

Une nouvelle inquiétude vint tenailler sa femme. « Mais nous ne sommes pas les seuls à avoir vu cette émission! s'écria-t-elle.

— Ne t'en fais donc pas, lança-t-il, fier de se montrer pour elle solide comme un roc. Fais-moi confiance, voilà tout. »

C'était une paisible scène de famille. La chienne s'était rendormie. Le couple était assis chacun dans son lit, soutenu par des oreillers, une femme anxieuse et un mari indulgent, parangons de l'harmonie domestique, en train de regarder la télévision et d'échanger leurs points de vue, discutant en détail la façon dont ils s'y prendraient pour voler leur futur ami.

Les tendres liens qui les unissaient ne passèrent pas inaperçus au Seven Seas Club, où ils arrivèrent trois jours plus tard. Ils étaient assis au bord de la piscine, à chauffer leurs vieux os au soleil, leur terrier d'Aberdeen à leurs pieds, lorsque Charles Weaver les montra à Mark. Weaver, qui avait l'habitude de chercher tous ses nouveaux clients dans le *Who's Who,* s'attendant à les y trouver (et qui s'inquiétait toujours de ne trouver Masterson dans aucune édition), signala que Mr Vallantine était un des principaux marchands d'art d'Amérique, mais Mark fut moins impressionné par le standing de Vallantine que par son mariage réussi : c'était la première fois qu'il voyait un homme vieux et riche avec une vieille femme. Une autre fois, il les aperçut qui suivaient un sentier de gravier dans le jardin, leur petite chienne au museau carré et au poil dur trottant devant eux sur ses courtes pattes. Trapu et peu ingambe, Vallantine était lui aussi court sur pattes et il était presque obligé de courir pour se maintenir à la hauteur de sa grande femme efflanquée.

Ces manifestations d'une affection durable firent une profonde impression à l'enfant d'un foyer éclaté, qui regrettait encore que ses parents ne fussent pas restés ensemble. Mark n'avait jamais entendu parler des loups blancs de l'Arctique, qui chassent le caribou en couples monogames et que l'on sait incroyablement dévoués l'un à l'autre.

« Ce sont sûrement des gens sympathiques, pensa-t-il. Et ils ne cherchent pas à faire ma connaissance ; ils sont heureux de rester tous les deux dans leur coin. »

« Nous sommes très proches parce que nous t... travaillons ensemble, expliqua Vallantine à Mark plus tard ce même jour, quand ils firent effectivement connaissance. Le fait d'être associés dans le travail – un travail qui vous tient vraiment à cœur, cela v... va sans dire – est le seul fondement valable d'un mmmm... mariage réussi. »

31

Les âmes sœurs

Misérable état d'esprit que celui où
l'on a peu à désirer et beaucoup à
craindre.

FRANCIS BACON

Je suis malheureux et j'ai donc droit à
son aide.

PETER WEISS

N'étant encore qu'un millionnaire en perspective, qui vivait
du crédit que lui faisait la Royal Bank of Canada, Mark répétait
souvent qu'il n'avait pas changé, mais il commençait néanmoins à se faire de l'économie une idée d'homme riche : les
prix du Seven Seas Club ne l'horrifiaient plus. Dans le passé, il
avait trouvé que c'était un gaspillage obscène que de séjourner
dans un endroit aussi coûteux; à présent, le prix du séjour était
plus exorbitant que jamais, mais ayant choisi de s'installer dans
la suite Florentine à cinq cents dollars par jour, plutôt que de
prendre un des bungalows à huit cents dollars, il s'imaginait
faire des économies.

Il signait des chèques de dizaines de milliers de dollars à titre
d'acomptes pour divers services et marchandises nécessaires au
renflouement, mais dans les vastes penderies de sa suite il n'y
avait que ses vieux habits et le fusil automatique M60. Un des
résidents octogénaires de l'île lui proposa un Chagall – Moïse,
dont les longs cheveux se dressent sur sa tête tandis qu'il

contemple les dix commandements avec une terreur incrédule –, et Mark songeait à l'acheter, bien qu'il coûtât une fortune. Pour le moment, cependant, il se contentait d'orner les murs de ses vieilles images de la Madone et de San Martín, ainsi que de sa collection de câbles encadrés.

TOUT CE QUE TU DOIS FAIRE C'EST D'ÉCOUTER TON PÈRE – BISES – PAPA

MONTE CRISTO EST ASSEZ RICHE POUR VENIR VOIR SA MÈRE C'EST MON FILS QUE JE VEUX PAS DES DIAMANTS – BISES – MAMAN

QUEL TYPE QUEL TYPE HOURRA N'OUBLIE PAS LES VOITURES ÉLECTRIQUES BISOUS ET BRAVO – JESSICA

JE ME RÉJOUIS DU SUCCÈS D'UN BERNINISTE – HELLER

FELICITAZIONI E SALUTI AFFETTUOSI – ANGELA ROGNONI

Le reste de son courrier était moins gratifiant. Il passait en revue tous les câbles et toutes les lettres, mais aucune n'était de Marianne ; ce qui lui donnait le sentiment d'autant plus aigu qu'il n'y avait chez lui qu'une seule chose qui intéressait les gens. Juste histoire de s'amuser, Eshelby fit quelques additions : à elles toutes, les mille premières personnes qui eurent l'idée d'écrire à Mark lui demandèrent de faire don de plus de deux milliards de dollars. Pour Mark, le plus inquiétant concernant ces demandes, c'était le fait qu'elles lui fussent parvenues au Seven Seas Club de Santa Catalina, alors qu'elles étaient adressées à :

Mr Mark Niven
The Bahamas

ou plus simplement à :

L'homme au trésor
Nassau

Toutes les demandes d'argent parviennent aux gens très riches et célèbres.

Les journées de Mark étaient pleines d'alarmes. Tandis qu'il attendait la barge de renflouement en provenance de Galveston, pas un jour ne passait sans qu'il fût coincé par un quelconque promoteur, conseiller en investissements ou simple escroc, qui lui proposait de disposer de ses trésors à sa place. « Laissez-moi donc les remonter d'abord », répondait-il invariablement. Il ne prenait même pas de plaisir à voir soudain rosir les jolies femmes. Certaines des serveuses, des jeunes épouses des vieux millionnaires de l'île qui déjeunaient ou dînaient au Club se mirent à lorgner de son côté avec des regards avides et des sourires soumis; d'aucunes murmuraient des paroles brûlantes à son oreille, mais elles lui rappelaient tout simplement les filles qui faisaient la chasse aux producteurs vieux et laids à Cannes. Il fuyait tout le monde.

Et chaque jour il y avait davantage de bateaux ancrés près du Long Reef où il avait plongé pendant plusieurs semaines avant de se rendre à Nassau pour y signaler sa trouvaille. Ils étaient à huit bons milles du site de l'épave, mais qu'est-ce qui les empêchait de changer d'endroit et d'aller chercher son navire du côté des bandes de corail étoilé? Ayant dû abandonner la moitié de sa fortune au gouvernement, il était désormais deux fois plus inquiet au sujet du reste.

« Être riche, c'est être en guerre avec le monde, dit-il à Eshelby, la seule personne avec qui il lui était possible de se détendre, étant donné que Sarah de nouveau ne lui parlait plus.

— Et quand crois-tu que tu commenceras peut-être à prendre du bon temps? demanda Eshelby.

— Pas tout de suite, répondit Mark, lugubre. Il faut que je continue à penser à tout ce qui pourrait mal tourner. »

Terrifié à l'idée de négliger un quelconque danger, il se préparait même à lutter contre un vol à main armée en pleine mer pendant l'opération de renflouement. Tous les matins, en compagnie de Coco, il prenait son M60 et se rendait à bord de l'*Île Saint-Louis* sur une des îles inhabitées où il s'était fait installer un stand de tir par une firme de Miami. Il s'y entraînait à tirer jusqu'à en avoir l'épaule engourdie.

« Autant chercher à attraper un chat sauvage, se plaignit Shirley Vallantine à son mari.

— Il va falloir ttt... trouver un intermédiaire. »

Étant donné qu'il était impossible d'approcher le jeune homme avec le moindre espoir de succès, ils firent tout leur possible pour être aimables avec le personnel, avec les gens qui avaient travaillé avec lui par le passé. Ils se montraient particulièrement amicaux avec la directrice des animations du Seven Seas Club, Sarah Little, qui devint à son insu leur alliée naturelle.

Sarah pensait que Mark avait trahi leur amitié. Elle était convaincue que la dernière fois qu'ils avaient été ensemble, juste avant qu'il ne se rendît à Nassau, il avait déjà découvert la *Flora*, et pourtant il ne lui avait rien dit; elle avait tenté de le persuader de renoncer à sa chasse au trésor et il l'avait laissée dire, il avait même fait semblant d'être de son avis ! Chaque fois qu'elle se rappelait l'air contrit de Mark, sa voix humble lui disant qu'elle avait raison de lui conseiller de renoncer, qu'il était temps pour lui de s'assagir, elle brûlait de colère et d'humiliation. Il s'était moqué de l'inquiétude qu'elle avait montrée à son égard et il l'avait ridiculisée ! Alors qu'ils venaient juste de faire l'amour, il ne s'était pas senti assez proche d'elle pour lui chuchoter son secret à l'oreille ? Fallait-il vraiment qu'elle l'apprît par la radio, comme tout le monde ? Avait-il eu peur d'être volé par elle ? Débordant d'amour et de confiance, toujours prête à penser le plus grand bien de tout le monde, à s'imaginer que même les gens foncièrement méchants deviendraient des gens bien si on les traitait avec amour et considération, Sarah ne concevait rien de pire que de se défier d'un ami. Mark l'avait offensée à la fois dans ses sentiments et dans ses convictions; elle se jura de ne jamais plus lui offrir l'hospitalité de son corps. Elle refusa d'aller à Nassau pour la signature de l'accord avec le gouvernement, bien qu'il l'eût suppliée par deux fois de venir, et au Club, elle ne voulait plus lui parler.

« Tu ne seras pas satisfait tant que tu n'auras pas tué quelqu'un, je le vois bien ! lança-t-elle, rageuse, incapable de se contenir davantage, un jour où elle le vit traverser le hall avec son fusil.

L'hostilité qui perçait dans sa voix piqua Mark au vif; il s'arrêta net et respira à fond, puis soudain il sourit. « J'aime encore mieux que tu m'engueules plutôt que tu refuses de me parler! »

Sarah ne voulut pas le laisser approcher tant qu'il tenait son fusil, si bien qu'il le remit à un chasseur; elle ne voulut pas non plus monter dans sa suite et il l'invita donc à venir s'asseoir avec lui au café en terrasse.

« On dirait qu'à chaque fois que nous sommes ensemble et que je te remonte le moral, tu t'empresses de disparaître », dit-elle quand il l'eut enfin persuadée de parler à force de cajoleries.

Mark soupira, incapable de trouver le moindre mot à dire pour sa défense.

Au même instant, un grand homme blond s'approcha de leur table et, sans attendre d'y être convié, tira une chaise pour se joindre à eux. « Ça fait des jours que je veux vous parler, Mr Niven, dit-il avec un grand sourire.

— Allez-vous-en, s'il vous plaît, dit Mark. Fichez le camp.

— Mais vous mourez d'envie d'entendre ce que j'ai à vous dire! riposta l'autre, sans perdre un iota de son assurance joviale, le visage rougi par le soleil et non par la gêne. Voyez-vous...

— Je ne parle pas aux inconnus. Barrez-vous!

— J'en crois à peine mes oreilles, dit Sarah quand l'intrus eut finalement renoncé à les importuner. Pourquoi as-tu été aussi grossier avec ce pauvre homme?

— Je déteste les gens qui n'entendent pas le mot "non", je suis sûr que c'était un escroc. »

Sarah secoua la tête. « Franchement, je crois que tu ne me plais plus du tout. » N'osant, par pudeur, évoquer sa propre peine, elle prit fait et cause pour l'inconnu. « Je n'en reviens pas de la façon dont tu as rembarré cet homme. Ça sert à quoi d'être riche, si tu te mets à fuir les gens? Pourquoi te crois-tu obligé d'être aussi méfiant? Tu as peur de tout le monde.

— C'est juste pour plus de précaution, répondit Mark avec un large sourire crispé, mais en pensant ce qu'il disait. Tu ne veux pas un autre milk-shake ?

— Si j'étais toi, j'écouterais les gens, je les aiderais, je me lâcherais un peu! Pourquoi faut-il que tu sois si tendu? »

Mark la regarda intensément. « Je pourrais devenir fou d'orgueil et me ruiner en un clin d'œil. »

Il mettait toute son âme à être prudent, il se méfiait même de ses propres instincts, mais il oubliait de se méfier du ressentiment durable d'une amie.

Elle le chapitra longuement, dans l'espoir de l'agacer et le demi-espoir de le réformer. « Tu as vraiment envie de devenir un vieux grigou solitaire ? demanda-t-elle. Le pire des êtres humains vaut mieux que tout ce que tu pourras trouver au fond de la mer. Si tu suscites tellement d'intérêt, tu devrais t'estimer heureux d'avoir la chance de connaître autant de gens... » Peut-être même y avait-il beaucoup de vrai dans ce qu'elle disait, mais ce n'était pas le genre de vérité que Mark aurait dû entendre juste avant de faire la connaissance des Vallantine.

Ces derniers, qui avaient arpenté assidûment le Club et ses abords afin de se ménager l'opportunité d'une rencontre accidentelle, entrèrent justement dans le café en terrasse, suivis de leur scotch-terrier. Ils adressèrent à Sarah des signes de tête et des sourires pleins de tact ; une espèce de semi-salut qui ne demandait pas de réponse, mais Sarah, qui avait pris en affection ce couple sympathique et sans prétention – et que réjouissait l'idée de forcer Mark à côtoyer des gens –, bondit de son siège et leur fit signe de venir à leur table.

« Vraiment, vous êtes ssss... sûrs ? »

Mark se leva pour saluer les amis de Sarah, avançant une chaise à Mrs Vallantine. Le comportement de son ennemi non déclaré l'incita à baisser sa garde et lui fit oublier sa méfiance envers les inconnus. À l'évidence, pour le marchand d'art anormalement timide et gauche, faire la connaissance d'étrangers était une véritable souffrance ; quand ils se serrèrent la main, il rougit fortement et se cogna le genou contre le siège blanc en fer forgé, comme s'il allait avoir une crise cardiaque, terriblement embarrassé par son bégaiement, par son corps informe, par ses sourcils bizarres et par son crâne chauve. Il existe des prédateurs qui frappent leurs victimes de terreur afin de les engourdir en prévision de la tuerie, mais la terreur n'est pas la seule arme : Vallantine emplit le cœur de sa proie de pitié, ce qui était tout aussi efficace pour l'empêcher de prendre la fuite. Mark se sentait en sécurité avec un homme qui lui faisait de la peine.

Tandis qu'ils étaient assis autour de la table, Shirley Vallantine se mit à parler des difficultés qui se posaient quand on voyageait avec un chien. Elle aurait de beaucoup préféré laisser Daisy chez eux à New York avec la domestique, mais John ne pouvait pas supporter l'idée que la pauvre petite bête allait les chercher désespérément dans tout l'appartement. Ils n'allaient jamais nulle part où les chiens n'étaient pas acceptés. Elle adorait Londres, mais ils ne pouvaient plus y aller, parce que les Britanniques refusaient de laisser entrer Daisy; ils mettaient les chiens et les chats en quarantaine pendant des mois. Cela, John ne l'acceptait absolument pas. Les meilleurs restaurants de New York leur étaient interdits; John refusait sa clientèle à tous les lieux où Daisy n'était pas la bienvenue.

Vallantine écouta les jérémiades à demi sérieuses de sa femme d'un air d'excuse. Étant authentiquement timide et gauche, il tirait le meilleur parti possible de ses désavantages, comme pour montrer qu'il était aisé de s'entendre avec lui. Il y avait chez lui un petit côté mari houspillé tandis qu'il restait assis là à gratouiller le cou de Daisy – esclave de sa femme et de sa chienne. Le membre le plus faible de n'importe quelle sorte d'alliance. Il rougissait au moindre coup d'œil! Comment Mark aurait-il pu deviner qu'il n'y avait rien au monde que cet homme aurait eu honte de lui faire? Le marchand d'art se débarrassa du serveur qui gravitait autour d'eux en commandant, le visage écarlate, du thé pour deux.

Mark se faisait une règle de ne jamais écouter quiconque se hasardait seulement à mentionner la *Flora*, mais Vallantine ne fit allusion à l'épave que parce qu'il avait entendu Sarah déclarer qu'à un moment donné Mark était prêt à laisser le navire au fond de la mer plutôt que d'en donner la moitié au gouvernement. Or il regrettait que Mark n'eût pas tenu bon. « Il y a déjà plus de trésors qu'il n'en faut dans le monde; ce qui nous fait cruellement défaut, ce sont les actes de défi exemplaires contre les pouvoirs fiscaux de l'État, déclara-t-il avec tant de conviction qu'il ne buta pas sur le moindre mot.

— Ce n'est pas que je sois contre tous les impôts, assura Mark. Je ne suis pas contre l'aide aux pauvres.

— Personne n'est contre cela, c'est une mmm... mine d'or. » Le marchand d'art lâcha un petit rire, rougissant de sa propre hilarité, et coula un regard en biais à sa femme, qui le lui rendit avec un sourire appréciateur.

Sarah et Mark virent dans cette petite interaction à la mention d'une mine d'or une nouvelle preuve du fait que les vieux époux s'aimaient encore en dépit de leur âge. À leurs yeux, des personnes ayant franchi la cinquantaine paraissaient incroyablement vieilles et cette marque d'affection entre deux êtres âgés les impressionna tous les deux.

« Je me rappelle encore l'époque où les gens s'enrichissaient en exploitant leur prochain, poursuivit Vallantine de sa voix chevrotante, hésitant sur ses consonnes même lorsqu'il parvenait à les négocier. De nos jours, on peut s'assurer richesse et pouvoir en aidant les déshérités. Qu'est-ce qu'il peut y avoir de mieux que d'être directeur des services sociaux ? Un gros salaire, le plaisir de donner des conseils, une retraite indexée ; ce type-là n'a aucun souci en dehors des problèmes des autres, et ces derniers ne sont qu'un léger fardeau. Ce que ces p... parasites pourraient faire de mieux pour les pauvres, c'est de disparaître. L'existence seigneuriale qu'ils mènent est payée par les impôts et les taxes extorqués aux pauvres. Il s'interrompit afin d'adresser un regard de reproche à Mark par-dessus le sommet de ses lunettes demi-lune. « Oui, renoncer à une grande fortune plutôt que de laisser le gouvernement s'emparer de la moitié, vous auriez fait là un geste magnifique, vous auriez remué le cœur de mmmm... millions de gens !

— Tout le monde me prenait pour un idiot. »

Le marchand d'art bougea sur son siège avec un soupir. Il avait affreusement peur d'offenser, mais il n'était pas homme à flatter quiconque. Pour être ttt... tout à fait honnête avec vous, pour être d'une b... brutale franchise, balbutia-t-il, vous étiez effectivement un imbécile.

— Enfin, John, voyons ! En voilà une chose à dire ! s'écria sa femme. Tu n'as vraiment aucun tact. »

Vallantine baissa la tête avec un sourire penaud, comme pour dire que le chef c'était elle.

S'il avait été pauvre, il aurait peut-être été ridicule. Mais comme il se trouvait être un marchand d'art riche et influent qui avait pris un des bungalows à huit cents dollars la journée, ses petits gestes d'humilité étaient autant de preuves de son intégrité : sa réussite ne l'impressionnait nullement, il n'avait aucun sentiment de sa propre importance. Et pourtant, il ne se laissait pas non plus vaincre par ses handicaps, ni par la réprobation de son épouse. « C'était aussi bbb... bête que de vous mettre en quête de ce trésor, comme vous l'avez fait. Il n'y a pas à tortiller, Shirley, ce garçon est né idiot.

— Ayez la gentillesse d'excuser mon mari, je vous en prie, supplia sa femme. C'est un véritable enfant; s'il pense quelque chose, il faut qu'il le dise.

— Il est tout à fait déraisonnable, insista Vallantine. Mais c'est très bien ainsi, c'est très bien! ajouta-t-il en levant les mains comme pour se défendre et en surprenant ses compagnons par un autre petit rire joyeux. Le monde a besoin de sots. » Il se tourna vers Sarah et Mark pour s'expliquer. « Je le sais, parce que mon père, qui fut à son époque un acteur plus que passable – ou je devrais plutôt dire avant votre époque à vous –, a interprété le rôle de John Tanner dans *L'Homme et le Surhomme*. Il l'a joué en tournée dans tous les États-Unis et le Canada, et quand j'étais petit, je voyageais avec lui, voyez-vous, alors je l'ai entendu dire cette tirade je ne sais combien de fois! Voyons, voyons, comment est-ce déjà? Est-ce que je vais me la rappeler après tout ce temps? « L'homme raisonnable s'adapte au monde : l'homme déraisonnable sss... s'entête à essayer d'adapter le monde à lui-même. Donc, le progrès tout entier dépend de l'homme déraisonnable. » Ce mensonge, à l'instar de la vérité dans les œuvres de fiction, fut glissé en passant, comme un simple à-côté en marge de ce qui paraissait être le sujet principal. Une des maximes de Vallantine était qu'une assertion directe prêtait souvent le flanc au doute, alors que ce n'était presque jamais le cas d'une explication accessoire. Et en effet il ne vint même pas à l'idée de Mark de se dire que Vallantine n'était peut-être pas fils d'acteur.

« Mon père aussi est acteur! » dit-il, n'ayant pas conscience de la pleine étendue de son renom. (Pour sa part, il n'avait pas vu l'interview télévisée qu'il avait accordée à Caroline Adams.)

« Vraiment? Ce n'est pas possible! s'écria Mrs Vallantine, surprise et charmée. Est-ce l'un des deux célèbres Niven?

— Lequel des deux, Dana ou D... David? Mais maintenant que vous nous le dites, je discerne une ressemblance frappante avec Dana Niven. Je ne me trompe pas?

— C'est bien ça! Bravo! » lança Sarah, enchantée de constater qu'ils sympathisaient tous.

Mrs Vallantine admirait particulièrement Dana Niven dans *L'Empereur*, alors que son mari préférait *Le Disciple du diable*. Mais ils n'en firent pas tout un plat.

Changeant de sujet, Vallantine fit allusion à un crime épouvantable dont on avait parlé dans le *New York Times*. Sarah ou Mark avaient-ils lu l'histoire de ce petit garçon de trois ans tué par l'amant de sa mère? Celle-ci était encore au travail et le type en question buvait une bière en regardant un match de football à la télévision. Le petit bonhomme, qui était resté seul toute la journée, voulait jouer un peu avec quelqu'un et il s'était mis à passer et à repasser en courant devant l'écran de télévision, pour attirer l'attention.

« Oh, John, je t'en prie, ne me reparle pas de ça, c'est trop abominable, supplia Shirley Vallantine en se cachant le visage dans ses mains.

— Oui, c'est abbb… bominable, convint son mari et il s'interrompit, contemplant quelque horreur indicible. Le type lui a dit plusieurs fois de ne pas lui cacher l'écran, mais le pauvre petit, t… tout heureux d'être remarqué, croyant peut-être qu'il s'agissait d'une espèce de jeu, s'est énervé de plus en plus et s'est mis à courir comme un fou, empêchant le type de voir l'écran. Et finalement, le type s'est mis dans une colère noire, il l'a rrr… roué de coups de pied et de poing et l'enfant est mort.

— Oh, non, ce n'est pas possible! » s'écria Sarah.

Mark resta assis sans rien dire, horrifié.

Seule la chienne continua de renifler leurs jambes, comme si de rien n'était.

« Et ce monstre n'a écopé que de trois ans de prison. Pour homicide involontaire! lança rageusement Shirley Vallantine. C'est-à-dire qu'on a traité l'affaire comme un accident, comme s'il n'y était pour rien, ou presque. Moi, je ne comprends pas, et vous? Comment peut-on considérer le fait de battre un petit garçon à mort comme un accident? Un enfant de trois ans n'est pas un homme, que je sache! Donc, on devrait parler plutôt d'infanticide volontaire; et s'il y a une bonne raison d'exécuter les gens, c'est bien celle-là!

— Elle a raison, vous savez ! » soupira Vallantine, laissant ses bons sentiments outragés avoir raison de lui : il avait le visage si terreux que Mark se sentit tout honteux de ne pas compatir davantage aux malheurs d'autrui.

« On a appris lors du procès, reprit Vallantine au bout d'un moment, que l'enfant avait été hospitalisé quelques mois plus tôt pour un bras cassé et des eccc... chymoses et que les parents avaient figuré sur une liste de gens soupçonnés de maltraiter leurs enfants. Mais l'assistante sociale qui a enquêté sur leur cas a fait une erreur : elle a décidé de laisser l'enfant avec eux.

— Je ne pense pas que les grands-parents auraient fait la même erreur, interrompit sa femme. Ils n'auraient pas pris un bras cassé à la légère !

— Malheureusement, ils habitaient une autre ville et ils étaient trop ppp... pauvres pour voyager, bégaya Vallantine, désireux d'en revenir à ce fléau qu'était le fisc. Si l'on excepte les gens richissimes, ajouta-t-il, combien de parents peuvent se permettre d'aider leurs enfants à acheter une maison ou à monter une affaire ? Combien de gens sont en mesure de donner un c... coup de pouce à leurs petits-enfants ? Combien de jeunes peuvent aller demander un peu d'argent à leurs oncles et tantes, quand ils en ont besoin ? Les politiciens parlent de la famille, mais ils font plus que quiconque pour la faire voler en éclats. Si les familles se désagrègent, ce n'est pas pour ci ou ça, à cause de la drogue, ou du déclin de la religion, ou que sais-je, non, c'est à cause de la rapacité du fisc, qui d... d... détruit les liens économiques entre les générations... »

Sarah, toujours bonne fille, plaida la cause des assistantes sociales, mais Mark n'avait d'oreilles que pour Vallantine. Il commençait à considérer le marchand d'art comme un homme dont le principal intérêt dans la vie était les idées, un homme dont l'esprit revenait sans cesse sur le bien commun.

« Toutes les bureaucraties reposent sur l'abjecte ppp... prémisse que les gens dépenseront tout leur argent pour eux-mêmes, plutôt que d'aider les membres de leur propre famille, mais que l'on peut compter sur les b... bureaucrates pour consacrer leur budget entier à aider des gens qu'ils ne connaissent ni d'Ève ni d'Adam, plutôt que de réclamer une hausse de leurs salaires ou des voyages à l'étranger. Tenez, si l'on consacrait ne fût-ce que dix pour cent de tous les impôts perçus par les g... gouvernements à aider les pauvres et les nécessiteux, tous les miséreux du monde seraient mmm... millionnaires.

— Les ministres du gouvernement engagent de ravissantes secrétaires, je suis bien placé pour le savoir! s'exclama Mark, qui n'avait pas encore digéré l'histoire de Miss Passionnée. Ils ne regardent pas à la dépense.

— Nnnnn... non, pas un instant. Faites-moi penser à vous exposer un jour ma théorie du bénéfice sur les frais. L'argent public est toujours dépensé de la f... f... façon qui produit le maximum de frais généraux.

— Je sais, je sais! » fit Mark en écho.

Le marchand d'art hocha la tête avec un regard appréciateur, tout heureux de trouver quelqu'un qui savait. Le prélèvement imposé à la *Flora*, fit-il remarquer, était une tragédie pour les pauvres Bahamiens. L'or serait utilisé pour mettre sur pied une gigantesque bureaucratie, après quoi, une fois cette fortune dépensée, on se mettrait à imposer les citoyens pour entretenir les bureaucrates.

— Voilà ce que j'aurais dû dire au Dr Rolle!

— Les bureaucrates sont ppp... poussés par un seul motif, le bénéfice sur les frais.

— Je sais, je sais! »

Tout ce que disait Vallantine à ce sujet cadrait si parfaitement avec sa propre amertume que Mark s'imaginait l'avoir toujours su. Malgré l'évidente absence de rapport entre le caractère d'un homme et ses opinions, même sincères, c'est là un de ces faits bien connus auxquels on pense rarement, et les gens tendent à s'identifier avec ceux qui partagent leur façon de penser. Tandis qu'il écoutait, la sympathie de Mark envers le marchand d'art et son éloquent bégaiement s'accrut par la force d'une fausse déduction : « Il pense comme moi, il est comme moi, c'est un ami. »

En plus, le marchand d'art ne lui avait rien demandé!

Mark avait l'impression qu'ils commençaient à peine à bavarder lorsque Vallantine fit un signe à sa femme; le couple se leva et prit congé, expliquant qu'ils faisaient toujours une petite sieste l'après-midi.

« Ils n'ont pas d'enfants, c'est triste, hein ? dit Sarah une fois qu'ils furent hors de portée de voix. Mrs Vallantine m'a dit qu'elle avait perdu un bébé à la naissance et qu'ensuite ils n'avaient pas pu en avoir d'autre. C'est sans doute pour ça qu'ils étaient si bouleversés par l'histoire de ce pauvre petit garçon. Alors, tu n'es pas content d'avoir fait la connaissance de nouvelles têtes ? Ils sont sympas, non ? »

Mark reconnut que oui.

Ni l'un ni l'autre n'avait la moindre idée des infamies dont sont capables les gens les plus sympathiques.

Les Vallantine étaient plutôt contents d'eux-mêmes, se félicitant de ne pas avoir parlé affaires à la première rencontre ; mais ils ne tardèrent pas à déchanter. Leur proie s'envola en hélicoptère pour le reste de la journée et le lendemain matin ils furent réveillés par la sirène retentissante d'une barge orange vif qui avec ses grues et son pont grouillant de gens affairés apportait dans la somnolente baie bleue une aura d'industrie septentrionale. Descendant en toute hâte jusqu'à la plage en compagnie d'autres curieux, ils arrivèrent juste à temps pour voir Mark monter à bord du *Mississippi* avec un groupe de Bahamiens. Un chasseur leur révéla que Mr Niven avait quitté l'hôtel.

Avaient-ils laissé passer leur chance ?

Au cours des jours suivants, Vallantine endura de telles angoisses qu'il en vint à penser qu'il avait gagné maintes et maintes fois les trésors de la *Flora*. Chaque jour à midi et chaque après-midi vers seize heures, il regarda deux hélicoptères, accompagnés d'un hélicoptère de la police, survoler le Club, emportant les richesses de la barge pour aller les déposer dans les coffres de la Royal Bank of Canada à Nassau. Le malheureux n'avait rien de mieux à faire que de discuter avec Sarah.

« Je me fais du souci pour votre ami, miss Little, lui confiait-il. Il serait si facile pour lui de faire une bbb… bêtise. »

Que dire de plus vrai ? Sarah, bien sûr, en conçut de l'inquiétude et le marchand d'art parvint à la persuader que Mark risquait de perdre des millions en vendant ses trésors aux premiers venus. Inutile de dire qu'il y avait une solution : une exposition. Cela permettrait de gagner de l'argent et attirerait du même coup de nombreux acheteurs, permettant à Mark de vendre aux plus offrants.

« J'aimerais au mmmoins en d... discuter avec lui, déclara Vallantine. Peut-être l'idée ne lui plaira-t-elle pas, mais il devrait l'écouter. Ça ne peut pas fff... faire de mal d'écccc... couter ! »

Sarah, toujours désireuse d'aider de toutes les façons possibles, ne demandait pas mieux que de s'en mêler, et un jour où la mer était trop grosse pour les opérations de renflouement et où Mark fit un saut en hélicoptère pour venir déjeuner avec elle et Eshelby, elle lui fit part de cette idée. Mark se contenta de secouer la tête. Un peu plus tard, cependant, tandis qu'ils prenaient le café avec les Vallantine au café en terrasse, elle entama de nouveau le sujet.

L'idée ne plut pas davantage à Mark la seconde fois. « Une exposition tenterait les voleurs.

— Nous exposons constamment des œuvres d'art qui n'ont pas de prix, mon petit, et jamais on ne nous a rien volé, fit remarquer Shirley Vallantine d'un ton apaisant. Et puis, bien entendu, vous êtes assuré.

— Laisse au moins Mr Vallantine t'expliquer, dit Sarah d'un ton pressant. Ça ne peut pas faire de mal d'écouter ! »

Mark secoua froidement la tête. « Pour le moment, la seule chose qui m'intéresse, c'est de tout faire parvenir en sécurité à la banque. On ne compte plus les gens qui rôdent parmi les récifs.

— Ces ttt... trésors ne consistent pas seulement en or et en bijoux, déclara Vallantine, incapable de feindre plus longtemps de regretter que Mark ne les eût pas laissés au fond de l'eau. D'après ce que j'ai entendu dire, certains sont des objets uniques et ils ont tous une grande importance pour les historiens. Vous n'avez pas le droit de les enfermer dans un coffre et de les cacher au monde.

— Oui, le monde entier a des droits sur eux », répondit Mark d'une voix amère, et il se leva, désireux de regagner au plus vite le site de l'épave.

« Tu en es capable, John, tu es capable d'amener les gens les plus habiles à changer d'avis, mais tu ne peux pas venir à bout des déments, déclara Shirley Vallantine à son mari lors de leur consultation vespérale dans leurs lits jumeaux attenants. John, je t'en prie, je t'en supplie, rentrons chez nous.

— Il y a cette boîte à bijoux en ivoire contenant dix-neuf émeraudes non taillées, soupira Vallantine, se tournant et se retournant. Et que dire des 743 050 doublons d'or ? » (Lui aussi connaissait par cœur le manifeste de la *Flora*.) Je ne refuserais pas d'en posséder la moitié.

— Ne fais pas l'enfant, John, tu te tourmentes pour rien du tout.

— Mais il nous trouve sympathiques !

— Il te trouve peut-être sympathique, mais à quoi est-ce que ça te sert ? Il a l'intention d'ensevelir son trésor et de s'asseoir dessus. Tu pourras bien être aussi gentil que tu voudras avec lui, ça ne changera rien. Il ne bougera pas d'un pouce.

— Qqq... quand les choses ont de la valeur, il faut se donner du mal pour les obtenir. »

Dès le lendemain, ils apprirent que Mark avait tiré sur un petit avion venu survoler la barge ; selon la rumeur publique, l'avion s'était abîmé dans la mer et le pilote avait été tué. Mrs Vallantine commença à faire les valises, mais son mari refusait de partir.

« Jamais plus nous n'aurons une ch... chance comme celle-là, Shirley. Pour le moment, il a peur de prendre la moindre décision, mais je sens que c'est un garçon très sûr de lui, au fond. Il suffit d'attendre qu'il reprenne confiance. N'oublie pas qu'il a toujours su qu'il trouverait l'épave. Il a persisté pendant des années contre v... v... v... vents et marées, en gardant la conviction qu'il parviendrait à obtenir ce qu'il désirait le plus au monde. Qu'est-ce que tu en déduis de ça, hein ? C'est un rêveur, ce type, il croit que tout va lui réussir dans la vie ! Je ne pourrais pas renoncer à un garçon pareil ! »

Comment l'aurait-il pu, en effet ? Le rêve d'un escroc, c'est un homme qui rêve.

32

La paranoïa

Le succès n'est qu'un échec différé.

GRAHAM GREENE

Cet automne-là, les ouragans et les orages tropicaux passèrent au large des Bahamas ; mises à part quelques rudes matinées, le temps resta assez calme pour permettre le renflouement. Chaque jour livrait plusieurs fortunes. Il n'était pas rare pour les plongeurs de rapporter des douzaines de lingots d'or au cours d'une seule matinée, ainsi que des statuettes en or, des candélabres, des vases sacrés et parfois une boîte en argent noirci emplie de pierres précieuses. Les objets lourds étaient hissés hors de l'eau par des grues. Des souffleuses balayaient le sable tout autour de l'épave et des aspirateurs sous-marins, reliés par des tuyaux à des compresseurs sur le pont de la barge, aspiraient des milliers de doublons d'or.

La sécurité était draconienne. Une canonnière de la Royal Bahamian Naval Police sous le commandement du lieutenant Dunsmore mouillait juste à côté de la barge. Ne voulant pas se contenter de la protection policière, Mark avait engagé six gardes auprès d'une entreprise de sécurité de Miami et les avait équipés de lance-roquettes, dont les projectiles étaient capables de transpercer les flancs d'un navire de guerre. En dehors de Mark, personne n'avait le droit de quitter la barge. Le capitaine Wellbeloved, l'équipage et les douaniers étaient logés dans un édifice de deux étages sous la passerelle, tandis que Mark et ses plongeurs, manutentionnaires et gardes, ainsi que les opérateurs des grues et des pompes, habitaient des cabanes préfabriquées sur le pont. Le soir, les hommes chantaient des chansons, jouaient au poker ou prenaient leur tour des gardes assurées vingt-quatre heures sur vingt-quatre. Mark faisait braquer des projecteurs sur l'épave toute la nuit; les lumières éclairant les eaux peu profondes attiraient un grand nombre de pieuvres, barracudas et autres créatures décourageantes.

Le *Mississippi* était long et large; malgré tout son surplus d'équipement et ses édifices préfabriqués, il y avait encore assez de place pour que les hélicoptères pussent atterrir; mais pendant la journée, tant qu'il y avait des trésors à bord, le moindre son paraissait se propager sur toute la longueur et la largeur du vaste pont. Un attroupement se formait chaque fois qu'un coffre en bois croulant déversait son contenu et tout le monde s'arrêtait pour écouter rouler une pièce d'or. Les douaniers surveillaient les plongeurs, les manutentionnaires, l'équipage de la barge, les gardes de Mark et Mark lui-même, au cas où l'un d'entre eux aurait essayé de dérober le moindre objet avant que le Trésor public ne pût exercer son droit de préemption. Mark, de son côté, patrouillait le pont, tenant à l'œil l'équipage, ses gardes, ses plongeurs, les manutentionnaires, les opérateurs des pompes et des grues, et les douaniers. Ou bien, il s'installait sur la passerelle pour contempler la mer et le ciel.

Chaque fois qu'un bateau s'aventurait à moins de cent mètres de la barge, Mark empoignait son fusil automatique et tirait par-dessus la tête des intrus jusqu'à ce qu'ils prissent le large.

« C'est moi qui sera responsable! » geignait le lieutenant Dunsmore, sur sa canonnière, chaque fois qu'il voyait Mark avec son fusil. Convaincu que le nouveau millionnaire allait tôt ou tard blesser un touriste curieux, le policier demanda à ses supérieurs à Nassau de lui retirer son permis de port d'arme, mais désormais Mark jouissait de la considération particulière réservée à un homme qui, si jeune et si imprudent fût-il, fournissait le Trésor public en or massif, si bien qu'on ne tint aucun compte de cette requête.

La seule ressource du lieutenant était de se rendre à bord de la barge en visite amicale, d'ordinaire pour dîner à la table du capitaine.

« Pourquoi n'allez-vous pas voir un peu le monde, Mr Niven?

— Mais oui. Mr Niven est assez riche pour faire le tour du monde, et puis le recommencer de zéro! renchérit le capitaine Wellbeloved, heureux d'appuyer un bon conseil.

— Je vous remercie, mais je suis très heureux ici même.

— On n'a pas vraiment besoin de vous, persista le lieutenant Dunsmore.

— Ce n'est pas mon sentiment.

— Tout ce qu'on remonte est noté sur les registres et emporté à la banque. Rien ne passe inaperçu. Et nous veillons à la sécurité pour vous.

— En laissant des bateaux inconnus fuser de tous les côtés!

— Personne n'écoute jamais, soupira le lieutenant. Vous risquez de tuer quelqu'un avec votre fusil, vous savez. » Dunsmore, un homme de haute taille au teint peu coloré, fils d'une Noire d'Eleuthera et d'un officier de police écossais originaire de Stirling qui avait servi dans la police bahamienne à l'époque coloniale, avait en lui la tristesse des deux races. « Il suffit parfois de si peu pour que les choses tournent mal, se lamenta-t-il tout haut.

— C'est vrai, c'est vrai, confirma le capitaine Wellbeloved.

— Dire que vous pourriez être en train de vous distraire dans quelque grande ville! reprit le lieutenant. Les habitants des îles isolées languissent après les grandes villes tout comme les habitants des grandes villes languissent après les îles isolées.

— Je connais les grandes villes.

— Vous vous êtes déjà trouvé en haut de Calton Hill, à Édimbourg? »

Dunsmore parla avec éloquence de la Ville Neuve, de la Vieille Ville, de Castle Rock, du siège d'Arthur, du palais de Holyrood, de Prince's Street, et, tout en s'efforçant d'écouter, Mark fut frappé par l'idée qu'il n'avait pas pensé à Marianne depuis plusieurs jours. « Et même maintenant que je pense à elle, je ne sens rien du tout », pensa-t-il, surpris. Il avait souvent pris son parti du fait que leur aventure était terminée, mais à présent il se sentait guéri. Il lui paraissait aussi clair que l'air au-dessus de la mer étincelante que jamais plus il ne fouillerait fré-nétiquement parmi son courrier à la recherche d'un message d'elle. Comment avait-il pu être assez ridicule pour éviter de dire certaines choses, uniquement parce qu'il redoutait de la rendre malheureuse et laide ? Désormais, il n'aurait plus jamais peur d'elle.

Le lieutenant Dunsmore était content de voir que ses propos faisaient impression au jeune homme, qui paraissait s'être détendu ; et en effet, en l'entendant parler d'Édimbourg, Mark s'était rappelé ses propres ancêtres écossais. Ces gens n'avaient-ils pas la réputation d'être radins, d'être amoureux de leurs coffres-forts ? Bon, parfait, à l'évidence il était un Écossais à la tête froide. Pas le genre d'homme pour qui les femmes comp-teraient jamais beaucoup. Elle l'avait oublié et il l'avait oubliée. « Tout est pour le mieux, songea-t-il. J'aurai toujours quelques amis et je serai riche. »

Pendant quelque temps il fut tout à fait calme et heureux, mais bientôt, délivré des distractions de l'amour, il recommença à se faire du souci pour sa fortune. Il avait beau s'enrichir de plusieurs millions avec chaque jour qui passait, cela ne servait qu'à le rendre plus inquiet.

Et le coup de téléphone de Darville le rendit fou.

« J'ai un appel pour vous en provenance de Nassau, Mr Niven », annonça l'opérateur radio du *Mississippi*, un qua-dragénaire de Californie qui donnait l'impression d'avoir tou-jours le sourire aux lèvres.

Mark était en train de parler à un plongeur, encore dégou-linant, qui venait de remonter un gobelet d'or martelé incrusté de pierres précieuses. Les hélicoptères étaient repartis avec le butin de la matinée à peine une demi-heure aupara-vant ; le gobelet était la première pêche de l'après-midi. Mark pensait qu'il s'agissait sûrement de la fameuse coupe incrus-tée de bézoard, laquelle était censée changer de couleur si le breuvage contenait du poison. Il la retournait dans ses mains lorsque l'opérateur vint lui signaler l'appel. Confiant la coupe à un douanier vigilant qui s'était matérialisé à ses côtés, il suivit l'opérateur dans le poste radio sous la passe-relle.

Franklin Darville appelait pour lui rapporter son entretien avec le Dr Rolle à propos du partage des coûts du renflouement entre son client et le Trésor public. Darville avait fait valoir qu'il convenait de s'en tenir aux mêmes chiffres que pour le contenu de l'épave, cinquante, cinquante, mais compte tenu du fait que le prélèvement avait été réduit de soixante à cinquante pour cent, le Trésor avait décrété que Mark devrait supporter seul tous les frais, lesquels se montaient déjà à plus de cinq millions de dollars. Mark, qui avait espéré que le Trésor en paierait la moitié, dut absorber d'un instant au suivant la perte sèche de deux millions cinq cent mille dollars. Il quitta le poste radio, ramassa son M60 et gagna la passerelle, le visage figé.

Quelques minutes plus tard, à peine, un petit hydravion volant à basse altitude s'approcha suffisamment pour projeter son ombre sur le pont ; Mark leva son fusil, visa et tira. L'appareil fit demi-tour et s'enfuit, vibrant sous l'effet de l'excès de vitesse et du trou dans son aile.

Épouvanté, le lieutenant Dunsmore fonça le long de la planche jetée entre la canonnière et la barge, puis il ralentit son allure et gravit d'un pas mesuré les marches menant à la passerelle où se trouvait le jeune dément. « J'imagine que vous allez être obligé de rembourser les réparations à ce pilote, dit-il d'un ton amène.

— J'aime bien qu'on me laisse tranquille, répondit Mark sèchement.

— C'était quoi, ces coups de feu ? » demanda le capitaine Wellbeloved, surgissant sur le pont avec les yeux rouges et gonflés d'un homme tiré d'un profond sommeil. En sa qualité de propriétaire de la barge, Wellbeloved était son propre patron et il tenait énormément à sa petite sieste. « Pour l'amour de Dieu, Mr Niven, contrôlez-vous, supplia-t-il. Si vous voulez rester ici, vous devriez au moins prendre davantage de repos.

— Jamais je ne me le pardonnerais si je me laissais prendre au dépourvu par qui que ce soit. » Mark ne souffla pas mot des deux millions et demi de dollars qu'il venait de perdre, ayant appris que personne ne compatirait jamais à son sort.

Les deux hommes durent se contenter de sa promesse d'être prudent.

Pendant les quelques jours suivants, Mark ne cessa d'arpenter la barge, ne lâchant presque jamais son fusil. Il n'y eut aucune nouvelle du pilote de l'avion sur lequel il avait tiré. L'appareil s'était-il écrasé quelque part ou le pilote avait-il de bonnes raisons pour ne pas porter plainte ? Une nouvelle angoisse grandissait chez Mark : il sentait venir le danger comme un chien, sans savoir pourquoi.

Un jour, sa peur indéfinissable le poussa à s'inquiéter de la vision familière des hélicoptères qui approchaient. C'était un après-midi ensoleillé, un vent tiède soufflait du sud, nettoyant le ciel de ses nuages, et Mark aperçut les trois petits points dès qu'ils apparurent à l'horizon. Ils étaient censés être là aux environs de seize heures, quand les deux hélicoptères de transport et leur escorte policière venaient chercher leur chargement, et il était presque l'heure de leur arrivée ; la montre de Mark indiquait quinze heures quarante-cinq. Pourtant, ces trois points, qui ne l'avaient jamais perturbé auparavant, l'emplirent de crainte.

« Ils sont un peu en avance aujourd'hui ! lança Coco d'en bas, sur le pont, où il était occupé à clouer le couvercle d'une caisse en présence de deux douaniers qui notaient avec zèle chacun des articles qu'on remontait du fond de la mer.

Mark empoigna son fusil, descendit en courant de la passerelle jusque dans le poste radio, deux étages au-dessous, et ordonna à l'opérateur de sommer les hélicoptères de s'identifier.

« Ça doit être un groupe de touristes, fit remarquer l'opérateur, n'ayant pas obtenu de réponse.

— Je savais bien que ce n'étaient pas les nôtres ! » s'exclama Mark avec une espèce d'exultation.

Sans cesser de sourire, l'opérateur lorgna le fusil. « Il y a toujours quelque chose qui se détraque avec ces radios. Ils ne nous entendent pas, voilà tout.

— Essayez toutes les fréquences, continuez de les appeler ! Et prévenez-les que s'ils ne s'identifient pas ou s'ils ne rebroussent pas chemin, nous les abattrons.

— Mais ils ne nous entendent pas, Mr Niven, je vous le jure, supplia l'opérateur, qui commençait à s'inquiéter. S'ils vous entendaient, je suis sûr qu'ils ne seraient que trop contents de vous obliger.

— Faites ce que je vous dis ! » lui dit Mark d'un ton cassant, puis il remonta sur la passerelle en courant, tirant plusieurs coups en l'air pour donner l'alarme. « Des intrus ! Des intrus ! » cria-t-il.

À part deux plongeurs qui étaient encore en bas auprès de l'épave, et quelques personnes à l'intérieur des diverses cabines, l'équipage était sur le pont et tous ses membres se retournèrent pour contempler fixement leur dangereux employeur. Debout sur la passerelle, vêtu d'un short dépenaillé et d'un chapeau de paille à large bord, agitant le fusil au-dessus de sa tête, il avait l'air prêt à tout. « Des intrus ! Des intrus ! »

« À le voir s'énerver comme ça, ce mec, on dirait vraiment que ça va lui changer la vie de perdre quelques pièces d'or », lança de sa voix traînante un jeune Texan qui avait, jusque-là, pompé 72 247 couronnes et escudos d'or du fond de l'eau et qui en voulait à Mark de ne pas autoriser l'équipage à quitter la barge pour aller passer une soirée à terre.

« Mr Niven, il vaudrait mieux pour la santé de tout le monde que vous posiez un peu ce fusil ! lança le lieutenant Dunsmore depuis la canonnière. Vous avez réussi, vous êtes le roi du monde, n'allez pas tout gâcher !

— Ces gens sont des pillards !

— Si vous dites vrai, c'est nous qui nous chargerons de vous débarrasser d'eux, ne vous en faites donc pas pour ça. »

Le policier chargé des communications ne parvint pas, lui non plus, à établir le moindre contact avec les hélicoptères, si bien que Dunsmore ordonna à ses hommes de préparer leurs armes, mais uniquement à titre de précaution routinière : il était convaincu du pouvoir de dissuasion de sa canonnière.

Quand le bruit des moteurs des trois appareils qui approchaient leur parvint soudain à travers le sifflement du vent autour d'eux, Mark rechargea son fusil et redescendit encore une fois de la passerelle, toujours en courant, pour parcourir toute la longueur de la barge, esquivant les grues, les pompes aspirantes et les jambes des plongeurs qui se reposaient, ordonnant à tout le monde de se mettre à couvert dans l'eau ou à l'intérieur des cabanes en aluminium. Les hommes lui obéirent à contrecœur : il faisait un temps idéal pour lézarder au soleil. Les deux douaniers l'ignorèrent avec un dédain étudié et continuèrent leur travail. Coco, qui ne le prenait plus pour un imbécile, empoigna un fusil disponible ; Mark le remercia d'un regard, puis il fit signe à ses gardes de pointer leurs lance-roquettes

« Mr Niven ! cria le lieutenant Dunsmore, horrifié par ces préparatifs. Vous ne pouvez pas abattre les gens juste parce qu'ils ne vous répondent pas !

— Alors abattez-les vous-même.

— Vous voulez être jugé pour meurtre ?

— Abattez-les, je vous dis !

— Les forces de la loi ne peuvent pas tirer les premières », répondit l'exemplaire policier.

Le capitaine Wellbeloved s'approcha de Mark pour essayer de lui dire quelque chose, mais le jeune homme l'écarta sans ménagement et, tandis que les bords en acier des hélicoptères amphibies étincelaient au soleil comme des épées et que les silhouettes dans les cockpits devenaient visibles, il braqua son arme sur le cockpit le plus proche. Au même instant, une voix pressante se fit entendre dans les récepteurs radio jusque-là silencieux, montés à plein volume aussi bien dans la barge que sur la canonnière de la police · « Nous sommes des touristes, des touristes, des touristes ! »

Mark hésita un instant, puis il cria « Feu ! » et appuya sur la détente.

Dans le cockpit de l'hélicoptère, la tête du pilote recula brusquement, comme s'il avait subi un choc, et l'éclair d'une flamme jaillit soudain du moteur. Les gardes chargés de la sécurité firent ce qu'auraient fait la plupart des hommes placés sous les ordres d'un dément : ils feignirent d'obéir, tirant en l'air et prenant soin de ne rien toucher. Le premier hélicoptère explosa et les énormes blocs embrasés s'abattirent dans la mer. Les deux autres coulèrent la canonnière à l'aide de roquettes bien dirigées, déversant dans l'eau les policiers et le cadavre du lieutenant Dunsmore. Après quoi ils mitraillèrent la barge, tuant le capitaine Wellbeloved, un garde et un des douaniers ; Coco s'effondra, blessé à la jambe Tous les hommes qui se trouvaient encore dans la barge sautèrent par-dessus bord, à l'exception de Mark, qui s'efforçait de repousser les attaquants à lui tout seul.

Que défendait-il ?

Selon les notes scrupuleusement tenues à jour des douaniers, récupérées par la suite parmi les débris et le sang, ils avaient à bord, déjà mis en caisse pour le transport, 378 lingots d'or, 1 647 escudos, une lourde chaîne en or à douze maillons, quatre candélabres en or… mais plus la liste s'allongeait, plus il paraissait absurde que quiconque irait risquer sa vie pour la moitié de ce qu'elle énumérait, surtout s'il avait déjà tant de choses de ce genre enfermées en sûreté à la banque. Mais, bien sûr, Mark résistait non pas à cause de la valeur de quoi que ce fût, mais uniquement parce qu'il avait déjà donné plus qu'il ne pouvait le supporter. Il était occupé à tirer sur l'hélicoptère qui planait au-dessus de la barge lorsqu'il s'écroula sur le pont, une balle dans l'estomac. L'appareil chercha à se poser sur lui pour l'écraser sous son poids, mais, ballotté par une rafale de vent, fut déporté et ne heurta que son bras gauche.

« J'avais raison ! » pensa Mark, tandis que sa bouche s'emplissait de sang et qu'il perdait connaissance.

Le troisième hélicoptère se posa au milieu des débris flottants de la canonnière afin de tenir sous sa menace les hommes qui avaient sauté dans la mer. « Restez dans l'eau et nous ne vous ferons pas de mal ! lança une fille aux longs cheveux blonds, au visage rond et serein, qui se dressait dans l'encadrement de la porte ouverte de l'appareil, mitraillette au poing. Nous sommes contre la violence inutile ! »

Les pillards gaspillèrent de précieuses minutes à ramasser leurs morts et furent assez déconcertés pour ne faire main basse que sur deux caisses de lingots d'or et sur la plus grande de toutes les caisses fermées, laquelle contenait six boulets de canon ayant un vague intérêt historique, avant d'être obligés de s'enfuir à l'approche des hélicoptères de transport. En décollant, ils firent tomber une pluie de papier sur les lieux : des milliers de tracts furent éparpillés sur l'eau et sur la barge, proclamant :

C'EST UN CRIME D'ÊTRE RICHE DANS UN MONDE QUI MEURT DE FAIM !
TRANSFORMEZ L'OR EN NOURRITURE !
DES TERRES POUR LES TRAVAILLEURS ITINÉRANTS !
L'ARMÉE DE REDISTRIBUTION

Après les obsèques, le renflouement se poursuivit sous la direction du fils du capitaine Wellbeloved. Avec deux nouvelles canonnières flanquant le *Mississippi*, un hélicoptère de combat décrivant des cercles au-dessus du site et des douaniers armés à bord de la barge, le travail fut mené à bien sans autre incident.

Ceux qui moururent lors de l'attaque contre la barge eurent un destin peu commun. Peu d'entre nous sont frappés par un unique coup de foudre descendu du ciel. La ruine, c'est un malheur après un autre, l'erreur fatale une succession d'erreurs, le coup fatal une succession de coups... et qui peut compter tous ses ennemis?

Le lendemain de l'attaque des terroristes, Vallantine, se sentant justifié dans sa décision de rester sur place malgré les supplications de sa femme, s'en fut trouver Darville et lui annonça que Mark et lui avaient envisagé d'exposer les trésors à Nassau, la galerie Vallantine se chargeant d'organiser et de promouvoir la manifestation. Il proposa de poursuivre ce projet, si le gouvernement bahamien et Darville le souhaitaient, et il suggéra à ce dernier de se mettre en rapport avec sept directeurs de musée qui avaient eu affaire à sa galerie, faisant forte impression à l'avocat par l'insistance avec laquelle il répéta : « Surtout, qu'aucune personne ne possédant pas des références im... im... impeccables ne s'approche de ces objets hi... hi... hi... historiques. »

Darville écrivit à chacun des sept directeurs de musée, mais Vallantine les contacta le premier par téléphone afin de leur demander si ça les intéressait d'acquérir quelques-uns des célèbres trésors de la *Flora*. La lettre de Darville confirma que Vallantine était probablement mêlé à l'affaire et, comme les directeurs de musée étaient bien entendu intéressés à l'idée d'ajouter quelques pièces de grande valeur à leurs collections, ils n'avaient aucune envie de se le mettre à dos. Bien que les résultats de l'enquête menée par la police italienne fussent déjà connus de tous dans les milieux artistiques à ce moment-là, même si les Italiens ne progressaient guère dans leurs poursuites judiciaires, et bien que les curateurs de musée les plus charitables fussent pour le moins obligés d'envisager l'idée que Vallantine était un receleur, deux des sept seulement eurent la semi-honnêteté de ne pas répondre du tout à la lettre de Darville. Les cinq autres écrivirent pour affirmer qu'ils tenaient John Vallantine et sa galerie en haute estime ; ils avaient eu le plaisir et le privilège de traiter avec Mr Vallantine par le passé et ils ne demandaient pas mieux que de traiter avec lui de nouveau.

Darville se prenait pour un cynique : jamais il n'aurait accepté la parole d'un chef d'État pour quoi que ce fût ; mais l'idée ne lui vint pas que des directeurs de musée réputés dans le monde entier, des défenseurs honorés de la civilisation, pussent être prêts à se faire les complices d'un criminel uniquement parce qu'ils pensaient que cela ferait marcher leurs affaires.

À la fin du mois de janvier, une exposition des trésors et des installations de la *Flora*, ses instruments de navigation, son ancre et son canon, ainsi que des tableaux et des maquettes de navires marchands de l'époque, ouvrit ses portes à Government House à Nassau. Les lingots d'or et les boulets de canon dont s'était emparée l'Armée de redistribution étaient absents des vitrines ; en outre, des centaines de perles, de pièces de monnaie et de pierres précieuses figurant sur le manifeste ne furent pas récupérées, ou en tout cas on ne nota nulle part qu'elles l'avaient été. Le restant, cependant, remplissait plusieurs grandes salles ainsi que les pages des magazines en couleurs du monde entier. Les 16 800 lingots d'or furent exposés à part, dans une salle des Lingots ; c'était une idée de Vallantine et elle eut beaucoup de succès. La galerie Vallantine organisa des vols pour le week-end à partir de toutes les grandes cités des États-Unis et du Canada, permettant aux touristes de « nager et de se dorer au soleil des Bahamas et de voir les trésors de Lima ».

Avant l'ouverture de l'exposition, conformément au contrat que Mark avait passé avec le gouvernement, chacun des objets sortis de l'épave fut examiné et évalué par un comité d'experts choisis par consentement mutuel (ce fut Franklin Darville qui consentit pour le compte de son client frappé d'incapacité). Sur l'inventaire signé par les experts, l'ancre de la *Flora* était évaluée à 800 dollars, la croix aux Sept Émeraudes à 710 000, les statues en or de la Madone à 75 000 dollars pièce. Selon le cours de l'or de l'époque (qui n'était encore que de 35 dollars l'once), la valeur totale du trésor fut estimée à plus de trois cent millions de dollars (335 127 100). C'était, à coup sûr, le plus riche trésor de l'histoire des mers, comme le prétendaient les gros titres[1].

Pendant tout ce temps, Mark gisait dans un lit de la clinique de Santa Catalina. Son bras gauche était broyé au-dessus du coude et les balles lui avaient déchiré l'estomac en plusieurs endroits. Il subit une série d'opérations; il fallut faire l'ablation d'une grande partie de son estomac et, par la faute d'hémorragies internes à répétition, il resta plusieurs semaines entre la vie et la mort.

---

1. La découverte de Mark Niven serait aujourd'hui évaluée à plus d'un milliard de dollards.

33

Une belle idée

Il est temps que je commence à vivre !
BENJAMIN CORMIER

Sir Henry Colville haïssait les hôpitaux, et la clinique de Santa Catalina était bâtie pour ressembler autant que possible à une villa qu'il avait jadis possédée sur la Côte d'Azur, au temps où les touristes s'y rendaient par milliers plutôt que par millions. Outre les deux salles publiques, où les Noirs de l'île étaient soignés gratis afin d'apaiser leur ressentiment, les quartiers réservés aux malades n'étaient pas des chambres pour une personne mais plutôt des appartements bien conçus, équipés de fauteuils et de canapés fourrés de duvet, de rideaux de soie au tissage lâche et de paniers suspendus de fougères et de fleurs. Avant l'ère industrielle on édifia des hôpitaux comme des cathédrales, afin d'élever l'âme : leurs arcs et leurs dômes, leurs sculptures en pierre, leurs fresques, leurs peintures – des œuvres d'art, des aperçus de l'immortalité – réjouissent encore aujourd'hui les cœurs des affligés. La plupart des hôpitaux modernes, en revanche, sont construits sans considération pour l'œil ni pour l'esprit, en toute ignorance, semble-t-il, des vertus curatives des spectacles magnifiques ; ce qu'ils ont de pire, ce sont leurs murs d'un dénuement déprimant, véritables monuments de cruauté irréfléchie, qui encouragent les malades à se concentrer sur leur douleur et sur leur crainte. La clinique de sir Henry n'était pas l'égale de la Scuola di San

Marco à Venise, mais grâce à la donation qu'il avait faite de la partie la moins coûteuse de sa collection d'impressionnistes et de post-impressionnistes, aucune perspective n'y était dénudée. Les couloirs eux-mêmes, ornés de peintures de Sisley, Pissarro, Eva Gonzales, Berthe Morisot, Mary Cassatt, Paul Rigor, Seurat et Signac, auraient pu être confondus avec les salles d'un musée de bonne qualité.

Mais il n'existe rien qui convienne à tout le monde. Malgré tous les tableaux et toutes les poteries provençales, les sols en marbre, les fontaines, les feuillages, le mobilier milanais d'une beauté frappante, sir Henry décida lors d'une brève visite que la clinique était encore trop semblable à un hôpital, par l'aspect et par l'odeur, et il n'y remit jamais les pieds. Il fit transformer une aile de sa maison en réplique de la salle d'opération de la clinique ; comme cela, s'il se cassait un os dans son bain ou se faisait tirer dessus par un terroriste, l'équipe du Dr Feyer pourrait le soigner chez lui.

La vie de Mark, déjà singulièrement riche en coups de chance, fut sauvée par la petite manie de sir Henry. Si la clinique n'avait pas été là, à trois minutes de la barge par hélicoptère, il serait mort ; personne ne pensait qu'il aurait pu survivre au vol jusqu'à Miami. Un quart d'heure environ après avoir été blessé, il reçut par transfusion une quantité massive de sang et une équipe de chirurgiens généralistes, cardio-vasculaires et ortho-pédistes commença à opérer, afin de sauver sa vie et son bras. Drogué à mort, dérivant entre la conscience et l'inconscience, il ne sut pas grand-chose des tortures auxquelles son corps était soumis. La première chose qu'il vit fut la grosse figure du Dr Feyer, qui se matérialisa hors du brouillard pour lui dire d'une voix sévère : « Vous êtes un gros, gros veinard ! »

Pendant ses moments d'éveil, quand il n'y avait pas de médecin auprès de lui, Mark était réconforté par la fenêtre. À la différence de la plupart des chambres d'hôpital, dont la fenêtre se situe à côté du lit du patient, si bien qu'il doit tourner la tête pour voir le ciel, dans la clinique de Santa Catalina les grandes fenêtres des appartements des malades faisaient face aux lits, et quand Mark ouvrait les yeux il était salué par un arbre flamboyant couvert de grappes de fleurs écarlates qui s'agitaient au vent. Lorsqu'il reperdait conscience, l'arbre se fondait dans la forêt de ses rêves ; il y avait dans sa tête des tempêtes qui faisaient ployer les branches.

Puis, il eut la joyeuse surprise de voir ses parents réunis ; ils étaient ensemble, assis à son chevet. Malade, il redevint enfant : il avait envie d'être pris dans leurs bras et serré bien fort. « Tenez ma main valide », leur demandait-il. Ils pourraient se remettre à voyager tous les trois, pensait-il, avec de l'argent, il n'y aurait plus de disputes. Il était heureux, mais alors un phénomène qui survint à l'intérieur de son corps le lui fit oublier. Il voyait ses parents même lorsqu'ils n'étaient pas là. Menacé d'extinction, son cerveau travaillait de lui-même à renforcer sa volonté de vivre en lui renvoyant par éclairs ses souvenirs de bonheur. En une occasion – ce fut peut-être pendant la transfusion – il se retrouva auprès de Marianne, peau contre peau, au moment où elle se contracta de plaisir sous lui ; la joie qu'elle éprouva fusa dans ses veines comme du sang frais et il sentit le ventre de sa bien-aimée vibrer contre son propre cœur.

Pendant plusieurs semaines, il crut qu'elle était revenue et qu'ils ne se sépareraient plus jamais, jusqu'au moment où une douleur déchirante le réveilla.

« Vous êtes un veinard de sentir quelque chose ! » brailla le colossal chirurgien en le dévisageant de ses yeux perçants.

Le Dr Attila Feyer écorchait les sons *w* et *s* en anglais et confondait les genres masculin et féminin avec toujours autant d'assurance, mais il n'y avait plus trace de l'attitude amicale qu'il avait manifestée quand Mark était un employé d'hôtel en pleine santé. « J'ai dû diminuer votre dose de drogues, alors vous allez être obligé de vivre avec la douleur pendant quelque temps, et je ne veux pas vous entendre râler à ce sujet ! » tonna-t-il avec une impitoyable férocité, histoire de rappeler **au** malade qu'il était issu de la même tribu que son homonyme du cinquième siècle, Attila le Hun, fléau de Dieu. Partisan invétéré de la rudesse au chevet des patients, destinée à leur inspirer du mépris pour leurs fractures et factures, le Dr Feyer dominait le lit de toute sa taille, tel un imprenable roc de chair ferme, à l'exception de son triple menton, mou et vulnérable, qui tremblotait tout seul même quand il se tenait immobile. « Votre estomac est comme neuf. Mieux que neuf. Il est moitié moins gros qu'avant. Vous ne pourrez plus faire de repas trop copieux, ni bloquer vos artères avec de la graisse. Ne pleurnichez pas ! Remerciez votre créateur. Et remerciez votre docteur – moi aussi, je veux être riche, vous savez ! » (Le Dr Feyer se mettait souvent en rage à l'idée qu'il ne gagnait pas autant d'argent qu'il l'aurait dû.) « J'ai perdu mon pays et vous allez m'aider à en acheter un autre ! » déclara le gigantesque réfugié politique d'un ton menaçant.

Puis il expliqua qu'ils avaient été contraints de retirer du bras de Mark certains muscles lacérés. « Il ne sera pas très joli à voir et vous serez peut-être obligé de trouver quelqu'un pour couper votre viande, déclara-t-il, mais c'est quand même mieux qu'un bras artificiel. Et vous pourrez l'améliorer avec des exercices. Quand vous prendrez de l'âge, ça deviendra plus douloureux et nous devrons peut-être reconsidérer la situation. Mais vous auriez pu être paralysé et vous ne l'êtes pas ! Et ça, c'est un gros gros coup de veine ! »

Vallantine aussi avait de la chance. Tandis que son adversaire gisait à la clinique sans se douter de rien, il pouvait vaquer à ses affaires en toute liberté. Dans la grande lutte d'intelligence et de volonté qui se profilait entre eux, Mark partait avec le désavantage d'être aux portes de la mort. C'est pour cela que les gens qui créent la richesse du monde finissent avec si peu. Il en coûte énormément pour accomplir quoi que ce soit de valable – fût-ce retrouver un trésor englouti –, et une fois qu'ils ont mené leur tâche à bien, ils sont au bout du rouleau, saignés à blanc. C'est alors que les parasites commencent à vivre, vifs et dispos, fraîchement sortis de leur bain, prêts à s'introduire dans les lieux pour prendre les choses en main.

Tout au long des mois de janvier et de février, le marchand d'art, très occupé, fit la navette entre New York et Nassau, faisant de son mieux pour assurer le succès de l'exposition et gagnant le respect de tous les gens qui avaient un rapport quelconque avec la *Flora*. Les bénéfices furent partagés entre le Trésor public, Mark, la galerie Vallantine et les familles des hommes tués lors de l'attaque contre la barge, si bien que Vallantine passa pour un bienfaiteur. Comme on peut s'y attendre, Darville fut ravi de l'offre que lui fit le brave homme d'organiser une autre exposition à New York à l'automne, en ne montrant cette fois que la part des trésors appartenant à

Mark. Les termes qu'il proposait n'auraient pu être plus raisonnables : Mark aurait une avance de cinq cent mille dollars et percevrait soixante-dix pour cent du prix des entrées contre trente pour la galerie. En outre, comme le fit remarquer Vallantine, une exposition à New York favoriserait la vente de tous les objets dont Mark déciderait éventuellement de se défaire. Darville accepta avec d'autant plus d'empressement que le Trésor public des Bahamas avait exercé son droit de préemption en s'adjugeant tous les lingots d'or, privant ainsi Mark de la seule partie de la cargaison qui pouvait être vendue promptement, partout, à un prix fixe. Pour le moment, un seul lot de dix-huit diamants et cinq émeraudes avait suscité (de la part de Cartier, à Paris) une offre conforme au prix estimé par les experts, et une nouvelle exposition à New York, capitale mondiale de la publicité, paraissait être le moyen idéal d'attirer les acheteurs idoines. Darville et l'avocat de Vallantine rédigèrent un contrat qui serait soumis à l'approbation de Mark, une fois qu'il serait suffisamment remis pour s'occuper de ses affaires. Ainsi, la ruine de Mark fut-elle préparée tout à fait ouvertement ; tout le monde en entendit parler et personne n'y trouva à redire.

Par prudence et par une espèce de délicatesse, le marchand d'art évita de faire la connaissance des parents de Mark et ne se mit à fréquenter la clinique qu'après leur départ. La mère de Mark regagna Amsterdam à la fin de janvier ; un mois plus tard, son père dut prendre l'avion pour Londres, où il tournait un film avec Joanne Woodward et sir Ralph Richardson. Les amis de Mark venaient régulièrement lui rendre visite, mais Sarah et Eshelby avaient du travail et d'autres amis, Darville avait d'autres clients, Weaver aussi. Vallantine vint en dernier mais resta le plus longtemps. En fin de compte, ni l'amour parental, ni l'amitié, ni la sollicitude professionnelle ne se révélèrent aussi constants que le dévouement de la cupidité. Chaque jour, Vallantine tenait compagnie à Mark pendant des heures entières. Il redressait ses oreillers, sonnait l'infirmière, ou se contentait de rester assis dans un fauteuil avec une expression inquiète, empressée, suppliant qu'on le reconnût. Et Mark le reconnut bien sûr : c'était son vieil ami avec qui il avait parlé impôts.

« Je suis ici parce que j'essaie de me f... f... faire bien voir de vous, expliqua Vallantine avec un sourire de connivence, quand le malade, pris au piège de sa douleur, trop faible pour converser, tourna vers lui deux yeux interrogateurs. Nous sommes devenus associés pendant que vous étiez trop mal pour en entendre parler et je d... détesterais avoir un associé à qui je ne sois pas sympathique. En plus de quoi... ajouta-t-il en proie aux affres de la gêne, je dois vous avouer que j'ai raconté un bbb... bobard épouvantable. J'ai dit à votre avocat que vous étiez en faveur de cette exposition à Nassau. »

Le vieil homme renifla bruyamment et agita les mains en l'air, comme s'il était sur le point de suffoquer de honte ; il pouvait mentir non seulement par la parole, mais par tout son être. Il paraissait si gêné, si confus de ses « bobards » (lesquels avaient, après tout, rapporté à Mark, comme Darville le lui avait déjà appris, près de trois cent mille dollars) que le jeune homme finit par penser que si son associé péchait d'une façon quelconque, c'était plutôt par excès de scrupules.

D'ailleurs, Vallantine n'avait aucun désir de parler affaires. « Voyant à quel point l'exposition avait bien marché à Nassau, j'ai fait une autre proposition à votre avocat concernant une exposition à Nnnnn... New York, mais je ne veux pas influencer vos opinions là-dessus, c'est à lui de vous en parler. De toute façon, vous allez être obligé de lui verser une fortune, laissez-le travailler pour la gagner, laissez-le se faire du s... souci. Laissons les affaires aux avocats ! »

Il préférait distraire son ami malade.

« J'aurais bien voulu voir les soldats de l'Armée de redistribution quand ils ont ouvert cette l... lourde caisse pour y trouver six boulets de canon rouillés ! » s'exclama-t-il, avec des grimaces comiques, faisant danser ses épais sourcils gris jusqu'à ce qu'il eût fini par arracher un sourire à Mark. Ce n'est pas avec ce genre de denrée qu'ils vont nourrir beaucoup de travailleurs itinérants. À propos, la p... police pense que le tract était une ruse pour la lancer aux trousses des agitateurs politiques plutôt qu'à celles des professionnels du crime, mais, à mon avis, il est très probable que vos agresseurs étaient d'authentiques idéalistes, animés par les mmm... meilleures intentions, des âmes vaillantes et généreuses qui n'ont tué le capitaine Wellbeloved et ce malheureux policier que parce qu'ils voulaient barboter un peu d'or pour les pauvres qui meurent de faim. Tout de même, je ne crois pas que ces deux cents lingots vont être transformés en pain pour le moment. Il faudra dépenser bbb… beaucoup d'argent avant que les soldats de l'Armée de redistribution n'arrivent à l'ouvrier agricole itinérant et à sa gamelle vide. Il faut d'abord qu'ils paient les hélicoptères et les mmm… mitrailleuses, les planques, les passeports et tout ça. Et à qui vont-ils le vendre, cet or? Ils vont avoir affaire aux gens riches, alors ils devront paraître riches et agir en riches : voyager en première classe, descendre dans les palaces, porter des vêtements de luxe. On ne peut pas parler de grosses sommes quand on a l'air pauvre. Et puis ils auront besoin de mmm… mettre un peu de côté pour l'avenir. Les idéalistes aussi, les idéalistes surtout, ont besoin de manger ! Qui mérite une plus belle vie que ces c… courageux rebelles? Ils ont le devoir de se maintenir en forme pour leur prochaine bonne action. Avec la meilleure volonté du monde, il leur sera impossible d'éviter de dépenser pour eux-mêmes la majeure partie de leur butin. »

Le marchand d'art fit une pause, une lueur espiègle dans les yeux, ramenant ses railleries vers le sujet des impôts afin de rétablir le lien des idées et des griefs partagés. « Les terroristes, voyez-vous, c'est exactement comme les bureaucrates : la plupart de ce qu'ils ppp… perçoivent se transforme en bénéfices sur les frais. »

« John est un homme spirituel », confia Mark à son avocat quelques jours plus tard au moment où Darville lui remettait, une par une, les lettres des directeurs de musée, confirmant la bonne opinion qu'il avait de Vallantine. Content de tout ce qu'il avait lu ou entendu dire à propos de l'exposition de Nassau, Mark ne manifesta aucune inquiétude quant à la proposition d'en monter une autre à New York.

Il ne s'inquiétait plus pour ses trésors, ni pour les factures que lui apportait Darville. L'avocat estimait qu'ils devaient refuser de payer celle des experts, laquelle se montait à 874 250 dollars, quitte à passer devant les tribunaux s'il le fallait. « Ils nous refilent toutes leurs notes de téléphone, fit-il valoir. Tous leurs appels à New York, à Londres, à Amsterdam, à leurs bureaux et même à leurs familles ! Et ils comptent sur nous pour les approvisionner en alcool ! Nous pourrions contester.

— À quoi bon ? demanda Mark en haussant son épaule valide. J'ai les moyens, j'ai plus d'argent qu'il ne m'en faut.

— Pas encore, lui rappela Darville. Ces chèques sont tirés sur votre découvert.

— Si Mr Murray ne se fait pas de souci, je ne me fais pas de souci non plus », dit Mark. Il signa les chèques qu'il avait à signer, mais son esprit était ailleurs. Il se concentra sur la nécessité de respirer et d'endurer. Il y avait des drains dans son abdomen pour assainir les blessures, et à mesure qu'elles se cicatrisaient, il fallait tirer un peu sur ces drains tous les deux jours. Son bras le faisait souffrir constamment. Mais la douleur avait sur lui un curieux effet intérieur : elle le calmait.

Il était empli d'une espèce de sérénité, qui résultait directement de sa souffrance. Quand il avait subi sa dernière opération, ses médecins, inquiets quant à l'effet de toutes les drogues, lui administrèrent une dose d'anesthésique qui se révéla insuffisante, si bien qu'il était conscient lorsqu'ils lui cassèrent le cubitus pour réduire la fracture. Quand l'os céda dans un bruit sec, il eut l'impression que tout en lui se brisait. Il avait si mal que ses ennuis touchaient sûrement à leur fin. « Maintenant, il est vraiment à moi ! » gémit-il.

Cette étrange exclamation inquiéta le Dr Feyer. Après l'opération il s'arrêta pour parler aux amis du patient qui attendaient dans le couloir ; du haut de sa taille imposante, il lança un regard furieux à chacun d'eux, puis il renversa la tête en arrière afin de faire plus de place à son triple menton tremblotant. « Elle a poussé un cri pendant l'opération, elle a dit que quelque chose était vraiment à lui ! dit-il d'un ton lourd de signification, en pinçant les lèvres.

— Il devait penser à la *Flora*, il ne pense pratiquement qu'à ça ! s'écria Sarah d'une voix où perçait une inflexion sarcastique.

— Elle n'est pas riche ? demanda le Dr Feyer, dont le grand front se plissa d'un air soucieux. Enfin, je veux dire, il n'est pas riche ? Il y a un doute concernant son droit au trésor ? »

Eshelby secoua la tête. « J'ai entendu dire que le Trésor public prenait tous les lingots d'or, mais il a droit à la moitié de leur valeur totale. »

367

Le Dr Feyer n'était pas tout à fait rassuré; il avait l'intention de présenter à Mark une note d'honoraires arrondie à la somme de cinq cent mille dollars. «Je n'aime pas que mes patients se tracassent. Pourquoi il insiste que c'est vraiment à lui?

— Écoutez, s'il est fiévreux, le pauvre petit, dit Eshelby, se hasardant à deviner, peut-être qu'il pense que le gouvernement va finalement lui laisser tout le contenu du navire.

— Mmm... mes enfants, mmm... mes enfants, vous faites fausse route, bégaya le marchand d'art, adoptant dans son excitation un ton condescendant, car il se rendait compte qu'il avait gagné. Ce n'est pas du tout ça! Il dit que le navire est vraiment à lui, parce qu'il a s... sssssouffert pour l'avoir. Il a étudié pour l'avoir, il a risqué sa vie pour l'avoir, il a payé des impôts pour l'avoir, il a ttt... tué pour l'avoir, il a saigné pour l'avoir, il l'a bel et bien gagné! Il peut se détendre, maintenant, personne ne peut plus le lui prendre. Il lui appartient comme son bras. C'est une b... belle idée! »

34

Le contrat

Une fraude sournoisement prémédi-
tée .. une habile tromperie.

BALZAC

Dans la vie de Mark Niven, rien, peut-être, ne possède une importance aussi générale que la façon dont il perdit sa fortune Rares sont ceux d'entre nous qui recherchent des navires chargés de trésors, plus rares encore ceux qui en trouvent, mais il nous est arrivé à tous, ou il nous arrivera, de perdre quelque chose par la faute d'une sotte crédulité. On devrait lire les histoires vraies comme s'il s'agissait de rapports du service de renseignements de l'armée, de compte rendu d'une escouade d'éclaireurs signalant les dangers à venir.

Mark ne reçut aucun avertissement.

« Là, vous avez fait une erreur, lui dit sept mois trop tard maître Bernard Jay Wattman, avocat. Écoutez, qu'un homme ait une voix chevrotante, rougisse chaque fois qu'il passe devant une glace, soit plein de nobles idées et de bons sentiments, verse des larmes sur les enfants, n'ait pas plaqué sa vieille épouse alors qu'il pourrait se le permettre, soit spirituel et amusant; tout ça ne veut rien dire, ça, c'est sa personnalité. Il peut quand même vous trancher la gorge pour deux sous, ça, c'est son caractère. »

En outre, expliqua l'avocat new-yorkais, Mark avait eu dès le départ un indice quant au genre d'homme à qui il avait affaire.

« Vous saviez que ce type était une vieille bonne femme qui adorait son chien et l'emmenait partout avec lui couvrir les trottoirs de crottes. Vous vous êtes associé à un bonhomme que ça ne gêne pas du tout de laisser ses semblables marcher dans la merde et vous vous étonnez d'avoir des problèmes? »

Mais à leur première rencontre, il n'avait pas été question de s'associer. Pour autant que Mark sût, ils n'attendaient rien l'un de l'autre. Il avait bavardé au café en terrasse avec un couple qui s'aimait, pour passer le temps; il n'avait pas soupesé l'impression qu'ils lui avaient faite. Nous sommes tous enclins à nous faire des opinions simplistes de nos simples connaissances, parce que la justesse de ces opinions ne paraît pas tirer à conséquence. Lors de cette rencontre au café en terrasse, pourquoi Mark n'aurait-il pas dû penser le plus grand bien d'un homme avec qui il ne s'attendait pas à traiter un jour? L'ennui, ce fut que lorsque vint le moment où il traita avec Vallantine, il croyait déjà le connaître!

Et il croyait que le contrat que Darville lui apporta à la clinique, le jour où on lui déplâtra le bras, n'était qu'une formalité.

« Vous tenez à ce que je lise tout ce truc? » demanda Mark, agacé par l'épaisse liasse de longues pages.

Darville opina de la tête avec vigueur. « Oui.

— Il vous paraît bien, ce contrat?

— C'est à vous d'en juger vous-même, c'est vous qui devez le signer. »

Lavé et rasé de frais par l'infirmière, vêtu d'un peignoir en soie crème et d'un pyjama en mousseline assorti que lui avait apportés sa mère, Mark était assis à un élégant petit bureau dans un coin de son salon, contemplant fixement les termes et conditions de l'accord pour l'exposition à New York des objets qui lui appartenaient. « … Mark Alan Niven, ci-après dénommé le Propriétaire, garantit que lesdits objets sont sa propriété pleine et entière, laquelle propriété n'est mise en cause par aucune personne… » Darville, qui se tenait debout aux côtés de son client et triait des papiers à son intention afin de ménager sa main gauche, insista pour qu'il lût le contrat de bout en bout, afin de voir s'il comportait quoi que ce fût qui ne lui convenait pas.

« Écoutez, vous êtes mon avocat, il vous paraît bien, à vous? »

Darville leva les yeux et les bras au ciel, ce qui était sa façon habituelle de manifester la surprise. « Bien sûr qu'il me paraît bien. S'il ne me paraissait pas bien, je ne vous le montrerais pas. Je suis un avocat qualifié, figurez-vous, je ne suis pas Sambo, le petit Noir. » La formation de Darville, cependant, le portait à produire des documents longs et compliqués qui justifiaient ses honoraires élevés et laissaient les non initiés dans l'ignorance et la perplexité. En négociant avec Vallantine et son avocat new-yorkais, il avait fait de son mieux pour servir les intérêts de Mark, mais il est juste de dire qu'il avait aussi songé à fournir un document suffisamment compliqué pour justifier un supplément d'honoraires de quarante-cinq mille dollars.

Après avoir lu une seconde fois la première page, Mark se mit à feuilleter le reste d'une main impatiente, se rappelant le conseil de Vallantine : Laissons les affaires aux avocats. « S'il vous paraît bien, pourquoi faut-il que je m'embête à le lire? »

Le corps entier de Darville s'affaissa sous le poids de ce problème. « Parce que vous devez comprendre ce que vous signez. Écoutez, ça fait des semaines que ce projet de contrat est prêt, mais j'ai refusé même de vous le montrer avant que vous n'ayez quitté votre lit. Quand vous apposez votre nom sur un contrat, il ne s'agit pas d'un gribouillis, il faut faire extrêmement attention aux textes que vous signez. Qui sait? Ils ne disent peut-être pas ce que vous voulez.

— En tout cas, je n'ai rien contre une avance de cinq cent mille dollars sur les bénéfices, annonça Mark. Ça me permettra de régler la note du Dr Feyer.

— Il vous demande un demi-million de dollars? » Darville était horrifié. « Les médecins sont vraiment hors de prix.

— La somme couvre les honoraires de tous les médecins, et je suis vivant », répondit Mark, parcourant les paragraphes opaques sans vraiment les enregistrer. Il ne s'arrêta qu'à la clause 24.

24. APPLICATION DES LOIS

Cet accord sera interprété selon les lois et statuts de l'État de New York, quel que soit le lieu de son exécution.

« Ça veut dire quoi, ça? demanda-t-il à Darville après avoir lu la clause tout haut. Qu'est-ce qu'elles ont de si spécial, les lois new-yorkaises?

— Ça veut simplement dire que si nous avions un litige avec John, il faudrait plaider l'affaire devant un tribunal new-yorkais. Son avocat a préféré qu'il en soit ainsi et je n'ai vu aucune raison de refuser. »

C'était justement de la clause 24 qu'il s'agissait. Aux Bahamas, Mark Niven défrayait la chronique depuis le meurtre de sir Harry Oakes; il était le contribuable numéro un et l'un des plus gros clients d'une banque importante; il serrait la main du Premier ministre, il faisait marcher le tourisme, il avait les pouvoirs d'un héros populaire. À New York, il était une personnalité de second plan, déjà oubliée, le sujet de quelques articles périmés, rien. La clause 24 proposait, en fait, que Mark troquât ses droits de personnage haut placé contre les droits d'un rien-du-tout. Il remarqua cette clause, sans en deviner la véritable importance, pour la simple raison qu'il se demandait quel était son statut légal aux États-Unis.

« Je suis un déserteur, je n'ai peut-être même pas le droit d'aller à New York.

— Vous n'auriez pas besoin d'y aller, nous pourrions donner nos instructions à un avocat sans quitter les Bahamas », expliqua Darville. Ce fut là qu'il commit son erreur! Familiarisé avec la corruption des tribunaux bahamiens, il partait du principe qu'au cas, improbable, où l'on en arriverait à plaider, son client aurait une meilleure chance d'être entendu à New York. Les hommes de loi eux-mêmes se font des illusions sur le fonctionnement de la justice, surtout dans les endroits éloignés.

« Bah, ce vieux John ne ferait rien pour me déplaire », déclara Mark, sûr de lui, prêt à passer à autre chose.

C'était la fin du mois de mars; l'exposition de Nassau avait fermé ses portes quelques jours auparavant. À présent que sa part des trésors était de retour à la banque, Mark était libre d'accepter l'offre que lui avait faite Cartier pour les vingt-trois pierres précieuses et il signa une demi-douzaine de documents ayant trait à cette vente.

« Vous avez encore quelques jours pour étudier le contrat avant que John ne revienne de New York. Alors, au boulot! » lança Darville avant de partir.

Comme les millions de gens qui signent des baux, des polices d'assurance, des promesses d'achat, Mark ne lut véritablement son contrat que quand il fut trop tard. L'honnête insistance avec laquelle Darville le pria de le faire ne servit qu'à le rassurer quant au fait que celui-ci veillait sur ses intérêts, et comme Darville était avocat, alors que lui-même ne l'était pas, pourquoi vouloir trouver à redire à son travail? Mark était jeune, il avait encore foi dans les experts.

Le lendemain, Thomas Murray téléphona de la Royal Bank of Canada pour signaler que le chèque de Cartier avait été encaissé et qu'après déduction du découvert et des intérêts Mark avait près d'un million et demi de dollars sur son compte.

Fou de joie, il appela son père à Londres. « Papa, je ne t'ai pas encore rendu l'argent que tu m'avais prêté.

— Quel argent?

— Enfin, papa! C'est toi qui a tout payé quand je suis venu m'installer ici. Tu as payé mon bateau, mon équipement de plongée, tout.

— Je préfère que tu me dises comment va ton bras.

— Il va bien. Papa, qu'est-ce que tu ferais à présent si tu n'avais pas besoin de compter tes sous?

— Écoute, je ne vais pas faire le fier avec mon propre fils, dit l'acteur. Je crois que je monterais *La Famille Schroffenstein* de Kleist, avec Ustinov et moi dans les rôles des deux pères.

— Qu'est-ce que tu crois, papa, un million de dollars, ça suffirait? »

La seule partie du contrat avec Vallantine qu'étudia Mark fut l'appendice : dix-huit pages d'inventaire énumérant sa part des trésors. C'était la première fois qu'il voyait une liste complète de ce que le gouvernement lui avait laissé. Les pierres qu'il venait de vendre à Cartier y figuraient encore et il les biffa. Puis il se mit à s'interroger, essayant de décider quoi donner à qui, ce qui ferait le plus grand plaisir à chacun. Il se sentait tellement mieux d'avoir envoyé à son père un million de dollars qu'il ne voulait pas se refuser le plaisir de faire aussitôt des cadeaux à tout le monde, plutôt que d'attendre la fin de l'exposition new-yorkaise. Il passa deux jours jubilatoires à scruter la liste, en biffant divers objets, et à téléphoner à Mr Murray, qui promit de veiller à ce que chaque paquet surprise parvînt sain et sauf à son destinataire. Mark se sentait comme Timon d'Athènes :

Je pourrais, ce me semble, distribuer des royaumes à mes amis sans jamais m'en lasser.

Il fut généreux aussi envers lui-même et téléphona à Mr Murray (qui gagna réellement les frais de banque), afin de le prier de lui faire envoyer à la clinique sa première Madone en or massif et la croix aux Sept Émeraudes.

La vue de la Madone et de la croix aux Sept Émeraudes dans le salon de Mark infligea un choc terrible au marchand d'art, lorsqu'il revint de New York afin de signer le contrat. Il était parti organiser le transport des trésors et comptait bien emporter tout ce que possédait Mark. Il parvint à peine à saluer ce dernier et refusa de s'asseoir.

« Qu'est-ce qu'elle fait ici cette sssssstatuette ? demanda-t-il d'une voix frémissante. Et la croix ? J'ai besoin d'elles à New York !

— Non, pas ces deux-là », dit Darville en lui remettant un exemplaire de l'inventaire revu et corrigé pour l'exposition de New York.

En lisant la liste raccourcie, Vallantine sentit une douleur lui comprimer la poitrine. La pièce s'assombrit devant ses yeux. Était-ce une crise cardiaque ? Il se laissa tomber dans un fauteuil et il lui fallut un moment avant de pouvoir assurer aux autres qu'il n'était pas pris de malaise. Lorsqu'il se fut ressaisi, il questionna Mark et l'avocat sur un ton agressif, oubliant totalement sa personnalité effacée. « Vous ne pouvez pas f... faire cadeau de cinq cents doublons d'or à la terre entière, vous allez vous ruiner ! protesta-t-il, les lèvres tremblantes.

— Ce n'est pas à la terre entière, c'est juste à tous les gens qui ont perdu quelqu'un à bord de la barge, rectifia Mark, assis sur le canapé, les jambes allongées, encore las d'avoir quitté son lit.

— Le capitaine Wellbeloved avait plusieurs polices d'assurance, déclara Vallantine, en jetant un regard meurtrier à la statue de la Madone. Ils étaient tous assurés. Sans compter que vous l... l... les aviez assurés vous-même. Je leur ai fait don du quart des bénéfices de l'exposition de Government House! Et même en les comptant ddddd... deux fois chacun, il me semble qu'il manque encore trente mille doublons d'or.

— Ceux-là, je les donne à Coco. Il a mis en route le moteur du bateau pour faire du bruit quand j'étais dans l'eau avec deux requins marteaux. Il m'a sans doute sauvé la vie.

— Mais vous lui vvv... versiez un salaire!

— Eh bien, je trouve qu'il mérite une prime », répondit Mark sèchement. Comme cet interrogatoire commençait à l'irriter, il décida d'augmenter la récompense de Coco. « Je vais aussi lui donner deux diamants.

— Mais enfin, vous ne p... p... pouvez pas donner et donner et donner, ça ne se fait pas!

— Moi, j'aime ça.

— Je n'ai rien à dire pour les perles que vous donnez à miss Little, c'est une excellente idée. Et qu'Eshelby fonde donc une bibliothèque publique, j'y consens volontiers. Le collier pour votre mère, la croix, oui, faites-en cadeau, gardez-les, vendez-les, mais j... je vous en prie, attendez que l'exposition ait eu lieu! Si nous n'avons pas une collection qui fait beaucoup d'effet, nous n'attirerons pas le public. Je ne suis pas sûr de v... v... vouloir poursuivre s'il nous manque autant de vos objets vedettes. Si je vous ai offert une telle avance, c'était dans l'idée que nous pourrions exposer tout ce que vous p... possédez. »

Darville leva les mains. « Il était entendu que tout était soumis à l'accord de Mr Niven.

— Je ne m'attendais pas à ce qqq... qu'il...

— Je ne comprends pas pourquoi vous vous mettez dans cet état, John, interrompit l'avocat d'un ton apaisant. Vous m'avez dit vous-même que vous ne vouliez pas grand-chose. Que ça ne vous intéressait pas de transporter la part du gouvernement jusqu'à New York.

— Ça, c'était t... t... trop, mais on peut aussi avoir trop p... peu », répondit le marchand d'art en s'efforçant de parler calmement. Mais aussitôt il haussa de nouveau sa voix chevrotante.

« Et le masque, que lui est-il arrivé ? Le masque ! Le masque inca en or martelé ?

— Il appartient à l'homme qui m'a envoyé à Santa Catalina, l'homme qui m'a trouvé un boulot ici.

— Et les plus grosses boucles d'oreilles en diamant de toute la ccc... collection ? Elles ne figurent nulle part sur la liste.

— Je les dois à une dame de Gênes.

— Elle ne pouvait pas patienter quelques mois ? Qu'elle attende ! »

Mark fronça les sourcils. Par la faute de son inexpérience, de sa maladie, de mauvais conseils, il était en train de dériver vers une association calamiteuse. Dans son esprit, tout était décidé, il n'y réfléchissait même plus, mais à présent, juste avant la signature, son irritation vis-à-vis de Vallantine relâcha les liens de l'inévitabilité. Il se rappela qu'il pouvait encore dire « non », et il se mit à feuilleter le contrat. « Cette clause sur les lois new-yorkaises ne me plaît pas, dit-il d'un ton maussade. Je n'ai aucune envie de retourner à New York si nous avons des désaccords. »

Vallantine écarta cette objection d'un revers de main. « Mais nous n... n'en aurons pas, de désaccords ! C'est une clause qui ne tire absolument pas à ccc... conséquence, elle n'est là que pour f... faire plaisir aux avocats. »

Mark repoussa le contrat d'un geste décisif. « Nous sommes en train d'avoir un désaccord en ce moment même Finalement, je crois que je ne veux pas de cette exposition a New York.

— Q... quoi ? » Les sourcils broussailleux frémirent d'inquiétude. Pendant un instant affreux, Vallantine ne sut plus ce qu'il avait raconté. Une poussée de sueur inonda les dessous de bras de son léger veston de coton ; en dépit de la climatisation, son cou épais vira au rouge betterave. S'était-il trahi ?

À ce moment précis, Sarah pénétra en courant dans la pièce, suivie d'Eshelby. Il y eut des cris sonores de protestation et de remerciement : les cadeaux de Mark étaient parvenus à leurs destinataires et ses amis étaient venus le gronder de sa générosité. Mark, rayonnant, oublia tout à fait l'exposition. Vallantine s'écarta de quelques pas, s'efforçant d'effacer ses gaffes par des sourires.

Pleine de bonne humeur et d'exubérance, convaincue que Mark était guéri de son avarice et qu'ils allaient de nouveau partager une tendre amitié, Sarah l'embrassa sur la joue et la bouche. La tiède réaction du jeune homme fit resurgir toute sa déception et son humiliation. Elle se détourna, portant la main à son visage brûlant, puis elle lança aux autres un rapide coup d'œil afin de s'assurer qu'ils ne devinaient pas ce qu'elle éprouvait. « Tu sais, Mark, dit-elle, espiègle, je ne sais pas si je dois accepter ces perles. Elles représentent quoi, au juste, une espèce de cadeau d'adieu? Tu prévois de t'en aller d'ici et de nous oublier! Bref, c'est *arrivederci* Bahamas, si je comprends bien?

— Tais-toi donc, Sarah, je ne suis pas encore parti, répondit Mark. Qui d'autre va me remonter le moral quand il est à zéro? » continua-t-il, moins gaiement qu'il ne l'aurait voulu. Il s'était persuadé que Marianne n'aurait rien à faire d'un estropié. Il voulait tourner la page, il voulait rendre leur amour à ceux qui l'aimaient. Mais le souvenir de la joie de Marianne, du ventre de Marianne vibrant contre son cœur, l'affectait même quand il ne pensait pas à elle, et le regard affectueux qu'il adressa à Sarah était dépourvu de désir.

Piquée au vif, celle-ci se reprocha amèrement la glace qu'elle avait mangée le matin même et, voyant Vallantine qui se tenait tout déconfit près du mur, elle l'empoigna par le bras comme s'il s'agissait d'une bouée de sauvetage. « Qu'est-ce qui ne va pas, mon pauvre et adorable ami? »

Le marchand d'art fit entendre un de ses petits rires brefs. « Ah, Sarah, ce que vous pouvez être nnnnnaturelle, alors, vous désarmeriez la Russie! J'aimerais bien avoir une fille telle que vous.

— Qu'est-ce qui vous arrive?

— Je suis dans mon tort, répondit le marchand d'art, penaud, les sourcils en berne. Je me suis mal conduit. Je deviens irascible. Maintenant que je vous ai tous vus rire, je comprends que Mark a raison. Il n'y a rien de plus important que de rendre ses amis heu… heu… heureux.

— Mr Niven annule l'exposition de New York », expliqua Darville.

Sarah s'abattit mollement dans un des fauteuils bas en cuir blanc qui entouraient une table basse en verre. « Pauvre John, je parie qu'il n'a pas confiance en vous ! » Elle soupira, aplatissant les plis de son ample jupe. « Après tout le mal que vous vous êtes donné ! Il est insupportable. Vous n'allez pas me croire, mais quand il a découvert l'épave, il n'en a pas soufflé mot ni à Ken ni à moi. Il disait que nous étions ses amis, il jurait qu'il n'aurait jamais pu s'en tirer sans nous, mais il a continué de nous mentir quand même. Il nous a laissés nous ronger les sangs à son sujet pendant des semaines ! » Elle secoua lentement la tête, cherchant à transformer sa colère en chagrin « Ça m'est égal, mais que va-t-il devenir s'il ne peut faire confiance à personne ? Autant se faire ermite dans le désert. Il va se dessécher complètement, consumé par les soupçons, vous verrez ! »

Avant l'attaque contre la barge, Mark avait écouté les reproches de Sarah sans broncher : il faisait ce qu'il devait faire et elle n'était pas raisonnable. À présent qu'il était plus sensible à la douleur, ce ne furent pas tant les mots de Sarah qu'il entendit que sa souffrance. « Bien sûr que je te fais confiance. Je n'avais pas l'intention de te mentir. Je te demande pardon. J'aurais dû te le dire. »

Vallantine opina d'un air approbateur. Rien n'aurait pu mieux l'arranger que de voir Mark s'inquiéter à l'idée de ne pas être quelqu'un d'assez confiant.

« Et cet hélicoptère qu'il a abattu ! continua Sarah, de plus en plus énervée à l'idée qu'elle se couvrait de ridicule. Car enfin, il ne le savait pas que ces gens étaient des pillards ! À la radio, ils lui ont dit qu'ils étaient des touristes, mais ça ne l'a pas empêché de les abattre ! C'est ce qu'on raconte partout, en tout cas. Les gens n'ont aucune valeur à ses yeux. Voyons, Mark, ça ne t'a rien fait de te dire que tu allais peut-être tuer des touristes innocents ? »

Mark était si anéanti qu'il en crispait les poings. « Je n'ai pas tué des innocents. J'étais absolument certain que c'étaient des voleurs.

— Et qu'est-ce qui te rendait si certain, mon cher petit ? s'empressa de demander Eshelby, qui préférait une énigme à une dispute. Explique-nous. »

Sarah refusa de changer de sujet ; son visage rond et rose se fit curieusement sévère. « Tout ce que je sais, c'est que je ne veux aucun cadeau de Mark. Nous ne sommes pas assez proches pour ça.

— Vous êtes trop d… d… dure avec lui Sarah! dit Vallantine en lui prenant la main, animé par une chaleureuse gratitude. C'est un si bon ami qu'il était prêt à annuler l'exposition et à renoncer à une avance d'un demi-million de dollars plutôt que de différer de quelques mois l'envoi de vos perles. Alors, il ne faut pas vous fâcher contre lui. Moi non plus, je ne suis pas fffffffâché. »

Il lâcha la main de Sarah et, se tournant vers Mark, il leva les bras en signe de capitulation, s'efforçant de faire peu de cas d'un aveu gênant. « Vous gagnez, Mark. Je ne suis pas de taille à vous tenir tête. Votre personnalité est plus forte et voilà tout. » Il cligna des yeux, impuissant, par-dessus ses lunettes en demi-lune, puis il laissa retomber ses bras, porta une main à la poche intérieure de son veston et en tira un chèque certifié de cinq cent mille dollars qu'il posa sur le bureau de Mark, à côté du contrat. « Nous prendrons ce que vous voudrez bien nous prêter. Nous laisserons plus de place entre les objets et nous nous arrangerons pour qu'une moindre quantité fasse davantage d'effet. » Sans attendre de réponse, il se tourna de nouveau vers Sarah en s'inclinant courtoisement, très vieille France. « Donc, il n'y a aucun problème, ma chère. Nous aurons notre exposition et vous aurez vos ppp… perles. »

Cependant, une fois que Sarah eut laissé libre cours à son indignation, il devint impossible de l'arrêter. Elle ne cessait de tourner la tête afin d'éviter tout le monde, puis elle finit par jeter à Mark un regard de féroce mépris. « Je ne veux pas de ses cadeaux. Ce n'est plus le garçon que je connaissais.

— Je te dis que je le savais que ces types étaient des gangsters.

— Comment? Comment diable pouvais-tu le savoir? demanda Eshelby d'un ton encourageant.

— Eh bien, ça faisait au moins cinq minutes qu'on essayait d'entrer en contact radio avec eux, on n'arrêtait pas de leur demander de s'identifier, mais ils n'ont pas répondu tant qu'ils n'ont pas été pratiquement au-dessus de nous. Et quand ils ont dit : "Nous sommes des touristes" à haute et intelligible voix, je pense que j'ai dû me rendre compte qu'ils auraient pu nous répondre dès le départ, donc, s'ils ne l'avaient pas fait, c'est qu'ils avaient une bonne raison de se taire. Je n'ai pas fait le raisonnement, mais je l'ai senti instinctivement, si vous voulez... »

La discussion concernant l'hélicoptère abattu s'éternisa – on finit par se lasser des meilleures choses. Vallantine en avait plus qu'assez. Il se sentait étourdi, la tension lui paraissait insupportable. Il y avait trop d'argent en jeu! Il avait deux camionnettes blindées garées devant la Royal Bank à Nassau; il avait loué un avion qui attendait à l'aéroport de Nassau afin d'emporter les trésors à New York. Tous ces arrangements dispendieux seraient-ils donc vains? Pouvait-il perdre la partie à la dernière minute? « Signe, signe », répétait-il intérieurement, sans quitter Mark des yeux, s'efforçant de le faire agir par la force de sa volonté. Mais Mark n'avait même pas jeté un coup d'œil sur le chèque certifié de cinq cent mille dollars et il paraissait avoir totalement oublié le contrat.

Pour finir, les nerfs de Vallantine lâchèrent. « Mes enfants, cessez de j... j... jacasser! » hurla-t-il, malgré lui.

Il y eut un instant de silence. Ce ton âpre lui ressemblait si peu que les autres le contemplèrent avec surprise. « Ce qu'il peut transpirer, ce type! » se dit Eshelby, dégoûté. Pour sa part, il n'aurait jamais accepté de se commettre avec le marchand d'art, mais la Madone en or qui étincelait sur la table le dissuada de critiquer le choix de Mark en matière d'associé. (« Alors, comme ça, être dingo, c'est avoir raison! » C'était la première chose qu'il avait dite à Mark, lorsqu'ils s'étaient parlés au téléphone après que la découverte eut été annoncée à Nassau.)

Chacun des regards curieux perçait Vallantine comme un couteau. Sa chemise était trempée. Tout avait été parfait et pour la deuxième fois il venait de tout gâcher. Il s'était mis deux fois en colère! Était-il trop vieux pour ce genre d'affaire? Que pouvait-il dire afin de redonner vie à l'idée qu'ils avaient conclu un marché?

« Il y a peut-être des ppp... problèmes dont nous n'avons pas encore parlé, s'empressa-t-il d'ajouter, improvisant en désespoir de cause. Mark a-t-il fait un t... t... testament, par exemple? Que se passerait-il s'il lui arrivait quelque chose pendant que ses trésors sont sous ma garde à New York?

— J'essaie d'expliquer à Mr Niven qu'on ne peut pas être aussi riche qu'il l'est sans faire de testament, répondit Darville d'un ton acide. Jusqu'à présent, il a refusé. Il ne pense pas en avoir besoin.

— Mais voyons, c'est ttt... terrible, ça ! s'exclama le marchand d'art, sautant sur cette excellente raison d'expliquer sa nervosité et de faire la preuve de sa foncière honnêteté. Il est encore à l'hôpital, et s'il faisait une rechute ? Ou si l'Armée de redistribution revenait venger ses camarades tombés au combat ? Je suis d... d... désolé, Mark, mais je vais être avec vous d'une brutale franchise : voilà des choses dont vous ddd... devez vous préoccuper ! À qui voulez-vous que je rende le trésor – tous ces objets sans prix ! – s'il n'y a pas de testament ? Je ne me sens pas capable d'en être responsable pour plus de quelques mois. »

Le marchand d'art gagnait en dignité avec chaque mot qu'il proférait ; il se tirait d'embarras à coups de mensonges. Les honnêtes gens trouvent le fait de mentir pénible et difficile, mais pour le menteur accompli, c'est une expérience joyeuse ; les mensonges flattent son ego, lui remontent le moral, lui calment les nerfs, lui donnent un sentiment de supériorité, l'impression d'être aux commandes. Il sait, lui, que ce qu'il dit aux gens est faux, mais eux l'ignorent. « Je ne peux pas me lancer dans une exposition s'il n'y a pas de testament, déclara sévèrement Vallantine. Je dois savoir à qui je devrai tout rendre s'il arrive quelque chose à Mark.

— Il ne peut rien m'arriver, dit Mark avec un sourire involontaire, les yeux brillant à l'idée d'être béni des dieux.

— Q... que voulez-vous dire ?

— J'ai été mobilisé, j'aurais pu être tué au Vietnam, mais j'ai réussi à me sauver. J'ai failli me noyer, en perdant la boule dans l'Atlantique et en essayant de plonger jusqu'au fond de l'océan... je me suis évanoui en bas. Mais je suis remonté. Je me suis retrouvé nez à nez avec un requin marteau et il ne s'est rien passé. Alors, qu'est-ce que vous racontez ? Ces terroristes m'ont tiré dessus à bout portant, ils ont même posé leur hélicoptère sur moi, et je suis toujours là. Je suis en si parfaite santé que je n'arrive même pas à grossir ! » En se mordant les lèvres, Mark souleva son bras de cinq centimètres. « Je suis riche et je vivrai jusqu'à cent ans. » Il ne s'inquiétait plus de tenter le sort et ne songeait plus à annuler l'exposition.

Vallantine fut intraitable. « Personne ne sait ce qqq... que nous réserve l'avenir. Je ne veux pas me trouver coincé au milieu d'une bataille judiciaire entre vos proches parents.

— Vous devriez bien écouter John, intervint Darville.

— Écoutez votre conseiller juridique, ordonna Vallantine d'une voix ferme. Il sait que je dois savoir à qui rendre les objets.

— Autant faire un testament, mon cher petit, sinon ils vont te harceler jusqu'à la mort, dit Eshelby.

— Donc, c'est bien entendu, hasarda le marchand d'art. Nous allons vous laisser seul avec votre avocat pour que vous puissiez prendre toutes les dispositions concernant vos héritiers, et demain nous signerons notre contrat.

— Je n'y vois aucune objection, à condition que ce soit selon mes termes, déclara Mark d'un ton royal.

— Selon vos termes, nnnnaturellement. »

Darville voulut rendre le chèque certifié de la galerie, mais Vallantine le repoussa d'un revers de main méprisant.

« Laissez-le donc avec les autres papiers, je suis sûr que Mark ne le touchera pas avant que nous n'ayons signé notre contrat. »

Pour Mark, c'était une période grisante et surchargée. Tout conspirait à obscurcir son jugement. À peine se retrouva-t-il en tête à tête avec son avocat qu'ils furent interrompus par un visiteur important que fit entrer le Dr Feyer en personne.

35

Ah, être riche et bon

Aujourd'hui, je foulerais toutes les
routes, tous les sentiers du monde.
Eugene J. McCarthy

Le visiteur introduit par le directeur médical de la clinique de Santa Catalina était un grand individu mince et blond, aux yeux bleus, d'une discrète élégance, entre trente et quarante ans. Il aurait pu être un des hauts fonctionnaires de la Banque mondiale ou du secrétariat des Nations Unies. Bien né, bien introduit, bien placé, le Dr Hans-Felix Habeler était titulaire d'un doctorat de zoologie de l'université de Hambourg et, en attendant d'accéder à la haute direction du Fonds mondial pour la nature, il servait de secrétaire particulier à sir Henry Colville. « Sir Henry m'envoie vous prier de venir prendre le thé avec lui cet après-midi, dit-il à Mark, avec le sourire bienveillant d'un messager porteur de bonnes nouvelles. Le Dr Feyer me dit qu'il n'y voit aucun inconvénient.

— C'est parfaitement vrai », confirma le chirurgien en opinant, la tête penchée en arrière ; son menton tremblait violemment.

« Ce sera en toute simplicité, ajouta Habeler, rassurant. Vous prendrez du thé et des biscuits, tout en bavardant. »

Mark était interloqué. « Alors, je vais prendre le thé avec l'homme le plus riche du monde ! » pensa-t-il. Jamais il n'avait eu une conscience aussi aiguë du changement radical survenu dans sa position sociale. « Je serai enchanté de bavarder avec sir Henry », dit-il gravement. Ils étaient égaux à présent, plus ou moins.

« Sir Henry prend le thé à quatre heures et demie.

— Dites-lui que je serai là.

— Je passerai vous prendre à quatre heures. »

Mark était quelque peu froissé. « Je n'ai pas besoin que l'on m'emmène, je vous remercie. Je peux me débrouiller tout seul.

— Je suis désolé, je n'avais nullement l'intention de sous-entendre le contraire, s'excusa le Dr Habeler, avec la plus grande courtoisie. Mais permettez-moi de passer vous prendre quand même. C'est moi qui suis responsable de votre ponctualité, voyez-vous. »

Pendant cette conversation, le Dr Habeler avait consacré toute son attention au visage de Mark, sans même glisser un regard oblique à Darville, au Dr Feyer ou à la Madone en or posée sur la table basse. Ce ne fut qu'en partant qu'il se départit de son amabilité soutenue pour échanger quelques remarques avec les autres et regarder autour de lui. « Je suis allé voir l'exposition à Government House, bien sûr, mais on dirait que chacune de ces Madones est la seule qui existe ! » fut son dernier compliment.

« C'est intéressant, non ? Elle parle – il parle – l'anglais sans le moindre accent ! » lança le Dr Feyer avant de filer aux trousses du secrétaire.

Ayant réfléchi à son testament et dicté ses volontés à Darville, qui promit de faire préparer le document pour le lendemain, Mark passa le temps qui lui restait jusqu'à l'heure du thé à lire sa propre histoire. Les tiroirs des placards encastrés étaient pleins de vieux journaux et de magazines en provenance du monde entier, où figuraient des reportages sur la découverte de la *Flora* et l'attaque contre la barge, des interviews, des articles d'actualité et des reportages photo sur l'exposition de Nassau. Il y en avait des piles entières qu'il n'avait encore jamais vues et il demanda à l'infirmière d'en poser une partie sur son bureau. La célébrité se multiplie pour les multilingues : il lut son histoire en anglais, en italien, en français, en espagnol et il en saisit les points saillants en portugais, en hollandais et en allemand. Il fut content de constater que la plupart des journaux applaudissaient ses projets de sauver les forêts tropicales d'Amérique du Sud et d'investir dans les voitures sans essence « afin d'assainir l'atmosphère ». Les journaux de Lima notaient sa promesse de fonder des bourses à l'université de San Marcos afin d'honorer sa dette envers le Pérou.

Ces vagues projets qui avaient servi à étayer son respect de lui-même tant qu'il avait autre chose à faire prenaient désormais une importance intérieure dont il avait lui-même à peine conscience. Maintenant qu'il se sentait sûr de sa richesse, il avait besoin d'un nouveau but à atteindre. Peut-être aussi sa sollicitude envers la communauté humaine était-elle intensifiée par la conviction mélancolique que Marianne ne reviendrait jamais auprès de lui et qu'il était destiné à vivre seul, comme son père.

Un vieux numéro du *Miami Herald* où était racontée l'attaque contre la barge le mettait en première page aux côtés du prince Charles. À l'époque, la rumeur publique fiançait le prince beau et populaire tous les mois ou presque, et cette fois le bruit courait qu'il était tombé amoureux d'une jeune Californienne. La photographie du prince Charles n'était pas plus grande que celle de Mark Niven – Mark était donc mis sur le même pied que l'héritier du trône britannique, le compagnon d'équitation de ses rêves d'enfant. Les yeux braqués sur le journal, il régna. Il sentit le poids de ses responsabilités, le fardeau de son ignorance quant aux mécanismes du pouvoir. Il était temps pour lui de commencer à se rendre utile : il devait se mettre au travail, mais il avait besoin d'alliés, de contacts. Sir Henry l'aiderait-il ? Lui donnerait-il, au moins, de bons conseils ?

Assurément, sir Henry avait l'œil à tout. Sa bibliothèque fit à Mark une profonde impression. C'était une gigantesque salle de deux étages garnie de livres, avec une galerie au deuxième niveau qui faisait le tour de la pièce, et de longues tables couvertes de journaux et de magazines dans diverses langues, y compris l'arabe. « Sir Henry lit une douzaine de journaux par jour, expliqua la bibliothécaire, une grande Bahamienne aux grosses lunettes rondes. Il n'y a que huit mille livres environ sur les étagères, le reste consiste en magazines reliés. Nous gardons les journaux une quinzaine de jours, puis nous les mettons sur microfilm. »

Craignant d'arriver en retard, ils prirent congé de la bibliothécaire et, lorsqu'ils passèrent devant les tables couvertes de magazines, le Dr Habeler indiqua la photo de Mark en couverture de *Der Spiegel*. « Sir Henry a été content de voir son île à la une de l'actualité.

— C'est vrai que c'est l'homme le plus riche du monde? » demanda Mark, qui voulait en être sûr.

Le secrétaire fit une brève pause avant de lui offrir un faux-fuyant philosophique. « Disons simplement que lorsque sir Henry s'occupe de ses affaires personnelles, il est obligé de s'occuper du monde entier. »

Mark hocha la tête d'un air appréciateur. « Il y a quelques mois, je n'aurais pas compris ce que vous vouliez dire! »

Le jeune millionnaire sur le point de faire la connaissance du vieux milliardaire éprouvait la même agitation qu'un jeune officier nouvellement promu se présentant devant le commandant en chef ou qu'un prêtre nouvellement ordonné se présentant devant le pape.

La table était déjà dressée pour trois dans une pièce fraîche et ombragée attenante à la bibliothèque. Sir Henry se tenait debout devant son fauteuil pour les accueillir, appuyé sur sa canne d'ébène. Petit homme exquis, au visage d'oiseau, à la belle ossature délicate, le milliardaire avait encore, à quatre-vingt-sept ans, sa propre chevelure, épaisse et neigeuse, ses propres dents blanches et des yeux brillants et vifs comme ceux d'un écureuil; il s'inclina pour s'excuser de ne pas offrir sa main, puis il s'assit aussitôt dans son fauteuil de cuir à haut dossier qui le faisait paraître d'autant plus menu. Mark fut étonné de voir que le « Grand Vieillard blanc des Bahamas » était quelqu'un de petit, et il ne l'en aima que mieux.

« Je ne parle pas à tout le monde sur l'île, dit sir Henry d'une voix légère mais ferme, tout en dévisageant le jeune homme avec une curiosité qu'il ne cherchait pas à cacher. Certains de mes voisins pensent qu'être riche consiste uniquement à savoir voler son prochain. Mais je m'intéresse à vous. Vous êtes têtu et vous avez le courage de travailler tout seul. Un jeune homme qui a su enrichir le monde de tant de trésors à vingt et un ans – vous avez des possibilités. »

Mark se tenait droit sur le bord de son siège, ne touchant à rien, et il affronta les regards scrutateurs sans broncher.

« Vous me devez dix pour cent de la *Flora*, vingt pour cent de votre richesse, c'est-à-dire plus de trente millions de dollars, annonça sir Henry, qui aimait que les gens eussent une idée bien claire de ce qu'ils lui devaient. C'est moi qui ai fait réduire votre prélèvement de soixante à cinquante pour cent. » Il frappa le sol de marbre avec sa canne d'ébène afin de faire taire toute manifestation de gratitude. « Je veux davantage que des remerciements, dit-il sévèrement. Je veux que vous me rendiez la pareille : je veux que vous aidiez ceux qui font quelque chose et le font bien.

— Je le ferai, sir Henry.

— Pour le moment, vous ne m'avez pas déçu. Vous rendez coup pour coup et ça aussi c'est important. Vous êtes capable de tuer vos ennemis ; oui, vous avez des possibilités. »

Sir Henry posa sa canne sur les accoudoirs de son fauteuil, de façon qu'elle fût suspendue en travers de ses genoux, et il prit une gorgée de thé et un biscuit à l'arrow-root, puis il se mit à questionner Mark sur son éducation et sa famille, aussi minutieusement que s'il envisageait de l'embaucher.

« J'ai un cœur de pierre, vous savez, dit-il abruptement en coupant la parole au jeune homme une fois qu'il eut décidé qu'il en avait assez entendu. Demandez à n'importe quelle fondation charitable, je suis l'homme le plus avare qu'elles connaissent. Je suis célèbre pour ma radinerie. » Un éclair de plaisir traversa les yeux du tout petit vieillard en notant la surprise de Mark. « Je ne crois pas aux œuvres de charité, elles ne font que multiplier les incapables. Ce qu'il nous faut, c'est un plus grand nombre de gens doués, nous en avons autant besoin que de léopards et d'éléphants. » Il reprit sa canne et tapa le sol de quelques coups péremptoires. « Que les faibles d'esprit s'occupent des imbéciles ! Quand votre tour viendra, donnez un coup de main à ceux qui sont capables d'enrichir le monde. Personne n'aura autant besoin de votre aide qu'eux... » Membre fondateur du Fonds mondial pour la nature, particulièrement attaché à la survie des léopards et des éléphants, sir Henry croyait que les gens doués constituaient, eux aussi, une espèce en voie d'extinction.

Mark, se carrant contre le dossier de son siège, était du même avis. « J'ai l'intention de fonder des bourses au Pérou.

— Ce n'est pas de ça que je parle, dit sir Henry, mécontent, en levant sa canne en guise d'avertissement. Ne donnez jamais d'argent aux universités. Quand j'étais jeune, j'ai perdu des millions en écoutant l'avis des érudits ! Un idiot illettré peut être un idiot utile, il peut laver les planchers, mais un idiot titulaire d'un doctorat est mortel. Les spécialistes des sciences humaines, les terroristes, les sociobiologistes, les marxistes, les psychiatres, les charlatans de toute espèce, toutes ces hordes de parasites sortent des universités. Et savez-vous pourquoi ? Parce toutes les études du monde ne peuvent pas guérir la stupidité, et les études supérieures ne font rien que la fortifier. Donc, pas de bourses, souvenez-vous-en ! »

Intérieurement, Mark se jura de tenir sa promesse envers les étudiants de Lima, mais il ne discuta pas.

« Je suis heureux d'entendre que vous avez l'intention de faire du bien grâce à votre fortune », dit sir Henry, dont la voix légère s'animait sous l'effet de la joie d'intriguer. Le vieux milliardaire n'était plus cupide, mais l'occasion d'influer sur la façon de disposer de cent cinquante millions de dollars pouvait encore le passionner. C'était pour cette raison que Mark avait été invité à prendre le thé. « Cent cinquante millions, ce n'est pas une grande fortune, mais cela peut vous permettre de faire une différence dans le monde.

— J'espère faire une différence dans le monde, dit Mark, et il but son thé d'un seul trait.

— Vous êtes sérieux en ce qui concerne les forêts tropicales ? demanda sir Henry brusquement.

— Je me demandais si vous consentiriez à m'aider.

— Vous auriez certainement besoin d'aide. Vous vous heurteriez aux sociétés d'abattage et de tronçonnage du bois, dont les agents empoisonnent les tribus forestières pour déblayer le terrain. Il vous faudrait davantage que de l'argent pour venir à bout de ces gens-là... » Sir Henry n'eut guère de mal à persuader Mark du fait qu'au lieu de gaspiller des fortunes pour un projet en solitaire qui n'avait aucune chance de réussir, il ferait mieux de compter sur l'organisation et les contacts du Fonds mondial pour la nature. Le Dr Habeler lui servirait de guide.

« Et il ne vous laissera pas dépenser plus de quelques millions, assura sir Henry, satisfait du succès avec lequel il venait de recueillir des fonds. Il vous restera encore énormément d'argent pour votre propre plaisir – qui est vital – et pour faire d'autres choses. »

Lorsqu'il ne faisait rien d'autre avec sa canne, sir Henry la roulait entre ses deux paumes ; depuis une soixantaine d'années, ce geste lui avait fourni le même genre de satisfaction qu'il avait eu jadis à fumer. En jouant avec sa canne, toutefois, il paraissait avoir perdu le fil de sa pensée et il commençait à s'irriter. « Alors, vous avez vécu à Londres ! dit-il d'un ton accusateur.

— Oui, sir Henry.

— Londres, capitale de la Grande-Bretagne ! soupira le vieillard. Pour aimer Londres de nos jours, il faut aimer les Arabes. » Il leva la poignée d'ivoire de sa canne contre la poitrine de Mark. « Vous avez lu le Coran ?

— Non, sir Henry. »

La canne fut retirée. « Vous avez de la chance de ne pas avoir été formé aux préceptes de ce livre idiot et cruel. J'imagine que le Fonds mondial pour la nature me jetterait mon argent à la figure si ses dirigeants savaient que je nourris des opinions pareilles, et si le bruit se répandait je les nierais, mais ce n'est pas vrai, figurez-vous, que toutes les religions sont également bonnes, insista d'un ton sévère le frêle petit homme. Vous avez grandi au sein d'une civilisation fondée sur la Bible, les prophètes hébreux, les Évangiles, la littérature et l'art grecs et romains. Vous avez des pères spirituels tels qu'Aristote, Érasme, les artistes de la Renaissance, vous êtes un citoyen du monde occidental, vous devriez faire de votre mieux pour le protéger... »

À la stupéfaction de Mark, cet homme que le pétrole avait rendu milliardaire approuvait son projet de financer les voitures électriques. « Nous sommes toujours en bons termes avec nos amis arabes, mais moi, j'investis désormais dans la terre et les puces électroniques, confia-t-il. Je n'aime pas dépendre de la miséricorde d'Allah. »

Tout au long de cette diatribe, le Dr Habeler avait froncé les sourcils, peiné d'entendre sir Henry vitupérer comme un chauffeur de taxi. « Je crois que la principale préoccupation de Mr Niven est l'environnement... »

Sir Henry posa sur son secrétaire un regard amusé. « Le Dr Habeler préparera à votre intention une liste de gens à contacter et il arrangera quelques entretiens quand vous serez suffisamment remis pour voyager. Si j'étais plus jeune, je donnerais un coup de pouce à ces voitures, moi aussi. Les experts vous diront que le problème, c'est la batterie, mais ce n'est pas du tout une histoire de batterie, c'est un problème financier. Une question de pouvoir. Il s'agit de savoir qui va gouverner le monde. Disons, en tout cas, que si nous n'arrêtons pas de consommer du pétrole pour nos transports, Israël ne durera pas longtemps. Oui, quiconque parviendra à remplacer le moteur à combustion interne deviendra le père d'une nouvelle révolution industrielle – une nouvelle ère d'hégémonie occidentale. » Il perça l'air à petits coups de canne. « Le monde occidental ne devrait pas devenir une province de l'Arabie ! »

Ce dernier effort parut avoir épuisé l'espiègle vieillard ; il posa sa canne sur la table à côté de lui. À l'évidence, c'était un signal. Le Dr Habeler se leva ; Mark en fit autant.

Sir Henry, toujours assis, tendit la main cette fois pour toucher celle de son invité. « Nous n'avons pas parlé longtemps, dit-il. Mais si vous êtes intelligent, quelques mots suffiront. Allez, je garderai l'œil sur vous. »

Impressionné par l'intérêt que sir Henry manifestait envers son client, Darville s'était laissé gagner par quelques inquiétudes au sujet de sa propre conduite de la veille, et, le lendemain matin, au lieu d'attendre le vol régulier, il prit un avion-taxi jusqu'à Santa Catalina afin d'arriver avant Vallantine. Il se disait qu'il n'aurait pas dû tolérer que la discussion d'un contrat portant sur le prêt de trésors qui se montaient à cent cinquante millions de dollars dégénérât en esclandre consacré aux griefs de miss Little. Ce n'était ni le lieu ni le moment d'exhaler ses problèmes émotionnels et il aurait dû la prier de partir.

« Écoutez, dit-il à Mark, hier, votre salon était une telle pétaudière que je ne suis pas sûr que vous ayez pu me dire ce que vous souhaitez vraiment. À un moment donné, vous vouliez annuler l'exposition... John vous menait la vie dure ; si vous ne le trouvez pas vraiment sympathique, rien ne vous oblige à accepter ce contrat à New York, vous savez. Ne soyez pas gêné de changer d'avis ; je peux vous débarrasser de lui, c'est à cela que servent les avocats. Un bon avocat est le cascadeur de son client, c'est lui qui franchit les haies à sa place. Tant que vous n'avez pas signé le contrat, il est toujours temps de revenir sur votre décision.

— Vous êtes gentil de vous faire tant de souci, Franklin, mais tout va bien, dit Mark distraitement. Ce n'est pas étonnant que John ait mal réagi, il comptait sur une exposition beaucoup plus importante. C'est un brave type, regardez, il a même laissé son chèque. »

Tous ces détails étaient insignifiants en comparaison des tâches qui l'attendaient. Grave et taciturne, préoccupé par le redoutable problème que posait la nécessité de débarrasser le monde des moteurs à combustion interne, Mark signa son testament, puis, sans attendre l'arrivée de Vallantine, le contrat concernant l'exposition à New York. C'est l'une des formes les plus communes d'autodestruction : il pensait à autre chose que ce qu'il était en train de faire. « Le temps que l'exposition soit finie, je serai prêt à vendre quelques-unes des pièces de monnaie et à investir dans certains projets », se disait-il en signant son nom. Tant qu'il avait le stylo à la main, il endossa aussi le chèque de cinq cent mille dollars à l'ordre du Dr Attila Feyer.

Vallantine vint et repartit, emportant son exemplaire du contrat. « J'espère que ce n'est que le début d'une association qui durera toute la vie, Mark », dit-il tandis qu'ils se serraient la main pour conclure l'affaire. Ils ne devaient jamais se revoir.

L'après-midi, le Dr Habeler vint à la clinique parler à Mark des entrevues qu'il se proposait d'arranger à son intention, en Europe et en Amérique du Sud. Le jeune homme était occupé à préparer sa nouvelle vie, fondée sur les richesses qui se trouvaient d'ores et déjà à bord de l'avion de Vallantine. Plus de cent cinquante millions de dollars de monnaies d'or, de vaisselle, de statues, de vases sacrés en or massif, de perles, d'émeraudes étaient en route pour New York, et Mark n'avait rien d'autre que quarante-six pages de papier de format juridique, soigneusement dactylographiées, qu'il fourra dans un tiroir afin de faire de la place aux notes du Dr Habeler.

Le loyal assistant de sir Henry fut froissé de constater que le jeune homme ne prenait pas la peine d'exprimer sa respectueuse appréciation pour l'intérêt bienveillant que lui avait manifesté le milliardaire. « Il doit y avoir des millions de gens qui vous envieraient l'amitié de sir Henry, dit-il avec une désinvolture étudiée.

— Oui, je suis sûr que vous avez raison là-dessus, répondit Mark sans laisser transparaître de révérence particulière, déjà habitué à ses nouveaux privilèges. Quand même, il est un peu raciste, non? Pourquoi en veut-il tellement aux Arabes? »

L'objection du Dr Habeler prit la forme d'un regard froid et bleu. « Sir Henry est probablement l'homme le plus envié du monde.

— Je n'en doute pas! »

Plus tard, lorsqu'il croula sous ses malheurs, Mark aurait bien voulu pouvoir demander de l'aide à sir Henry, mais quelques semaines après qu'ils eurent pris le thé ensemble, sir Henry mourut dans son sommeil.

36

Appels téléphoniques, câbles, lettres

Les lois acquièrent une grande vigueur
quand vous en venez à les appliquer à
vous-même.

MARK TWAIN

Le premier bruit du désastre fut une voix au téléphone : la voix calme, insolente de la secrétaire de Vallantine. « C'est de la part de qui ? demanda-t-elle.

— Dites-lui que c'est Mark, à Santa Catalina.

— Mark comment ? »

Mark revenait d'Europe, où il était allé voir son père à Londres, sa mère à Amsterdam, la signorina Rognoni à Gênes et le Bernin à Rome. Il s'était accoutumé à être respecté et reconnu. Lorsqu'il passait assister aux répétitions de la pièce de Kleist au Queen's Theatre, dans Shafterbury Avenue, les acteurs et les actrices l'accueillaient avec le généreux enthousiasme propre aux artistes : il était le fils de Dana, qui avait rendu toute l'aventure possible. Les secrétaires des hommes politiques et des scientifiques avec qui le Dr Habeler lui avait organisé des entrevues savaient tous qui il était. Il était quelqu'un. Mais quelqu'un qui claquait tout son argent. Il descendit dans les meilleurs hôtels, il investit dans la firme de Jessica, British Solar Glass, il acheta le brevet d'un vélomoteur alimenté par batterie et regagna l'île de Santa Catalina, impatient de vendre ses monnaies d'or. Il regrettait, à présent, que l'exposition à

New York ne fût pas sur le point de fermer ses portes au lieu de les ouvrir tout juste. On était le 2 septembre et, selon le contrat, l'exposition devait commencer le 1er du mois, bien qu'il n'y eût, curieusement, pas de nouvelles à ce sujet dans la presse new-yorkaise. Et il n'y avait pas non plus la moindre explication de la galerie Vallantine. Mark trouva toute une pile de courrier qui l'attendait au Seven Seas Club : un petit mot du Dr Habeler, lui précisant qu'il pouvait le joindre à Paris, un rappel à l'ordre de la branche brésilienne du Fonds mondial pour la nature, demandant quand ils pouvaient espérer recevoir sa contribution, d'autres lettres lui reprochant sa vaste fortune et en quémandant une partie ; mais aucune nouvelle de Vallantine. Dès qu'il se fut installé dans sa suite Florentine, il pria la standardiste d'appeler New York.

« Niven… ? Mark Niven ? C'est à quel sujet, s'il vous plaît ? »

Mark était abasourdi. Comment cette femme pouvait-elle lui poser une question pareille ? Ils avaient sa fortune entière chez eux et elle ne savait pas qui il était ?

« Passez-moi Mr Vallantine.

— Un instant, je vous prie… Je suis désolée mais il n'est pas dans son bureau.

— Dans ce cas, je parlerai à Mrs Vallantine.

— Je crains qu'elle ne soit pas là non plus. »

Pour finir, un homme qui se présenta comme étant le directeur adjoint de la galerie prit la communication et expliqua qu'ils avaient décidé de ne pas lancer une importante exposition si tôt dans la saison. Quand ils auraient des nouvelles à lui donner, ils se mettraient en rapport avec lui.

« Dites à Mr Vallantine de m'appeler dès son retour, dit Mark, qui imaginait son ami, timide et rougissant, s'empressant de le satisfaire. Tout ça ne me plaît pas du tout, dites-lui de me rappeler au plus tôt.

— Écoutez, je le lui dirai, mais vous devez savoir que Mr Vallantine est un homme très occupé. »

La communication fut coupée avant que Mark ne se fût suffisamment ressaisi pour parler. Il se mit debout et commença à faire ses exercices : levant et abaissant son bras gauche, il fit les cent pas dans sa suite en essayant de ne penser à rien. Il fut interrompu par Coco, frais et élégant dans un costume en lin, qui passait le voir pour lui raconter sa nouvelle vie : il avait ouvert un night-club à Nassau et il envisageait de se faire élire membre du Parlement pour les îles extérieures. La vue d'un homme qu'il avait rendu riche remonta brièvement le moral de Mark, jusqu'au moment où Coco laissa tomber en bavardant que Vallantine était revenu dans l'île la semaine précédente et avait essayé de lui emprunter ses trente mille doublons pour l'exposition de New York.

« Qu'est-ce qu'il a dit? Quand est-ce qu'elle commence, cette exposition? demanda Mark.

— D'après lui, tout de suite. Il m'a payé à dîner, ici, au Club, et il m'a offert dix mille dollars pour que je lui prête mes pièces d'or. Moi, j'ai bouffé son dîner, mais je lui ai dit : Mr Vallantine, j'ai rien contre vous, mais jamais je ferai confiance à aucun homme blanc. Il a eu l'air fou de rage. »

Mark passa la soirée avec Sarah, Eshelby et Weaver : ils le questionnèrent sur son voyage et il leur raconta ses entrevues et les répétitions à Londres. Il ne put se résoudre à leur parler du coup de téléphone à New York : il ne voulait pas passer pour un paranoïaque. Vallantine allait sûrement le rappeler.

« Ah, oui, Mr Niven, dit aussitôt la secrétaire de Vallantine quand Mark téléphona une seconde fois le lendemain matin. Nous sommes tous très occupés, mais Mr Vallantine m'a dit de vous dire que vous n'aviez qu'à lui écrire si vous aviez le moindre problème. »

Un homme et sa raison sociale sont deux choses bien distinctes. Mark, qui s'imaginait avoir conclu un accord avec John Vallantine, ne cessait de se heurter à des gens dont il ignorait l'existence.

GALERIES VALLANTINE, INC.
East 57th Street
New York N. Y. 10020

Bureau du Directeur adjoint
8 septembre 1970

Mr Mark Alan Niven
Seven Seas Club

Santa Catalina
Îles Bahamas

Cher Monsieur,
Nous ne parvenons absolument pas à nous expliquer la raison de vos appels téléphoniques et de vos câbles. Nous en avons même reçu un de votre avocat à Nassau.
Je ne comprends pas pourquoi vous vous mettez dans un tel état. Tout se déroule de façon parfaitement satisfaisante et vous n'avez aucune raison d'être inquiet. Le retard est dû simplement à la nécessité d'améliorer les dispositifs de sécurité de la galerie.
En attendant, nous organisons des expositions privées et je suis sûr que vous serez content d'apprendre que nous avons d'ores et déjà conclu plusieurs ventes importantes. Vous recevrez les comptes et les paiements en temps voulu.
Veuillez croire à l'expression de mes sentiments distingués,

DAVID DAVIES

« Ça me paraît tout à fait raisonnable, dit Sarah lorsque Mark lui montra la lettre. Tu ne peux pas leur reprocher d'améliorer la sécurité. Si John voulait te voler, il serait parti en Amérique du Sud ou Dieu sait où, il ne resterait pas à son adresse de travail habituelle et il ne demanderait pas à ses collaborateurs de correspondre avec toi. Moi, je lui ai prêté mes perles la semaine dernière et je ne me fais aucun souci. Tu sais quoi ? Je vais lui téléphoner pour toi et je lui demanderai de t'appeler pour te rassurer. »

« Ils ne peuvent rien vendre, il s'agirait de transactions frauduleuses, déclara Darville d'un ton assuré, téléphonant de Nassau. Ce Davies fait le pitre, tout simplement. Nous pourrions faire annuler les ventes. Ils se sont engagés à exposer les objets pendant trois mois, à partir du 1er septembre dernier délai. Pour une raison ou pour une autre, ils n'ont pas été prêts à temps et à présent ils cherchent à noyer le poisson avec toutes ces conneries. Aucune des clauses du contrat ne les autorise à vendre ne serait-ce qu'un seul doublon. Aucune. Dans ce domaine, ils n'ont que la clause 18. Elle dit, attendez, je vous la lis… ouvrez les guillemets : "Au cas où le Propriétaire – le propriétaire, c'est vous –, au cas où le Propriétaire se prévaudrait des services de l'Exposant en qualité d'agent pour la vente d'un quelconque article exposé, le Propriétaire versera à l'Exposant une commission se montant à six pour cent des sommes provenant de cette vente." Fermez les guillemets. C'est clair comme le jour. C'est à vous de décider si vous voulez vendre quoi que ce soit ou si vous voulez les employer comme agents.

— Je veux voir mes trésors de retour dans les coffres de Nassau.

— Et ce sera fait. Je vous ai prévu une clause d'annulation inattaquable qui nous autorise à résilier le contrat s'ils ne remplissent pas toutes les conditions stipulées. Or, le fait de ne pas ouvrir l'exposition à la date spécifiée, sinon avant, constitue une rupture de contrat. Si je leur envoie un câble résiliant le contrat, ils sont tenus de tout vous renvoyer par avion dans les quarante-huit heures.

— Eh bien, envoyez-le ce câble ! »

D'ordinaire, Vallantine se contentait d'ignorer purement et simplement les rappels à l'ordre pour rupture de contrat réclamant la restitution dans les quarante-huit heures, mais cette fois, compte tenu de l'enjeu, il confia aussitôt l'affaire à son avocat, qui expédia un câble à Darville dès le lendemain.

À L'ATTENTION DE MAÎTRE FRANKLIN DARVILLE. JE VOUS NOTIFIE PAR LA PRÉSENTE QUE LES GALERIES VALLANTINE, S. A., REFUSENT D'ANNULER L'ACCORD, CAR CELA PORTERAIT INJUSTEMENT ET SANS RAISON VALABLE PRÉJUDICE À LEURS DROITS D'EXPOSER ET DE VENDRE LES MARCHANDISES EN QUESTION, DROITS POUR LESQUELS ELLES ONT VERSÉ À VOTRE CLIENT CINQ CENT MILLE DOLLARS.

WILLIAM T MACARTHUR, AVOCAT

« Ce MacArthur nous met au défi de les attaquer en justice, expliqua Darville, après avoir lu le câble au téléphone. Le seul droit qu'ils ont acquis était celui d'exposer les marchandises de septembre à novembre. Les cinq cent mille dollars n'étaient qu'une avance sur votre part des droits d'entrée à l'exposition.

Ils n'ont certainement pas acquis le droit de vendre quoi que ce soit. Sur ce point, ils n'ont que la clause 18. »

L'esprit ne redoute rien tant que la confusion. Mark demanda à l'avocat de lui relire cette clause.

« Oh, bon Dieu! geignit Darville. Vous la connaissez par cœur! Vous avez accepté de leur verser une commission de six pour cent au cas où vous décideriez de retenir leurs services en tant qu'agent, mais comme vous ne l'avez pas décidé, ils n'ont droit à rien. Cette clause ne veut rien dire, c'est pour ça que j'ai accepté de l'inclure. Ce type sait très bien que ce qu'il dit est faux et il sait que nous le savons.

— Alors comment a-t-il pu envoyer ce câble? demanda Mark, qui n'y comprenait rien.

— Il ne s'occupe pas de ce que nous savons, expliqua Darville. Ce que nous savons ou ce qu'il sait n'a rien à voir à l'affaire. C'est simplement sa façon d'engager le combat. Il nous dit : "Voilà notre position, à vous de prouver devant les tribunaux que nous sommes dans notre tort."

— Mais enfin, c'est un mensonge qui crève les yeux! » Affirmer un mensonge fermement, catégoriquement, avec la plus grande autorité, sans tenir compte du fait que tout le monde sait qu'il s'agit d'un mensonge, est l'une des principales activités que définit l'expression « l'exercice de la loi »; mais Mark n'avait jamais été mêlé à un litige.

« Devant la loi, rien ne crève les yeux. »

Mark inspira à fond. « Faudra-t-il que je prouve que c'est moi qui ai trouvé la *Flora*? »

Darville promit d'envoyer un autre câble transmettant la menace de poursuites judiciaires.

Ce jour-là, Mark fut incapable de manger et il se réveilla au milieu de la nuit en se tenant la tête : l'expression méprisante « les marchandises en question » lui brûlait le cerveau. Vallantine avait eu coutume d'appeler les trésors « des merveilles, des objets d'art sans prix, des reliques historiques »! Il n'avait plus le moindre doute : le marchand d'art avait l'intention de le voler.

À L'ATTENTION DE MAÎTRE FRANKLIN DARVILLE, LES GALERIES VALLANTINE, S. A., ME FONT SAVOIR QU'À LA

SUITE DE MESURES PRISES PAR ELLES CONFORMÉMENT À LA CLAUSE 18 ET À L'ACCORD VERBAL ENTRE LES PARTIES ELLES SONT DÉSORMAIS DANS L'IMPOSSIBILITÉ DE RENVOYER LES MARCHANDISES EN QUESTION.

WILLIAM T. MACARTHUR, AVOCAT

« Il laisse entendre que tout est parti », expliqua Darville au téléphone, comme si c'était exactement ce à quoi il s'attendait.

Mark eut l'impression que son estomac venait de tomber. Il dut attendre d'avoir repris son souffle, puis il hurla dans l'appareil. « Comment ça, tout est parti?

— À mon avis, il laisse entendre qu'ils ont tout vendu conformément à la clause 18.

— Mais la clause 18 ne les autorise pas à vendre!

— C'est pour ça qu'ils ont sorti cette histoire d'accord verbal. Cette allusion à un accord verbal signifie qu'ils vont prétendre que la clause 18 veut dire ce qu'ils disent qu'elle veut dire.

— Mais c'est du vol! Il faut les signaler au FBI, il y a sûrement un de leurs agents à l'ambassade américaine à Nassau.

— Malheureusement, il s'agit d'une affaire civile. Du point de vue légal, nous sommes ici en présence de deux interprétations conflictuelles d'un accord d'association. Ils vous ont versé cinq cent mille dollars et nous ferons valoir pourquoi ils vous les ont versés. Nous allons être obligés de les attaquer nous-mêmes. Nous donnerons notre version, eux donneront leur version, et la cour tranchera.

— Vous m'avez dit qu'il suffirait de leur envoyer un câble et qu'on nous renverrait tout dans les quarante-huit heures!

— Oui, mais ils ont sorti ce coup d'un accord verbal, soupira Darville. Ils essaient de voir jusqu'où peut aller le vieux dicton : Possession vaut titre.

— Je croyais que c'était une blague. C'est vrai?

— Disons que la possession leur donne un certain avantage.

— Vous voulez dire que vous m'avez laissé remettre mes trésors à Vallantine en sachant qu'il peut en faire ce qu'il veut?

— Bon Dieu, est-ce que je savais, moi, que Vallantine était un escroc? Je me suis renseigné sur son compte auprès des directeurs des plus grands musées; vous avez vu leurs lettres.

Rétrospectivement, je me dis que nous aurions dû nous en tenir au même système que pour l'exposition de Nassau. Nous aurions dû garder les objets en notre possession, louer sa galerie, l'engager pour s'occuper de l'exposition et de la publicité et laisser les trésors sous la garde de nos propres hommes.

— Et c'est maintenant que vous me le dites?

— Je vous ai conseillé de lire soigneusement le contrat avant de le signer, je vous ai dit que je voulais que vous compreniez bien ce qu'il impliquait. Et avant la signature je vous ai redemandé de bien réfléchir encore une fois, je vous ai dit que si Vallantine vous était antipathique, rien ne vous obligeait à accepter cette exposition, que je vous débarrasserais de lui », lui rappela calmement Darville. On ne pouvait rien lui reprocher.

« Vous m'avez facturé ce contrat quarante-cinq mille dollars!

— Écoutez, Mr Niven, ça ne sert à rien de s'énerver. Ils ne vont pas s'en tirer comme ça, il faut simplement être patient. Ce dont vous avez besoin, c'est d'un bon avocat à New York, rien d'autre.

— Je vous ai payé, vous, pour être mon avocat. Je vous ai versé près de trois cent mille dollars pour vous occuper de moi!

— Et je les ai gagnés jusqu'au dernier cent, je peux vous montrer le décompte de mes heures. Si vous n'êtes pas satisfait, vous pouvez vous passer de mes services dorénavant. »

Dans l'heure qui suivit cette conversation, Mark avait quitté sa suite à cinq cents dollars par jour au Club et laissé ses affaires dans l'appartement d'Eshelby, à l'exception d'une valise de vêtements. Eshelby offrit de lui rendre la coupe en or et les diamants qu'il lui avait donnés, mais Mark refusa. Il était loin d'être sans ressources; sa première Madone et la croix aux Sept Émeraudes, remises dans les coffres de la banque quand il était parti pour l'Europe, s'y trouvaient toujours et pouvaient servir de garantie pour des emprunts se montant à un million de dollars. Sarah, Coco et Eshelby l'accompagnèrent jusqu'à la piste d'atterrissage pour lui dire au revoir et tenter de le réconforter.

« Eh, mon pote! » dit Coco. Il prit l'air à pleines mains, puis le laissa échapper. « Ça vient, ça va! »

Sarah l'embrassa d'un air contrit. « Je suis désolée, jamais je n'aurais dû te le présenter. Je voudrais bien pouvoir te rendre au moins les perles!

— Je te prête des doublons, t'as qu'à demander.

— Je n'arrête pas de penser à ce gros sac de sueur dégueulasse qui insistait pour que tu fasses ton testament, parce qu'il devait absolument savoir à qui rendre les trésors si jamais il t'arrivait quelque chose, soupira Eshelby. Mon cher petit, je vais garder les diamants et la coupe au cas où tu changerais d'avis. Ne perds pas courage. L'Amérique est un des rares pays au monde fondé sur l'autorité de la loi. Tu devrais pouvoir récupérer ce qui t'appartient de notoriété publique.

— Je sais », dit Mark en les étreignant l'un après l'autre, les larmes aux yeux.

Il fit escale à Nassau afin d'emprunter de l'argent à Mr Murray et de prendre des copies du contrat et de la correspondance. Darville lui remit ces papiers dans une coûteuse serviette en cuir qu'il avait achetée pour l'occasion. « Gardez-la donc, elle est à vous », dit-il, magnanime.

Mark était tellement secoué que dans l'avion qui le ramenait à New York il ne songea pas une seule fois à sa fuite paniquée de sa ville natale dix-neuf mois plus tôt. Et il ne pensa pas non plus au danger d'être arrêté en qualité d'insoumis. La vue de la police, qui se trouvait en grand nombre à l'aéroport Kennedy, lui donna un sentiment accru de sécurité ; il aurait été interloqué de s'entendre rappeler qu'il avait naguère considéré les policiers comme des brutes inutiles. À présent, il mettait tous ses espoirs dans la loi.

37

Jeux d'avocats

> Un seul d'entre vous, ayant une affaire contre un autre, osera-t-il porter plainte devant les injustes?... pourquoi ne vous laissez-vous pas plutôt escroquer?
>
> SAINT PAUL

> Je ne voudrais pas dire du mal de quiconque derrière son dos, mais je crois bien que ce monsieur est avocat.
>
> SAMUEL JOHNSON

> La loi est quelque chose d'horrible.
>
> CLARENCE DARROW

Plus de vingt ans auparavant, lorsqu'il était étudiant à Columbia, Dana Niven avait eu pour ami un jeune garçon déluré, amusant, idéaliste dénommé Bernie Wattman, qui l'avait souvent invité chez lui dans le Bronx. Le père de Bernie était un tailleur qui tenait sa propre boutique, et il régnait dans leur petite maison un air de pauvreté satisfaite. Les parents gâtaient non seulement leurs enfants, mais les amis de leurs enfants. Nulle part ailleurs que chez lui, à Rochester, Dana Niven ne s'était senti aussi à l'aise que chez les Wattman; à vrai dire, il devait garder un souvenir moins vif du fils que de ses parents débordant d'affection et de gentillesse, qui prenaient, semblait-il, un plaisir extrême à lui tapoter la joue et à le nourrir. Les deux amis s'étaient perdus de vue après avoir quitté l'université, mais quand Niven regagna New York pour y tenir la vedette dans *Le Disciple du diable*, maître Bernard Jay Wattman vint un soir le saluer dans sa loge, en compagnie de son attirante épouse.

Ils soupèrent ensemble au Russian Tea Room et l'acteur fut frappé de voir le peu de différence qu'avaient fait vingt et quelques années. L'avocat new-yorkais ayant pignon sur rue pensait et s'exprimait comme au temps de sa jeunesse, sauf qu'il n'espérait plus accéder un jour à la Cour suprême des États-Unis. « Je n'ai pas le bras assez long, dit-il. Je suis l'avocat du pauvre bougre ; je n'aimerais pas travailler pour les grandes entreprises. » Il avait même gardé l'aspect physique qu'il avait eu quand il était étudiant : c'était un homme grassouillet et plein d'entrain, aux joues rebondies, aux yeux brillants.

« Tu n'as absolument pas bougé ! » s'exclama Niven à plusieurs reprises au cours de la soirée, et, deux ans plus tard, lorsqu'il ne put quitter Londres alors que Mark avait des problèmes à New York, il lui parut naturel d'appeler à l'aide son vieil ami de jeunesse. Bernie promit de faire de son mieux pour Mark.

Malheureusement, l'air de jeunesse immuable de Bernie, son éclat qui était presque celui d'un bébé et que beaucoup de gens trouvaient rassurant, étaient les signes non pas d'une intégrité sans tache mais d'une régression psychologique, d'une maladie morale qui frappe des hommes et des femmes jusque-là tout à fait honnêtes, autour de la quarantaine. En tant qu'êtres moraux, beaucoup de gens sont détruits au cours de leur enfance ou de leur adolescence ; néanmoins, il y a dans chaque génération des multitudes de jeunes adultes pleins de générosité et de compassion, qui font renaître les espoirs pour l'avenir. Mais où en sont-ils vingt ans plus tard ? Dana Niven, dont le caractère avait résisté au poison de l'ambition inassouvie, à cet avant-goût de la mort qu'est l'âge mûr, n'était pas capable de sonder ce que signifiait pour Wattman le fait de vivre en sachant que la Cour suprême des États-Unis était hors de sa portée et qu'il était candidat à la crise cardiaque s'il ne perdait pas de poids, et il n'en perdait pas. Plus Wattman vieillissait, plus il régressait vers l'égocentrisme propre aux enfants : rien ne lui paraissait tout à fait réel en dehors de lui-même, de sa famille et de ses biens.

Le fait qu'il conservât la rhétorique libérale de sa jeunesse, qu'il se moquât des grandes entreprises, qu'il s'inquiétât du sort des minorités, des droits civils, du désarmement nucléaire, masquait sa transformation en un monstre d'égoïsme. S'il restait libéral, il l'était à la façon dont la plupart des escrocs de New York sont libéraux, à la façon dont la plupart des escrocs du Texas sont conservateurs; ils s'adaptent partout à leur environnement.

Extérieurement, la clientèle de Wattman ne changea pas : il continua de représenter les pauvres bougres, mais il en représentait des nombres de plus en plus élevés. Il devint un de ces avocats qui, faute de clients riches, parviennent à gagner des fortunes chaque année en acceptant beaucoup plus de travail qu'ils ne peuvent en effectuer. Talentueux avocat, Wattman consacrait principalement ses dons à appâter ses clients, à les délester de leurs économies, puis à travailler le moins possible pour défendre leurs intérêts. Ceux qui ne lui avaient pas encore versé un sou le trouvaient toujours à leur disposition, mais une fois qu'il avait reçu sa provision il posait sur leur dossier un regard d'homme occupé : quelle était l'affaire qui lui rapporterait le plus dans les plus brefs délais? Il était bien rare qu'il allât jusqu'à plaider, sauf dans les affaires de dommages corporels, lors desquelles il pouvait étaler sous les yeux du jury le membre qui manquait à son client. Les clients dont les affaires étaient compliquées ou les adversaires coriaces étaient mis sur la touche jusqu'à ce qu'ils fussent prêts à payer davantage.

Il finissait par laisser tomber ceux qui n'avaient pas les moyens de continuer de payer : ils méritaient tous leurs ennuis pour ne l'avoir pas aidé à couvrir ses frais. Quand un des clients qu'il avait abandonnés ainsi se suicida dans sa salle d'attente, il n'en éprouva rien d'autre que de la contrariété; il ne pouvait pas pardonner au défunt d'avoir sali sa salle d'attente et de l'avoir mis dans une situation gênante.

Wattman contribuait au malheur de la race humaine dans un cabinet situé dans le bas de Manhattan, quatre pièces qu'il partageait avec son associée, maître Marilyn Schon, laquelle s'occupait principalement des affaires de divorce. Il y avait une pièce de réception où travaillait la secrétaire, une salle de conférences où l'on prenait les dépositions et où l'on rangeait les dossiers, plus un bureau et des toilettes pour chacun des deux associés. (Les clients favorisés avaient droit aux toilettes de leur avocat; les autres en étaient réduits à utiliser les toilettes communes au fond du couloir.) Puisqu'il s'agissait d'une clientèle de pauvres bougres, il n'y avait rien de tape-à-l'œil : tout le mobilier des bureaux était en plastique, propre et neuf, ne révélant rien de ce que s'y passait. De nombreuses couches de peinture avaient recouvert les taches de sang laissées sur les murs par le suicidé.

L'accueil réservé à Mark n'aurait pu être plus encourageant. « Mr Wattman est en conférence. Je vais l'appeler, il m'a dit de ne pas vous faire attendre, annonça la secrétaire.

— Oui, c'est urgent », répondit Mark, qui avait sauté dans un taxi à sa descente d'avion et tenait encore sa valise ainsi que la serviette de Darville dans sa main valide. À peine eut-il le temps de les poser que Wattman fit son apparition.

« J'ai été content d'avoir des nouvelles de votre père, mais c'est une affaire terrible », déclara l'avocat sans ambages en tendant ses deux mains blanches et spongieuses. Ses lèvres paraissaient toujours esquisser un petit sourire, même quand il ne souriait pas. « Aujourd'hui, je suis pris toute la journée, mais donnez-moi tout ce que vous avez par écrit, je le lirai ce soir et je vous en parlerai demain. »

Mark lui remit la serviette de Darville.

« Bien. Je sais à quel point l'affaire est importante, alors soyez ici à sept heures et demie demain matin. Il faudra commencer tôt, je dois être au tribunal à dix heures. »

À sept heures trente du matin, ils paraissaient être les deux seuls occupants de l'immeuble en dehors du personnel d'entretien.

« Je tiens à vous dire à quel point je vous suis reconnaissant de m'accorder votre temps, dit Mark dans l'ascenseur. Et de vous être levé à l'aube pour me voir.

— Bah, ce n'est rien du tout, répondit Wattman, avec un petit haussement d'épaules. Les gosses de mes amis sont mes amis. Cela dit, j'aimerais mieux avoir de meilleures nouvelles pour vous. Je ne crois pas que nous allons pouvoir récupérer grand-chose. »

Mark, pris d'un soudain vertige, sentit peser sur lui les effets du manque de sommeil. « Comment.. ?

— Vous n'avez donc pas lu ces câbles ?

— Si c'est à cause de leurs cinq cent mille dollars. je suis prêt à les rendre ! »

L'avocat lui lança un regard perçant. ‹ Vous les avez encore ?

— Non, mais...

— Ça ne fait rien, ce n'est pas là le problème.

— Ah bon ? Tant mieux, alors, dit Mark très soulagé. Vous pensez à ce prétendu accord verbal que nous aurions conclu, mais ce n'est pas vrai !

— Nan... essayez encore, dit Wattman en ouvrant la porte d'entrée de WATTMAN & SCHON. Vous voulez du café ? » Il précéda Mark jusque dans son bureau, sortit une bouilloire électrique du placard, la posa sur sa table et y versa l'eau d'une bouteille d'Évian.

Par un caprice de la mémoire, ce geste eut l'effet de calmer Mark momentanément. « C'est la clause de droits d'agent qui vous inquiète ? Mon avocat à Nassau assure qu'elle ne veut rien dire.

— Ils peuvent s'en servir pour prolonger la procédure pendant des années, ce qui me paraît à moi vouloir dire des tas de choses. Mais il ne s'agit pas de cela. »

C'était une nouvelle cause de frayeur. À présent, le bras de Mark le faisait souffrir. « Vous croyez qu'ils ont vraiment vendu les trésors ? Les acheteurs auraient le droit de les garder ?

— Votre problème est bien plus grave que ça, dit l'avocat d'un ton vif en sortant deux tasses qu'il posa à côté de la bouilloire. Allons, réfléchissez ! Vous ne devinez pas ? Essayez. Il y a dans chacun de ces câbles trois mots qui, d'un point de vue purement pratique, réduisent vos droits à zéro.

— Ne dites pas de conneries », rétorqua Mark, surpris et furieux. Il était venu entendre comment s'y prendre pour récupérer ses trésors dans les plus brefs délais. « Il n'existe pas de mots qui soient capables de faire de Vallantine le propriétaire de mes trésors. Vous dites des conneries.

— Bon... » Le sourire de Wattman s'élargit ; des fossettes creusèrent ses joues rebondies. Rappelé par le sifflement de la bouilloire, il mit des cuillerées de café soluble et de crème en poudre dans les tasses et versa dessus l'eau bouillante. « Dites-moi donc comment vous vous êtes fourré dans ce guêpier », proposa-t-il en poussant une des tasses fumantes vers Mark, puis il s'assit pour siroter son café, poser quelques questions, et faire quelques commentaires. Il avait toutes sortes de façons d'apprivoiser un client.

« Comment ça, Vallantine avait l'air inoffensif ? dit-il à un moment donné. On ne peut pas dire si quelqu'un est inoffensif tant qu'on n'a pas vu son avocat. Celui de Vallantine vous aurait congelé le sang. »

Mark raconta son histoire et apprit à quel point il avait été sot; c'est ainsi que la plupart des plaideurs en puissance apprennent à respecter les opinions de leur avocat. « Qu'est-ce qu'ils ont donc, ces câbles ? finit-il par demander, humilié.

— Vous voulez me parler de ces trois mots ? lança gaiement Wattman, qui avait repris son petit jeu. Je vous ai donné des indices. Vous ne devinez toujours pas ? Vous donnez votre langue au chat ? C'est la signature ! William T. MacArthur.

— Qu'est-ce qu'elle a de tellement extraordinaire, cette signature ? Ce n'est jamais qu'un avocat comme vous, non ?

— Ce n'est jamais qu'un avocat ? » Wattman parut se faire tout maigre sous l'effet de l'horreur. « Vous trouvez qu'un membre du cabinet PETER, BLACK, JEFFERSON, MACARTHUR, WHITMAN & WARREN n'est jamais qu'un avocat ? Ces types-là sont des demi-dieux, comme leurs homonymes. Ils sont spécialisés dans la fraude d'entreprise. Quiconque vole sur une grande échelle va se mettre sous leur protection. Ils occupent deux étages entiers d'un gratte-ciel. Leur loyer est d'un million six cent mille dollars par an, à supposer qu'ils n'aient pas encore acheté l'immeuble. Comment vous dire ? Pas plus tard que l'autre semaine, MacArthur défendait une paire d'agents de change de Wall Street qui avaient volé deux millions à leurs investisseurs. Et cet argent, ils l'ont gardé, figurez-vous, en prétendant qu'il était entièrement dépensé. Le juge leur a infligé une amende de quarante mille dollars, les a condamnés chacun à six mois de prison avec sursis et les a complimentés de leur avocat distingué. Pas une mauvaise affaire, non ?

— Ils ne peuvent pas faire des trucs pareils tous les jours.

— Évidemment, ça revient cher, reconnut Wattman avec un

haussement d'épaules. Les honoraires de MacArthur ont dû se monter à huit cent mille dollars au bas mot. Et sans doute a-t-il exprimé sa reconnaissance au juge. Ils sont membres des mêmes clubs, alors ils sont probablement parvenus à mettre sur pied une transaction invisible.

— Mon affaire est différente, protesta Mark en quittant son siège. Peut-être qu'un juge peut infliger des peines de prison avec sursis, mais il ne peut pas donner à Vallantine ce qui m'appartient à moi. Il y a des lois, vous n'auriez pas autant de livres sur vos étagères si elles ne voulaient rien dire. »

Wattman poussa un profond soupir. « Je sais bien que vous n'allez pas me croire, mais tous les jours j'ai des gens qui viennent ici, ils veulent un avocat, ils quémandent des conseils et puis ensuite ce sont eux qui m'apprennent ce que c'est que la loi ! » Il secoua la tête et ajouta d'une voix tranchante : « Prenez votre café, asseyez-vous et écoutez-moi.

— Excusez-moi. » Mark prit sa tasse, mais il était trop tendu pour s'asseoir.

« La loi, c'est comme la Bible.

— Je n'en demande pas plus.

— Ah bon ? Et combien de prêtres, de rabbins, de ministres du culte sont d'accord sur ce que dit la Bible ? demanda l'avocat, las de souligner l'évidence. Il y a autant de lois qu'il y a de juges. La loi, c'est le juge qui la dicte, et ce juge, ça peut être n'importe qui. N'importe qui, je vous dis. Imaginez-vous que New York c'est Chicago du temps de la Prohibition. Vous n'étiez pas né, même moi, je ne l'étais pas, mais vous n'avez qu'à lire des livres à ce sujet. Saviez-vous que les juges des tribunaux de l'Illinois portaient le cercueil aux obsèques des gangsters ? Bien entendu, de nos jours, aucun magistrat n'irait porter le cercueil d'un gangster, parce qu'il pourrait être vu à la télé, et l'argent permettant d'acheter l'immunité ne provient plus de l'alcool mais de la drogue, mais autrement rien n'a changé. Le pauvre Robert Kennedy disait toujours que les défenseurs de la loi et de l'ordre coûtent plus cher au crime organisé qu'au gouvernement des États-Unis... »

Mark l'interrompit, impatienté, en insistant sur le fait qu'il n'avait rien à voir avec la Mafia et que la Mafia n'avait rien à voir avec lui.

« Oui, je suis sûr que tout cela vous paraît bien éloigné de vos préoccupations, mais vous pourriez vous retrouver à la merci du juge Aurelio, un des bons copains de feu Frank Costello. Le FBI possède un enregistrement dans lequel il accepte de truquer l'issue d'un procès moyennant une certaine somme. Mais comme ils ont mis son téléphone sur écoutes sans demander d'ordonnance à la cour, ils ne peuvent pas le poursuivre. Les électeurs, qui seront membres de votre jury, pourraient le blackbouler, une transcription de la conversation a été publiée dans la presse, mais ils continuent de le réélire à ses fonctions. Si bien que cet homme siège toujours à la Cour suprême de l'État de New York, où il attend que vous veniez le trouver pour lui demander justice.

— Enfin, il doit bien y avoir des juges honnêtes !

— Bien sûr qu'il y en a, j'en connais un dans une cour inférieure. C'est un tel parangon de vertu qu'il pense que les hommes qui fréquentent les prostituées sont des dépravés. Il y a des années, à l'époque où je démarrais dans le métier, j'ai défendu une fille qui avait piqué deux cents dollars à un client. Elle l'a avoué à la police, alors moi, tout ce que j'ai pu faire, c'est de m'assurer que son affaire passerait devant le Salomon en question. Et ça n'a pas loupé. Son Honneur a refusé de statuer contre la fille. Un homme qui ramasse une prostituée mérite de se faire dévaliser, a-t-il déclaré. Affaire classée. Qu'est-ce que vous en dites ? Un magistrat suspend les lois contre le vol parce qu'il réprouve les chauds lapins. Les juges des cours suprêmes sont plus évolués, ils n'iraient pas proclamer la doctrine du relativisme juridique en plein tribunal, mais ils trouveront le vol tout à fait conforme à la loi s'ils estiment que vous méritez d'être détroussé.

— Ce ne sont quand même pas tous des cons ou des escrocs !

— Bien sûr que non ! Mais ce sont tous des amis de MacArthur. Le juge MacArthur, comme ils disent encore, a été juge lui-même, voyez-vous. Pendant des années, il a été vice-président du barreau new-yorkais. Sur le plan de la politique locale, c'est une grosse légume et il a plus que son mot à dire dans le choix des candidats aux fonctions de juge ; plus d'un juge de la Cour suprême de l'État a obtenu ce poste lucratif grâce à son soutien ou à sa non-opposition. Et les autres sont ses chers anciens collègues. Ses copains. Le pouvoir du bonhomme est proverbial. Le District Attorney se plaint du fait que le vol n'est plus du vol, la fraude n'est plus de la fraude, quand c'est le juge MacArthur qui défend l'accusé. »

Croulant sous ces paroles décourageantes, Mark contempla fixement la tasse de café qu'il tenait à la main, sans songer qu'il était censé boire son contenu. « Alors, si vous avez tellement peur de MacArthur et de ses amis, je n'ai plus qu'à chercher un autre avocat », dit-il sombrement.

Les yeux de Wattman s'écarquillèrent de surprise. « C'est à vous que j'essaie de faire peur, dit-il d'un ton fâché, ses joues rebondies soudain tendues. La plupart des avocats vous promettraient un succès rapide, vous prendraient un gros acompte et vous mettraient sur la paille sans même un mot d'avertissement. Mais moi, je ne suis pas comme ça. Je préfère vous perdre comme client plutôt que de vous laisser ignorer vos chances de gagner. J'imagine que vous voudriez que je vous remonte le moral, que je vous mette de meilleure humeur, mais si j'étais vous... » Il fit une pause, ses yeux vifs et brillants ne lâchaient plus Mark. « Si j'étais vous, je préférerais un avocat qui ne mâche pas ses mots, un avocat à qui je peux faire confiance ! »

Mark se rassit, épuisé, accablé, désorienté.

« Vous vous rendez compte que tout ceci ne vous coûte absolument rien », demanda Wattman, stupéfait de sa propre générosité.

38

Jeux d'avocats (suite)

Une vérité dite dans une mauvaise
[intention
Vainc tous les mensonges de votre
[invention.

WILLIAM BLAKE

L'avocat se leva pour se dégourdir les jambes et tapota sa poitrine de ses mains dodues, d'un air content de soi. Puis, comme s'il venait d'entendre le marteau du juge signalant un ajournement, son esprit quitta le mode professionnel et il contempla le fond de sa tasse de café d'un air navré. « Regardez comment je commence la journée ! s'écria-t-il plaintivement. Au café noir ! Sans rien pour l'accompagner. Attendez un peu, Mark, attendez donc d'avoir vingt kilos à perdre, c'est à ce moment-là qu'on sait ce qui compte vraiment dans la vie. »

Incapable de suivre la soudaine transformation de son tortionnaire, Mark le dévisagea fixement, sans comprendre.

« Vous êtes jeune, vous, vous pouvez manger ! lança Wattman d'un ton accusateur, puis il avala son café d'un coup. Alors, comme ça, vous avez grandi aux quatre coins de l'Europe ? Ça devait être rudement chouette, ça. C'était quoi, votre pays préféré ? Allez, dites-le-moi ! Où est-ce que vous avez été le plus heureux ? »

Mark haussa les épaules. Il ne parvenait pas à concevoir qu'il avait pu être heureux un jour.

« Moi, j'aimais bien la France, j'adorais les baguettes ! lança l'avocat avec enthousiasme en retournant jusqu'au placard où il entreposait ses provisions afin d'en sortir un paquet de biscuits. « Ah, voilà! » Il en croqua un. Ce n'était pas une baguette mais il comportait deux plaques de chocolat fines et craquantes, fourrées d'une épaisse couche de crème à la vanille. Tout en savourant ces parfums, il tendit le paquet à Mark. « Vous en voulez? Non? Détendez-vous, Mark, détendez-vous! » Il avait lui-même besoin de cesser un moment d'expliquer le droit; et d'ailleurs son travail consistait aussi à se montrer sous les traits d'un être humain normal et amical. « Ne soyez donc pas si crispé, mon garçon, ça ne sert à rien. Et à ce propos, ça me fait penser, vous connaissez l'histoire de l'ancien de Wall Street qui épouse une petite serveuse de vingt-deux ans? Non? Sans doute que les histoires de ce genre n'arrivent pas jusqu'aux Bahamas. Quoi qu'il en soit, ce type est riche à centaines de millions, mais il est vraiment très, très vieux, alors sa nouvelle épouse insiste pour faire chambre à part. Le soir des noces, il parvient à la baiser et puis il se traîne hors de la pièce. Mais avant qu'elle n'ait le temps de s'endormir, on frappe très fort à la porte de sa chambre et le vieux mari reparaît et la rebaise. Il finit par s'éclipser et elle s'endort. Presque tout de suite, elle est réveillée par un nouveau coup frappé à sa porte et voilà que le vieux cochon rentre encore une fois, se glisse dans le plumard et essaie de la grimper. « Non, mais c'est pas vrai! s'écrie la fille. T'as soi-disant quatre-vingts balais et c'est la troisième fois de la nuit! T'es dégueulasse. » Le vieux est confondu, il n'y comprend plus rien. Il lance à sa femme : « Tu veux dire que je suis déjà venu? »

Mark fixait sur lui deux yeux incandescents, en se demandant quand ils allaient en revenir à Vallantine.

« Bon, je veux bien croire que vous êtes trop jeune pour que ça vous fasse rire, trop loin de tout ça! » dit Wattman, déçu, mais prêt à pardonner. Toutefois, comme si une sonnerie venait de retentir dans son esprit pour indiquer la fin de la pause, il engloutit très vite trois autres biscuits et redevint instantanément le parfait professionnel, frappant dans ses mains d'un air décidé. « Bien. Où en étions-nous? Ah, ouais, vous êtes dans une position privilégiée, continua-t-il en pointant l'index vers Mark. Si je vous facturais pour avoir lu vos papiers la nuit et vous avoir dispensé des conseils avant le petit déjeuner, vous tomberiez raide. Vous croyez que je me lève au point du jour pour tout le monde ? Vous avez droit au traitement de faveur. J'essaie même de vous remonter le moral, je vous raconte des blagues. Il n'y a pas grand monde pour qui j'en ferais autant, fût-ce contre une valise bourrée de billets de cent dollars, encore moins contre rien du tout !

— Je vous en suis reconnaissant, mais j'ai les moyens de vous payer, dit Mark, inquiet que l'avocat se montrât si négatif parce qu'il ne voyait aucun argent dans l'affaire.

— Non, non, vous n'en avez pas les moyens, dit Wattman d'un ton de regret. La loi est pour les riches.

— Mais je suis riche, moi !

— C'est différent, alors... » Wattman se rassit dans son fauteuil pivotant et ferma les yeux. « Bon Dieu, je pourrais faire ça en dormant, pensa-t-il. Combien possédez-vous ?

— C'est justement de ça qu'il est question ! Vallantine détient cent cinquante millions de dollars de trésors historiques qui m'appartiennent. »

Wattman ouvrit les yeux. « Ah bon, alors, ce que vous voulez dire, c'est que Vallantine est riche ! » Il contempla tristement Mark afin de lui faire sentir toute la force de sa déception.

« Mais, même si Vallantine vendait tout, il ne peut pas garder l'argent. Il est tenu de me verser quatre-vingt-quatorze pour cent des bénéfices. »

L'avocat prit l'air encore plus triste, si c'était possible. « Il est tenu de vous verser quatre-vingt-quatorze pour cent des bénéfices exactement comme il est tenu de vous rendre vos trésors quand vous les lui réclamez. Il n'avait, de toute façon, aucun droit de vendre quoi que ce soit, alors qu'est-ce qui vous fait penser qu'il vous donnerait une part de ses profits illégaux ? Ces types-là connaissent plus de façons de vous voler que vous ne pouvez en imaginer. Ils peuvent tout vendre pour trois fois rien à une firme qu'ils établiront au Lichtenstein, de telle manière que vous ne pourrez jamais prouver qu'ils se sont vendu tout le bazar à eux-mêmes, et ensuite ils feront valoir qu'ils ont été obligés de payer un million à un sous-agent – quelqu'un qui existe vraiment, le beau-frère de Vallantine, par exemple –, et alors, mais alors seulement, ils déduiront la commission de six pour cent à laquelle ils ont droit selon le contrat. Combien cela vous laisserait-il de votre fortune fabuleuse? Sans compter que vous ne l'auriez jamais cet argent. Vous seriez obligé de les traîner en justice, de plaider contre le juge MacArthur. Ces escrocs haut placés ne crachent jamais un centime. »

Mark mourait d'envie de se déchaîner, de tout renverser et de tout casser, mais il s'arma de courage, s'efforça de rester calme et de s'en tenir au sujet. « Je suis quand même riche, il me reste encore une statuette en or et la croix aux Sept Émeraudes, elles sont à ma banque à Nassau.

— Voilà qui est mieux. Cette croix avec les émeraudes… ça me dit quelque chose. Elles valent combien, ces pierres? »

Se rappelant les notes d'honoraires de Darville, Mark devint circonspect. « Tout ce que je possède se trouve à la banque à titre de garantie, j'ai déjà emprunté dessus, mais je suis sûr que je pourrais emprunter davantage.

— Bon, eh bien, pour le moment vous ne dépensez rien, et vous pouvez continuer comme ça! dit l'avocat sèchement, balayant l'air de ses bras.

— Que voulez-vous dire?

— Je suis un avocat de famille… » Une pause vint souligner l'importance de ces mots. « Je veux dire par là que je suis l'avocat de toute ma famille. Si une de mes sœurs, un membre de ma belle-famille, un neveu, une tante veulent intenter un procès à qui que ce soit, ils viennent me trouver et je leur donne à tous le même avis. Il y a quelques années, mon père, un tailleur qui travaillait dur, a eu une cause à plaider, une cause plus solide que la vôtre, bien plus solide, et je lui ai dit : "Papa, tu m'as nourri et vêtu pendant vingt-cinq ans, tu m'as envoyé en colonie de vacances, tu m'as payé mes études de droit, tu m'as acheté ma première voiture, grâce à toi je suis un avocat renommé et je conduis une Rolls-Royce. À présent, c'est mon tour ! Voilà une bonne occasion de te rendre ton amour et ta bonté. Ton fils dévoué est un avocat de première classe, qui fera pour toi tout ce qu'il est possible de faire pour un client, alors je te dis : papa, laisse tomber !"

— Vous ne comprenez pas, soupira Mark, désespéré, en pressant sa main contre son front comme pour l'empêcher de s'ouvrir en deux. Je ne veux pas d'un grand procès, je ne veux pas que Vallantine soit puni ou quoi que ce soit, je veux simplement récupérer mes trésors.

— Donc… » Wattman se balança d'avant en arrière sur son siège pivotant, en arborant une expression du genre : mais qu'est-ce que je vais faire de toi ? « Vous voulez que ça aille vite, c'est ça ? Disons que je dépose une plainte demain. Ils ont trois semaines pour répondre. »

Mark inspira à fond. « Trois semaines ? » Afin d'économiser de l'argent en prévision du procès à venir, il était descendu dans un hôtel bon marché tout proche ; les chambres étaient grandes et il y avait des tableaux expressionnistes abstraits dans le hall, mais l'endroit puait l'insecticide, la marijuana et le caca de chien. « J'attendrai trois semaines s'il le faut.

— Vous attendrez un renvoi, mon enfant. Si je me charge de votre affaire, il faudra me promettre d'être patient. Il n'est pas question de venir ici tous les jours enquiquiner la secrétaire, histoire de savoir ce qui se passe. La plupart du temps, il ne se passera rien et je ne pourrai rien y faire. D'ici trois semaines, Vallantine sera débordé. D'ici six semaines, son avocat sera débordé. Ils n'auront simplement pas le temps de s'occuper de votre plainte avant plusieurs mois. Pouvez-vous me promettre d'être patient ? Je vous en prie, ne renversez pas le café sur la moquette. Posez-le… posez-le, je vous dis ! Merci. Votre père n'a donc jamais joué Hamlet ? Vous n'avez jamais entendu parler des "lenteurs de la loi" ?

— Vallantine ne peut quand même pas s'approprier toute ma fortune et dire ensuite qu'il est trop occupé pour se présenter devant le tribunal !

— Et pourquoi pas ? demanda Wattman, impitoyable, regardant Mark s'efforcer de nettoyer la moquette avec son mouchoir. Vous connaissez bien le principe qui veut qu'une personne soit présumée innocente tant qu'elle n'a pas été déclarée coupable ? Avez-vous la moindre idée de ce que signifie réellement ce noble précepte ?

— Bien sûr que oui.

— Bien sûr, dites-vous ? Il signifie que vous – oui, vous – êtes un affreux menteur qui calomnie un innocent. Un citoyen respecté, un des chefs de file du monde artistique new-yorkais, vous verse cinq cent mille dollars, moyennant quoi vous arrivez ici pour le traiter de voleur. Vous croyez donc qu'il suffit d'un mot de vous pour voir la loi violer ses libertés civiles, lui sauter sur le paletot, le ruiner ? Votre plainte devra être minutieusement examinée – et sans se presser, croyez-moi. Vous devez bien comprendre que la seule chose dont la loi se préoccupe, c'est le danger de voir un innocent condamné. Ou même indûment importuné. La loi ne s'inquiète pas des victimes. Les victimes sont censées être mortes. Ou bien, elles font erreur. Ou alors, elles essaient de perdre un homme vertueux pour des raisons personnelles. C'est comme pour le viol, ce sont toujours les victimes qui doivent faire la preuve de leur innocence.

— Mais enfin, je suis passé à la télévision ! Tous les journaux new-yorkais ont publié des reportages **sur** ma découverte de la *Flora*. Le contrat que j'ai signé avec Vallantine précise que je suis le propriétaire. Qu'est-ce qui reste à prouver ? »

Wattman leva les bras au ciel. « Que voulez-vous que j'en sache ? Vous **croyez** que je lis dans les pensées ? Tout ce que je sais, c'est que MacArthur va bien trouver quelque chose. Je ne voulais pas en parler, mais je l'ai vu à un dîner de bienfaisance hier soir et il dit qu'il vous connaît.

— Comment peut-il dire une chose pareille ? Je ne l'ai jamais vu de ma vie.

— Il est comme ça, ce type. J'ai suggéré que nous devrions bien régler cette affaire à l'amiable ; il a dit que son client n'avait rien fait de répréhensible et qu'il n'y avait donc rien à régler. Ils ne plaisantent pas.

— Si c'est de l'accord verbal qu'il parlait, il n'oserait quand même pas se parjurer comme ça en plein tribunal. »

Les joues rebondies de Wattman étaient tout sourires. « Il n'oserait-pas, dites-vous ? Le juge MacArthur ? Le président du Comité de réforme juridique ? Vous croyez vraiment qu'un homme pourrait avoir une telle stature à New York s'il existait une seule chose au monde qu'il n'oserait pas faire ? Je peux vous garantir qu'il va imaginer une échappatoire qui vous rendra dingue.

— Je croyais que vous étiez censés défendre les innocents, vous autres avocats, ou même les coupables pour un crime déjà commis, mais ce MacArthur est en train d'aider Vallantine à me voler. Il est aussi malhonnête que son client !

— Exactement. Moi, je dirais que la moitié des affaires qui passent devant les juges concernent des crimes en cours, et ce sont les avocats qui mènent la danse. Ils sont là pour veiller à ce que Vallantine ou quiconque soit en mesure de vous piquer un morceau aujourd'hui et puis encore un morceau demain.

— Ils n'ont pas honte ?

— Honte de quoi ? Ils font leur boulot. Ils sont loyaux envers leurs clients.

— Nous n'avions pas d'accord verbal, je n'ai autorisé aucune vente… »

Wattman le fit taire d'un geste impatient. « Comment voulez-vous que je le sache ? Ça ne fait rien, vous m'avez convaincu. Mais comment le prouvons-nous devant les tribunaux ?

— Darville pourra témoigner que le contrat stipulait tout.

— Bien vu ! » Wattman haussa les sourcils et avança la lèvre inférieure d'un air appréciateur. « MacArthur ne voudra pas accuser un de ses confrères de mentir. Vous avez l'étoffe d'un client compétent. Je suis impressionné. Donc, si MacArthur se présente devant le juge dans six mois pour raconter qu'il y avait un accord verbal, nous ripostons par une déclaration sous serment de Darville. Nous gagnerons le premier round. Mais alors, MacArthur recommence à réclamer des renvois, soupira-t-il, toujours le sourire aux lèvres. Il y en a encore pour six mois, et au bout du compte il présente sa réponse sous forme d'attestation sous serment, sans tenir aucun compte de ce que nous avons dit, nous, ni de ce qu'il a dit, lui, et il nous sert Dieu sait quelle baliverne entièrement nouvelle que nous devons réfuter. Et après cela viennent les interrogatoires, les dépositions orales ! C'est ce qu'on appelle les mesures d'instruction forcée, et ça peut durer entre cinq et dix ans. »

À ce stade Mark était à bout de souffle, bien qu'il fût assis sur une chaise. « Bon Dieu… mais comment les tribunaux le tolèrent-ils ? »

Wattman pencha la tête de côté et contempla Mark d'un air innocent. « Vous voulez dire, pourquoi est-ce que les copains de MacArthur ne lui disent pas : voyons, Bill, arrête donc de gagner de l'argent, soyons pauvres et servons la justice ! »

Le corps de Mark se tordit comme pour parer un coup. « Je n'y comprends rien, vous ne voulez donc pas de clients ? Votre prix serait le mien en définitive ! »

L'avocat secoua la tête, l'air malheureux. « Je ne pourrais pas attendre aussi longtemps, Mark. Ça vous coûterait une fortune, alors réfléchissez bien! Moi, je préfère perdre un gros paquet que de vous voir embringué dans cette histoire diabolique qui va vous coûter les yeux de la tête. »

Tout ça, c'était de la routine. Wattman faisait de son mieux pour dissuader tous ses clients en perspective de plaider. Quelle meilleure façon existait-il de démontrer qu'il plaçait leurs intérêts avant les siens? Quelle meilleure façon de se justifier par avance de sa négligence? Comment ses clients pouvaient-ils lui reprocher quoi que ce fût s'il commençait invariablement par les avertir du fait qu'ils n'obtiendraient pas satisfaction? Les avocats malins ne courent pas après les clients, ils les attrapent en les mettant à la porte. Ils savent bien que leurs avertissements ne risquent guère d'être écoutés. Depuis plus de vingt ans qu'il exerçait la profession d'avocat, Wattman avait rencontré bien peu de plaideurs préparés à accepter la défaite dès le début de leur calvaire; pour autant qu'il pût dire, les gens étaient poussés vers la procédure judiciaire soit par une douleur intense, soit par une haine intense, et ils étaient tout à fait imperméables aux considérations pratiques. Ce qu'il disait ne faisait aucune différence. Avec le fils de son ami, cependant, Wattman s'efforça de se montrer plus persuasif qu'à l'accoutumée : il voulait être entendu de ce gosse, il voulait qu'il fît exception à la règle. « Je veux que vous m'écoutiez bien! dit-il en se penchant en avant, l'air grave. Cette ville est une jungle. Sauvez-vous. Vous n'avez que vingt et un ans. Un procès peut dévorer les meilleures années de votre vie et, en fin de compte, vous pouvez quand même en sortir perdant.

— Je ne vais pas renoncer à ce qui m'appartient!

— Je n'arrive pas à faire passer le message », soupira Wattman d'un ton plaintif. Si Mark l'écoutait, il méritait de s'en sortir; sinon, il méritait d'être plumé. « C'est une décision fatidique, pourquoi ne retournez-vous pas jusqu'à votre hôtel pour bien réfléchir?

— Je peux réfléchir ici même, merci », rétorqua Mark, impatienté. Plus Wattman tentait de le dissuader, plus il croyait avoir trouvé un avocat à qui il pouvait se fier, quelqu'un qui ferait tout son possible pour l'aider.

« Ne faites pas l'imbécile ! Vous avez encore cette croix et cette statuette en or et peut-être même quelques autres souvenirs que vous avez été trop pudique pour mentionner, ce petit pécule pourrait vous assurer de quoi vivre jusqu'à la fin de vos jours. Cramponnez-vous-y, ne le gaspillez pas en procédures. Vous êtes jeune et vous avez de quoi vivre longtemps sans vous soucier de rien. Vous pouvez étudier, voyager, choisir la profession ou la carrière qui vous plaira sans vous inquiéter de ce qu'elle rapporte. Qu'est-ce que vous voulez de plus ? »

L'intercom émit un signal, suivi par la voix de la secrétaire rappelant à l'avocat qu'il était neuf heures vingt et qu'il allait être en retard au tribunal. « Je peux vous donner la recette du bonheur, Mark, supplia-t-il, soudain pressé. Oubliez que vous avez découvert ce navire et son trésor ! »

Mark avait entendu tous les mots, mais pour les comprendre il aurait fallu qu'il fût capable de se mettre dans la tête que tout ce qu'il avait fait depuis Tolède n'était jamais arrivé. Il ne voulait renoncer à rien.

Wattman se mit debout, prêt à filer. « Donc, vous me demandez de poursuivre ? Très bien, mais n'oubliez pas, vous avez été averti !

— J'ai toujours eu de la chance ! » répliqua Mark en levant son bras infirme pour le prouver.

Wattman hocha la tête, puis il empoigna une serviette parmi la rangée de serviettes posées sur une étagère et de la main il fit signe à Mark de le précéder. Dans l'ascenseur, il lui précisa ses conditions. « Je vais vous dire ce que je vais faire… Je ne vous demanderai pas un sou tant que votre cause restera désespérée. Vous ne paierez pas un échec. Mais si, contre toute attente, nous faisons de réels progrès, je vous demanderai beaucoup. Ça vous paraît juste ? »

Le lendemain, Wattman sollicita auprès de la Cour suprême de l'État de New York, comté de New York, une injonction préliminaire, afin d'empêcher Vallantine de vendre les trésors qui se trouvaient encore en sa possession. Accordant cette requête, la cour ordonna : « Nul ne pourra enlever les biens meubles du lieu où ils se trouvent, ni les transférer, les vendre, les mettre en gage, les céder ou en disposer de toute autre façon, ou permettre qu'ils soient soumis à une hypothèque ou à un privilège jusqu'à nouvel ordre de la cour. »

À la suite de quoi, WATTMAN & SCHON lancèrent une assignation contre John Vallantine et les galeries Vallantine, S. A., ci-après dénommés les Défendeurs, au nom de Mark Alan Niven, ci-après dénommé le Demandeur, et portèrent plainte, en retraçant l'historique de la découverte de la *Flora* par le Demandeur et en joignant tous les documents et la correspondance s'y rapportant, dont le moindre n'était pas l'accord passé entre le Demandeur et le gouvernement des îles Bahamas, lequel reconnaissait au Demandeur la propriété des trésors ultérieurement confiés par lui aux Défendeurs. Wattman faisait valoir que le contrat entre le Demandeur et les Défendeurs n'avait été conclu que pour permettre aux Défendeurs d'exposer les biens meubles ci-devant mentionnés entre le 1er septembre et le 30 novembre de l'année en cours, engagement que les Défendeurs n'avaient pas respecté, tout en refusant de rendre les biens, car ils se prétendaient dans l'impossibilité de le faire, et en refusant d'honorer la clause d'annulation du contrat. En conséquence de quoi, Wattman demandait à la cour de mettre fin à « cette tentative éhontée de spolier une personne de ce qui lui appartient ». Il demandait, spécifiquement, que la cour :

> a) déclare nulle et non avenue la vente illicite par les Défendeurs d'un ou de tous les biens meubles appartenant au Demandeur,
>
> b) déclare nul et non avenu le contrat entre les Défendeurs et le Demandeur, du fait que les Défendeurs n'avaient pas commencé l'exposition à la date spécifiée (1er septembre au plus tard) dans la clause 3 du contrat,
>
> c) déclare que l'avance de cinq cent mille dollars sur les recettes de l'exposition soit acquise au Demandeur pour la raison susmentionnée,
>
> d) ordonne la restitution immédiate au Demandeur de tous les biens meubles susmentionnés.

Dans la déclaration écrite par laquelle il répondait au nom des Défendeurs, William T. MacArthur, ayant dûment prêté serment, affirmait solennellement que la plainte de Mark était « un mensonge qui coupait le souffle, au vu de l'aide et du concours financier indispensables que le Demandeur avait reçus des Défendeurs ». L'ancien juge de la Cour suprême de l'État en avait à peine cru ses yeux lorsqu'il avait lu que le Demandeur avait la « témérité d'accuser son bienfaiteur de fraude ».

Dans cette affaire, la fraude c'était le seul Demandeur qui s'en rendait coupable, en revendiquant « sans vergogne » tout le mérite de la découverte de la *Flora*, alors que c'étaient des investigateurs employés par les galeries Vallantine qui avaient retrouvé trace de la situation probable de l'épave et que c'était John Vallantine qui avait envoyé le Demandeur à Santa Catalina, lui fournissant les fonds nécessaires pour acheter son bateau et son matériel de plongée – tout cela, en plus de l'avance de cinq cent mille dollars sur les recettes de l'exposition, ce qui se montait « à beaucoup plus d'argent qu'un jeune homme n'ayant ni métier, ni profession ne pouvait s'attendre à gagner au cours de sa vie entière ». Cette somme importante, faisait valoir MacArthur, prouvait la bonne foi des Défendeurs et permettait au Demandeur d'attendre dans le confort l'ouverture de l'exposition, laquelle avait en effet du retard. Passant sous silence son propre câble sous-entendant que les galeries Vallantine n'avaient plus entre leurs mains les marchandises en question, MacArthur prétendait que le retard de l'exposition n'était pas une raison valable pour résilier le contrat ou perdre l'avance et que « seule une personne démesurément avide, ingrate et procédurière » aurait pris un retard aussi inévitable comme prétexte d'une action en justice « qui faisait perdre son temps à la cour ».

En conséquence de quoi, MacArthur demandait à la cour de débouter le Demandeur de sa plainte, qu'il disait « tout à fait fallacieuse, malveillante et sans fondement ».

Convoqué pour une nouvelle consultation au petit matin dans le bureau de Wattman, Mark s'assit sur une chaise, la déclaration sous serment du juge MacArthur à la main, blême comme la mort. Il ne souffla mot tandis qu'il lisait, mais son corps tout entier tremblait comme s'il frissonnait de froid. Quand il eut fini de lire la déclaration au nom des Défendeurs, il se mit à la déchirer, page par page. « Ils ne se contentent pas de me voler, ils se croient obligés de m'insulter par-dessus le marché ! » dit-il d'une voix basse et enrouée en jetant par terre les lambeaux de papier.

Involontairement, Wattman posa la main sur son propre exemplaire. « Écoutez, vous n'êtes pas ici pour semer la pagaille. Ce que je veux savoir, c'est si nous avons des preuves nous permettant de réfuter leurs allégations. » L'inconfort physique que Mark éprouvait à rester assis sur son siège tandis qu'il explosait intérieurement devint insupportable : il se leva et se mit à parcourir la pièce en gesticulant comme un fou, à la façon des gens si agités qu'ils éprouvent le besoin de bouger les bras et les jambes sous peine de mourir. « Alors, comme ça, Vallantine est mon bienfaiteur ! C'est moi qui suis démesurément avide ! Il n'y a pas de loi contre le parjure ?

— Je vous ai dit, n'est-ce pas, que MacArthur allait sûrement imaginer quelque chose qui vous rendrait dingue. Il faut prendre les choses comme elles viennent. Bon, il vous insulte, ce n'est pas la fin du monde. Qu'est-ce que vous croyez qu'il va faire, vous envoyer des fleurs ? Une fois qu'ils vous ont détroussé, vous devenez leur ennemi. Vous essayez de récupérer ce qu'ils vous ont volé, vous ne leur laissez pas le choix, ils doivent faire tout ce qu'ils peuvent pour vous discréditer. C'est ça le fond des procédures judiciaires.

— MacArthur ment sous serment, il se parjure. C'est une chose pour laquelle vous devriez pouvoir le coller en prison !

— Nom d'un chien, vous êtes déchaîné. Je vois bien que vous ne me serez pas d'une grande utilité à la barre des témoins. Tenez, si j'accusais MacArthur de parjure, je me ferais radier du barreau. Les avocats ne se parjurent jamais, c'est la chose qu'ils ne font jamais. Il faut vous mettre ça dans la tête : notre système juridique tout entier est fondé sur la véracité des hommes de loi. Les avocats sont des officiers de la cour, ils ne mentent jamais. Ils sont induits en erreur par leurs clients. »

Malgré sa clarté, cette explication ne fit aucune impression à Mark ; il ne sentait rien d'autre que la violence faite à sa mémoire. « Le parjure, c'est le parjure. insista-t-il. MacArthur a déclaré sous serment que Vallantine avait financé ma recherche de la *Flora* ! »

Wattman écarta les bras avec un grand sourire triomphant : « Il a été induit en erreur par son client. »

Ce fut la douleur qui ramena Mark à la raison : son bras lui faisait si mal après avoir déchiré le papier et gesticulé avec tant de violence qu'il fut forcé de se rasseoir. « Eh bien, si vous voulez des preuves, c'est mon père qui m'a payé mon voyage aux Bahamas et qui m'a donné de quoi m'acheter mon bateau et mon matériel de plongée. Il pourra en témoigner.

— Votre père garde des archives ? Ses anciens chèques et tout ce genre de choses ?... Il vous a donné de l'argent comptant ? Ça n'arrange pas nos affaires. »

Mark inspira profondément et poursuivit obstinément. « L'homme qui m'a envoyé là-bas n'était pas Vallantine, c'était un vice-président de la firme North-South International, ici même, à New York. Je suis sûr qu'il serait prêt à témoigner à ce sujet. C'est un type bien. J'ai été mobilisé et il m'a envoyé aux Bahamas pour me sauver du Vietnam.

— Je ne crois pas que nous avons intérêt à entrer dans ces détails-là, s'empressa de dire Wattman. Oubliez que vous êtes un insoumis. Je m'efforcerai de ne pas le laisser savoir pendant le procès. Vous venez de me filer une nouvelle migraine.

— J'ai des tas de témoins à Santa Catalina, des amis qui pourront jurer que je n'ai jamais seulement vu Vallantine jusqu'à ce qu'il arrive au Seven Seas Club. »

Loin d'être satisfait, Wattman pressa son petit bout de nez de son index. « Si ce sont des amis à vous, leur crédibilité pourra être mise en cause. Si ce ne sont pas de si bons amis, ils seront peut-être trop occupés pour venir à New York quand vous aurez besoin d'eux. Les témoins peuvent être achetés, assassinés, ou même mourir de mort naturelle.

— Eh bien, dans ce cas, répondit Mark, apparemment calme, j'apporterai un fusil sous-marin au tribunal et je trouerai la peau à ces salopards. »

Wattman soupira, puis il resta un moment silencieux, regardant un nuage passer devant la fenêtre. « Il y a encore une chose », finit-il par dire en sortant de sa rêverie. Il se leva et contourna son bureau afin de mettre dans la main de son client la tasse de café qu'il lui avait préparée et qu'il n'avait pas touchée. « Je ne voulais pas vous le dire, parce que vous étiez déjà assez énervé comme ça, mais MacArthur m'a mis en garde à votre sujet.

— Comment ça? demanda Mark en prenant la tasse.

— Je vais attendre que vous ayez bu votre café, dit Wattman. Voilà, c'est bien. Videz-moi cette tasse. Parfait. Bon, écoutez. MacArthur dit que vous êtes cinglé.

— Je ne comprends pas.

— Il dit que vous êtes déséquilibré. »

Mark contempla son avocat, incrédule. « Comment peut-il dire une chose pareille?

— Il vous connaît, ne l'oubliez pas. » Wattman prit la tasse vide de la main de Mark et la reposa sur son bureau. « Vous comprenez bien qu'une fois que votre bonne santé mentale aura été mise en question, votre témoignage n'aura plus aucune valeur et Vallantine sera comme un coq en pâte.

— Je le tuerai pendant l'audience.

— Ils ne demanderaient pas mieux que de vous voir essayer. Écoutez-moi. Si vous voulez que je vous autorise à venir au tribunal, il n'y a qu'un moyen, c'est de me promettre de la fermer et de vous montrer flegmatique, calme et raisonnable, comme si toute cette procédure ne vous regardait absolument pas.

— Et alors, on croira que je suis normal? » demanda Mark, s'efforçant de se remonter le moral avec cette plaisanterie minable.

Vallantine n'assista pas à l'audience au tribunal du comté de Manhattan, 60 Center Street, mais Mark eut enfin l'occasion de poser les yeux sur le légendaire juge MacArthur, du cabinet PETER, BLACK, JEFFERSON, MACARTHUR, WHITMAN & WARREN. William T. MacArthur était un colosse, au front haut et bombé, au crâne chauve. Lorsqu'il ne parlait pas, d'une voix puissante et égale, il se tenait totalement immobile. Son visage large, plat, presque dépourvu de traits, paraissait avoir été façonné dans la glaise. Tout au long de l'audience, Mark s'efforça de croiser son regard, désireux de regarder en face l'homme qui prétendait si bien le connaître. Mais quand ses yeux se tournaient dans sa direction, MacArthur regardait au-dessus de la tête de Mark, et même lorsque leurs regards se rencontrèrent son visage d'argile resta aussi impassible que d'habitude et ses yeux pâles contemplèrent Mark avec autant d'indifférence que l'huissier.

Se rappelant l'avertissement de Wattman, Mark ravala son amertume et sa rage ; d'ailleurs, il lui aurait été impossible de ne pas sentir que le fait d'exprimer la moindre émotion paraîtrait dément dans l'atmosphère raréfiée de la salle du tribunal. L'huissier à la porte était aussi lointain et digne que le juge F sur son siège. Chacun des officiers de la cour paraissait porter une robe de bonnes manières, un manteau de glaciale rectitude professionnelle, destiné à élever celui qui le portait au-dessus des vices qu'étaient le parti pris, le favoritisme et l'avidité. Quand vous nous regardez, semblaient-ils dire, oubliez ce que vous savez de la fragilité de la nature humaine : nous sommes la Justice incarnée.

La décision de la cour concernant les requêtes possédait une aura de majestueuse impartialité, en vertu du fait qu'elle donnait un petit quelque chose à chacune des parties en présence. Le juge F rejetait la demande de MacArthur priant la cour de débouter le Demandeur et considérait que ce dernier avait matière à procédure ; par contre, la demande de Wattman priant la cour de résilier le contrat entre les deux parties, conformément à la clause d'annulation, était rejetée, elle aussi, « au vu de la prétendue contribution des Défendeurs à la découverte de la *Flora* et de leur investissement considérable dans la future exposition… ».

« Bon, eh bien, nous sommes autorisés par la cour à poursuivre, expliqua ensuite Wattman à Mark, en déjeunant dans un restaurant de la chaîne Chock Full o'Nuts, non loin du tribunal. Ce qui me turlupine, c'est que ni MacArthur ni son copain le juge n'aient soufflé mot des ventes. Vallantine est toujours en possession des marchandises ; il pourrait enfreindre l'injonction ; je ferais mieux de soumettre une demande de séquestre. » Une fois de plus, Mark offrit de payer, mais l'avocat se contenta de secouer la tête. Il ne voulait rien accepter tant qu'il ne discernait pas une chance de l'emporter. Quelques jours plus tard, il présenta une autre requête, réclamant qu'en raison du litige les Défendeurs fussent tenus de déposer les trésors entre les mains de la cour.

Le greffier, qui fixe les dates des audiences et exerce donc une influence considérable sur les vies des criminels aussi bien que des victimes, assigna à cette requête, soumise le 18 novembre, la date d'audience du 26 janvier. En apprenant ce délai, Mark quitta son hôtel et loua un appartement d'une pièce bon marché dans un immeuble sans ascenseur de St. Mark's Place, à deux pas de la Troisième Avenue. Le plancher était en pente, il y avait des cafards et des souris, mais la rue portait le nom de son saint patron et il commençait à éprouver le besoin d'une intervention divine. Le 25 janvier, la veille du jour où la requête de Wattman devait être entendue, un associé subalterne du cabinet PETER, BLACK, JEFFERSON, MACARTHUR, WHITMAN & WARREN soumit à la cour une déclaration écrite demandant que l'audience fût différée, car l'avocat des Défendeurs devait se trouver en Angleterre à la date prévue, afin d'y donner, à Cambridge, une conférence sur la Constitution américaine; en conséquence de quoi, si l'audience avait lieu au jour dit, la cour « priverait les Défendeurs de l'avantage d'être représentés par leur avocat en titre ».

La cour accepta de retarder l'audience de trois semaines, après quoi elle accorda encore plusieurs autres délais pour différentes raisons, sans rien y trouver à redire.

39

Qui s'en fout ?

La disgrâce intellectuelle regarde fixement
Depuis chaque visage humain,
Et les mers de la pitié gisent enfermées
Et gelées au fond de chaque œil.

W. H. AUDEN

Dana Niven se reprochait d'avoir laissé Mark s'associer avec Vallantine. Le garçon gisait blessé, impuissant à la clinique et il l'avait laissé gérer une fortune tout seul ! Il aurait dû rester à son chevet jour et nuit, filtrant tous ceux qui s'approchaient de lui. S'il en avait eu envie, l'acteur aurait eu beaucoup d'excuses à faire valoir : il avait quitté l'île parce qu'il pensait que Mark n'avait pas besoin de lui ; depuis que Mark lui avait prouvé son erreur en retrouvant la *Flora*, le père plein de fierté nourrissait la conviction que son fils était plus malin que tout le monde, lui-même compris. Mais à quoi servaient les parents, sinon à protéger leurs enfants ? Les remords de Niven étaient d'autant plus cuisants qu'il concevait son existence comme une suite de devoirs à accomplir – en tant qu'artiste, que père, qu'être humain – et il ne parvenait pas à se pardonner d'avoir failli dans son devoir envers son fils. Le succès remporté à Londres avec la pièce de Kleist ne faisait qu'accroître son sentiment de culpabilité, puisque c'était Mark qui avait financé le spectacle. Lorsqu'il apprit que la seconde audience préliminaire, qui devait simplement permettre d'établir où se trouvaient les trésors, avait été différée pour la quatrième fois, il prit le premier avion pour New York, dans l'espoir que sa réputation et ses relations lui permettraient de faire un tel tapage que Vallantine serait contraint de rendre les trésors.

À l'aéroport Kennedy il prit un taxi pour se rendre directement jusqu'au bureau du rédacteur en chef d'un quotidien new-yorkais qui était un de ses anciens condisciples de Columbia.

« Ce que tu me dis est fort intéressant, mais ce n'est pas de l'actualité », répondit le rédacteur en chef, plus intrigué par la présence de Dana Niven dans son bureau que par les tenants et les aboutissants d'une affaire judiciaire : à en croire la dernière édition de son journal, posée sur son bureau, Niven se trouvait de l'autre côté de l'Atlantique, où il faisait un triomphe avec Ustinov dans une pièce allemande ; et pourtant, il était là, le contemplant de ses yeux injectés de sang, débordant d'angoisse paternelle et de fatigue due au décalage horaire. Les acteurs étaient vraiment une race à part ! Celui-ci avait tué son fils de théâtre tous les soirs devant un public admiratif, et avait ensuite trouvé tout naturel de fuir les acclamations et de filer à l'autre bout du monde en pure perte pour essayer de faire un battage autour de son véritable fils. Et avec quelle intensité ! Le rédacteur en chef était lui aussi père de famille et il savait qu'il ne l'aurait pas fait.

« Pour un acteur qui adore la scène, tu t'es barré en quatrième vitesse ! lança-t-il en blaguant afin de se débarrasser du déconcertant sentiment d'admiration qu'il éprouvait.

— C'est juste pour quelques jours ». L'acteur s'agita impatiemment sur son siège. « J'ai une doublure formidable. De toute façon, j'espère que tu vas publier un grand article démasquant ces crapules et que je vais pouvoir reprendre l'avion dès ce soir.

— Je suis désolé, Dana, mais il ne s'agit pas d'une question publique. Un article là-dessus serait impossible à justifier.

— Qu'est-ce qu'il pourrait y avoir de plus public que ça ? Si on peut voler Mark comme on vient de le faire, plus personne n'est en sécurité ! Comment peux-tu espérer te cramponner à ta maison ou à ton portefeuille si ces gens-là peuvent emprunter une célèbre fortune pour une exposition et puis la garder, tout simplement ?

— Si je t'ai bien compris, répondit le rédacteur en chef en dessinant des petits carrés les uns dans les autres au bord de la page d'épreuve qu'il avait devant lui, il ne s'agit pas de la garder tout simplement, l'affaire est devant les tribunaux. Ce sera au tribunal de dire s'ils peuvent ou non la garder. Et franchement, je ne pense pas que le juge MacArthur serait mêlé à cette histoire si Vallantine n'avait pas certains droits à faire valoir. »

Le mépris souverain qui brillait au fond des yeux las et injectés de sang de l'acteur leur rendit leur jeunesse. « Tu parles toujours franchement quand tu dis quelque chose que tu ne peux absolument pas penser ? »

Le rédacteur en chef laissa fuser un petit rire et appuya sur le bouton afin de signaler à sa secrétaire qu'il était prêt pour les tâches journalières de routine. « Écoute, peut-être que je ne le pense pas tout à fait. Mais nous avons déjà publié un article sur le procès intenté à Vallantine par le gouvernement italien. Si nous en passions encore un sur cette nouvelle affaire, ça donnerait l'impression que nous menons une vendetta personnelle contre lui. Il pourrait nous attaquer pour harcèlement. En plus de quoi, d'ordinaire, nous ne nous occupons pas des démêlés judiciaires tant qu'ils ne passent au tribunal.

— Mon fils ne tiendra pas jusque-là ! » s'exclama Niven d'une voix dure. C'était un son étrange, mêlant reproche et remords.

Niven n'avait pas averti Mark de sa venue ; il voulait lui faire une surprise. Mais la surprise, ce fut lui qui l'eut, lorsqu'il vit dans quel misérable bouge vivait son fils.

« Mais enfin, tu ne peux pas rester dans un endroit pareil, dit-il. C'est immonde.

— Moi, ça me plaît. »

Épuisé par son vol transatlantique et son entrevue infructueuse avec le rédacteur en chef, Niven décida de faire au moins une chose pour son fils avant de dormir ; il allait lui faire quitter St Mark's Place.

« Fais tes bagages, nous fichons le camp ! annonça-t-il avec toute la bravade qu'il parvint à réunir.

— Où ça ?

— Dans un hôtel convenable, jusqu'à ce que nous t'ayons trouvé un appartement convenable. Tu ne veux quand même pas que ton pauvre vieux père soit obligé de grimper tous ces étages jour après jour ou de dormir sur ce lit inquiétant, non?

— Tu peux aller à l'hôtel, papa, mais moi, je reste ici. Un de ces jours, il va falloir que je règle les honoraires de mon avocat. »

Niven s'assit sur le lit, dans un grincement de ressorts. « Mais nous sommes richissimes! Tu m'as donné un million de dollars, souviens-toi.

— Je ne t'ai pas donné cet argent pour le reprendre, dit Mark férocement.

— Tu n'es pas pauvre, tu sais! Tu as acheté des brevets, tu as des actions dans la firme de Jessica. Il y a certaines choses que tu peux vendre. Tu peux avoir autant d'argent que tu en veux. Qu'est-ce qui te prend? »

Mark jeta à son père un regard amer; décidément, il ne le comprendrait jamais! « Je suis pauvre tant que je n'aurai pas récupéré ce qui m'appartient.

— Je le sais, moi, ce qui ne va pas. C'est cet endroit épouvantable, il te déprime en permanence.

— Non, pas du tout, au contraire, il m'occupe! » riposta Mark avec un soudain sourire, indiquant les murs et le plafond.

Ils étaient repeints de frais, les carreaux donnaient l'impression que Mark venait juste de les laver, mais le soleil qui se déversait dans la pièce ne servait qu'à faire ressortir la saleté accumulée dans les fissures entre les lattes du plancher et le cafard qui détalait derrière l'antique réfrigérateur.

Ils se disputèrent, mais pas longtemps; Niven céda avec un soupir. « Bon, eh bien, si tu refuses de venir avec moi, je reste ici. Je ne vais pas t'abandonner encore une fois. »

Se souvenant soudain, Mark étendit le bras pour prendre les mains de son père : « Tu veux dire qu'on va monter le même âne?

— Assieds-toi à côté de moi, je suis trop fatigué pour me lever. »

Mark s'assit sur le lit et ils s'étreignirent en pleurant, heureux.

« On va refaire la vaisselle ensemble! » dit l'acteur.

Une fois que Niven eut dormi tout son soûl, il appela Wattman, qui, peu désireux d'avoir son vieil ami sur le dos, tomba d'accord pour dire que la publicité ne pourrait que favoriser leur cause et que Niven devait entrer en contact avec tous les gens qu'il connaissait.

« Dana, tu n'as donc jamais entendu parler des lois sur la diffamation ? demanda le producteur d'une causerie télévisée. Si quelqu'un te pique ton portefeuille dans la rue et que tu cries : "Arrêtez ! Au voleur !", le voleur ne s'enfuit plus, il fait volte-face et il te traîne en justice pour diffamation. » Le producteur, qui avait invité Niven à déjeuner pour s'excuser de ne pas lui rendre service, expliqua qu'aucune émission de télévision n'oserait diffuser la moindre remarque diffamatoire, si véridique fût-elle, au sujet d'un client de PETER, BLACK, JEFFERSON, à moins de citer une décision effective de la cour. « Bien entendu, on peut diffamer les innocents qui n'ont pas de relations, mais les criminels haut placés ont droit à un nom sans tache. Pourquoi es-tu si étonné ? Tous les systèmes politiques ont leur méthode pour protéger les escrocs. Les Russes ont la censure, nous, nous avons les lois sur la diffamation. »

« MacArthur n'a pas besoin des lois sur la diffamation, il fait partie de tous les groupes de pouvoir new-yorkais. Celui qui va l'embêter n'est pas encore né », fit remarquer un chroniqueur que Niven avait invité à déjeuner.

L'acteur refusa de comprendre. « Comment se fait-il que vous ne passiez rien au Président des États-Unis, vous autres journalistes, mais que vous n'ayez pas le droit de parler de deux escrocs ici même à New York ?

— C'est bien ça le problème, figure-toi, ils sont ici même, répondit le chroniqueur. Le Président n'y est pas, lui, et il n'a pas grand-chose à voir avec le sort de ton journal. C'est la même chose dans tout le pays. Les journaux ont tout loisir d'éreinter vif le gang de Washington jour après jour, parce qu'ils n'ont pas besoin de l'argent fédéral. Ils vivent de l'argent local, alors ils t'en disent plus long sur la Maison Blanche que sur la mairie de leur ville. Je peux m'en prendre au chef de la CIA, cracher sur le Président, c'est la liberté de la presse, mais il n'est pas si facile d'écrire des trucs gênants sur un puissant cabinet d'avocats dans la ville où je travaille, ni sur le propriétaire d'un grand magasin qui se paie des pages entières de publicité dans chaque numéro de mon journal. Il y a des exceptions, bien sûr, et peut-être cette affaire en est-elle une, mais uniquement quand elle passera au tribunal... »

La réputation de l'acteur lui valut une entrevue avec tout le monde : chacun se montra amical et compatissant et se donna le plus grand mal pour expliquer pourquoi il ne pouvait pas l'aider.

« MacArthur est le moindre de vos problèmes, vous vous heurtez à l'esprit du temps, déclara un directeur de magazine. De nos jours on peut voler, tricher, plus personne n'y trouve à redire. Les escrocs sont les héros de notre époque. À ce propos, je ne vous ai pas vu interpréter le rôle d'un charmant escroc à la télé, il y a quelques semaines?

— C'était un vieux film.

— Vieux ou pas vieux, on ne compte plus les films dans lesquels de séduisants acteurs jouent des rôles de voleurs de banque ou de bijoux, d'aigrefins et autres gens du même genre, élégants, malins, rigolos – David Niven, Paul Newman, Robert Redford, Sean Connery, Belmondo, Peter O'Toole, Dana Niven...

— C'est du spectacle, voyons. Personne ne prend ça au sérieux.

— Vous connaissez beaucoup de gens qui croient en l'honnêteté, vous? demanda le directeur de magazine, feignant la surprise.

— Écoutez, publiez donc un reportage factuel sur ce scandale, en vous en tenant aux faits, et vous verrez bien, ils auront tellement honte qu'ils rendront les trésors, insista Niven. Vallantine et MacArthur sont des personnages publics, ils doivent songer à leur réputation.

— Nous ne parviendrions pas à y faire le moindre accroc à leur réputation, et ils le savent bien. C'est exactement ce que je cherche à dire. Quand les gens ont la tête farcie d'images de criminels infiniment séduisants, le crime est une affaire de sex-appeal et non pas de honte. On peut faire le mal et le faire au vu et au su de tous.

— Révélez donc le scandale et je m'engage à ne plus jamais jouer un seul rôle de sympathique escroc! »

Le directeur de magazine tapota le bras de l'acteur d'un geste d'excuse. « Ne vous sentez pas personnellement visé, je vous en prie. Ce n'est pas un film de plus ou de moins à la gloire des gangsters qui va y changer quelque chose. De toute façon, c'est la même chose pour les livres. Vous avez lu *Les oiseaux se cachent pour mourir*? Cette émouvante histoire d'amour entre une pauvre fille et le prêtre absolument merveilleux qui les dépouille, sa famille et elle, de leur héritage de je ne sais combien de millions de dollars? Elle le sait bien, évidemment, mais elle l'aime quand même. Toute la famille déshéritée est en extase devant le saint homme qui les a délivrés du fardeau que constitue une énorme fortune. Les voleurs peuvent tout avoir, y compris l'amour de leurs victimes.

— Vous venez d'inventer tout ça.

— Vous me flattez, mon cher. Mais j'ai encore mieux à vous proposer. La saloperie en question s'appelle *Jennifer ou la Fureur des anges* et elle raconte l'histoire édifiante d'une jeune avocate ravissante, brillante, idéaliste qui a des liaisons avec un parrain de la Mafia et un futur Président des États-Unis et consacre ses talents juridiques à faire sortir de prison des tueurs à gages et des trafiquants d'héroïne. À la dernière page, on vous assure qu'elle « continuera à rechercher cette chose insaisissable qu'on appelle la justice ». Voilà à quoi se résume le fait de lâcher des assassins au milieu de la société, une quête de justice, cette justice insaisissable! Le livre regorge de gangsters de tous poils, mais la seule personne dont l'auteur fait savoir qu'elle « manque de compassion », c'est le district attorney qui s'efforce de les coller au trou. Et je ne vous parle pas ici des tentatives lamentables d'un aspirant auteur givré que personne ne lit en dehors de sa famille, je vous parle des plus gros best-sellers de la décennie! On consacre davantage d'argent à mettre en avant ce genre de conneries qu'à promouvoir les œuvres complètes de Mark Twain. Ou tous les bons livres jamais écrits, d'ailleurs. Et ça aussi, c'est de la fraude, nous volons aux gens leur bon sens. Bien sûr, le revers de la médaille n'est pas moins vrai, nous donnons au gros public ce qu'il a envie de lire…

— La question, c'est : avez-vous l'intention de publier quoi que ce soit sur cette histoire fantastique d'un marchand d'art new-yorkais qui fait main basse sur un trésor de cent cinquante millions de dollars qui ne lui appartient pas?

— Écoutez, moi je gagne ma vie en déchiffrant l'humeur du public, protesta le directeur de magazine. Le seul genre d'article que je pourrais consacrer à cette aventure de la *Flora*, ce serait une histoire drôle expliquant à quel point votre fils a pu être con et avec quel génie Vallantine lui a escamoté tout ce qui lui appartenait. Personne ne s'identifie à quelqu'un qui gagne de l'argent dans la sueur et le sang, en se donnant un mal de chien. De nos jours, les gens ne rêvent plus de construire une fortune, ils rêvent d'en voler une. Il nous faudrait un article du style "Ne donnez jamais une chance à un gogo". Voilà ce que l'Amérique – c'est-à-dire le monde – ce que les gens veulent entendre! »

« Qu'est-ce que tu t'imaginais, voyons, son avocat, à ce type c'est Jefferson du cabinet PETER, BLACK, JEFFERSON, MACARTHUR, WHITMAN & WARREN, dit Wattman, qui donnait ce soir-là un dîner en l'honneur de l'acteur dans sa maison de Bank Street, à Greenwich Village. Une fois que tu as commencé à côtoyer les gens des médias, les tribunaux ne te paraissent plus si mal.

— Comment Mark peut-il être aussi patient? soupira Niven. Moi, je deviens dingue. »

Les autres convives du dîner, des avocats et leurs épouses pour la plupart, furent déçus : ils avaient compté entendre les derniers potins sur Hollywood, Broadway et le West End, et l'acteur n'avait parlé de rien d'autre que du procès de son fils, lâchant des remarques gratuitement insultantes, du genre : « Moi, je pendrais tous les avocats qui travaillent pour des escrocs!

— Tu es un grand acteur, ta place est sur la scène, retourne donc à Londres jouer ta pièce, dit Wattman à son vieil ami en le raccompagnant chez lui en voiture, à minuit. Ne t'inquiète pas, ce procès, je le gagnerai, même contre MacArthur, mais il faut y aller à pas comptés. »

Mark n'avait pas assisté au dîner; il détestait sentir que les gens observaient à quel point il était malhabile de sa main gauche ou les entendre lui demander comment il s'était fourré dans les pattes de Vallantine. Il resta chez lui à se ronger les sangs à l'idée que son père allait se couvrir de ridicule en se plaignant à tous ces avocats, comme si ça les intéressait!

Quand l'acteur rentra, il vacillait comme s'il avait perdu le sens de l'équilibre, et sa voix était légèrement pâteuse, bien qu'en règle générale il ne bût pas une goutte d'alcool. « Tu es toujours en deuil ? grogna-t-il en apercevant Mark allongé sur le dos, les yeux rivés au plafond fraîchement peint. Si tu allais quelque part et que tu faisais quelque chose ? Je te répète depuis que tu n'es qu'un gamin que tu ferais mieux d'oublier ces fichus trésors ! »

Mark bondit du canapé, se sentant coupable, car il avait eu l'intention de passer la soirée à lire, mais cela ne servit qu'à le mettre encore plus en colère. « Tu veux que je laisse tout à Vallantine ?

— Oui ! hurla Niven en se laissant tomber sur le lit. Tu devrais traiter les voleurs à la façon d'un moine franciscain. Tu n'as donc pas entendu parler du frère Juniper quand nous étions en Italie ? Te souviens-tu de ce qu'il a fait quand un voleur lui a fauché sa capuche par une froide journée d'hiver ? »

Mark ne répondit pas, espérant que son père allait sombrer dans un sommeil d'ivrogne, et l'acteur se tut pendant quelques instants, mais soudain il se souleva sur un coude. « Le frère Juniper a couru après le voleur, il l'a attrapé et lui a donné son froc en prime. Je vous en prie, mon frère, prenez-le, a-t-il dit, vous en avez sûrement plus besoin que moi. Et je parie que ce franciscain grelottant de froid était plus heureux que toi ! »

Mark avait été content de voir que son père prenait l'affaire suffisamment à cœur pour venir, mais il trouvait soudain sa présence si intolérable qu'il ne supportait même pas de le regarder. Il se rendit compte qu'une fois que son père aurait commencé à le blâmer, il n'aurait plus un instant de paix. Il avait perdu une des grandes fortunes de l'histoire et il n'avait même pas le droit d'en être malheureux ! « Je t'en prie, papa, rentre à Londres, supplia-t-il. Là-bas, tu étais le roi du monde !

— Je serais heureux de m'en aller, et même plus qu'heureux, si seulement tu étais assez raisonnable pour te remettre à vivre ! » dit l'acteur amèrement, en se laissant retomber sur le lit et en tirant une couverture sur lui.

Le lendemain matin, Mark fit une nouvelle tentative. « Tu as une tête à faire peur, papa, tu ne peux même pas dormir convenablement dans ce lit. Ça ne sert à rien de perdre ton temps ici à te rendre malheureux.

— C'est encore pire pour toi sur le canape, rétorqua Niven en se frottant les reins pour essayer d'en chasser la douleur. Nous devons nous serrer les coudes. Je ne peux pas laisser ces gens te ruiner. Je veux que tu récupères ta fortune et que tu commences à mener une vie heureuse. Ne t'inquiète pas, je finirai bien par trouver quelqu'un qui va faire du ramdam pour toi. »

Mark fit la grimace. « Tu ne peux rien faire pour m'aider, papa. Il ne nous reste plus qu'une chose à faire, attendre les débats.

— Alors pourquoi tu ne retournes pas à l'université finir tes études, pendant ce temps-là ? demanda Niven en prenant soin de s'exprimer sur un ton plus amène que la veille au soir. Nixon est en train de mettre fin à la conscription, la guerre tire à sa fin, tu peux entrer et sortir du pays sans que quiconque te fasse des histoires, je suis sûr que tes fautes sont oubliées et que tu pourrais reprendre tes études ici même, aux États-Unis.

— J'étudie tout seul, je lis.

— Je vais retourner à Londres, mais je ne veux pas te laisser ici à cafarder, insista Niven lorsqu'il céda enfin. Viens avec moi ! Va au théâtre. Il y a tant de grands acteurs que tu n'as jamais vus en scène ! Dinsdale Landen, Anton Lesser, Robert Urquhart, John Normington, Felicity Kendal… »

Comprenant que son père ne partirait jamais sans lui, Mark l'accompagna à Londres et fit de son mieux pour paraître s'intéresser à toutes sortes de choses. Il alla au théâtre tous les soirs, mais ni les grandes pièces superbement montées ni les excellentes nouvelles que lui donnait Jessica quant aux perspectives de British Solar Glass ne purent le tirer de son état de dépression agitée. Dix jours plus tard il était de retour à New York, redoutant de manquer la prochaine étape de la procédure.

Il ne se passa rien pendant des mois entiers.

À certains moments Mark avait l'impression qu'il allait devenir fou d'angoisse à force de se demander où se trouvaient ses trésors. Étaient-ils toujours entre les mains de Vallantine ? Celui-ci avait-il obéi à l'injonction ? Ou bien n'avait-il tenu aucun compte de l'injonction et les avait-il vendus ? Étaient-ils encore à New York, ou bien les avait-on transportés à Rio ou à Genève ? Étaient-ils à Djeddah ? À Hong-Kong ? Et combien de temps devrait-il encore attendre avant de les récupérer ?

Il acheta un téléviseur afin d'y ensevelir son cerveau ; en regardant les actualités, il tomba par hasard sur une rediffusion de l'ouverture des Cortès espagnoles. C'était un spectacle impressionnant, une salle magnifique remplie de rangées de députés en costume sombre, assis, droits et dignes, jusqu'au moment où un groupe d'officiers rebelles armés de mitraillettes faisait irruption et se mettait à tirer. La chambre se vidait instantanément ; l'océan de têtes disparaissait en un clin d'œil tandis que les représentants élus de l'Espagne plongeaient au sol et se planquaient sous leurs sièges. Mark ne vit qu'un seul homme qui ne bondit pas se mettre à l'abri : un homme jeune, en plus, lui sembla-t-il, bien que le présentateur l'identifiât comme l'ancien Premier ministre. Les bras croisés, la tête haute, Adolfo Suarez resta assis tout à fait immobile, regardant droit devant lui avec une expression vaguement méprisante : il refusait de se mettre à quatre pattes, dût-il lui en coûter la vie ! Ce geste d'orgueil et de courage fit une formidable impression à Mark et il fut distrait de ses malheurs pendant plusieurs jours, occupé à se demander s'il aurait eu assez de cran pour ne pas ramper. Plus tard, lorsqu'il apprit que le roi Juan Carlos avait fait Suarez duc, Mark se rappela qu'il avait eu coutume de se prendre pour un prince et il fit un effort pour ressusciter en lui cette conviction que « noblesse oblige ». Il téléphona à Santa Catalina et pria Eshelby de lui envoyer la valise remplie des lettres qu'on lui avait envoyées après la découverte de la *Flora*. Lorsqu'elle arriva, il passa plusieurs heures par jour à lire ces lettres de supplication (dont certaines lui donnaient l'impression de ne pas savoir ce que c'était que le malheur) et à y répondre, s'excusant d'avoir tant tardé et expliquant qu'il avait, dans l'intervalle, perdu sa fortune. À ceux qui lui faisaient sentir que ses propres problèmes étaient insignifiants à côté des leurs, il promit de l'aide quand il aurait récupéré ses trésors et il acheta un cahier d'écolier dans lequel il dressa une liste des noms, des adresses et de la situation particulière des gens qui lui avaient écrit, de façon à pouvoir tenir ses promesses quand son argent lui aurait été rendu. Il ne trouvait la paix que lorsqu'il pensait aux autres ou qu'il se concentrait sur les exercices que le kinésithérapeute de la clinique lui avait appris. Au moins son bras allait mieux ! Il inventa même un exercice à lui. Il ouvrait les bras bien grand, puis il s'empoignait les épaules le plus fort possible, comme pour serrer quelqu'un contre lui. Ce fut après une de ces séances de rééducation qu'il appela son ancienne petite amie, Martha, à ce moment-là étudiante de troisième année à Columbia University. Ils se revirent pendant quelque temps ; elle fut scandalisée par le vol, par la perfidie de l'avocat de Vallantine, elle s'apitoya sur Mark, chercha à le consoler par son amour, mais en plus de toutes ses autres afflictions, il était devenu insupportablement ennuyeux. Finalement ses constantes doléances firent perdre patience à Martha et elle le quitta.

Les gens prisonniers des procédures judiciaires sont perdus pour le monde.

40

Jeux d'avocats (suite)

Un nombre croissant de grandes entreprises se transforment en cabinets d'avocats hors de prix qui, par leurs manigances juridiques, leurs cachotteries et leurs retards, sont en mesure d'annuler effectivement n'importe quel contrat...

L'AMIRAL HYMAN G. RICKOVER

Là où l'on trouve la loi, on trouve l'injustice.

TOLSTOÏ

Payer les travailleurs pour le temps passé plutôt que pour le rendement revient à les payer pour être lents et inefficaces. Ce truisme est souvent cité quand il est question du faible niveau de la productivité industrielle et pourtant le gaspillage du temps dans les usines n'est rien en comparaison de celui qui sévit dans les milieux juridiques – et ce pour l'excellente raison qu'on ne peut nulle part ailleurs le rendre aussi rentable. Les renvois que Mark dut subir et finalement payer étaient et sont l'essence même des procédures légales, une tradition qu'on ne peut briser, alimentée par le sang, la cervelle liquéfiée et le système nerveux déchiqueté de chaque génération de plaideurs. Les avocats sont rémunérés à l'heure et de ce fait les litiges, même les plus simples, ceux que des conseillers raisonnables pourraient régler en l'espace d'une seule entrevue, prennent des années à être résolus. La vitesse peut être essentielle aux coureurs, aux généraux, à ceux qui spéculent sur les matières premières, mais les avocats s'enrichissent en jouant avec le temps.

La deuxième audience de l'affaire « Niven contre Vallantine », fixée à l'origine au 26 janvier, eut finalement lieu le 18 octobre. Au cours de cette audience, le juge F accorda la requête de Wattman et ordonna aux Défendeurs de déposer les « biens meubles en cause » entre les mains de la cour dans les sept jours ouvrables. Toujours équitable, il accorda aussi la contre-requête de MacArthur, arguant du fait que l'exposition restait en suspens en raison des poursuites intentées par le Demandeur (en d'autres mots, c'était la faute de Mark s'il n'y avait pas d'exposition) et il ordonna au Demandeur de remettre entre les mains de la cour l'avance de cinq cent mille dollars payée par les Défendeurs sur les recettes de l'exposition, jusqu'au moment où la cour déciderait s'il était ou non en droit de la conserver.

Mark n'avait pas les cinq cent mille dollars, mais c'était le moindre de ses problèmes. Il observait MacArthur, attendant de voir comment il réagirait à l'ordre de rendre les « biens meubles en cause ».

Était-il en mesure de fournir les trésors ?

L'infime fissure d'un sourire apparut sur le large visage de glaise, si infime que Mark fut peut-être le seul à la remarquer. « Pour notre part, votre Honneur, déclara le grand avocat en termes mesurés, nous sommes prêts à nous plier aux ordres de votre Honneur immédiatement. » Sur ce, il se pencha pour murmurer quelques mots à son assistant, qui se leva et quitta le prétoire. Au bout de quelques minutes tendues, durant lesquelles tout le monde garda les yeux fixés sur la porte située au fond de la salle, quatre employés d'une entreprise de sécurité entrèrent, poussant deux chariots sur lesquels étaient empilées des caisses en acier, et vinrent s'immobiliser devant le banc des magistrats. Le juge F ordonna aux secrétaires de la cour de prendre possession des caisses et déclara que l'audience était close.

Mark et Wattman ne bougèrent pas de leur place tant que le prétoire ne se fut pas entièrement vidé, à l'exception des secrétaires. Ils furent les derniers à se lever et à s'avancer vers le devant de la salle pour regarder de plus près. Il y avait sur chaque chariot neuf caisses, de huit pieds cubes chacune : il n'en fallait pas plus pour contenir le trésor qui valait désormais, avec la hausse spectaculaire du prix des métaux précieux, une fois que le Président Nixon eut rompu le lien entre l'or et le dollar, à peu près cent soixante-dix millions de dollars.

« Je laisse à qui voudra le soin d'y comprendre quelque chose », déclara Wattman en secouant la tête.

Les caisses en acier portaient encore les sceaux intacts de la Royal Bank de Nassau. Non seulement Vallantine n'avait pas vendu les trésors, il ne les avait même pas déballés.

Le marchand d'art se contint conformément aux instructions de son avocat.

Lors de leur toute première réunion à ce sujet, MacArthur l'avait averti du fait qu'il ne devait pas toucher aux marchandises contestées tant que la justice n'aurait pas statué sur leur sort. « Si vous vous permettiez seulement d'y toucher avant d'y être autorisé par la cour, la plupart des juges prendraient ça pour une insulte personnelle. Alors, n'anticipez pas le jugement. Si nous voulons gagner cette affaire, il va falloir agir dans les règles. » Vallantine fit ce qu'on lui disait, plaçant les caisses sous scellés dans les coffres de l'Irving Trust Company.

Les plaideurs, même quand il s'agit d'habiles escrocs, présument que leurs représentants juridiques sont de leur côté, oubliant que la plupart des avocats, à l'instar de la plupart des gens, ont tendance à mettre leurs propres intérêts avant ceux de quiconque, et que si leurs intérêts ne coïncident pas avec ceux de leur client, c'est au client d'en supporter la différence. William T. MacArthur s'était toujours conformé à cette règle fondamentale des rapports avocat-client. Il facturait à Vallantine une avance annuelle fixe de deux cent mille dollars pour lui éviter la prison, avec en sus les honoraires et les frais afférents à chaque affaire, et en accord avec cet arrangement il faisait de son mieux comme avocat de la défense. Cependant, lorsqu'une aubaine aussi grosse que la *Flora* se présentait, le problème de MacArthur n'était pas de trouver le moyen de voler Mark pour enrichir son client, mais le moyen de les voler tous les deux. Bien entendu, il ne suggéra aucun réajustement de ses honoraires tant que les trésors restèrent effectivement entre les mains de son client et que celui-ci eut la possibilité de quitter le pays en les emportant. Le grand avocat attendit patiemment que Wattman eût pris la mesure évidente de demander la mise sous séquestre des trésors et il ne fit alors aucun effort sérieux pour s'y opposer.

Lors d'un de ces dîners au cours desquels avocats et juges se mélangent et ne sont pas censés parler des affaires en cours, le juge F demanda à MacArthur ce qu'il pensait de la requête de Wattman. « C'était très bien vu, je n'ai aucun argument valable à lui opposer, répondit l'avocat. C'est pour cela que je ne cesse de demander des renvois. »

Ces renvois, si coûteux fussent-ils, empêchaient Vallantine de se plaindre ; il était persuadé qu'ils étaient destinés à « user l'ennemi ». En réalité, ils étaient destinés à l'user lui aussi : les incertitudes de l'attente étaient aussi pénibles pour lui qu'elles pouvaient l'être pour Mark, elles l'étaient même plus, car il était plus vieux. Quand vint le moment de remettre les caisses à la cour, il n'était plus en état de s'enfuir, l'eût-il voulu. C'était là la raison du petit sourire de MacArthur à l'audience : une fois les trésors mis sous séquestre par la cour, son client dépendait totalement de lui pour les récupérer.

Il était temps de discuter le réajustement des honoraires.

Vallantine fut convoqué dans les bureaux de son avocat, où tout était conçu pour donner l'impression que les gros chiffres étaient petits. Pour commencer, il s'agissait d'une gigantesque pièce, à Manhattan où l'espace coûte les yeux de la tête, avec trois longs canapés bas et de nombreux fauteuils et tables de toutes les formes et de toutes les tailles. MacArthur ne fumait pas ; les clients fumeurs pouvaient écraser leurs mégots dans des cendriers en or massif. Quelques tomes juridiques étaient posés sur diverses tables, mais il n'y avait dans la pièce qu'une seule vitrine de livres ; la bibliothèque de PETER, BLACK, JEFFERSON, MACARTHUR, WHITMAN & WARREN était une des plus vastes de New York et si l'avocat avait besoin d'autres volumes, il se les faisait apporter.

La majeure partie de la superficie murale servait à exposer des tapis et des carpettes en soie, aux dessins complexes, aux riches couleurs, faits à la main et sortis des manufactures royales de la dynastie des Séfévides, au cours des seizième et dix-septième siècles, l'âge d'or de la fabrication des tapis persans, où chaque modèle était unique. Un tapis de chasse emplissait l'œil de lions, de léopards et de cavaliers, bleu sombre, noirs et bruns, chassant des cerfs blancs et des daims tachetés à travers un champ orange bordé de bancs de nuages, de palmiers nains et de volutes en fleurs. Plusieurs tapis représentant des vases resplendissaient de plantes magiques, tandis que diverses petites carpettes grouillaient de génies et d'arbres, d'oiseaux et d'animaux mythiques. Derrière le bureau de MacArthur était accroché un tapis aux lions, moderne mais tout aussi frappant, fait de soie et de laine blanche, datant du règne du dernier shah d'Iran. Même un client ne connaissant rien aux tapis aurait su que MacArthur possédait une collection presque sans prix. Un grand avocat new-yorkais pouvait se contenter d'une modeste demeure, mais son bureau devait toujours être opulent : Whitman, autre membre du cabinet, avait à son mur un Rembrandt, afin de faire savoir à ses clients que leur avocat ne pouvait penser qu'en termes de fortunes et qu'il était assez riche pour éconduire quiconque refusait d'accepter ses conditions.

« La décision d'aujourd'hui n'est pas la fin du monde, John, elle signifie simplement que je vais devoir travailler plus dur », tonna MacArthur gaiement lorsque Vallantine pénétra dans son magasin de tapis, mais il ne se leva pas pour le saluer.

— Alors vous ne ppp... pensez pas que tout est perdu ! » soupira le marchand d'art en se laissant glisser dans un des fauteuils de cuir.

MacArthur en revint au document posé sur son bureau, prit son stylo et biffa un mot. « Rien n'est perdu, mais la situation est nouvelle, dit-il en n'accordant à son client que la moitié de son attention. Je vous ai écrit une lettre concernant la nouvelle structure d'honoraires que je vous propose.

— Qu... qu'est-ce que vous voulez dire ? » demanda Vallantine, qui sentit son cœur s'emballer.

Ils furent interrompus par une secrétaire grisonnante, dont le visage montrait quelques plis, mais dont la robe n'en avait aucun ; elle apportait un plateau chargé d'un service à thé en argent de l'époque georgienne et des tasses en porcelaine de

Sèvres. MacArthur refusa le thé d'un geste et lui indiqua que c'était Vallantine qu'il fallait servir. « Ma lettre à Mr Vallantine est-elle prête ? demanda-t-il.

— Miss Delano est en train de trier les différents exemplaires », répondit-elle en remplissant la tasse du client, puis elle sortit discrètement.

Le marchand d'art but son thé en silence, attendant la lettre de son avocat qui, en homme occupé, étudiait une autre affaire à son bureau. « Elle en a pour une minute, John », déclara MacArthur, jetant un coup d'œil à sa victime. Il aimait bien voir transpirer les autres. Comme beaucoup d'hommes corpulents, flegmatiques, impassibles, qui paraissent imperméables aux émotions, il éprouvait de profondes jouissances intérieures ; il sentait un million de nerfs picoter sa chair épaisse chaque fois que quelqu'un s'effondrait dans son champ de vision. Les escrocs qu'il défendait évitaient le pénitencier, mais ils n'échappaient pas au châtiment.

La secrétaire revint avec des exemplaires de la lettre précisant la nouvelle structure d'honoraires et en tendit un à son patron et un autre à Vallantine, lui souriant d'un air encourageant, comme une infirmière sourit au patient avant son opération.

« Lisez-la, John, et dites-moi s'il y a quelque chose que vous ne comprenez pas », dit MacArthur avec un calme olympien.

Les tapis faisaient peut-être moins d'effet qu'un Rembrandt, mais ils étaient tout aussi intimidants : confronté à autant de richesses sur les murs, comment Vallantine aurait-il pu prétendre que MacArthur devrait travailler pour des honoraires inférieurs à trois millions de dollars ? Le lion derrière le bureau, entouré de paons radieux, paraissait prêt à bondir. Ou telle fut du moins l'impression de Vallantine tandis qu'il lisait la lettre. MacArthur se proposait aussi de prendre cinquante pour cent des trésors en guise de prime, s'il parvenait à les récupérer ; la répartition serait fondée sur l'inventaire de Nassau, qu'avait payé Mark, lequel figurait à présent au dossier, en tant que document du procès.

« Je n'ai p… pas trois mmmmmmillions !

— Vous êtes propriétaire de ce bel immeuble où se trouve votre galerie, vous pouvez l'hypothéquer, conseilla l'avocat d'un ton indifférent.

— Il me sssssemble que si je vous d... donne la moitié de ces richesses historiques, de ces objets sans ppppprix, protesta Vallantine, dont la tête tremblait autant que sa voix, je ne devrais pas être obligé de payer autant en es... es... espèces. »

L'ancien juge de la Cour suprême de l'État opina d'un air approbateur. « L'objection est raisonnable, John. Je vois très bien comment vous y êtes arrivé. » Il leva la tête et se passa le bout du doigt le long de la mâchoire, d'un air pensif. « Mais les honoraires doivent être proportionnels aux difficultés, soupira-t-il. Si je devais représenter le Demandeur dans cette affaire, je le ferais pour cinq cent mille dollars et sans pourcentage, mais vous devez bien comprendre qu'il est beaucoup plus complexe de persuader la cour de vous céder à vous ce qui, à en croire ce jeune homme, lui appartient. Vous et moi savons que c'est à vous de plein droit, mais ce n'est pas si facile à prouver devant un tribunal. » Il haussa les sourcils, afin de sous-entendre ce qui ne pouvait être dit. « Il se pourrait que j'aie des frais dont je ne voudrais même pas vous mettre au courant.

— J'arriverai peut-être à réunir un mmmmmillion. »

Les yeux incolores de MacArthur se firent de glace ; le visage de glaise se congela. « Si vous préférez être représenté par quelqu'un d'autre, John, je n'y vois, évidemment, aucune objection.

— Nnnnnon ! » s'écria Vallantine, terrifié. Il ne comprenait que trop bien que sans l'ancien vice-président du barreau new-yorkais, la *Flora* ne pourrait rien lui rapporter d'autre qu'une peine de prison.

« Je prépare d'ores et déjà ma prochaine manœuvre, les interrogatoires destinés au Demandeur. Toutefois, je ne voudrais pas vous influencer indûment. C'est à vous de décider, John. Un demi-pain vaut-il mieux que pas de pain du tout ? » MacArthur écarta les mains dans un geste plein de modestie : il ne prétendait nullement détenir toutes les réponses « Emportez ma lettre chez vous et parlez-en donc avec Shirley. »

« Nous n'avons pas encore gagné ce procès, mais Vallantine l'a déjà perdu », dit Wattman à Mark, tandis qu'ils quittaient le tribunal de Center Street. Des flashes lançaient leurs éclairs devant eux comme des feux d'artifice : cent soixante-dix millions de dollars confiés aux bons soins de la Cour suprême de l'État de New York, c'était un événement.

Mark sourit pour les photographes, brandit deux doigts formant le V de la victoire, puis se laissa fourrer dans un taxi par Wattman. Cette fois, l'avocat l'emmena au Lutèce, que Tom Wolfe venait récemment de surnommer un « Status Lunch Restaurant ». L'atmosphère raréfiée de l'endroit, la silencieuse obséquiosité des serveurs rappelèrent à Mark l'époque où il était employé du Seven Seas Club et, pour la première fois depuis que les choses avaient mal tourné, il songea à quel point il s'était élevé dans le monde. C'était bon de valoir cent soixante-dix millions de dollars ! Le maître d'hôtel les conduisit jusqu'à une table dans un coin de la salle, et deux serveurs se matérialisèrent pour leur avancer des sièges et les faire asseoir. Mark les remercia d'une inclinaison de tête pleine de dignité.

Lorsqu'on leur apporta la carte des vins, Wattman tint absolument à commander du champagne pour fêter la mise sous séquestre des trésors. « Je crois que j'ai péché par excès de scepticisme, Mark, notre système fonctionne ! exulta-t-il. Je me fiche de savoir que vous ne buvez jamais d'alcool, aujourd'hui vous n'y couperez pas. Votre avocat vient de triompher du juge MacArthur en plein tribunal ! Le district attorney de Manhattan ne peut pas en dire autant ! »

Wattman se contentait de siroter son champagne : c'était de nourriture qu'il se grisait. Les yeux étincelants, les joues rebondies et reluisantes, se fourrant des petits pains beurrés dans la bouche de ses mains dodues, il passa le repas entier à parler de l'affaire. « Je suis tout à fait confiant quant à nos chances de l'emporter », déclara-t-il, se sentant plus à l'aise chaque fois qu'il engloutissait un petit pain beurré. Il en mangea même avec son filet de sole à cinquante dollars. Mark se rappelait-il le câble de MacArthur à Darville, prétendant qu'il était impossible à Vallantine de restituer les marchandises en question ? À présent que les marchandises étaient dans les coffres du tribunal, il était clair comme le jour que ce câble n'était qu'un mensonge.

« Alors, maintenant, vous avez votre preuve que MacArthur est un escroc aussi fieffé que Vallantine ! » s'écria Mark, dont la voix fit voler en éclats le calme feutré du restaurant et alarma le maître d'hôtel. Une demi-flûte de champagne avait suffi à l'enivrer.

« Il est certain que là, MacArthur a commis une bourde, convint l'avocat, d'une voix étouffée mais joyeuse. Je vais pouvoir me servir de ce câble pour détruire la crédibilité de Vallantine auprès du jury. Je leur dirai : Notre respectable marchand d'art ment comme un arracheur de dents, au point de tromper son propre avocat !

— Comment ça ? Vous avez la preuve que ce sont tous les deux des escrocs, insista Mark.

— Ne nous emballons pas, dit Wattman, pris à la réflexion de sombres pressentiments et reposant un petit pain beurré qu'il était en train de porter à sa bouche. MacArthur fera valoir qu'il a dit que Vallantine ne pouvait restituer les marchandises en question, parce qu'il avait déjà promis de les vendre à une firme au Lichtenstein et qu'il se sentait moralement tenu d'honorer ses engagements. Il est trop bon avocat pour se lancer dans un mensonge dont il ne saura pas se dépêtrer. Quand même, il y aura des gens qui ne le croiront pas… »

Il y avait encore des années de travail à venir, des requêtes, des contre-requêtes, expliqua Wattman ; ils n'étaient pas encore arrivés à bon port, mais il avait l'intention de confier ses autres affaires à son associée et de se consacrer à plein temps à la tâche de démolir les types qui cherchaient à ruiner le fils de son meilleur ami. Peut-être engagerait-il un jeune avocat pour l'assister.

« Vous vous imaginez un peu ce que doit éprouver Vallantine ? demanda Wattman.

— J'espère qu'il est malheureux comme les pierres.

— Et notre grosse légume d'ancien juge que nous ne nommerons pas ?

— Je veux bien parier qu'il n'a plus l'air si plein de dignité à l'heure qu'il est ! dit Mark, les yeux brillant de haine. J'aimerais le regarder mourir. Il est pire que Vallantine. Il se fait payer pour me voler et m'insulter.

— Ne le sous-estimez pas, je suis sûr que ses honoraires se montent à des millions et des millions.

— Puisse-t-il les confier à un escroc ! lança Mark, baissant la voix en réaction aux regards réprobateurs, ce qui n'empêchait pas son moral de grimper en flèche.

— Pas de danger.

— Bon, alors puisse-t-il se faire agresser tous les jours que Dieu fait. Qu'il sente un peu à quoi ça ressemble de se faire détrousser !

— Puisse-t-il être radié du barreau ! » Wattman leva son verre. « Buvons le sang de notre ennemi !

— Jusqu'à la dernière goutte, renchérit Mark. Sus à la victoire ! »

Ils trinquèrent et burent, deux compagnons d'armes dans la bataille des dépositions, des renvois et des jugements. Ils s'amusaient follement.

« Vous vous rappelez l'accord que nous avons conclu ? demanda Wattman, tandis qu'il attendait que le serveur lui rapportât sa carte de crédit.

— Vous avez dit que vous ne vouliez rien tant que vous n'auriez pas fait de réels progrès, mais qu'alors vous me demanderiez beaucoup d'argent », répondit Mark du tac au tac.

Les yeux de l'avocat s'agrandirent de surprise. « Je suis content de voir que vous vous le rappelez. Vous ne pouvez pas savoir combien il est rare de trouver un client sur qui on peut compter !

— Je vous suis infiniment reconnaissant de m'avoir soutenu pendant tout ce temps sans rien me demander et je serai heureux de payer », répondit Mark gaiement. Sa fortune n'était plus aux mains de Vallantine. C'était tout ce qui comptait.

« À présent que nous faisons des progrès, il me paraît juste de vous facturer le travail que j'ai effectué jusqu'à présent. Je trouve que deux cent mille dollars est un chiffre bien rond. Et je veux une somme exorbitante pour le reste de l'affaire, mais elle couvrira vraiment tout, plus ou moins. Je paierai la plupart des débours, toutes les requêtes, quel que soit leur nombre, comme cela vous pourrez être sûr que ce n'est pas moi qui serai responsable des éventuels retards. Les honoraires que je vous demande couvriront aussi les débats proprement dits. Mais, bien sûr, je vous demanderai en plus une prime, quand vous récupérerez les trésors. » Ces derniers mots furent prononcés d'une voix grave. Le temps d'en arriver au moment où il porta la main à la poche intérieure de son veston, Wattman paraissait s'être totalement dégrisé : lui aussi avait une lettre pour son client.

Mark prit l'enveloppe d'une main nonchalante, mais il pâlit en lisant son contenu.

« Il y a quelque chose qui ne va pas?

— Non, non, ça va bien.

— En payant tout d'avance, expliqua Wattman d'une voix basse, vous êtes assuré que je me consacrerai à votre affaire à plein temps, au lieu de courir à droite et à gauche pour tenter de gagner ma vie.

— C'est très bien, je comprends, dit Mark en s'efforçant de sourire. Je paierai, je ne veux rien prendre sans rien donner. »

Les dernières éditions des journaux rapportaient des articles sur la décision du juge F, ainsi qu'un résumé des droits revendiqués par le Demandeur sur les trésors, et Mark pouvait voir sa photo s'étaler de nouveau à la une des journaux, comme aux jours de son triomphe.

« Maintenant qu'il a réussi à faire parler de votre affaire dans la presse – un résultat que je n'ai pas réussi à obtenir –, il va forcément gagner, commenta Niven au téléphone. Et les honoraires des avocats sont toujours en rapport avec ce qu'ils vous procurent, donc je crois qu'on ne peut pas se plaindre. » Il voulait rendre tout l'argent qui lui restait après la production de la pièce de Kleist et la certitude de succès donna à Mark la force d'accepter – mais uniquement à titre de prêt – la moitié du million qu'il avait si royalement donné à son père. Il revendit aussi à Jessica les quelques actions qu'il avait dans sa société et il passa quelques jours douloureux à vendre la Madone en or et la croix aux Sept Émeraudes, ses premiers et derniers souvenirs de la *Flora.*

Une semaine après leur déjeuner triomphal au Lutèce, il remit à son avocat un chèque de cinq cent mille dollars (le montant de l'avance fournie par Vallantine, à déposer entre les mains de la cour, comme l'avait ordonné le juge F) et un autre chèque d'un million cent mille dollars, couvrant les honoraires passés et futurs de Wattman.

C'était une belle sottise que de payer son avocat d'avance pour un travail qu'il n'avait pas encore fourni, même si Mark la fit avec l'assentiment de son père. Ils eurent de longues conversations d'un côté à l'autre de l'Atlantique, parce que Niven, qui se sentait coupable d'avoir jadis péché par omission, avait supplié Mark de ne prendre aucune décision sans en parler d'abord avec lui, mais l'acteur – qui prisait tant d'autres choses davantage que l'argent qu'il aurait rendu le don d'un demi million de dollars aussi volontiers à un étranger qu'à son propre fils – n'était pas l'homme qu'il fallait pour conseiller quiconque sur la sagesse qu'il y avait à payer un avocat d'avance. « S'il doit travailler pour toi à plein temps, dit-il, c'est raisonnable de sa part de te demander de tout lui payer tout de suite. » C'est avec ce genre de raisonnement absurde que des propriétaires de maisons payent de la plomberie et des réparations qui ne se matérialisent jamais. Il n'est pas dans la nature humaine de se donner du mal pour quelque chose qu'on possède déjà. Payer d'avance, c'est croire à la gratitude.

Dans la lettre d'accord qu'ils avaient signée, Mark s'engageait aussi à verser des sommes ultérieures non spécifiées, en cas de complications imprévues et extraordinaires dans son affaire, et à remettre à Wattman une prime de deux millions cinq cent mille dollars le jour où il rentrerait en possession de ses trésors.

« Cette prime est votre assurance, déclara Wattman en rangeant les chèques dans son tiroir. Vous pouvez être sûr que je vais faire tout mon possible pour gagner ce petit surplus. Je vais foncer là-dedans toutes voiles dehors. »

Mark trouva quelque peu curieuses ces paroles rassurantes, qui revenaient à écarter comme une chose insignifiante un paiement d'un million cent mille dollars au moment même où il le recevait, bien qu'il lui fallût un certain temps avant de comprendre pourquoi.

Les avocats sont des marchands de laine et leurs clients sont les moutons qui se font tondre. Une fois que Vallantine et Mark eurent, l'un et l'autre, payé tout ce que l'on pouvait raisonnablement tirer d'eux, leurs représentants juridiques virent qu'il ne rimait à rien de s'adresser mutuellement des déclarations écrites sous serment, ni de faire d'innombrables apparitions devant la cour, s'agissant d'une question qu'ils pouvaient parfaitement régler en tête à tête sur le court de squash de l'Athletic Club.

« Vous êtes un avocat de grand talent, Bernie, vous devriez siéger parmi les magistrats, déclara MacArthur avant le début de la partie. Vous n'avez pas essayé de vous faire élire, dans le temps ? Il me semble me rappeler que les démocrates pro-réforme soutenaient votre candidature contre celle du juge Aurelio. »

Wattman fit un pas en arrière afin de montrer sa surprise et aussi d'éviter d'avoir l'air d'un nain à côté de ce colosse. « C'était il y a quinze ans ! Je pensais que tout le monde avait oublié.

— Je n'oublie jamais rien. Et en plus je sais lire l'avenir. » MacArthur regardait Bernie droit dans les yeux, afin de bien lui montrer qu'il ne cherchait pas à faire de l'esprit. « Vous serez élu à la Cour suprême de l'État un de ces jours. » Le grand avocat avait suffisamment de poids auprès des organisations politiques et professionnelles chargées de choisir les candidats pour être en mesure de lire l'horoscope de son collègue sans même connaître son signe du zodiaque.

« Le père du Demandeur est un ami à moi, répondit Wattman en serrant la balle dans sa main, comme pour mettre à l'épreuve la force de son refus.

— Je comprends. Ça complique les choses. » MacArthur baissa lentement sa tête volumineuse et resta un instant immobile, rendant un silencieux hommage à l'amitié. « Quand même, reprit-il, vous seriez obligé de travailler très dur, Bernie. Pendant des années. Et chaque affaire est une loterie, ce n'est pas moi qui vais vous l'apprendre. Vous pourriez gaspiller une infinité de temps précieux et vous retrouver finalement dans le camp des perdants. » Voyant qu'il venait de marquer un point, MacArthur proposa de commencer à jouer et il ne remit le sujet sur le tapis qu'à l'issue de la partie. « La vie est si courte, Bernie ! se lamenta-t-il en épongeant le dôme brillant de son crâne d'un coup de serviette.

— Ça, c'est bien vrai », haleta Wattman, à demi mort de fatigue et suant comme un cochon après dix minutes d'exercice physique.

Ils eurent plusieurs discussions concernant l'affaire « Niven contre Vallantine », et, pour finir, Wattman décida de ne pas risquer un poste de juge assuré pour une prime incertaine qu'il ne pouvait obtenir qu'en gagnant le procès après s'être échiné au travail. Ils conclurent leur marché dans le couloir du tribunal de Center Street, où ils s'étaient tous deux rendus pour d'autres affaires. Les gens qui passaient eurent l'impression que les deux avocats venaient de se croiser par hasard et qu'ayant chacun quelques minutes à perdre ils échangeaient quelques paroles en l'air.

« Alors, comme ça, vous me verriez bien sur le banc des magistrats ? » demanda Wattman d'un ton blagueur.

Le visage de glaise resta sérieux. « Parfaitement. Je vous en donne ma parole.

— Il va me falloir du temps… Nous allons devoir faire traîner les choses.

— Cela va sans dire. Je vais préparer les interrogatoires. »

Les deux illustres membres du barreau, passés maîtres dans l'art de tout préciser noir sur blanc dans les contrats, ne virent pas la nécessité de mettre leur accord par écrit. Wattman ne douta pas un seul instant du fait que MacArthur tiendrait sa promesse. Le parjure le plus accompli, l'avocat de la défense possédant la pire réputation de toute la ville de New York, l'homme qui soudoyait les juges, subornait les témoins de façon routinière, était aussi renommé pour sa fiabilité dans ses relations avec ses collègues. La parole de William T. MacArthur était sacrée. C'était justement pour cette raison qu'il parvenait à faire obstruction à la justice avec un tel succès. Jamais Wattman n'aurait vendu son client si MacArthur n'avait pas été aussi fiable.

Quelle preuve étrange et terrible du pouvoir de la vérité et de l'honnêteté ! Un homme ne peut réussir, fût-ce dans le domaine de la corruption, que si l'on peut lui faire confiance.

41

Jeux d'avocats (suite)

> « Je traite de paria, dit Kohlhaas en serrant le poing, cet homme auquel on dénie la protection de la loi ! »
>
> KLEIST

Ignorant ce que faisaient les avocats, Mark surveillait son téléphone dans l'attente de bonnes nouvelles. Après la mise sous séquestre des trésors, les articles dans les journaux, les affirmations optimistes de son avocat et, par-dessus tout, la nécessité de réunir un million six cent mille dollars pour le dépôt à la cour et les honoraires de Wattman, si bien qu'il ne lui restait plus des fabuleux trésors de la *Flora* que moins de huit mille dollars à la banque, il ne pouvait s'empêcher de penser qu'il était sur le point de tout récupérer. Il s'était ruiné pour gagner son procès et comme les espérances sont à la hauteur des sacrifices, il vivait dans un état de fiévreuse euphorie. Quand la secrétaire lui téléphona pour annoncer que Wattman allait passer le voir – chose que l'avocat n'avait jamais faite auparavant –, Mark crut qu'il venait lui apprendre que Vallantine avait décidé de renoncer plutôt que de continuer de gaspiller son temps et son argent dans un procès qu'il ne pouvait que perdre. C'est là le pire poison que distillent les affaires judiciaires, des espoirs fous mêlés d'un soupçon de malentendu.

Ne supposant pas un seul instant que son client pouvait pécher par excès de confiance – craignant, plutôt, qu'il ne se mît à nourrir des soupçons –, Wattman ne vint voir Mark que pour lui donner la preuve qu'il travaillait d'arrache-pied afin de gagner ses honoraires. Cependant, ayant pris la peine extraordinaire d'aller chez lui, il ne vit aucun besoin d'être poli. « Je n'ai pas pensé à demander s'il y avait un ascenseur dans cet immeuble, maugréa-t-il, hors d'haleine et de mauvaise humeur après avoir grimpé les quatre étages menant à l'appartement. Je n'y serais pas arrivé si je n'avais pas enlevé mon pardessus... Quel gourbi ! » s'écria-t-il avec dégoût, en cherchant du regard un endroit où le manteau de cachemire qu'il portait sur le bras serait en sécurité.

Pâle, tendu, mourant d'envie d'entendre parler du retour de ses trésors, mais ne voulant pas paraître impatient, Mark prit le manteau et le suspendit dans son placard. « Asseyez-vous, je vais faire du café. » Il alla jusqu'à la cuisine à l'autre bout de la pièce et remplit d'eau la bouilloire toute bosselée, mais ensuite il oublia d'allumer le gaz.

« Je préfère rester debout, déclara l'avocat avec un regard horrifié en direction du canapé maculé et graisseux. Méticuleux jusqu'à la maniaquerie, redoutant qu'une parcelle de crasse ne vînt se déposer sur sa peau luisante, il se tint même sur la pointe des pieds un bref instant afin de limiter au minimum tout contact avec cet endroit. « Vous n'allez pas me dire que votre père est descendu ici ?

— À quoi est-ce que vous vous attendiez ? Notre argent sert à payer des avocats.

— Tsst, tsst, tsst, vous plaisantez aux frais de votre avocat !

— Ah bon ? Je croyais que tous les frais étaient à ma charge. »

Wattman lâcha un rire appréciateur. « Vous faites dans l'humour noir, hein ?

— Qu'est-ce qui se passe ? demanda Mark d'une voix mal assurée, se souciant fort peu des plaisanteries, y compris les siennes. Ça y est, ils craquent enfin ? »

En entendant cette question, l'avocat le dévisagea, les yeux écarquillés. « Pas tout à fait, mais nous progressons. »

Mark pâlit en apprenant qu'il n'était toujours pas au bout de ses peines, mais très vite il accepta l'idée de progrès. « Tant mieux, soupira-t-il. Merci !

— Je vous ai apporté quelques devoirs à faire. » Wattman posa sa serviette sur la table et l'ouvrit avec un ample geste de prestidigitateur. « Nous avons reçu les interrogatoires de votre vieil ami, le juge MacArthur. Nous avons le droit de questionner Vallantine, mais seulement une fois qu'eux vous auront questionné, donc c'est un pas en avant.

— Je vois… parfait. » D'une main un peu hésitante, Mark prit l'épaisse liasse de feuilles de format juridique et jeta un coup d'œil à la première page. « C'est quoi ça ? "Énumérez tous les établissements scolaires que vous avez fréquentés !" » Il eut un rire incrédule. « Ne me dites pas que c'est ça que j'attendais !

— Nous aurons notre tour, mais c'est d'abord à eux. Dans une affaire judiciaire, les Défendeurs sont les dames, ils passent toujours les premiers.

— Ils veulent une liste des résultats que j'ai obtenus aux examens… de tous les boulots que j'ai faits… » Mark trouvait l'insatiable curiosité des hommes qui le volaient de moins en moins drôle. « Enfin, ils nous font marcher, ce n'est pas possible ! » fulmina-t-il, persuadé d'être en butte à des brimades particulières.

Là-dessus, il se trompait. Quiconque se trouve mêlé à une affaire judiciaire recevra un ensemble de questions écrites visant à découvrir tout ce que la partie adverse souhaite savoir à son sujet. Ces interrogatoires, qui font partie des mesures d'instruction forcée, précédant l'audience, sont censés être confinés à ce qui est pertinent au litige ; mais rien, bien entendu, n'est aussi pertinent que tout ce qui pourrait servir à discréditer le plaideur aux yeux du juge et du jury. De ce fait, les interrogatoires ont tendance à être plus personnels et plus étendus que ne pourrait l'imaginer quelqu'un qui ne connaît rien au fonctionnement de la loi. L'assistant de MacArthur, Elliott T. Sanborn III, jeune avocat prometteur, frais émoulu de l'école de droit de Yale, n'avait rien oublié de ce qui pourrait faire apparaître Mark sous un jour défavorable ou le décourager d'une manière ou d'une autre. Les interrogatoires ont également tendance à être longs ; il est aussi important de lasser l'adversaire que de l'intimider. Elliott T. Sanborn III avait préparé en tout trois cent cinquante-sept questions à l'intention du Demandeur.

Mark en lut la moitié avant de se mettre en colère. « Pouvez-vous me dire à quoi riment toutes ces conneries ? explosa-t-il en claquant la liasse de feuilles sur la table. Vivant seul la plupart du temps, sans personne à qui parler, il avait à l'intérieur de lui des quantités d'émotions inutilisées qui soudain se transformèrent toutes en rage. « Vous n'allez pas prétendre que ces gens peuvent me voler une fortune et me demander ensuite si j'ai fait de bonnes études ? C'est ça qui fait de MacArthur une sommité si appréciée en matière de droit qu'on l'invite jusqu'en Angleterre pour y donner des cours magistraux ? Je vous ai versé plus d'un million de dollars et tout ce que vous trouvez à faire, c'est de m'apporter un ramassis de questions imbéciles comme celles-là ?

— C'est comme ça que ça se passe, rétorqua Wattman, imperturbable, faire un procès, c'est du travail. Ce n'est pas moi qui peux leur dire quelles écoles vous avez fréquentées ! Alors procurez-vous une machine à écrire et tapez-moi les réponses. Quand vous aurez fini, nous les relirons ensemble. Il faut être très prudents, vous devrez tout répéter sous serment. »

Mark était si furibond que la tête lui tournait. « Je n'ai aucune intention de dire sous serment quelles notes j'ai obtenues à l'école ! hurla-t-il, en homme qui a payé un million six cent mille dollars pour faire valoir ses droits.

— Pourquoi, qu'est-ce qu'elles avaient, vos notes ?

— Je ne vais pas laisser ces crapules monstrueuses me plumer et jouer à des petits jeux de cons avec moi par-dessus le marché ! Pourquoi est-ce qu'ils ne sont pas en prison, ces salopards ? »

En ce qui concernait Wattman, un tel éclat relevait de la divagation et il observa Mark d'un air dédaigneux, convaincu d'avoir pris la bonne décision. Même s'il avait permis à Mark de récupérer sa fortune, une personne qui se laissait si aisément emporter par ses sentiments n'aurait jamais pu la conserver. Pour rester riche, il faut être plus près des morts que des vivants ; on ne peut pas se laisser emporter par quoi que ce soit. « Ils savent ce qu'ils font, dit-il froidement. On dirait que vous n'avez pas remarqué les questions qui vous obligent à dire si vous avez jamais commis un délit pénal. »

Mark se tut, comme Wattman l'avait escompté. Il ne comprit ce que voulait dire son avocat qu'à cause de l'accent menaçant dont il prononça sa remarque. « Et comment est-ce que MacArthur est au courant ? »

Wattman fit une grimace et écarta ses mains dodues pour montrer qu'elles ne tenaient rien. « Vous étiez si bons amis, vous et Vallantine, c'est peut-être vous qui le lui avez dit. Ce qui compte, c'est qu'ils le savent.

— Les insoumis, tout le monde s'en fiche à présent. Je suis passé des tas de fois au contrôle des passeports et personne ne m'a jamais rien demandé.

— C'est à cause de votre bras ! s'exclama Wattman, tout excité par cette soudaine illumination. Ils vous prennent pour un infirme. C'est pour ça qu'ils ne vérifient pas si vous figurez sur leur liste.

— Ils vérifient pour tout le monde, mais mon nom n'y est pas.

— Et voilà, l'inefficacité pour tous. Vallantine n'est pas le seul à pouvoir violer la loi impunément !

— Ça n'a rien à voir », protesta Mark dont l'indignation céda la place à l'inquiétude. Pour la première fois, la peur qu'il avait éprouvée dans l'avion cloué au sol lui revint.

Wattman se mit à opiner violemment pour exprimer son assentiment. « Oui, vous êtes dans de plus mauvais draps que lui, déclara-t-il de sa voix vertueuse quand il eut fini de hocher la tête. Vous fuyez la justice. Criminel en cavale. Si j'étais vous, je ne serais pas si prompt à condamner des gens qui se moquent des lois du pays.

— Vous avez raison, mes jérémiades sont vraiment puériles, dit Mark abruptement, tordant son bras blessé pour se libérer d'un sentiment d'échec. C'est une lutte à mort. Ça ne sert à rien de pleurnicher. Je vais répondre à ces questions. Mais vous m'aviez dit que vous vous arrangeriez pour qu'on ne parle pas de cette histoire d'insoumission.

— J'ai dit que j'essaierais. Et j'essaie, je vous le garantis. Votre réponse à toute question tendancieuse sera : "Mon avocat m'a conseillé de ne pas répondre." Et je vais écrire à MacArthur pour lui dire que ces questions ne sont pas pertinentes, je vous enverrai une copie de ma lettre. » L'avocat replet rayonnait ; il flottait presque sur un nuage de satisfaction. « Alors, ne venez pas me raconter que je ne gagne pas mes honoraires ! »

Il fallut à Mark un mois de pénibles efforts pour répondre aux interrogatoires. Les trois cent cinquante-sept questions étaient autant de flèches empoisonnées destinées à faire naître la frustration, la peur et le doute de soi. « Faites-lui raconter toute son histoire, de façon à savoir à quoi nous nous heurtons », avait dit MacArthur à son assistant et, en plus de tout le reste, Mark fut prié de décrire toutes ses rencontres avec Vallantine, quand et où elles avaient eu lieu, ce que le marchand d'art lui avait dit, ce qu'il avait dit au marchand d'art, etc. Méthodique dans tout ce qu'il entreprenait – et piqué, à son tour, par la curiosité quant au déroulement des événements –, Mark s'efforça de se rappeler chaque minute passée en compagnie des Vallantine et rédigea des réponses aussi complètes que possible. À mesure que les questions défilaient, il comprenait à quel point il avait été bête. Il avait à peu près fini quand la secrétaire de Wattman lui téléphona pour le prier de venir au cabinet dans les plus brefs délais.

Instruit par ses déceptions, Mark s'était cuirassé en prévision d'un long combat et il avait pris son parti du fait qu'il n'arriverait rien de décisif avant plusieurs années. « Oh, je suis sûr que ça peut attendre, répondit-il. Je passerai d'ici un jour ou deux et j'apporterai les interrogatoires. » Il ne demanda même pas pourquoi Wattman voulait le voir ; il s'obligeait à ne pas trop escompter.

« Oh, vous pouvez oublier les interrogatoires ! lança-t-elle gaiement. Il y a une brèche, Mr Niven. Ils sont prêts à régler l'affaire. »

Mark s'efforça de ne pas la croire et il ne la crut pas, puis il la crut – en haut, l'espoir, en bas, le désespoir, son âme se balançait. « Alors, c'est quoi, cette brèche ? demanda-t-il, hors d'haleine, en pénétrant dans le bureau de son avocat.

— Quoi, quelle brèche ? » Assis derrière sa table, Wattman tordit son petit bout de nez et le regarda, de mauvaise humeur.

« Miss Orloff m'a dit qu'il y avait une brèche. »

Wattman brancha l'intercom. « Miss Orloff, venez un instant, je vous prie.

— Oui, Mr Wattman ? demanda miss Orloff avec empressement, en fermant la porte derrière elle.

— Vous ai-je dit qu'il y avait une brèche dans l'affaire "Niven contre Vallantine" ? »

Blonde, maternelle, la peau claire, miss Orloff rougit comme une pivoine. « Non, mais vous m'avez dit qu'ils voulaient régler l'affaire, alors j'ai cru…

— Ils ont fait une offre de règlement à l'amiable, oui, mais je ne dirais pas exactement qu'il s'agit d'une ouverture, continua Wattman, une fois qu'il eut renvoyé miss Orloff en larmes. Je ne voudrais certainement pas prétendre que nous avons des raisons de fêter ça. Ils proposent de tirer un trait sur tout ce qui s'est passé, chacune des parties paie ses propres frais, et ils vous versent trois cent mille dollars pour solde de tout compte.

— Trois cent mille dollars en plus du retour des trésors? »

Wattman secoua énergiquement la tête. « Non, non, non. Ils ont l'intention de tout garder. Vous auriez trois cent mille dollars, un point c'est tout. »

Mark eut l'air ahuri; sa bouche se crispa tandis qu'il essayait de se maîtriser pour parler. « Mais enfin, ça ne rime à rien. Ce n'est même pas la totalité de la somme que j'ai déposée entre les mains de la cour il y a quelques semaines! Et ils doivent bien se douter que je vous ai grassement payé. Alors pourquoi perdre du temps à faire une proposition pareille?

— Il faut vraiment que je vous mette les points sur les i? demanda l'avocat, impatienté, en pianotant sur sa table. C'est pour vous user. Ils vous laissent suer sur leurs interrogatoires et puis ils vous font cette offre pour bien vous montrer le peu de cas qu'ils font de vos chances de gagner. Ils essaient de vous acculer au désespoir. » Il se tut et foudroya Mark du regard, s'attendant à le voir faire une scène.

Mark était trop bouleversé pour élever la voix. « Qu'est-ce que vous leur avez dit?

— J'ai parlé à MacArthur, je lui ai dit qu'il était cinglé. Mais il croit que vous avez claqué tout votre argent et que trois cent mille dollars vous feront l'effet d'une vraie fortune, dans la dèche où vous vous trouvez. » L'avocat pinça ses lèvres charnues. « Qui sait, il a peut-être raison, je ne veux pas que vous veniez me blâmer après coup, vous plaindre que je vous ai privé de l'occasion de transiger. Bien entendu, je pourrais sans doute les convaincre de gonfler quelque peu la somme, d'aller peut-être jusqu'à un million et quelque, ajouta-t-il d'un ton irrité, convaincu qu'un jeune homme dépourvu de compétences ou de talents spéciaux, qui vivait au milieu des cafards, devrait apprécier n'importe quelle somme respectable, mais sachant parfaitement qu'il ne se contenterait de rien d'autre que de tout le sacré fourbi.

— Vous ne lui avez pas dit d'aller se faire foutre ?

— Asseyez-vous, vous me tapez sur les nerfs. Je lui ai dit que je vous en parlerais et que je lui communiquerais votre réponse.

— Vous ne lui avez pas dit qu'il pouvait crever ? »

Wattman leva les mains : il n'était qu'un messager. « Si c'est votre réponse, je la transmettrai. Mais ce n'est pas à moi de prendre les décisions, je ne suis que votre représentant devant la loi, je suis tenu de faire ce que vous me dites de faire. Mon boulot, c'est de vous mettre au courant de tous les faits, de toutes les possibilités. Si nous passons devant le juge, MacArthur a l'intention de faire tout un plat de votre passé. Il n'y a pas seulement le fait que vous êtes un insoumis... Il me dit que vous avez lancé une pierre à ce pauvre Hubert Humphrey.

— Ce n'était pas une pierre, c'était une pomme. Et même pas entière !

— Ça ne fait aucune différence.

— On ne m'a même pas arrêté. Les policiers ont regardé ma carte de bibliothèque et ils m'ont laissé filer. J'ai répondu à toutes les questions là-dessus, comme vous m'avez dit de le faire – mon avocat m'a conseillé de ne pas répondre.

— Et moi, j'ai écrit à MacArthur, comme je vous ai dit que je le ferais, répliqua l'avocat avec emphase en levant brièvement les yeux pour s'assurer que son client comprenait. Je lui ai écrit qu'aucun de ces faits n'est pertinent dans le cas qui nous occupe. » Avec une incroyable rapidité, il feuilleta les papiers qui jonchaient son bureau, en sortit la lettre, la tendit à Mark et se renversa contre le dossier de sa chaise pivotante afin de le regarder lire. Comme la plupart des gens fondamentalement paresseux, il était démesurément fier du moindre travail qu'il était parvenu à faire. « Vous pouvez la garder, c'est votre exemplaire, ajouta-t-il généreusement, mais aussitôt il se pencha en avant pour en revenir aux choses sérieuses, les sourcils froncés. Qu'est-ce que vous venez de dire, là, les flics ont pris votre carte de bibliothèque ?

— Ils l'ont prise, oui, mais ils me l'ont rendue.

— Combien de temps l'ont-ils gardée ?

— Je n'en sais rien, quelques minutes.

— Quelques minutes! Oh, nom de Dieu! » s'écria Wattman d'une voix angoissée, pressant les mains contre ses joues rebondies et contemplant Mark d'un air tragique. Espérant effrayer son client obstiné au point de l'amener à un quelconque règlement à l'amiable, il se leva et se mit à arpenter la pièce d'un pas désespéré. « S'ils ont pris votre carte de bibliothèque, votre nom a dû être mis sur ordinateur. Vous êtes sur les listes du FBI et des services secrets. Vous êtes le client dont rêvent tous les avocats… je vais m'en aller plaider et demander au jury de donner des trésors se montant à cent soixante-dix millions de dollars à un insoumis qui a failli assassiner le vice-président des États-Unis! »

Mark tourna vers l'avocat deux yeux brûlants, sans vraiment le voir. Le moindre doute quant au retour de ses trésors était capable de le plonger dans la panique, mais il avait beau être terrorisé, il savait ce qui lui appartenait. « Votre lettre dit que rien de tout ça ne concerne la propriété des trésors.

— Oui, mais je peux raconter ce que je veux, MacArthur trouvera quand même un moyen de faire connaître vos crimes au jury. Laissez-moi vous dire que ça ne me fera aucun plaisir de perdre ce procès.

— Est-ce que vous travaillez aux interrogatoires pour Vallantine? demanda Mark, qui commençait à se fâcher. Vous le questionnez, lui, sur son passé? Sur les poursuites que lui a intentées le gouvernement italien? Vous avez demandé qu'on fixe une date pour l'ouverture du procès?

— Vous y tenez tant que ça, au procès? »

Mark secoua la tête, comme un boxeur qui cherche à parer un coup. « Qu'est-ce que vous racontez? Je vous ai déjà payé pour le procès. Vous m'avez dit que vous étiez en mesure de démolir la crédibilité de Vallantine grâce aux câbles qu'avait envoyés MacArthur.

— J'ai dit que je pouvais l'attaquer. Bon, d'accord, nous passons au tribunal, convint Wattman d'un ton menaçant, puis il se rassit. Et disons que nous avons de la chance. Nous touchons un juge honnête qui ne demanderait pas mieux que de voir MacArthur perdre un procès, et nous touchons même un jury de gens bien. Mieux encore : ce ne sont pas seulement des gens bien, ce sont des gens intelligents. Pourquoi pas, tout est possible. Le seul problème, c'est que le président du jury a perdu son fils au Vietnam. Vous n'y aviez pas pensé à ça, pas vrai? Il y aura peut-être plusieurs anciens combattants de la guerre du Vietnam dans ce jury. Et ils vous haïront... »

Tout à coup, Mark ne put supporter d'entendre un mot de plus. Il voulait s'échapper, il éprouva une brusque envie de foncer dans la fenêtre. Il se leva même, tout prêt à se rompre la tête contre la vitre, mais lorsqu'il regarda au-dehors, un petit nuage duveteux comme un agneau qui flottait vers lui l'arrêta. C'était une claire journée de décembre et le bureau était à un étage suffisamment élevé pour lui donner l'impression qu'il était là-haut dans le vaste ciel, avec ce nuage. Il y avait un autre monde, immense, vivifiant! Il se sentait libre dans l'océan bleu de l'espace, il se rappelait le ciel reflété dans les miroirs de sa chambre dans l'île Saint-Louis, la sensation de bonheur, son ancienne conviction que la vie valait la peine d'être vécue. Ces éclairs de communion mystique avec l'univers empêchent les gens de devenir fous; combien de fois sommes-nous sauvés par le ciel!

« Je n'ai pas peur du jury, dit-il quand il se sentit assez fort pour affronter de nouveau son avocat. Le sens de la justice existe.

— C'est un sens très exceptionnel. » La réponse fusa, agacée. « En vingt et quelques années de métier, j'ai rencontré très peu de gens qui le possédaient. La plupart des juges et des jurés que j'ai côtoyés jugeaient selon ce qu'ils aimaient et n'aimaient pas, et je peux vous assurer que rien ne leur paraissait plus juste!

— Même si les jurés me détestent, insista Mark, opiniâtre, ils ne pourront pas fermer les yeux sur le fait que tous les documents disent que je suis le propriétaire des trésors.

— Et je le leur répéterai sur tous les tons. Je leur expliquerai que la loi leur impose le devoir d'oublier leurs partis pris, leurs goûts et leurs dégoûts personnels. Le juge leur signalera qu'ils ne doivent se laisser convaincre que par les seuls faits de l'affaire. Ce sont eux qui comptent dans les procès, les faits. Vrai? Non, faux. Ce qui compte dans les procès, c'est le pouvoir. Quand vous passez en justice, vous vous mettez entre les mains d'inconnus qui ont le pouvoir de vous rendre un service ou de vous jouer un mauvais tour. Une fois que vous serez au tribunal, votre or ne sera plus ni à vous, ni à Vallantine, il appartiendra au juge et aux jurés et ils auront le pouvoir de vous le donner à vous ou de le donner à cet escroc bégayant. Voilà le fait fondamental. Quant aux autres faits… » Wattman secoua la tête d'un air de profonde insatisfaction. « Vous connaissez quelqu'un qui se laisse convaincre par les faits ? Sur n'importe quel sujet ? J'étais en classe avec votre père, Mark, alors ça fait pas mal de temps que je suis là, au tribunal et ailleurs, et je peux vous dire une chose : aux yeux des gens, les faits sont des prétextes qui leur permettent de justifier ce qu'ils veulent croire. Quand Vallantine viendra témoigner que vous aviez avec lui un accord verbal lui permettant de s'adjuger cent vingt pour cent de votre trésor, les jurés auront le choix entre la parole de ce gentil vieux monsieur sans défense ou la vôtre, la parole d'un couard, d'un déserteur qui n'a pas voulu se battre pour son pays, pour la liberté, pour la loi, mais qui s'attend à présent à ce que les tribunaux fassent de lui le jeune homme le plus riche du monde. Je vais vous citer un fait. Sur cette grande pierre à Washington en l'honneur des Américains tombés au Vietnam sont gravés cinquante-huit mille vingt-deux noms. Chacun de ces jeunes gens est mort en faisant son devoir pour son pays, et vous croyez que leurs familles affligées vont vous donner une fortune pour avoir refusé de faire le vôtre ? Il y a une bannière étoilée dans le prétoire, vous savez. »

Au cours de cette longue harangue, Mark regarda par la fenêtre, mais cette fois-ci cela ne marcha pas. « Qu'est-ce que vous voulez que je fasse ? demanda-t-il en serrant les poings. Que je me tue ?

— N'y pensons plus, n'y pensons plus », s'empressa de dire Wattman, qui ne voulait pas aller aussi loin. Il ne voulait pas voir sa salle d'attente salopée encore une fois. « Je ferai valoir le fait que vos délits n'ont rien à voir à l'affaire. Il n'y a aucune raison de désespérer, les assassins eux-mêmes ont des droits de propriété.

— Si vous ne pensez pas être en mesure de gagner, vous n'avez qu'à me rendre les honoraires que je vous ai versés et je chercherai un autre avocat. »

Wattman rosit, ses yeux s'écarquillèrent de tristesse : il était blessé. « J'essayais simplement de vous rappeler tous les dangers, comprenez-vous? Je suis un avocat du tribunal, je manipule les témoignages à ma convenance, d'accord? Nous aurons peut-être un jury bondé d'anciens activistes anti-guerre et des parents dont les fils ont filé au Canada pour éviter la conscription, et ils vous rendront votre or, l'avance de cinq cent mille dollars, et en prime le petit toutou de Vallantine à titre de dommages et intérêts. Quoi qu'il en soit, l'issue du procès n'a aucune espèce d'importance; le perdant fera appel et ça repartira pour quelques années. » Voyant que l'idée du règlement à l'amiable n'avait pas marché, il s'empressa de reprendre son role d'avocat baroudeur. « Allez donc me finir ces interrogatoires, moi, je m'occupe des questions destinées à Vallantine. »

Mark quitta le cabinet de l'avocat vidé de toute émotion, mais il se sentit coupable lorsqu'il vit les yeux rougis de miss Orloff. Pour un peu, il aurait pleuré lui-même. « Je suis désolé. Je ne voulais pas vous attirer d'ennuis.

— C'est gentil de me dire ça, répondit-elle, lui pardonnant d'un sourire. Et moi, je ne voulais pas vous exposer à une déception. »

Ce ne fut qu'alors, en se détournant de miss Orloff, que Mark se rendit compte que la salle d'accueil était pleine de monde. Les gens étaient déjà là quand il était arrivé, mais il avait été trop préoccupé pour les remarquer. « Toutes ces personnes attendent pour voir miss Schon? demanda-t-il, inquiet.

— Oh non, Mr Wattman est surchargé de travail aujourd'hui! »

Les clients qui attendaient avaient tous l'air en deuil et ils lui jetèrent des regards pleins de ressentiment : il était passé devant tout le monde, sans faire la queue. Il lui vint finalement à l'esprit que Wattman n'avait aucune intention de travailler pour lui à plein temps : son sort dépendait d'un homme qui s'était joué de lui.

Quelques jours plus tard, en début d'après-midi, les Vallantine étaient assis dans leur bureau à l'étage de la galerie, chacun muni d'une copie de la déposition de Mark en réponse aux trois cent cinquante-sept questions. Shirley Vallantine était assise sur le canapé; son bureau avait été réquisitionné par l'assistant de MacArthur, Elliott T. Sanborn III, un grand garçon maigre aux grosses lunettes carrées, qui les interrogeait sur les divers points soulevés par les réponses du Demandeur et leur expliquait quoi dire. « Je vous signale la réponse à la question 171, dit-il lentement, afin de leur donner le temps de trouver le passage en question. Mr Niven prétend qu'une des raisons pour lesquelles il a confié les trésors à Mr Vallantine était que le père de Mr Vallantine était acteur comme le sien. Vous avez des commentaires ?

— Vous vvvvoyez bien qu'il invente, déclara Vallantine en remuant ses gigantesques sourcils. Mon père était dans les assurances. »

Elliott T. Sanborn III hocha la tête d'un air approbateur. « Bien. Ou Mr Niven ment, ou il croit que tout le monde a un père acteur. Prenons note de ça, conclut-il pensivement, en le notant.

— Il lllll'invente. Si nous ne l'avions pas aidé à trouver la *Flora*, jamais il ne nous aurait cédé le c... c... contrôle. Je ne nie pas qu'il aurait pu m... mieux se débrouiller, mais s'il est intelligent, il pourra apprendre beaucoup de cette expérience. Un jour, il m'en r... r... remerciera. »

Le jeune avocat leva la tête : il était si étonné qu'il oublia de faire semblant d'être membre de l'équipe représentant la partie innocente. « Vous pensez vraiment ce que vous dites ? Vous imaginez que ce pauvre gosse pourrait vous être reconnaissant ? »

Vallantine lui rendit son regard, avec une expression mêlant la sévérité au défi : le courageux vieux briscard qui ne reculerait pas devant le feu ennemi, le courageux vieil escroc qui tiendrait toujours bon à la barre des témoins. Pourquoi pas ? Je lui ai rendu sssssservice. Je lui ai appris à connaître la vie.

— Ça oui, s'il trouve une autre épave, il saura quoi en faire », fit remarquer Sanborn, sans se donner la peine de cacher son mépris. Membre pratiquant de l'Église épiscopalienne, il pensait être quelqu'un d'une honnêteté exceptionnelle ; jamais il n'aurait choisi pour amis des gens de l'acabit des Vallantine, mais cela ne l'empêchait nullement d'aider le client de son cabinet à perpétrer une fraude monumentale. C'était son métier. Sa profession. Son boulot. À New York, comme partout ailleurs, le vol et la fraude sont considérés comme des crimes graves, s'ils sont commis le week-end, pendant les moments de loisir, pour ainsi dire. Mais si c'est votre métier de commettre un crime ou de vous en rendre complice, si c'est votre gagne-pain, alors il n'y a rien à y redire.

Tout de même, l'expression de supériorité morale qu'affichait Sanborn III ne plut pas au couple. Shirley Vallantine ne dit rien, mais elle foudroya du regard ce sous-fifre vaniteux qui osait faire preuve d'insolence envers le meilleur et le plus adorable de tous les hommes. Quant au marchand d'art, il n'aimait pas beaucoup la désinvolture avec laquelle les avocats new-yorkais traitaient des clients qui leur versaient des fortunes ; il estimait que des gens pour qui il avait dû réunir trois millions de dollars lui devaient un minimum de respect. « Je n'ai pas saisi ce que vous avez dit, Elliott », lança-t-il, irrité.

Sans se laisser perturber par la pluie d'étincelles de l'orgueil outragé, Sanborn III redressa ses lunettes et regarda le marchand d'art avec une expression neutre. « J'ai dit que si le pauvre gosse trouvait une autre épave, il saurait quoi en faire.

— Exactement ! » Les yeux de Vallantine lancèrent des éclairs et ses sourcils prirent de l'ampleur tandis qu'il affirmait le bien-fondé de ce sarcasme. Dans son esprit, il ne faisait aucun doute qu'il avait rendu service à Mark. « Il n'a que vingt-d… deux ans et il a déjà appris à se défendre. Et ça, c'est à mmmmmoi qu'il le doit. »

Pourtant, si délicate est la nature de l'aveuglement sur soi-même que lorsque la réceptionniste, qui n'était au courant de rien, téléphona du rez-de-chaussée quelques minutes plus tard pour faire savoir qu'un Mr Niven demandait à le voir, Vallantine eut la certitude que Mark était venu les tuer, tous autant qu'ils étaient. « Dites-lui que nous ne sommes pas là ! » lança-t-il à son employée et, raccrochant avec violence, il hurla : « Mark est ici, il faut nous enfermer à clef ! » Sans laisser aux deux autres le temps de bouger, il courut jusqu'à la porte et la boucla lui-même.

‹ Pourquoi vous vous énervez comme ça ? demanda l'avocat.

— Ah, mon Dieu, il a un fusil automatique ! gémit Shirley Vallantine en se levant et en joignant les mains. Il a abattu plusieurs personnes qui s'étaient approchées de son épave.

— C'est un t… t… tueur et il est venu nous t… tuer ! bafouilla le marchand d'art. Appelez la police… non, ne l'appelez pas ! » haleta-t-il et il s'effondra sur le canapé, respirant à grand bruit et s'étreignant la poitrine, essayant d'atteindre la douleur.

Sa femme bondit à son secours, desserra sa cravate et déboutonna sa chemise ; il lui toucha le bras pour la remercier et la supplia, dans un murmure à peine audible, de tâcher de savoir si Mark avait quitté la galerie. Elle obéit pour l'apaiser, se rua sur le téléphone et revint très vite lui prendre la main en disant : « Il est parti, il est parti ! » Elle voulait appeler le médecin, mais son mari refusa de la laisser faire. « Ce n'est pas la peine, ma chérie, il n'y a plus que ma m… mâchoire qui me fait mal à présent et elle peut attendre le dentiste », dit-il en plaisantant, pour calmer sa femme.

Sanborn III, cependant, commençait à se sentir mal. Il avait entendu parler de deux avocats tués par des plaideurs dans des affaires civiles et il ne tenait pas à être le troisième. « Vous n'allez pas me dire que vous vous êtes lancé dans cette affaire avec un fou furieux qui règle ses histoires à coups de fusil automatique et que vous avez oublié de nous le signaler ? » s'écria-t-il, et il empoigna le téléphone pour annoncer cette nouvelle très importante à son patron.

« Il faut que vous quittiez la ville et le pays, déclara Wattman à son client deux heures plus tard, après avoir gravi les quatre étages pour la seconde fois. Faites vos bagages, je vous emmène à l'aéroport. Je ne vais pas vous demander ce que vous faisiez aujourd'hui à la galerie Vallantine, je ne veux pas le savoir, mais ils sont dans tous leurs états et MacArthur me dit que si vous êtes encore là demain, ils vont vous signaler à la police en tant que déserteur et vous faire arrêter. Et ça ne risque pas d'arranger notre affaire, je peux vous l'assurer.

— Qu'est-ce qui risque d'arranger mon affaire, quand mon propre avocat me dit qu'il va perdre ? » rétorqua Mark d'une voix amère, en s'asseyant sur son canapé. Ses yeux reflétaient l'expression abattue d'un homme ayant connu trop d'endroits où régnaient les soucis et l'angoisse ; il n'avait aucune intention d'aller où que ce fût. La prison ne lui faisait pas l'effet d'une menace. « Ça m'est égal d'être arrêté. Je vais vous renvoyer et vous serez bien obligé de me rendre mon argent. Si j'ai de l'argent, je pourrai trouver un autre avocat, même si je suis en taule.

— Qu'est-ce que vous racontez ?

— Vous m'avez dit que ça ne vous ferait aucun plaisir de perdre ce procès ! »

Wattman jeta son manteau sur une chaise et gonfla les joues pour exprimer son irritation. « J'ai dit que nous n'aurions peut-être pas de chance avec le jury. C'est mon devoir de vous avertir du fait que les choses peuvent aller mal. Mais je vous ai dit aussi que l'issue du procès n'avait guère d'importance, parce que le perdant ferait appel. Donc, nous sommes sûrs de gagner au bout du compte. Allez, je vais vous aider à faire vos paquets et je réglerai vos comptes avec le propriétaire. »

Mark ne bougea pas. « Vous avez trop de clients ! s'exclama t-il, furieux. Je vous ai versé une fortune pour vous occuper de mon affaire à plein temps et votre cabinet regorge de monde

— Et on les fait attendre chaque fois que vous avez besoin de moi, répondit Wattman triomphalement. Vous devez avoir mal compris notre accord. Je voulais dire que je travaillerais pour vous à plein temps chaque fois que le besoin s'en ferait sentir. Et je n'y manquerai pas, je vous le certifie. Je suis le bonhomme qui récoltera une prime de deux millions et demi de dollars quand vous récupérerez vos trésors, ne l'oubliez pas. Mais, bien entendu, ajouta-t-il, en levant son bout de nez et en jetant à Mark un regard de mépris, vous pouvez aller trouver un autre avocat si vous en avez envie. Je ne suis pas sûr de vouloir garder un client qui me fait moins confiance que je ne le lui fais, moi. Si mes souvenirs sont bons, j'ai travaillé pour vous pendant plus d'un an et j'ai tiré les trésors des griffes de Vallantine avant de vous réclamer un centime. Et n'oubliez pas, non plus, que deux cent mille dollars des honoraires dont vous me parlez ont été versés pour du travail déjà fait. Je m'étonne que cela vous soit sorti de l'esprit. Alors… je ne demande pas mieux que de vous rendre neuf cent mille dollars dès que vous aurez un autre avocat pour s'occuper de vous. Je peux vous garantir que nous n'allons pas nous chamailler pour ça. »

Mark avait eu une excellente idée, mais il s'en laissa dissuader. Incapable de concevoir qu'il pouvait être totalement et irrévocablement dépouillé de ses trésors, mais manquant néanmoins de confiance en lui, il n'aurait pas pu être plus vulnérable aux mauvais conseils. Ébranlé par l'offre de rendre l'argent que venait de lui faire Wattman, il ne savait plus que

penser ni que dire et l'avocat profita au maximum de ses hési-
tations.

« Votre problème, c'est que vous n'avez aucune patience ! dit-
il en regardant Mark droit dans les yeux. Je vous ai dit que cette
affaire prendrait des années, alors soyez donc un *mensch*, nom
de Dieu, et faites face. Allez quelque part et commencez une vie
quelconque. Ici, vous ne pouvez rien faire du tout, sauf vous
faire arrêter. »

Wattman parla beaucoup et dut répéter son offre de rendre
les neuf cent mille dollars avant de parvenir à convaincre Mark
du fait qu'il devait cesser de se conduire en paranoïaque, laisser l'affaire à son avocat, à l'ami de son père, et partir pour un
endroit sûr, afin d'y attendre la suite des événements. Soupirant
après l'air frais et le bruit des vagues, après le ciel immense au-
dessus de la mer, entièrement dégagé jusqu'aux confins de
l'horizon, Mark prit l'avion pour Nassau le lendemain matin.

42

Chacun est sa propre victime

Pourquoi n'a-t-il pas réfléchi?
Pourquoi n'a-t-il pas été plus observateur?
Italo Svevo

Le génie du vol se nourrit de la volonté de ne pas tenir compte du lien qui existe entre les gens et leurs biens. On part du principe qu'un fossé infranchissable sépare le propriétaire de ce qu'il possède, si bien que lorsqu'un voleur dérobe le portefeuille de quelqu'un, il ne touche pas réellement ce quelqu'un. Pourtant, les femmes dont les demeures ont été cambriolées en leur absence disent qu'elles se sentent violées, et beaucoup de personnes âgées, autrement en bonne santé, meurent d'avoir été privées d'un objet qu'on leur a volé. À l'évidence, elles étaient attachées à leurs possessions, ces choses faisaient partie de leur identité psychique. Les choses s'enracinent dans l'âme.

C'est quand il participe du processus général du vieillissement que ce phénomène remarquable peut être le mieux observé. Plus les gens prennent de l'âge, plus ils sont attachés à leurs objets; à mesure que leurs passions, leurs espoirs, leurs cheveux, leurs dents les abandonnent, ils se cramponnent d'autant plus à ce qui leur reste. Mais les jeunes eux-mêmes retiennent ce qu'ils peuvent des jours qui défilent à toute allure : quel est l'enfant qui n'a pas gardé un jouet cassé? On dirait que chaque objet tendrement chéri est une photographie qui saisit un moment irrévocablement enfui. Les choses incarnent un peu des années qui s'éloignent et s'évaporent comme une fumée. Les possessions sont la preuve, le témoignage concret de tout ce qui a disparu : voler à un homme ce qu'il possède, c'est lui voler son passé, lui dire qu'il n'a pas vécu, qu'il n'a fait que rêver sa vie.

Dès le moment où il comprit que Vallantine avait l'intention de garder les trésors, Mark sombra dans l'affolement. N'avait-il pas perdu Marianne à cause de la *Flora*? N'avait-il pas dû céder la moitié des trésors au gouvernement des Bahamas afin de pouvoir garder l'autre? Ne s'était-il pas battu contre l'Armée de redistribution? À quoi rimaient ses blessures s'il n'était pas le jeune homme le plus riche du monde? Plus la *Flora* lui coûtait cher, plus elle prenait d'importance à ses yeux. Une fois qu'il eut risqué sa vie pour ses trésors, ils lui devinrent aussi précieux que cette vie même. Il avait un aussi grand besoin de les récupérer que de rester sain d'esprit. Et cela n'aurait pas été moins vrai si Vallantine s'était frayé un chemin jusque dans les coffres de la Royal Bank à coups d'explosifs afin de s'approprier les trésors par la force. Mais Mark les lui avait *donnés*!

Les arnaqueurs sont les pires de tous les voleurs, car ils dépouillent leurs victimes non seulement de leurs biens, mais aussi de leur foi en eux-mêmes. Les crimes qu'ils perpètrent devraient être punis de la peine capitale. D'ailleurs, Vallantine sentait bien qu'il méritait d'être tué pour ce qu'il avait fait; mais il est rare que les victimes rendent coup pour coup : elles ont perdu ce respect de soi si nécessaire à qui pense avoir le droit de se venger. Les Vallantine n'eurent jamais rien à craindre de Mark. Il était allé à la galerie pour leur parler, pour voir s'ils ne pourraient pas parvenir à un arrangement quelconque entre eux, sans les avocats. L'idée ne lui vint même pas qu'il aurait pu faire du mal à ses ennemis. À force de remâcher sa propre jobardise, il en était venu à se haïr plus que n'importe qui d'autre. Quand il pensait meurtre, il pensait suicide.

Nul doute que cette haine de Mark envers lui-même facilitait à Wattman la tâche de le manipuler. Il n'est pas difficile d'influencer quelqu'un qui a peur d'être un imbécile. Plus tard le moment vint où Mark ne comprit pas comment il avait pu laisser Wattman s'occuper de son affaire, alors qu'il ne lui faisait plus tout à fait confiance. Mais comment aurait-il pu agir avec sagesse, lui qui ne se fiait plus à son propre jugement?

De retour aux Bahamas, il ne regagna Santa Catalina que pour y prendre son bateau, puis il s'installa à Nassau. Étant toujours résident du pays, jouissant des mêmes droits qu'un citoyen (droits qu'il avait chèrement payés), il s'établit à son compte à bord de l'*Île Saint-Louis*, transportant les clients des hôtels jusqu'aux récifs. La découverte de la *Flora* était toujours d'actualité dans les îles, il en était question dans toutes les brochures, et quelquefois ses passagers lui demandaient ce qu'il savait de la fameuse épave, mais jamais il n'avouait son rôle dans l'affaire : il était convaincu que ces gens se moqueraient de lui. Chaque fois qu'il apercevait Franklin Darville ou Tom Murray dans Bay Street, il changeait de trottoir pour les éviter.

Un jour, il vit Eshelby dans le hall du British Colonial et il chercha à passer sans s'arrêter, les yeux baissés, mais son ami le remarqua et l'empoigna par le bras droit. « Hé là, jeune homme! Qu'est-ce que c'est que ça? Tu me snobes? Tu es devenu trop riche et trop célèbre pour reconnaître ton vieil ami?

— C'est comme la première fois qu'on s'est rencontré, je ne t'avais pas vu, mentit Mark, en s'efforçant de tourner la chose en plaisanterie.

— Oui, au fait, c'est comme ça qu'on s'est rencontrés, en se rentrant dedans! » répondit Eshelby avec un soupir. Il lui semblait que Mark avait vieilli de dix ans depuis cette première rencontre. « Comment va ton bras?

— Très bien, merci. »

Surpris de voir que l'autre se rappelait son bras blessé, Mark n'en essaya pas moins de se sauver, mais Eshelby, qui voulait entendre le récit complet de ce qui était arrivé à son jeune ami, qu'il considérait comme une sorte d'élève, insista pour qu'il vînt déjeuner avec lui. Ils en étaient à la moitié de leur repas dans le restaurant de l'hôtel lorsqu'il parvint enfin à apprendre que le procès n'était toujours pas terminé et que Mark gagnait sa vie en transportant des plongeurs jusqu'aux récifs. Il en fut abasourdi. Mark avait-il donc besoin d'argent? « Mon cher petit, dit-il, tu l'as peut-être oublié, mais j'ai toujours en garde cette coupe en or remplie de diamants que tu m'as confiée. Ils sont dans un coffre à la banque de Tom Murray, nous pouvons aller les y chercher tout de suite. »

Mark contempla Eshelby d'un air d'orgueil outragé. « Je ne te les ai pas confiés, je te les ai donnés. Je pensais que tu aurais fondé une bibliothèque pour les gosses nécessiteux depuis le temps! dit-il, tandis que ses mains s'agitaient sans trêve sur la table, bougeant la fourchette, roulant la serviette. Je n'ai besoin de rien. Je suis riche. Je vaux plus de cent soixante-dix millions de dollars... Quoi qu'il en soit, dis-moi plutôt ce que tu deviens. »

Eshelby essaya de discuter, mais voyant que Mark prenait son offre d'aide pour une insulte, il préféra changer de sujet et lui expliqua qu'il rentrait tout juste du Canada et qu'il n'était venu à Nassau que pour passer le temps entre deux avions.

« C'est grand le Canada? demanda Mark avec une soudaine intensité. Combien de kilomètres carrés?

— Je n'en sais rien, mais trop, beaucoup trop!

— Hé, dis donc, tu es prof, non, tu dois connaître le chiffre, dis-le moi! exigea Mark, montrant plus de vie et d'intérêt qu'il ne l'avait encore fait au cours de la conversation. Ça ne fait rien, je me renseignerai, reprit-il impatiemment, en voyant qu'il n'obtiendrait pas de réponse.

— Tu pourrais aussi bien me demander l'altitude du mont Blanc!

— Ça, je le sais, quatre mille huit cent sept mètres.

— Mon cher petit, tu me coupes le souffle... comment diable sais-tu une chose pareille?

— Je suis en train de lire un bouquin qui s'appelle *Un million de faits.*

— Moi qui croyais que tu étais en train de lire Stendhal, Balzac, Tolstoï, Swift, Sterne, Defoe – quiconque arrive à comprendre la vie! s'exclama Eshelby, qui n'avait pas renoncé à sauver son ami par la littérature. Tu peux même lire des auteurs modernes si tu préfères, ça m'est égal – Kafka, Boulgakov, Thomas Mann, Thurber, Waugh, Graham Greene, Philip Roth, Günter Grass, García Márquez –, mais qu'est-ce que tu vas retirer d'un million de faits?

— Je peux te donner la superficie du continent nord-américain, riposta Mark.

— Non, je t'en prie!

— 9 363 124 kilomètres carrés.

— Et ça t'apporte quoi de savoir ça? soupira Eshelby. Les faits n'ont aucun sens. Tu ferais aussi bien de regarder la télévision. »

Mark haussa les épaules, sur la défensive. « C'est un bon livre. Quand je le lis, je n'ai pas besoin de penser. Enfin, je veux dire que je peux me détendre.

— Exactement, les faits sont des tranquillisants mentaux, dit Eshelby, incapable de masquer son mépris pour tout ce qui endort le cerveau. Je n'arrive pas à croire que tu as vraiment besoin de ce genre de trucs à ton âge », ajouta-t-il, avec une certitude qui s'amenuisait. Peut-être valait-il mieux pour Mark ne plus penser qu'à l'altitude des montagnes jusqu'au retour de ses trésors.

Se méprenant sur le brusque silence hésitant d'Eshelby, Mark tressaillit et se mordit la lèvre. « Tu me prends pour un con.

— Ne sois pas ridicule. Je suis sûr que personne ne te prend pour un con, pas depuis que tu as retrouvé la *Flora*! »

Mark arracha l'addition de la main du serveur, redevenu le millionnaire bien décidé à faire ses quatre volontés, et avant de partir il promit de venir à Santa Catalina un de ces jours chercher les affaires qu'il avait laissées chez Eshelby. Mais il ne vint pas et ne téléphona pas.

Il voulait éviter tout le monde jusqu'à ce qu'il eût récupéré ses trésors et fût de nouveau en mesure de regarder les gens dans les yeux sans avoir honte de lui-même. Il travaillait dur à transporter les gens sur son bateau, et quand il ne travaillait pas il restait terré à Loft House, une belle et vieille pension de famille au centre de la ville avec des murs épais, de hauts plafonds, de grandes pièces agréables et de bons vieux meubles, usés et pâlis. Les portes-fenêtres de sa chambre donnaient sur une vaste étendue de grandes plantes, éclatantes et feuillues : destinée à être démolie un an plus tard pour laisser place au premier gratte-ciel de Nassau, Loft House possédait un jardin envahi par la végétation, aussi dense et luxuriant qu'une forêt tropicale. C'était près de la fenêtre qui ouvrait sur cette verdure sauvage que Mark s'asseyait pour mettre le nez dans *Un million de faits*.

Sa vie sociale consistait en menus propos échangés avec la propriétaire de Loft House, une Anglaise assez âgée, et en longues conversations téléphoniques avec son père. Poussé à l'héroïsme par son amour filial, il s'efforçait toujours de lui parler d'une voix enjouée et assurée. Niven ne le croyait pas tout à fait et lui envoya à lire la *Nuova Vita di San Francesco* de Fortini. Le génie moral du treizième siècle, amoureux de la pauvreté, était un expert en matière de thérapie d'aversion et il avait assez bien réussi à inspirer à ses disciples une révulsion physique pour l'or. Il ordonna un jour à un moine qui avait touché une pièce de monnaie de la prendre entre ses dents et de l'enfoncer dans un tas de crottin puant. Plus tard, Mark devait en arriver à saisir ce qu'avait voulu dire saint François, mais à l'époque où il essayait de lire le livre, sa propre thérapie d'aversion était loin d'être terminée et il prenait le saint pour un fou.

Quand Wattman lui envoya les interrogatoires des Défendeurs dans lesquels Vallantine, pris au piège, racontait des mensonges contradictoires, Mark devint ivre de joie et écrivit à son avocat une lettre de remerciements et de félicitations ; pendant plusieurs semaines, il pensa à lui avec affection. Puis il ne se passa plus rien durant des mois. Bien souvent, il se disait qu'il allait mourir s'il devait attendre un jour de plus.

Cependant, jamais il ne douta qu'il allait gagner le procès. Les idées religieuses de son enfance l'aidèrent à endurer les frustrations en y voyant un châtiment bien mérité pour avoir frayé avec Vallantine. Il expiait sa sottise et une fois qu'il aurait suffisamment souffert, Dieu redeviendrait son ami.

Cela faisait environ six mois qu'il vivait à Loft House lorsqu'en rentrant du port par un après-midi torride il trouva une lettre qui l'attendait sur la table du vestibule sombre et frais.

WATTMAN & SCHON
Avenue of the Americas
New York, N. Y. 10014

22 mai 1972

Mr Mark Niven
Room 2, Loft House
Nassau, Bahamas

Cher Mark,

« Niven contre Vallantine »

Je suis désolé de vous faire savoir qu'il semble, à présent, que vos plaintes contre la galerie Vallantine n'étaient pas aussi fondées qu'elles

475

paraissaient l'être de prime abord. Les faits nouveaux qui ont été mis en lumière exigent pour le passage au tribunal des préparations beaucoup plus importantes que nous ne l'avions prévu ; vous comprendrez bien que vos propres violations de la loi, par exemple, rendent l'affaire infiniment plus complexe.

Je vous réfère à notre lettre d'accord, dans laquelle vous vous êtes engagé à payer à Wattman & Schon un supplément d'honoraires en cas de complications imprévues. Du fait que ces complications se sont malheureusement présentées, je suis sûr que vous souhaiterez vous exécuter dans les plus brefs délais en remettant à notre cabinet la somme nécessaire qui est de cent mille dollars, afin que nous puissions poursuivre notre travail le plus vite possible.

Avec l'expression de mes meilleurs sentiments,

MAÎTRE BERNARD JAY WATTMAN

Sans consulter quiconque, pour entendre des conseils qui ne pouvaient être, à son avis, qu'inutiles, Mark sortit sa machine à écrire d'occasion et, tout en maugréant, jurant, menaçant du poing les murs de sa chambre, il écrivit et récrivit sa réponse, qu'il s'en fut poster à deux heures du matin.

Cher Bernie,

Vous devez vraiment me prendre pour un idiot pour m'écrire une lettre pareille ! Vous savez parfaitement que je sais qu'il n'y a pas de faits nouveaux dans notre affaire. Vous vous êtes engagé à défendre mes intérêts avant et pendant le passage au tribunal pour la somme d'un million cent mille dollars que je vous ai payée intégralement. Je n'arrive pas à croire que vous êtes vous aussi un escroc en fin de compte ! Comment se fait-il qu'on ne vous radie pas du barreau si vous ne faites pas le travail pour lequel vous avez été payé ? C'est un crime passible d'emprisonnement.

Je ne vous comprends pas. Vous avez la possibilité de récolter deux millions cinq cent mille dollars en gagnant le procès ! Même si vous êtes effectivement un escroc, il paraît raisonnable de votre part de faire votre boulot et de gagner votre prime, au lieu d'essayer de m'extorquer à présent cent mille dollars de plus, dont je n'ai pas le premier sou.

Jusqu'à maintenant, vous avez fait du bon travail pour moi, alors reprenez le collier, obtenez une date pour les débats, préparez-les et j'oublierai que vous avez pu m'écrire cette lettre ridicule.

Il avait le sentiment que sa propre lettre était si efficace – il ne mâchait pas ses mots et allait droit au but – que Wattman ne pouvait absolument rien trouver à lui répondre. Il était convaincu que l'avocat n'avait pas d'autre choix que de gagner l'argent qu'il avait déjà touché et que la convoitise pure et simple l'inciterait à mener l'affaire devant le tribunal et à gagner le procès afin d'obtenir sa prime. Néanmoins, pour plus de sûreté, il téléphona à Wattman deux semaines plus tard. Il ne fut pas étonné de ne pas pouvoir lui parler. Il commençait à s'habituer aux gens qui n'étaient plus joignables dès qu'ils lui avaient joué un sale tour. Cependant, miss Orloff fut enjouée et positive : oui, Mr Wattman avait reçu sa lettre et il travaillait pour lui. Chaque fois qu'il appelait, miss Orloff se montrait on ne pouvait plus rassurante : Mr Wattman s'activait pour son compte et les choses avançaient bien. Si l'enfer existe, il doit comporter un gouffre spécial réservé aux gentilles secrétaires sympathiques, charmantes et intelligentes qui consacrent leur gentillesse, leur sympathie, leur charme et leur intelligence à mentir pour leurs patrons.

Mark n'avait besoin que d'une chose : de patience.

Un jour, au mois de février de l'année suivante, la troisième année de la procédure judiciaire, une épaisse enveloppe longue et étroite l'attendait sur la table du vestibule de Loft House. À l'intérieur, il trouva un « Arrêté et Jugement », signé par le juge F, et vingt-quatre pages de pièces jointes.

La cour l'avait débouté de sa plainte, avait rendu à Vallantine les trésors mis sous séquestre et octroyé au marchand d'art l'avance de cinq cent mille dollars sur les recettes de l'exposition qu'il avait versée à Mark à la signature du contrat.

Mark lut les pièces jointes dans l'avion pour New York, essayant de comprendre ce qui s'était passé. Il y avait plusieurs lettres que lui avait censément envoyées Wattman. Dans la première, l'avocat notait avec regret que Mark n'avait plus confiance en lui et, comme on ne pouvait pas raisonnablement s'attendre à ce qu'il travaillât pour un client qui le traitait d'escroc, il demandait à Mark de se trouver un autre avocat pour le représenter. Dans la lettre suivante, il se plaignait du fait que Mark ne lui eût pas répondu et le pressait encore une fois de trouver quelqu'un d'autre, car l'affaire allait passer devant le juge. Il ressortait des autres documents que l'affaire « Niven contre Vallantine » Index n° 1580/70 Calendar n°70932 était effectivement passée au tribunal, 1C Part X, lors d'une audience tenue dans et pour le comté de New York, mais qu'au lieu de statuer sur la question de la propriété des trésors, le juge F avait entendu la requête de Wattman demandant à être « relevé de ses obligations en tant qu'avocat du Demandeur », et la contre-requête de MacArthur demandant au magistrat d'ordonner que « les biens meubles sous séquestre fussent rendus aux Défendeurs » et que « le Demandeur fût débouté sur le fond ».

Dans sa requête à la cour, Wattman se plaignait de la méfiance paranoïaque du Demandeur et de ses propos insultants, du fait qu'il n'avait répondu à aucune de ses demandes de trouver un autre avocat et qu'il ne s'était pas présenté au tribunal, alors qu'il avait été dûment averti.

La contre-requête de William T. MacArthur, au nom des Défendeurs, demandait à la cour de rendre les marchandises sous séquestre aux Défendeurs et de classer l'affaire, puisqu'il était évident, d'après la requête du propre avocat du Demandeur, que ce dernier était un personnage déséquilibré et grossier, qui avait tendance à accuser tous les gens avec qui il se trouvait en contact, et dont l'absence au tribunal montrait clairement que ses accusations n'avaient aucun poids.

Il y avait encore d'autres choses, mais le tout débouchait sur l'« Arrêté et Jugement » dans lequel :

> … ayant délibéré; et ayant lu et déposé la décision de cette cour datée du 1er février 1973; et sur tous les documents et informations jusqu'ici inclus; il est
>
> ORDONNÉ que la requête des avocats du Demandeur d'être relevés de leur constitution d'avocat et de protéger leurs droits de rétention est accordée; et il est en outre
>
> ORDONNÉ que la contre-requête des Défendeurs visant à la restitution à eux des objets sous séquestre et le rejet de l'action ci-dessus est accordée, le Demandeur étant débouté au fond, à charge au greffier d'enregistrer le jugement selon ces termes.

Le désespoir est un air froid qui se dilate autour du cœur. Mark ne hurla pas et crut se comporter normalement, mais les employés des douanes américaines à l'aéroport Kennedy remarquèrent son étrange expression, ses mains tremblantes et le fouillèrent à la recherche de drogues. Ils finirent par le laisser repartir, non sans inquiétude.

Wattman ne fit aucune difficulté pour recevoir son ancien client, mais il l'accueillit debout, au milieu de son bureau personnel, très nettement sur le qui-vive. « Vous aviez été averti de ne pas vous lancer dans cette affaire ! s'écria-t-il, déversant ses reproches avant que Mark n'eût ouvert la bouche. Je vous avais dit qu'il ne fallait même pas y penser ! »

Déconcerté par le ton accusateur de l'avocat, Mark sortit de la poche de son pardessus la longue enveloppe contenant le jugement et les pièces jointes et la brandit comme s'il voulait lui rappeler ce qu'il avait fait. « Qu'est-ce que c'est que ces lettres que vous m'avez prétendument envoyées ? Vous ne m'en avez pas envoyé une seule ! »

Wattman ne rougit pas, son type de peau ne s'y prêtait pas, mais ses joues rebondies se tendirent. « Et voilà que vous recommencez à lancer des allégations dénuées de fondement ! se plaignit-il d'un ton morne. C'est bien de cela qu'il s'agit, de votre manie de bombarder d'accusations parfaitement absurdes tous les gens qui essaient de vous venir en aide... Ce n'est pas de notre faute à nous si vous n'avez pas reçu nos lettres. Les services postaux sont lamentables. Si vous aviez eu un casier judiciaire vierge et si vous aviez pu rester à New York, vous auriez su ce qui se passait. Nous ne sommes pas responsables des problèmes que vous pose votre état de fugitif de la justice. »

Mark le contempla avec une fascination horrifiée. Il avait le plus grand mal à concevoir que cet homme au visage luisant qui le morigénait avec tant d'assurance était l'homme qui l'avait trahi. « Bon, d'accord, rendez-moi mes neuf cent mille dollars sur le million cent mille que je vous ai payé. »

Wattman haussa les sourcils et recula légèrement pour bander ses muscles. « Alors... visiblement, vous n'avez pas lu l'"Arrêté et Jugement" : la cour a accordé notre requête de protéger nos privilèges. Ça veut dire que nous avons le droit d'être payés pour tout le travail que nous avons fait pour vous. Ça fait deux ans que nous nous occupons de cette affaire, figurez-vous ! » Le pronom « je » avait disparu de son vocabulaire ; il tenait l'identité du cabinet WATTMAN & SCHON devant lui comme un bouclier.

Mark en avait tellement assez de lui qu'il ne voulait même pas discuter. « Parfait. Rendez-moi huit cent mille dollars.

— Selon notre accord, vous étiez tenu de payer des honoraires supplémentaires et vous avez contrevenu à cet accord en refusant de vous exécuter, donc la question si nous devrions vous rendre la moindre partie de nos honoraires est discutable. »

Mark émit un son qui tenait le milieu entre un rire et un hurlement.

« Peut-être nous devons-vous quelque chose, s'empressa d'ajouter Wattman. Mais je ne peux pas en discuter avec vous, vous n'êtes pas dans votre état normal. Prenez donc un autre avocat et je suis sûr que nous parviendrons à régler la question.

— Mais pourquoi ? Pourquoi avez-vous renoncé à me défendre ? Si l'argent vous intéresse tant que ça, comment se fait-il que vous n'ayez pas voulu gagner la prime de deux millions cinq cent mille ?

— L'argent n'est pas la chose la plus importante, répondit le futur juge de la Cour suprême de l'État de New York avec une dignité magistrale.

— Et votre réputation ? fit valoir Mark, espérant encore à moitié qu'il allait sortir de ce cauchemar. En gagnant le procès, vous seriez devenu un avocat célèbre.

— Et si nous n'avions pas gagné ? demanda Wattman. Vous êtes toujours si sûr de gagner ! » Désormais convaincu que Mark n'était pas armé, il s'assit derrière sa table. « Vous avez été débouté sur le fond, vous savez. Cela veut dire qu'en conséquence de l'injonction, vous perdez votre garantie de cinq cent mille dollars et vous devez des dommages et intérêts à Vallantine. Je ne sais pas à combien ils se monteront, mais avec MacArthur aux commandes, je suis bien sûr qu'il n'y aura pas de limite. »

Ce qui empêcha Mark de se livrer à des voies de fait sur l'avocat ou sur lui-même, ce fut la soudaine pensée qu'il ne devait surtout jamais révéler à son père la véritable nature de son ancien ami et condisciple. Si seulement sir Henry était encore de ce monde ! Il épongea la sueur qui ruisselait sur son visage et son cou, se rendant compte pour la première fois qu'il se trouvait dans une pièce très chauffée et portait encore son pardessus.

« Donc... lança l'avocat avec une joie mauvaise et triomphale, en observant les efforts que faisait son ancien client pour se ressaisir, vous êtes toujours si sûr de gagner. Qu'est-ce qui vous rend si sûr que nous aurions gagné ?

— Ces trésors, je vais les récupérer, parce qu'ils sont à moi, dit Mark, les yeux étincelants, puisant des forces nouvelles dans son désir de montrer qu'il n'était pas vaincu. Tout le monde sait qu'ils sont à moi ! »

Wattman secoua la tête, apitoyé. En avait-il perdu du temps à essayer d'expliquer les choses à ce gamin obtus ! « Mark, le problème avec vous, c'est que vous ne comprenez pas que le mal est le plus fort. »

Mark parla à des gens, franchit des portes, monta et descendit dans des ascenseurs, traversa des rues ; il était comme une bête aux abois, mortellement blessée, mais qui court toujours. Quelque temps plus tard il se retrouva dans le hall de réception de l'immeuble qu'occupait le ministère de la Justice des États-Unis dans le quartier de Lower Manhattan. Il attendait afin de se dénoncer à quelqu'un.

À la façon dont un esprit tourmenté s'accroche à une idée, quelle qu'elle soit, il en était venu à se dire qu'il méritait d'être ruiné parce qu'il demandait la protection de la loi alors qu'il ne la respectait pas lui-même. Il ne pensait plus désormais que le fait d'être insoumis ou déserteur (il ne savait pas exactement de quoi il était coupable) n'avait rien à voir avec son affaire. S'il voulait être protégé par son pays, il devait payer le prix exigé de ceux qui contrevenaient à ses lois. Il ne demandait pas mieux que d'aller en prison. Une fois qu'il aurait payé sa dette envers la société, on ne pourrait plus lui dénier ses droits de propriété. On ne pourrait plus alors lui refuser ses trésors !

Il voulait être puni et protégé. La justice profonde d'un tel échange lui paraissait aller si naturellement de soi qu'il croyait le voir s'opérer de façon quasi automatique. Il n'eut pas long-temps à attendre : quand on vit qu'il parlait tout seul, on le fit entrer presque aussitôt dans le bureau d'un des district attor-neys adjoints. Mark, qui ne pouvait éviter de regarder dans une glace de temps à autre et qui en était arrivé à croire qu'il était normal d'avoir l'air usé et hagard à vingt-trois ans, fut décon-certé de découvrir que l'Autorité ressemblait à un étudiant de première année, mais sous ses dehors de gamin le district attor-ney adjoint, qui avait en réalité vingt-huit ans, se montra sérieux, professionnel et rassurant. Il l'écouta attentivement pendant quelques minutes, puis il sonna pour demander un sténotypiste. « Nous nous occuperons de cette histoire de conscription plus tard, dit-il pendant qu'ils étaient encore seuls. D'abord, je veux que vous me racontiez toute cette affaire de la *Flora*, elle est plus compliquée. »

Un homme assez âgé portant une étroite sténotype entra dans le bureau, posa sa machine sur une petite table et mit des-sus un rouleau de papier dont il libéra une quantité suffisante pour l'enrouler autour d'une bobine vide à l'autre extrémité de l'axe. Le district attorney adjoint fit prêter serment à Mark, et tandis que Mark parlait le vieil homme tapait sur son clavier et le papier passait d'une bobine à l'autre. Consultant l'exem-plaire de l'« Arrêté et Jugement » du juge F et de ses pièces jointes que lui avait prêté Mark, le district attorney adjoint le questionna sur la fraude originelle, sur l'évolution de la procé-dure judiciaire, sur maître Bernard Jay Wattman et maître William T. MacArthur, et Mark fut autorisé à discourir pendant des heures sur ce qui était en train de le tuer.

À la fin de la déposition, qui noircit plusieurs rouleaux de papier, le vieux sténotypiste quitta la pièce et le district attorney adjoint regarda Mark d'un air gêné. « J'ai vraiment beaucoup d'admiration pour ce que vous avez fait, vous savez, dit-il. Je veux parler de la découverte de la *Flora*. J'ai lu les articles dans les journaux à l'époque.

— Et maintenant, qu'est-ce qui se passe ? demanda Mark, dont le cœur battait plus vite.

— Ma foi, rien du tout, malheureusement, répondit le fonc-tionnaire avec un sourire penaud. Wattman vous a dit vrai, nous n'avons jamais réussi à mettre un seul des clients de MacArthur derrière les barreaux. Nous essayons, mais pour le moment nous n'arrivons qu'à gaspiller l'argent des contribuables. Je ne crois pas que mon patron voudra nous voir nous embringuer dans une nouvelle affaire contre cet invincible marchand de tapis.

— Mais alors, vous n'allez pas reprendre les choses en main ? supplia Mark. Je vous dis que je suis prêt à aller en prison. Vous pouvez m'arrêter.

— Si vous voulez vous faire arrêter, je suis sûr que vous trouveriez dans cet immeuble quelqu'un qui le ferait, mais ensuite on se contenterait de vous relâcher sous votre propre responsabilité. Le bruit court que Nixon va démissionner ou être mis en accusation et le prochain Président décrétera probablement une quelconque mesure d'amnistie pour les types comme vous. Dans ces conditions, je me sentirais un peu bête de perdre du temps et de l'argent à vous inculper – d'autant plus que nous ne pouvons pas poursuivre la moitié des criminels dont nous connaissons les crimes...

— Vous voulez dire que vous n'allez rien faire du tout ? interrompit Mark.

— Mais qu'est-ce que je peux faire, moi ? » Voyant à quel point Mark était bouleversé, le jeune homme sortit de derrière son bureau pour le rejoindre. « Nous sommes à New York, Mr Niven. Si nous avions les moyens de nous pencher sur les crimes comme le vôtre et les griefs comme les vôtres, je m'envierais ! »

Mark inspira à fond. Il lui sembla qu'il avait toujours su qu'il n'y avait rien à faire. Pourquoi était-il venu ici ? Ce que les gens disaient n'avait pas de sens. « Alors pourquoi avez-vous pris la peine de m'écouter ? demanda-t-il amèrement. Pourquoi m'avez-vous fait témoigner ? Si vous saviez que vous ne pouviez rien faire.

— Nous allons garder votre déposition dans nos dossiers. Un de ces jours, elle pourrait se recouper avec autre chose et alors nous pourrons nous en servir pour les attaquer. Mais vous n'avez pas besoin d'attendre ça... » Il restait encore dix jours pour faire appel contre l'« Arrêté et Jugement » du juge F. Il pensait même pouvoir suggérer les noms d'un ou deux jeunes avocats prometteurs, des amis à lui, qui se chargeraient de cette affaire sans paiement initial...

Mark se sentit soudain terrassé par une fatigue mortelle. Il avait perdu tout intérêt pour les avocats, pour les trésors, pour le monde, pour lui-même. Les paroles d'encouragement l'emplissaient de dégoût. Les désespérés désespèrent de tout. La lumière s'éteignit au fond de ses yeux : il contempla fixement l'espace vide d'un regard terne, comme s'il regardait à l'intérieur de lui-même. Comme le sultan Assid dans les *Mille et Une Nuits,* il concevait la vie comme un grand tort.

43

La toux d'une épouse

Une femme vertueuse qui aime son mari devrait toujours faire preuve d'une parfaite obéissance vis-à-vis de ses souhaits et de ses désirs comme s'il était une sorte d'être divin.

KAMA SOUTRA

En ce qui concernait Kevin Hardwick, sa femme et Mark Niven étaient toujours amants. Il les regardait faire l'amour sur le pont de *L'Ermite* au moins une fois par semaine. À côté de son bureau, au dernier étage du building HCI, se trouvait une salle de projection où les publicités télévisées de la firme étaient soumises à son approbation et c'était là qu'il se passait le film de Masterson, une fois que ses secrétaires étaient parties.

C'était son vice secret. Le film recopié sur une cassette vidéo était entreposé dans la cachette la plus sûre dont il disposât, celle où il gardait la liste des pots-de-vin qu'il avait versés, dans le compartiment secret du coffre mural de son bureau, dont le contenu était relié à un circuit électrique de trois mille volts qui devait tout réduire en cendres si l'on cherchait à forcer la serrure. Le coffre lui-même était caché derrière des lambris de chêne. Hardwick était loin d'être pudibond. Il lui était même arrivé de posséder une femme sur le canapé de cette salle sans se soucier de savoir si les portes étaient ouvertes ou fermées, mais il ne regardait jamais le film sans les fermer à clef.

Chaque fois qu'il le regardait, un détail qu'il n'avait encore jamais observé, un nouveau signe de basse trahison, lui sautait aux yeux. Outragé et mis en rage par les caresses mutuelles du couple qui se roulait, nu, sur le matelas du pont, comme si lui-même n'existait pas, rendu aveugle à tout par le plaisir évident que prenait sa femme à exciter de la bouche le sexe de son amant, il resta longtemps sans remarquer le sourire resplendissant de Marianne au seul contact de la main de Mark. Une fois qu'il s'en fut aperçu, il en conçut une rancœur inextinguible.

Chaque fois qu'il en avait l'occasion, il mettait sa femme à l'épreuve : il la surprenait en lui saisissant la main et en surveillant son expression. Plus tard, seul avec son magnétoscope, il se passait la cassette afin de comparer le sourire qui éclairait son visage lorsqu'elle était avec Mark aux regards inexpressifs qu'elle lui réservait.

Hardwick avait compté liquider leur liaison au cours de l'hiver que sa femme avait passé dans une ferme au Kenya : l'amant de Marianne ne pouvait plus entrer chez eux par le biais de la télévision et elle était trop loin de tout pour entendre parler de l'embuscade en mer; elle ne pouvait pas avoir pitié de lui et revenir en toute hâte s'installer à son chevet. Il n'y avait rien au Kenya qui pût nourrir sa toquade, et Hardwick connut quelques nuits acceptables auprès d'elle lors de ses visites éclairs à la ferme. En tout cas, elle se soumettait, cette garce, même si elle faisait des tas de manières pour avaler et s'éclaircir la gorge ensuite.

En plus de quoi, le jeune étalon était bel et bien puni. « Il a fallu du temps, mon ami, mais vous n'avez qu'un mot à dire et je réunis une armée », déclara Vincenzo Baglione à Hardwick lors d'une entrevue dans une suite d'un hôtel de Denver après l'attaque contre la barge. Baglione expliqua qu'il avait « organisé » ce hold-up en pleine mer afin de déguiser le fait que c'était le fils de l'acteur qui était visé, et que, pour être sûr que personne n'irait établir le moindre lien entre Hardwick et cet événement, il avait envoyé ses troupes sous l'apparence d'une bande de terroristes cinglés, armés de mitraillettes et de tracts. « J'ai perdu cinq de mes hommes pour vous rendre service, Kevin, déclara tristement le parrain de Chicago. Mais nous vous avons débarrassé du gosse. Il a un bras écrabouillé et il est plein de trous. Il n'est pas encore mort, mais c'est tout comme. Moi, j'ai fait ce qu'il fallait. » En fait, Baglione n'avait absolument rien à voir avec les gens qui se faisaient appeler l'Armée de redistribution, il ne savait de l'attaque que ce qu'il avait lu dans les journaux, mais comme la plupart des grands dirigeants il savait comment reprendre à son compte le travail des autres.

Aux yeux de Hardwick, tout paraissait en ordre. Le film fut poussé au fond du coffre-fort mural et il fut capable de consacrer toute son énergie à ses affaires. À l'époque, il dirigeait le transfert de plusieurs usines de HCI vers des pays du tiers-monde, où ses conseillers pensaient que la population n'en saurait jamais assez long pour s'inquiéter de la pollution. (Ses voyages au Kenya pour voir les siens étaient aussi des déplacements de travail.) Il était si occupé que lorsque sa famille revint, au printemps, plusieurs jours s'écoulèrent avant qu'il n'eût le temps de s'occuper de Marianne.

Un après-midi, en passant devant la porte ouverte de la salle de jeux, il la vit dans la pièce alors que les enfants n'y étaient pas. Elle paraissait pensive et absorbée, comme si elle avait la tête pleine de pensées de toutes sortes. « Réveille-toi », dit-il en lui passant le bras autour de la taille et en remontant pour lui peloter le sein C'était quand elle avait l'air de vivre dans un monde à part qu'il avait le plus envie d'elle. « Tu as des soucis ?

— Non.

— Bon, alors, viens baiser », dit le mari, qui ne perdait jamais de temps en préliminaires à moins d'y être absolument obligé.

Au lit, Marianne fut docile et même empressée. Elle avait appris par Joyce, qui tenait la nouvelle de Fawkes, que pendant leur séjour en Afrique Mark avait passé des mois dans la clinique du Dr Feyer, cloué au lit par ses blessures, et elle se punit en accomplissant pour son mari tous les gestes qu'elle détestait, sans même qu'il eût besoin de les demander. « Qu'a pensé Mark en voyant que je ne lui écrivais pas, que je ne lui envoyais même pas une carte lui souhaitant un prompt rétablissement ? se demandait-elle, désespérée. Il doit me haïr, me mépriser. Non, il ne me méprise pas, il ne pense même pas à moi. » Elle avait mal à la bouche, mais elle voulait souffrir. Hardwick, lui, était enchanté : elle rallumait son désir.

Elle n'aurait plus de vie sexuelle, se dit-elle, si elle attendait d'y prendre du plaisir. Et elle devait essayer d'y prendre du plaisir ; les autres femmes de l'île n'avaient-elles pas l'air en pleine forme et comblées, alors que leurs maris étaient vieux et répugnants ? Si les autres femmes en étaient capables, elle devait l'être aussi. Elle n'avait qu'à oublier ses sentiments. Le plaisir animal, le sexe à l'état pur, cela existait, tout le monde le disait. Elle sentit une vague déferler au-dedans d'elle.

Mais la fois suivante, le lendemain matin, elle se mit à tousser et à s'étrangler, plus violemment qu'elle ne l'avait jamais fait. Elle dut se précipiter dans la salle de bains pour vomir. Ce fut en écoutant les bruits de nausées que Hardwick se rendit compte que « tout comme mort », ce n'était pas tout comme mort. À peine arrivé au bureau, il s'en fut regarder le film encore une fois : avec son amant, elle ne s'étranglait pas ! Ce fut à ce moment-là qu'il commença à regarder le film régulièrement, à envisager la liaison de sa femme non pas comme un événement du passé, mais comme un événement qui durait toujours, en tout cas dans son cœur à elle. Elle le trompait et il n'avait pas l'intention de la laisser faire. Il allait lui apprendre qu'elle appartenait à son mari. Chaque fois qu'il regardait le film, il était de plus en plus convaincu qu'il avait raison de faire pression sur elle, d'insister, de l'obliger à faire ce qu'il voulait et que la seule chose qui n'allait pas chez elle, c'était son attitude.

Mais elle refusa de se montrer plus traitable et, lorsqu'elle trouva un prétexte, elle devint ouvertement hostile. Elle se mit à l'asticoter à propos d'un vieux mémorandum qu'un employé déloyal avait volé dans les archives, photocopié et expédié au *Tribune*. Ce document déconseillait le déversement de dioxine dans le lac Michigan

> ... en raison des complications futures, en cas d'accusations de contamination nous concernant.
> Il est préférable de mettre les déchets problématiques dans des puits peu profonds. Le facteur coût original resterait bas et il n'y aurait aucun risque de frais ultérieurs. On considère qu'il est impossible de déterminer le chemin suivi par les cours d'eau souterrains et, de ce fait,

d'attribuer la responsabilité d'une quelconque contamination...

Ce mémorandum, préparé par un jeune avocat des services juridiques de HCI, n'avait pas été suivi par la création de puits (au lieu de cela Hardwick avait conclu son accord avec la compagnie des Transports sécurisés de l'Illinois), mais ce qui propulsa ce document vieux de quatre ans jusque sur les écrans de la télévision nationale, ce fut la note griffonnée par Hardwick dans la marge et destinée au seul regard de l'auteur du mémorandum : « J'aime beaucoup votre façon de penser, vous êtes augmenté ! »

Tout cela paraissait d'autant plus compromettant que Hardwick avait ensuite promu ce même jeune avocat à la direction de ses services juridiques, juste avant que le mémorandum ne fît l'objet de fuites dans la presse, peut-être par le biais d'un autre avocat des services juridiques, mécontent d'être ignoré.

Que pouvait faire Hardwick pour se débarrasser de l'odieuse réputation d'être quelqu'un qui récompensait les employés qui avaient des idées géniales pour faire des économies à l'entreprise en empoisonnant l'eau du robinet ?

Afin de réagir avec dignité et autorité, il commença par donner à son principal responsable des relations publiques le titre de « spécialiste en éducation » (une dénomination inspirée qui se répandit comme une traînée de poudre dans les industries chimique et nucléaire), puis il accorda une augmentation à ce plumitif rebaptisé et l'envoya au combat. Le spécialiste en éducation de HCI organisa aussitôt une conférence de presse, où il s'empressa d'expliquer que les puits n'avaient jamais été forés – ce qui était vrai – et que le mémorandum, et le commentaire qu'y avait inscrit Mr Hardwick, étaient des « exercices d'humour noir » ; après quoi il livra un compte rendu détaillé des mesures prises et des frais encourus par HCI afin de contrôler les déchets potentiellement dangereux, et prétendit qu'aucun autre fabricant de produits chimiques ne dépensait autant d'argent pour lutter contre la pollution. Il fit remarquer – et c'était, encore une fois, vrai – que HCI consacrait plus de trois millions de dollars par an aux salaires et aux charges d'employés dont le travail consistait à purifier les déchets de l'entreprise et à

« améliorer de ce fait la qualité de l'air et de l'eau qu'utilise la population ». La conférence de presse fut suivie par une ribambelle de communiqués de presse sur les produits Planète Propre de HCI, dont beaucoup furent reproduits dans les journaux en raison de la controverse qui entourait la firme. À tout prendre, Hardwick avait le sentiment de s'en être bien sorti, mais Marianne se servit de cet incident pour se défouler sur lui de ses frustrations, portant un jugement sur des choses auxquelles elle ne comprenait rien.

Lorsqu'il rentra chez lui, le jour où le mémorandum fut publié dans les journaux, et s'arrêta à la porte de la salle de jeux des enfants pour dire bonsoir, il découvrit Marianne assise sur le canapé, avec Creighton et Ben blottis contre elle, de part et d'autre, en train de l'écouter leur lire *Stuart Little*. « Tu veux venir écouter avec nous ? » lui demanda Creighton, mais Marianne l'accueillit par un regard de mépris brûlant.

Hardwick, qui avait depuis longtemps résolu d'épargner à ses fils le chagrin des tensions et des querelles entre leurs parents, leur adressa à tous les trois un joyeux geste de la main et disparut. Pendant le dîner, il fit semblant de ne pas remarquer le silence mauvais de sa femme, en se disant qu'elle se calmerait au lit, et plus tard, au moment où elle s'apprêtait à disparaître dans son cabinet de toilette, il la saisit par le bras pour la retenir. « Allez viens, je vais te faire passer ta migraine.

— Tu ferais mieux de t'occuper des migraines des gens que tu empoisonnes, cracha-t-elle, en lui arrachant son bras. Pas étonnant que nous soyons obligés de faire attention aux lettres piégées ! »

Hardwick chercha à lui expliquer que les déchets de HCI étaient soit détoxifiés dans les usines, soit emportés en toute sécurité par camions spéciaux jusqu'à des sites approuvés par le gouvernement, mais ses propos ne firent aucune différence : elle était déterminée à le mettre dans son tort. « Si tu ne déverses pas de poisons, pourquoi nous as-tu obligés à cesser de boire l'eau du robinet ?

— Parce que tout le monde y jette ses saloperies. Ou plutôt, parce que nous ne savons pas qui jette quoi. Tu trouves que j'ai tort de chercher à vous protéger ? »

Elle le planta là dans le couloir et ferma sa porte à clef pour l'empêcher de la rejoindre.

« Mais enfin, qu'est-ce qui te prend de te conduire comme ça ? » cria-t-il à travers la porte.

Cela dit, il y avait les enfants, la vie devait suivre son cours, il fallait bien en arriver à un compromis, à une tentative de coexistence pacifique, et quelques semaines plus tard Hardwick parvint à force de cajoleries à persuader sa femme de revenir dans son lit.

Mais juste au moment où il venait de lui enlever sa chemise de nuit et où il commençait à se sentir excité, elle le repoussa des deux mains pour lui poser une question. « Quand tes publicités se vantent que HCI améliore la qualité de l'air et de l'eau, ce qu'elles veulent dire vraiment c'est que tes usines réduisent la quantité de poison qu'elles répandent, c'est bien ça ? »

Il s'éloigna d'elle, sans un mot.

Elle prit ce silence pour une réponse affirmative. « C'est exactement comme si je décidais de ne plus mettre qu'une demi-cuillerée d'arsenic dans ton café tous les matins, au lieu d'une cuillerée entière, et que je prétendais améliorer la qualité de ton café !

— Qu'est-ce que tu veux au juste ? soupira Hardwick en rallumant la lumière pour la voir. Tu veux un divorce ? »

Elle était occupée à remettre sa chemise de nuit. « Nous ne sommes pas assez riches pour arrêter de faire commerce de poisons ? » demanda-t-elle, une fois qu'elle se sentit habillée. Elle se redressa contre la tête de lit et tira la couverture jusqu'à son menton. « Tu ne pourrais pas laisser tomber les produits chimiques ?

— Tu veux dire là, maintenant, à minuit ? »

Elle plissa les yeux, s'efforçant de le distinguer de très loin. « Je ne vois pas ce qu'il y a de si drôle. Je viens juste de vérifier les chiffres aujourd'hui même : trois Américains sur dix ont un cancer. Sans compter les cancers de la peau.

— Marianne, c'est vraiment le moment de parler de ça ? Tu crois que les gens se mettent au lit pour parler cancer ?

— On ne peut jamais parler, alors ? »

Hardwick sortit du lit pour enfiler son pyjama ; lui non plus n'avait pas envie d'être tout nu. « Bien sûr qu'on peut parler, soupira-t-il, passant mentalement en mode discussion. Nous avons un taux de cancer plus élevé qu'avant parce que la médecine guérit tout le reste. Et à cause des retombées des essais nucléaires effectués dans l'atmosphère au cours des années cinquante et au début des années soixante. HCI n'a rien à voir là-dedans. C'est à ton cousin James que tu devrais aller faire des scènes, il fricote avec les Français pour vendre de la technologie nucléaire à l'Irak et au Pakistan. Et de toute façon, si ce n'est pas l'Irak, ou le Pakistan, ou l'Inde, ce sera les Russes ou nous, ou les Chinois, les Français, les Libyens, les Argentins... qu'on leur en donne à tous l'occasion et il y en aura bien un qui appuiera sur le bouton. Et toi, tu me blâmes parce qu'il y a des problèmes avec les pesticides et les désinfectants !

— James est une ordure, ça ne t'excuse pas, toi.

— Ne m'interromps pas, s'il te plaît ! Laisse-moi terminer, je vais tout t'expliquer, mais écoute, tu veux. Supposons qu'il s'avère que beaucoup de nos produits possèdent des effets secondaires nocifs. Fermer HCI demain ne ferait pas la moindre différence. Les autres firmes se contenteraient d'augmenter leur production, point. La quantité de déchets qui filtrerait jusqu'à la nappe phréatique serait exactement la même qu'à présent. Mais peu importe HCI... Si toutes les entreprises américaines fermaient boutique, ça ne ferait toujours pas de différence. Les Japonais, les Allemands de l'Ouest, les Français, les Anglais, les Suisses seraient tous enchantés de reprendre nos marchés atrophiés. Si je fermais définitivement l'entreprise, la seule conséquence, ce serait que tu n'aurais plus d'avion pour t'emmener ici et là et partout ailleurs. Te rendre riche ou pauvre, voilà toute la différence que HCI peut faire au sort de la planète. »

Marianne leva le menton d'un air de défi. « Tu es un homme important, tu pourrais donner un exemple que d'autres pourraient suivre. »

Hardwick, qui faisait les cent pas autour du lit, s'arrêta pour baisser les yeux vers elle. Avait-il épousé une idiote ? Ses fils seraient-ils des idiots ? « Tu veux dire que les gens arrêteraient de gagner de l'argent, si je leur donnais l'exemple ?

— Donc, les marxistes ont raison. Vous autres capitalistes, vous êtes tellement acharnés au profit que vous êtes prêts à détruire le monde si cela peut vous rapporter de l'argent.

— Arrête! cria son mari en levant la main. Attends, je veux te montrer quelque chose, attends! » Il quitta la pièce en courant, pieds nus, fonça au rez-de-chaussée jusqu'à la bibliothèque, empoigna un numéro de *U. S. News & World Report,* remonta les marches quatre à quatre et se rua dans la chambre à coucher, en se cognant le gros orteil contre le montant de la porte.

« Marianne, est-ce que des pauvres diables de pêcheurs napolitains sont des capitalistes? » demanda-t-il, sans se soucier de la douleur. Il allait obliger cette arriérée à comprendre dans quel monde elle vivait. « Des pauvres diables de pêcheurs napolitains qui ne savent ni lire, ni écrire, ni compter – précisément le genre de types qui, à en croire les marxistes, assureront notre salut à tous. D'accord? Eh bien, ma chère, voici l'histoire, dit-il en agitant son magazine. "Il y a une épidémie de choléra à Naples et il s'avère qu'elle était due à des moules contaminées, pêchées et vendues par ces pauvres gens, ces braves gens si simples. Les hôpitaux sont bourrés de victimes du choléra, donc les autorités médicales interdisent la pêche et la vente des moules. Et que font tes pauvres et simples pêcheurs? Ils manifestent, ils protestent. Ils veulent continuer de pêcher et de vendre leurs coquillages et ils veulent que les gens continuent de les manger, même s'ils doivent en crever.

— Mais ces pauvres pêcheurs ne peuvent rien faire d'autre. C'est leur seule façon de gagner leur vie. Ils ne connaissent que ça, la pêche.

— Exactement, dit Hardwick d'un ton triomphal. Et ton pauvre physicien nucléaire, qu'est-ce qu'il sait faire d'autre? Tout ce qu'il sait, c'est comment fabriquer des ogives ou des réacteurs, et il veut continuer de les fabriquer. Le capitalisme n'a rien à voir là-dedans. Les scientifiques soviétiques sont exactement pareils. Ils gagnent moins d'argent que James, mais ils se débrouillent mieux que bien et ils obtiennent beaucoup de satisfaction professionnelle et beaucoup de prestige, des prix Lénine, ou que sais-je, si bien qu'ils veulent continuer quoi qu'il advienne. Va donc les écouter dans vingt ans et ils verront toujours la nécessité de continuer de faire ce qu'ils font. Tout comme tes pauvres pêcheurs napolitains.

— Mais si tu as raison, dans vingt ans il n'y aura plus personne sur terre!

— Justement, répondit Hardwick, l'air satisfait. La plupart des autorités qui écrivent sur de tels sujets partent du principe que notre espèce est foutue. » Jamais il n'avait parlé de la fin du monde avec un plus grand sentiment de bien-être : la pièce était vaste, chaude, familière, c'était agréable de parler, et il était en train de dompter sa femme.

Marianne se figea derrière sa couverture, qu'elle tenait toujours au ras de son menton, comme une sorte de bouclier contre cet homme sans cœur et vaniteux qui parlait de la mort de l'humanité et s'arrêtait pour s'admirer dans la glace.

« Et qu'arrivera-t-il à Creighton et à Ben ? » demanda-t-elle, le dévisageant fixement de ses yeux incandescents. Elle était si scandalisée, si révoltée qu'elle se sentait souillée, glacée. « Comment peux-tu ignorer leur avenir avec autant de calme ? »

Déconcerté, Hardwick jeta un coup d'œil aux photographies encadrées de ses fils accrochées au mur, puis il s'assit sur le bord du lit et leva le pied pour masser son orteil endolori. « Je ne parle pas de Creighton et de Ben, dit-il, agacé. Il n'y a aucune raison de devenir morbide. Il y a encore du temps pour quelques générations, si nous avons de la chance. Je dis simplement que personne, jamais, n'arrêtera de faire quelque chose parce qu'il pourrait y avoir des conséquences néfastes. Dans toute l'histoire de HCI, nous avons eu deux chercheurs qui ont voulu démissionner pour une question de principe et ils travaillent encore chez nous. Ce n'est pas dans la nature humaine de s'arrêter de faire ce qu'on fait bien. Jamais personne n'abandonne un boulot ou une profession qui marche bien, si dangereuse soit-elle pour les autres. L'être humain qui dira : "J'aime beaucoup ce que je fais, je le fais bien, je suis bien payé pour le faire, mais je vais arrêter de le faire parce que ça pourrait nuire à mes semblables", n'existe pas. Si tu arrivais à trouver cent personnes capables de dire une chose pareille – je ne dis pas à Chicago, ni aux États-Unis, mais dans le monde entier –, s'il y avait cent créatures de ce genre parmi quatre milliards et demi de personnes, on pourrait dire qu'il y a de l'espoir pour la race humaine… Mais tu ne les trouveras pas, ces cent créatures, et moi, je n'y peux rien.

— Tu veux dire que tout va bien et qu'on peut continuer d'empoisonner les gens, puisque ça ne fera aucune différence.

Et ceux que tu empoisonnes, ça ne fait pas de différence pour eux? Et pour toi non plus, ça ne fait pas de différence?

— Est-ce qu'on pourrait dormir? » demanda son mari d'une voix peinée. Il reprit sa place sous la couverture, s'étira, bâilla bruyamment, en espérant qu'elle cesserait de le tourmenter, si elle n'avait plus à redouter ses avances amoureuses.

« Je n'ai pas sommeil, dit Marianne, frissonnant de nervosité. Tu ne vas pas t'endormir après m'avoir annoncé que tout le monde allait mourir! Toi, tu t'en fiches, alors tu crois que tout le monde s'en fiche. Tu es fou.

— Oh, bon Dieu, gémit Hardwick.

— Pourquoi, il ne faut pas être fou pour dire qu'il n'y a pas cent personnes bien dans le monde? Il y en a des millions. Des centaines de millions.

— Il y en a des milliards, ma chérie. Des milliards. Alors même si la race humaine survit à tout le reste, elle mourra quand même d'être trop nombreuse. Combien de fois faudra-t-il que je te répète que la planète ne peut pas pourvoir aux besoins de tous ces lapins?

— J'en ai marre et plus que marre de ton obsession, dit-elle en repoussant la couverture et en passant les jambes par-dessus le bord du lit pour tourner le dos à son mari. Il est possible de faire pousser assez de nourriture pour alimenter vingt milliards de personnes.

— Mais voyons, bien sûr. Pourquoi pas? Si on utilise suffisamment de nos pesticides et de nos herbicides dont tu n'arrêtes pas de te plaindre. Le problème, ce n'est pas de nourrir les gens, le problème c'est quoi faire de leurs ordures. Tu te plains de la façon dont nous polluons la terre, l'air et l'eau à l'heure qu'il est, à quoi crois-tu que ressemblera le monde quand il comptera vingt milliards d'habitants? Rien qu'en respirant et en pétant, vingt milliards de gens feraient tomber les oiseaux des arbres.

— Très drôle, dit-elle, gardant le dos tourné.

— Nous surchauffons déjà l'atmosphère. Pourquoi n'écoutes-tu pas ton mari, une fois dans ta vie? Je te dis que le fait de nourrir, de loger, de transporter vingt milliards de personnes produirait davantage de pollution que la terre ne peut en supporter. Le problème, c'est les gens. Voilà ce que tu ne veux pas voir. Les mères de famille font plus de mal que les fabricants de produits chimiques.

— Et les pères de famille?

— Tu aurais beau adopter toutes les mesures que prônent les défenseurs de l'environnement, elles ne feraient jamais autant de bien qu'une peste. Il faudrait qu'un milliard de personnes, au moins, meurent avant l'âge de procréer, meurent de cancer ou de ce que tu voudras, je m'en fiche, pour que l'humanité survive.

— Et si un de ce milliard, c'est toi? demanda-t-elle en se tournant pour lui faire face. Si c'est un de tes fils?

— Ça, il faut faire attention à ce que tu te mets sous la dent. C'est la survie du plus fort. La survie du mieux informé. Nos gosses ne mangent pas de crustacés. Mais enfin, tu ne veux pas qu'ils suffoquent, non? Ce qu'il nous faut, ce sont des désastres plus nombreux et plus importants. Tu devrais être folle de joie chaque fois que tu entends parler d'un tremblement de terre ou d'une famine. Qui sait, peut-être même qu'une guerre nucléaire limitée... »

Elle quitta la pièce en courant, suivit le couloir et s'enferma à clef dans sa petite chambre à côté de celle des enfants.

Hardwick s'en moquait. « Tu voulais une discussion, tu en as eu une, se dit-il. La prochaine fois, tu te contenteras de baiser. »

Marianne passait le plus clair de son temps avec ses enfants et consacrait le reste à faire du bénévolat afin de promouvoir la musique à Chicago et à militer pour Greenpeace. Dans son esprit, il était entendu une fois pour toutes que son bonheur auprès de Mark faisait partie de leur jeunesse et que tout ce qui devait lui arriver à elle lui était déjà arrivé. Au bout de deux autres années, à peu de chose près, telle était sa situation de famille. En public, dans les dîners et les réceptions, devant leurs enfants ou leurs domestiques, Marianne et Kevin Hardwick s'efforçaient de se comporter comme si tout allait bien entre eux, mais chaque fois qu'il la surprenait seule dans une pièce, elle était prise d'une quinte de toux. Elle en arriva au point où elle n'avait même plus besoin de le voir. Quand il rentrait chez lui le soir, dès qu'il s'approchait suffisamment près pour qu'elle reconnût son pas ou sa voix, il l'entendait se mettre à tousser et il souffrait les tourments des damnés.

Il se transforma aussi en mari fidèle. À force de regarder le film régulièrement, il savait à quel point sa femme pouvait être libre de son corps – et à quel point elle était timide et réprimé avec lui! Il finit par être si obsédé par sa duplicité qu'il perdit tout intérêt pour les autres femmes.

Et il ne se sentait pas très bien. Lui qui passait beaucoup de son temps à faire face à la paranoïa écologiste aussi bien dans ses affaires que chez lui, il était assez fier de sa faculté de débattre des mégahécatombes sans verser dans le sentimentalisme, mais finalement il se laissa entamer lorsqu'il attrapa un rhume au cours d'un voyage à Cubatao et se mit à cracher des glaires ensanglantées pendant le trajet de retour. Avait-il un cancer des bronches? Avait-il suffoqué une fois de trop dans l'air vicié de Cubatao? Il fut saisi d'une telle terreur qu'il envoya un message radio à son médecin et, lorsqu'il atterrit, son chauffeur l'attendait à l'aéroport avec le médecin pour l'emmener à la clinique et le soumettre à un examen approfondi. Il s'avéra que les traces de sang dans ses glaires venaient de son nez: il avait saigné du nez dans son sommeil et le sang avait coulé jusque dans sa gorge. Mais il ne fut pas entièrement rassuré, et à partir de ce moment il fut convaincu que la diminution de ses pulsions sexuelles, sa perte d'intérêt pour toutes les femmes autres que la sienne, provenaient de toutes les saloperies qu'il respirait, touchait, mangeait et buvait.

Un jour, le responsable des relations publiques de sa firme vint le trouver avec un bulletin d'actualité concernant le déversement de huit tonnes d'hexafluoride d'uranium de fabrication canadienne dans l'Atlantique Nord et la déclaration d'un haut fonctionnaire d'Ottawa assurant que cette quantité était insignifiante à côté des huit tonnes d'uranium déjà dissoutes dans les mers du monde. «La prochaine fois qu'un de ces éco-fanas vient nous emmerder à propos de nos solvants, je l'enverrai se tracasser au sujet des déchets radioactifs et de nos saintes nitouches de voisins du Nord», déclara le spécialiste en éducation, assez content de lui.

Hardwick ne réagit pas comme il le faisait d'ordinaire à ce genre de propos. «Vous avez des enfants?» demanda-t-il sombrement à son employé.

Quelques semaines plus tard, ayant passé le nez par hasard à la porte de la nursery à midi, il vit que les gosses mangeaient de la bouillabaisse sans crustacés, et Ben lui en offrit une cuillerée Hardwick la prit, l'avala et dit : « C'est bon ! Très bon ! » Mais ensuite, il trouva qu'elle avait un drôle de goût et il dit à Joyce d'emporter les assiettes et d'appeler le cuisinier.

« Vous faites une bouillabaisse fantastique, Henri, et personne n'est plus désolé que moi de ce que je vais vous dire, mais dorénavant je crains que nous ne puissions plus risquer de manger du poisson sous quelque forme que ce soit, dit-il à regret. Il va falloir vous débrouiller avec la viande et la volaille de notre ferme. »

Le cuisinier ne discuta pas, mais Creighton protesta : « Non, je veux du poisson, je veux du poisson.

— Tu ne peux pas en avoir. C'est dangereux.

— Pourquoi c'est dangereux ? C'est pas dangereux !

— Le poisson est dangereux, expliqua patiemment Hardwick, parce qu'il vient du lac Michigan.

— Non, c'est pas vrai, il vient d'un océan.

— Eh bien, il est dangereux parce qu'il vient de l'océan, ou d un lac, ou d'un fleuve, ou d'un ruisseau, dit le père, et je ne veux plus entendre un mot là-dessus. D'accord ?

— Daddy aurait dû être docteur, déclara Creighton quand ils furent de nouveau seuls. Il s'inquiète toujours de la santé. »

Hardwick savait bien que sa réaction était excessive et il se mit à haïr plus que jamais tous les défenseurs de l'environnement, y compris sa femme. Non seulement ils lui mettaient des bâtons dans les roues pour ses affaires, mais en plus ils étaient en train de faire de lui un névrosé. Malgré cela, le matin où il découvrit un grain de beauté noirâtre sur sa poitrine, il fut inondé de sueur. On aurait dit un grain de beauté, c'était probablement un grain de beauté, mais comment en être sûr ?

Et si c'était une tumeur maligne ?

Allait-il être des trois Américains sur dix ?

Les mesures de sécurité concernant le courrier restèrent en vigueur. Tout ce qui était adressé au 11, Bellevue Place était réexpédié d'abord vers les services de sécurité de HCI puis jusqu'aux bureaux de Hardwick, qui l'inspectait avant de le faire porter chez lui. (À ce moment-là il voulait lire absolument tout le courrier de sa femme, quelle qu'en fût l'origine.) Mais que ce fut par la faute de la poste, ou des services de sécurité de HCI, ou de Hardwick lui-même, un jour Marianne reçut de Santa Catalina une lettre qui n'avait pas été ouverte.

Chère Marianne,
J'espère que tu n'as pas oublié tes amis insulaires, parce que nous avons besoin de ton aide. Notre ami commun a été retrouvé hier à moitié mort au fond de son bateau, mouillé à l'endroit où il a découvert cette maudite épave. Lopez, notre pêcheur haïtien, l'a ramené au port et il se trouve à présent à la clinique. Le Dr Feyer dit qu'il était presque entièrement déshydraté et que cela faisait au moins une semaine qu'il n'avait pas mangé. Il m'assure que le jeune idiot s'en tirera, mais je crois qu'il a besoin d'autre chose que d'une intraveineuse. Comme tu le sais peut-être, ou peut-être pas, on lui a volé ses fameux trésors, ce qui lui a, semble-t-il, soufflé l'idée géniale de se faire mourir de faim...

Arrivé là, Eshelby fournissait, en trois pages, un compte rendu lucide et concis de l'escroquerie perpétrée par Vallantine et du procès qui s'en était suivi, compte rendu que Marianne dut lire trois fois avant de parvenir à le comprendre.

... Je pense que seul quelqu'un possédant à la fois de l'argent et des relations peut l'emporter sur ces escrocs haut placés et c'est pour cela que j'ai pensé à toi, ma chère petite. J'ai essayé de te téléphoner quand notre ami s'est fait tirer dessus, mais tu étais au Kenya, et j'ai entendu dire que tu avais visité depuis des tas d'autres endroits... Je conçois, certes, que tu t'amuses bien à travers le monde, mais si scintillante et si trépidante que soit ton existence, existe-t-il une félicité plus grande que de sauver un ami?

44

Une nouvelle vie

> Vivre c'est sentir, éprouver de puissantes émotions.
>
> STENDHAL

> *The mortal sin of happiness...*
>
> GEORGE FALUDY

Faisant au revoir de la main à Ben jusqu'à ce que la voiture eût disparu, Marianne inspira une profonde bouffée de l'air suave avant de pénétrer dans le bâtiment; c'était le moment de l'année où il faisait le plus beau aux Bahamas, une tiède journée d'été au début du mois de mars. Une fois à l'intérieur, elle s'avança jusqu'à la réception et demanda à parler au Dr Feyer.

« Certainement, Mrs Hardwick », dit l'infirmière, et elle partit d'un pas rapide le long du corridor aux murs nus. (Sir Henry avait légué la clinique aux résidents de l'île, avec une fondation pour en assurer le fonctionnement, mais ses héritiers avaient pris les tableaux.)

« Ravissante dame, cela fait des lustres que nous n'avons pas eu le plaisir de vous voir ! » tonitrua le colossal homonyme d'Attila le Hun, sa blouse blanche volant au vent, son triple menton tremblotant, tandis qu'il se précipitait pour l'accueillir. « Vous avez un problème ? » lui demanda-t-il gravement en lui pressant les deux mains, et il fut soulagé d'apprendre qu'elle était simplement passée voir Mark Niven, s'il était en état de recevoir des visiteurs. « Oui, il se porte beaucoup mieux. C'est un gros, gros veinard! D'ici une semaine, environ, elle devrait pouvoir quitter le lit. Mais ne la contrariez pas, je vous en prie. Il est très déprimé. » Il hocha la tête à plusieurs reprises, l'air lugubre. « Il a perdu sa fortune, vous savez, la pauvre. Oui. Cette fois-ci, nous le soignons pour rien. Soyez gentille avec elle! Enfin, je veux dire avec lui.

— J'essaierai d'être gentille pour vous faire plaisir, docteur », répondit Marianne, d'une voix aussi unie qu'elle le souhaitait. Elle portait une longue robe en coton montante qui cachait presque tout son corps et, contrairement à son habitude, elle était très maquillée, de façon que Mark ne s'aperçût de rien si elle rougissait ou pâlissait.

La nouvelle de sa visite fit paraître plusieurs médecins et infirmières, qui s'inclinèrent et sourièrent en se rappelant les anciens ragots, et le soupçon de supériorité que reflétaient leurs airs entendus incita Marianna à raidir l'échine.

« Permettez-moi de vous accompagner jusqu'à sa chambre, ravissante dame », proposa le directeur de la clinique avec une gravité passionnée, penchant son corps gigantesque et indiquant la voie de son énorme bras.

Alors même qu'elle filait le long d'un autre couloir, s'efforçant d'aller aussi vite que le Dr Feyer, Marianne s'obligeait à garder l'air calme et distant. Elle était bien décidée à montrer à Mark qu'elle avait oublié le passé, exactement comme lui. Elle offrait de lui venir en aide, comme elle l'aurait fait pour n'importe quelle autre personne de sa connaissance, dépouillée comme il l'avait été. En plus de quoi, elle rendait service non pas à lui, mais au cabinet EAGLESON, LICHTERMAN, PERROT & BERGIN, les avocats de son père, à New York, qui étaient aussi les siens. Ils étaient ravis de savoir qu'elle songeait à leur amener un nouveau client. Mark ne devait en aucune façon se sentir obligé envers elle; il pouvait continuer à la détester, s'il en avait envie. Elle ne voulait nullement reprendre leur liaison. Pour rien au monde, elle ne lui dirait qu'elle était en train de divorcer. Prise de vertige à la perspective de le revoir, elle essaya de se blinder contre ses yeux noirs et brillants. Tandis que le Dr Feyer lui tenait la porte et la suivait dans la chambre, elle avança la tête haute, pour s'arrêter net, paralysée de surprise.

Le beau et vigoureux jeune homme qu'elle avait tenu dans ses bras s'était transformé en étranger aux joues creuses, à la bouche cernée de rides amères, aux cheveux mouchetés de gris. Ses yeux n'avaient pas changé, mais ils la regardaient du fond d'un puits de souffrance, profondément enfoncés dans leurs orbites. Depuis son départ de Chicago, elle s'était demandé pourquoi il ne lui avait jamais écrit et elle avait essayé d'imaginer un moyen de découvrir jusqu'où allaient ses relations avec la fille du Club, mais une fois qu'elle le vit elle sut tout ce qui importait. Il n'avait pas besoin de lui dire qu'il lui avait envoyé vingt-trois lettres et un télégramme, ni qu'il n'avait jamais trouvé qui que ce fût pour la remplacer : au premier regard, elle sut qu'il était seul, sans amour, sans espoir. Il gisait inerte dans son lit et son visage hagard prit peu à peu une expression tendue, comme s'il devait faire un effort pour se souvenir d'elle. Elle éclata en sanglots.

L'émotion, c'est la force. Mark, qui un instant auparavant avait eu le sentiment qu'il ne se relèverait peut-être jamais plus, et qui était terrifié de la voir apparaître soudain, ne sachant absolument pas quoi lui dire dans l'état honteux qui était le sien, ne put supporter de la voir pleurer et il bondit hors du lit pour la prendre dans ses bras et la calmer. Il baisa ses mains, son cou, ses joues ruisselantes, et ils s'étreignirent comme s'ils étaient seuls. « Oh, Mark, supplia-t-elle, il ne faut plus jamais nous quitter ! »

Le Dr Feyer consentit à confier son patient aux bons soins de Marianne, avec de strictes instructions quant à son régime alimentaire, et, assassinant les genres selon sa bonne habitude, il leur enjoignit de ne pas oublier qu'elle était encore très faible et loin d'être en état de mener une vie normale. Mark quitta la clinique sur ses deux jambes, mais, comme pour prouver que le Dr Feyer avait raison, il fut tout près de s'évanouir en gagnant la voiture et il serait tombé si Fawkes, qui était revenu les chercher, ne l'avait pas rattrapé.

Une fois qu'elle l'eut mis au lit dans la maison des invités, qu'il se rappelait si bien, Marianne amena les enfants de la grande maison pour lui rendre visite. Bien qu'ils eussent grandi de plusieurs centimètres, ils étaient restés les deux minces garçonnets que connaissait Mark, avec la peau dorée de leur mère et des visages expressifs et graves. Les cheveux de Creighton s'étaient assombris jusqu'au châtain clair, mais ceux de Ben étaient toujours blonds et il avait à présent le nez constellé de taches de rousseur. L'expression inquiète qui s'alluma dans leurs yeux quand leur mère leur annonça que Mark faisait désormais partie de la famille incita ce dernier à leur jurer dans son cœur une amitié éternelle. Il se rappelait sa propre blessure quand ses parents s'étaient séparés.

« Personne parlait jamais de toi, dit Creighton, désireux de donner des informations sans se soucier de leur effet. Alors nous non plus n'en avons pas parlé.

— Tu es malade ? demanda Ben.

— Non, pas du tout. D'ici deux jours, je serai capable de courir avec vous et de jouer à tous les jeux auxquels vous aurez envie de jouer. Vous avez toujours mon paon ?

— Non, il est mort, dit Ben, tragique, de sa voix grave.

— Oh, ça me fait de la peine, s'écria Mark, profitant de ce prétexte pour tendre la main et prendre la menotte de Ben, puis celle de Creighton, afin d'être sûr qu'il ne se sentirait pas exclu.

— Ça t'inquiète, toi, la santé ? demanda Creighton en faisant la moue.

— Oh, non, moi, rien ne m'inquiète. »

Quand Marianne repartit avec les enfants, il s'assoupit et ne se réveilla que lorsqu'elle regagna la pièce. Elle venait d'apprendre par son avocat à New York que le lendemain était le dernier jour qui restait pour faire appel contre le classement de son affaire et elle commença à lui en parler, mais il refusa d'écouter. Il ne voulait pas qu'on lui rappelât ses trésors. « Pourquoi veux-tu que je pense à tout ce qui m'a donné envie de mourir ? » demanda-t-il amèrement, tandis que les rides se creusaient autour de sa bouche.

Marianne ne discuta pas. S'absentant sous prétexte d'aller s'occuper des enfants, elle regagna la grande maison et expédia un câble signé « Mark Niven », autorisant EAGLESON, LICHTERMAN, PERROT & BERGIN à agir en son nom. Ce faux bien intentionné était pour elle une expérience nouvelle ; elle était transportée par l'idée qu'elle sauvait la fortune de Mark à sa place. À l'évidence, sans elle rien n'aurait été fait ! Ses yeux brillaient d'un tel éclat que Joyce crut qu'elle et Mark avaient déjà fait l'amour.

Quand Joyce chercha à la questionner, elle se contenta de secouer la tête en riant, mais elle ne cessait de se répéter « il a besoin de moi » et cette pensée la consolait des années de séparation et de malentendu. Elle avait un homme pour qui elle pouvait faire toute la différence possible et imaginable. Elle retourna en courant jusqu'au cottage et se glissa dans le lit à côté de lui, en faisant bien attention à ne pas le réveiller, car il s'était de nouveau assoupi.

Au cours des jours suivants, elle passa beaucoup de temps à le regarder dormir. Les cernes bistre qu'il avait sous les yeux s'estompaient de jour en jour, ses os se firent moins pointus, les rides autour de sa bouche disparurent et les mouchetures grises dans ses cheveux foncés ne firent que le rendre plus beau à mesure que son visage retrouvait sa jeunesse. À force de prendre soin de lui, de l'alimenter, de l'aimer, d'être aux petits soins pour lui, elle ne put s'empêcher de penser qu'il devenait un peu sa création.

« J'en avais marre d'espérer, marre de haïr, marre de me battre pour tout, lui dit-il un jour qu'ils étaient allongés côte à côte dans le lit, se tenant par la main. Et quand je me suis réveillé à la clinique et que j'ai compris que j'étais toujours vivant, j'ai voulu plus que jamais mourir… Si tu n'étais pas revenue, je suis sûr que j'aurais trouvé un autre moyen de me tuer. Je te dois la vie. »

Même s'il ne l'avait pas dit, Marianne l'aurait cru : avec lui, elle avait le même sentiment joyeux de sa propre importance qu'avec ses enfants.

Pourtant, bien que Mark prétendît que tout ce qu'elle faisait le rendait heureux, quand elle lui annonça un matin qu'elle avait envoyé aux avocats un câble à son nom pour leur dire de relancer la procédure, il lui lança un regard si furieux qu'elle en fut glacée, persuadée qu'il ne l'aimait plus.

« J'en ai assez de me ridiculiser, lui dit-il. Qu'est-ce que je ferais d'une fortune ? Je n'ai pas été capable de prendre les dispositions les plus simples pour une exposition. Le pire qui peut t'arriver quand tu n'as rien du tout, c'est de crever de faim ; ça, j'ai déjà essayé, j'y arrive très bien.

— C'est uniquement parce que tu es éreinté que tu dis des choses pareilles, protesta Marianne. Tu as fait des choses raisonnables et utiles de ton argent et tu en feras encore beaucoup d'autres. Je t'aiderai. Il n'y a pas beaucoup de gens qui parviennent à se débrouiller tout seul. Ton unique problème, c'était d'être seul. » Elle embrassa une de ses cicatrices, mais il s'écarta. Elle bondit du lit. « Très bien, n'en parlons plus. Allez, lève-toi, arrête de broyer du noir. Allons jusqu'à la maison prendre le petit déjeuner avec les garçons. »

Mark se laissa rouler à plat ventre, la tête pendant hors du lit, afin d'éviter de la regarder. Le corps nu de Marianne paraissait particulièrement doux dans le demi-jour et il n'avait pas envie d'avoir envie d'elle. « Vas-y, toi. Tu as tort de perdre ton temps avec un minable.

— Voyons, ne fais pas l'enfant. Regarde-moi ce soleil ! » dit-elle en tendant le bras pour couper un des rais de soleil qui entrait par les persiennes. Tandis qu'elle repliait celles-ci et tournait sur elle-même pour prendre une douche de lumière, une brise salée s'engouffra dans la pièce apportant le bruit des vagues, le froufrou sec des palmiers, les piaillements des mouettes. « On pourrait sortir en mer ! » dit-elle en attrapant un tee-shirt et en le passant par-dessus sa tête.

Mark ne bougea pas. « Je ne me sens capable de rien. Je ne devrais pas être ici. Il fallait me laisser pourrir dans mon bateau. »

Il sombra dans une humeur si noire que Marianne, se rappelant l'avertissement du Dr Feyer, commença à craindre qu'il ne tentât de nouveau de se suicider. Bien qu'elle se sentît pleine d'allant pour sortir, elle referma les persiennes, lança son tee-shirt dans un coin, remonta dans le lit, posa la main de Mark sur son sein pour se calmer, et attendit d'avoir perdu toute envie de sortir et de s'agiter. Alors, elle pressa tout son corps contre celui de Mark, afin de lui transmettre son amour, afin qu'il eût envie d'elle, afin de lui remonter le moral. Elle éveilla sa force, le tira hors de son désespoir et ils unirent leurs efforts.

Armé du câble qui l'y autorisait, Samuel Lichterman, du cabinet EAGLESON, LICHTERMAN, PERROT & BERGIN, sollicita une prolongation de deux semaines afin de préparer l'appel du

Demandeur contre le jugement du juge F qui classait l'affaire « Niven contre Vallantine », ainsi qu'un ordre prolongeant la mise sous séquestre des trésors. Ce fut le juge F en personne qui accorda les deux prolongations, lors d'une audience extraordinaire.

Lichterman agit si vite que MacArthur ne trouva pas le temps de se rendre au tribunal ; il y envoya à sa place son assistant Elliott T. Sanborn III et dut se contenter de parler à Lichterman au téléphone et de sonner les cloches à Vallantine dans son bureau.

« Vous ne m'avez pas tout dit, John », lança-t-il avec emportement lorsqu'il tint le Défendeur parmi ses tapis.

Vallantine, qui s'était attendu à rentrer en possession des trésors justement ce jour-là, venait d'apprendre de Sanborn III qu'une prolongation avait été accordée au Demandeur sur l'intervention d'un des plus puissants et des plus prestigieux cabinets d'avocats de New York. Anéanti par cette terrible nouvelle, il était venu trouver MacArthur afin d'entendre des explications et non d'en fournir. « Qu... qu'est-ce que jjjj... je ne vous ai pas dit ? bégaya-t-il pitoyablement.

— Vous ne m'avez pas dit que le Demandeur était parent des Aciers Montgomery. »

Vallantine s'efforça de rire. « Ce n... n... n'est pas possible ! C'est juste un fffffils d'acteur.

— Dites plutôt que vous ne le saviez pas », remarqua l'ancien juge avec mépris.

Sortant un mouchoir de sa poche de poitrine, Vallantine essuya son visage et ses épais sourcils mouillés de sueur avec lenteur et délibération, comme s'il ne voulait ne jamais aborder l'instant suivant.

« À quoi ressemble-t-il, ce Mark Niven ? Je crois bien qu'il a assisté à une des audiences, mais je ne me le rappelle pas. » MacArthur ruinait les victimes de ses clients sans se donner la peine de les regarder de près, même quand ils se côtoyaient au tribunal, à moins qu'il n'eût une raison spéciale de s'inquiéter de leur aspect physique. « Il est beau garçon ?

— Sssssi on veut, oui. Il est jeune... Pourquoi ?

— Il a une histoire avec une des filles Montgomery. »

Vallantine poussa un profond soupir. « Bill, tout ce que je sais, c'est que je vous ai versé trois millions de dollars et que vous avez droit à l... la moitié de tout quand on nous le r... r... rendra. »

MacArthur réfléchit un moment, pétrissant sa mâchoire charnue, puis il hocha la tête d'un air résolu. « Ne vous en faites pas, John, nous allons nous battre. Je n'aime pas qu'on me marche sur les pieds. On va temporiser. Je vais faire traîner les choses en longueur en attendant que le roman d'amour tourne court. »

Une semaine plus tard, Mark se tenait dans le bureau de Samuel Lichterman, dans Park Avenue, penché sur une table autrement nue, afin de signer un accord détaillé autorisant EAGLESON, LICHTERMAN, PERROT & BERGIN à le représenter contre John Vallantine et la galerie Vallantine. L'accord stipulait expressément que Mark n'était pas tenu de verser la moindre somme à titre de frais ou d'honoraires, tant qu'il ne serait pas rentré en possession des trésors.

« C'est une affaire si intéressante que je suis convaincu que beaucoup d'avocats en ville auraient accepté de vous représenter aux mêmes conditions », déclara Lichterman à Mark, en prenant bien soin de ne pas regarder Marianne tandis qu'il prononçait ces mots.

Homme encore jeune, de haute taille, distingué, vêtu d'un costume bien coupé, la barbe sombre soigneusement taillée, l'avocat s'assit sur le rebord de la fenêtre plutôt que derrière sa table : c'était sa manière de laisser entendre que le genre de droit qu'il exerçait n'avait rien de compassé, de mesquin ni d'ennuyeux. La plupart de ses clients étaient riches, mais il n'était pas esclave des biens matériels et se contentait de vivre la belle vie. Les posters de Vittorio Fiorucci accrochés aux murs de son bureau dans leurs cadres d'acier avaient une valeur beaucoup plus artistique que monétaire et il tirait bien plus de plaisir des opéras et des livres – et même des disques et des éditions de poche – que certains de ses collègues des immeubles et des yachts qui leur appartenaient; il pouvait, de ce fait, se permettre de refuser les affaires qui blessaient sa conscience. Il n'aurait jamais représenté John Vallantine, mais il n'aurait jamais non plus accepté un client se trouvant dans la situation de Mark s'il n'y avait pas eu ce lien avec les Montgomery.

« Je ne vois pas pourquoi vous voulez vous donner ce mal, répondit Mark après avoir signé l'autorisation. Tous les juges sont des amis de MacArthur. »

Lichterman rit. « Ça ne fait rien, nous aussi, nous connaissons du monde. »

Mark s'assit, les sourcils froncés. Il lui était presque impossible de se concentrer sur tout ce qui avait rapport avec les trésors et il n'entamait une nouvelle procédure que parce que Marianne avait insisté. Néanmoins, en client bien rôdé, il offrit de raconter toute son histoire.

« Vous n'avez pas besoin de me dire quoi que ce soit. Tout est dans le contrat et les interrogatoires.

— Parfait. » Mark se tordit sur son siège afin de parvenir à voir le profil de Marianne. Bien qu'il eût toujours su qu'elle était belle, ce n'était qu'au cours des derniers jours qu'il en était venu à comprendre à quel point cela était important. Il ne s'expliquait pas comment il avait jamais pu désespérer. L'existence de l'univers était pleinement justifiée par la ligne gracieuse de son cou, par la façon dont elle croisait les jambes et écoutait l'avocat, le visage grave.

Lichterman expliqua que l'appel qu'il préparait était fondé sur le fait que Mark n'avait pas eu de représentant juridique lorsque le juge F l'avait débouté de sa plainte. « J'ai parlé à MacArthur au téléphone, continua-t-il. Il n'est pas ravi.

— Qu'est-ce qu'il a dit ? demanda Marianne.

— Il a proposé un règlement à l'amiable.

— Ouais, je sais », intervint Mark. Cette mention d'une offre de règlement de la part de MacArthur avait éveillé un souvenir douloureux. « Ils proposent trois cent mille dollars.

— Non, non. Pas à nous. Il a offert de rendre la moitié des trésors.

— Qu'est-ce que vous lui avez répondu ? voulut savoir Marianne.

— Je lui ai dit non merci, nous voulons tout. Plus les dépens. »

Marianne le récompensa d'un sourire enjôleur. « Bravo, Sam. »

« Pourquoi lui sourit-elle comme ça ? » se demanda Mark, agacé. Il savait bien qu'il ne voulait pas venir à New York et recommencer à frayer avec des avocats

« Et qu'allez-vous faire au sujet de l'argent que Mark a versé à Wattman ? demanda Marianne à Lichterman. « Je ne supporte pas l'idée de voir ce type s'enrichir en faisant classer notre affaire. »

L'expression « notre affaire » incita Lichterman à jeter à Mark un coup d'œil bref et involontaire, qu'il s'efforça de masquer en redressant ses lunettes. « Enfin, il m'a fait parvenir les dossiers et il rendra peut-être la moitié de ce qu'il a touché, mais j'aimerais autant ne pas insister, si vous le voulez bien. Le bruit court qu'il va être nommé juge et nous n'aimons pas trop faire exprès de nous mettre les magistrats à dos. De toute façon, ses honoraires font partie des dépens de Mark, alors nous les mettrons au débit de Vallantine.

— Et maintenant, qu'est-ce qui va se passer ? »

« Non, elle ne s'intéresse pas vraiment à lui, décida Mark. La seule chose qui l'intéresse, c'est ce qu'il dit. Qui aurait cru qu'elle pouvait être si femme de tête ? Elle se tient droite comme un i ! » Il songeait vaguement qu'il allait devoir se ressaisir, un de ces jours, il ne pouvait pas la laisser prendre soin de lui pendant tout le reste de sa vie, mais il se rappela qu'il était encore convalescent. Comment en vouloir à un malade de se contenter de rester assis à regarder ?

Devinant au picotement de sa peau que Mark la contemplait fixement, Marianne agita la tête et il se prit à se demander combien de mois il faudrait pour que sa brillante chevelure blond cendré redevînt aussi longue qu'il l'avait connue.

« C'est une affaire relativement simple, mais avec PETER, BLACK dans le camp adverse, ça pourrait prendre deux bonnes années, déclara Lichterman, mettant fin à la réunion. Vous pouvez regagner votre île, bande de veinards, et oublier tous ces démêlés sordides. Faites juste attention à ne pas vous marier tant que je ne vous aurai pas obtenu votre divorce ! Kevin est très coopératif, ce sera un divorce par consentement mutuel et, comme convenu, vous aurez conjointement la garde des enfants, donc tout ce qui me reste à faire c'est de négocier un partage équitable de la communauté.

— Je lui ai déjà dit au téléphone que je ne voulais rien en dehors de la maison de Santa Catalina et des lettres que Mark m'a écrites. Et le câble qu'il m'a envoyé le jour où il a découvert la *Flora*. »

Alors qu'ils se tenaient à la porte, prêts à sortir, Marianne demanda des copies de toutes les déclarations écrites sous serment et Mark leva les mains, horrifié. Il ne voulait pas la voir subir ce qu'il avait subi, lui! Ça n'en valait pas la peine. À quoi cela servait-il d'être richissime? « Mr Lichterman, je ne veux pas vous voir encourager les espoirs de Marianne, dit-il fermement. Wattman passe pour un assez bon avocat et il ne pensait pas que cette affaire valait la peine d'être plaidée. »

Les avocats peuvent être aussi vaniteux que les adolescentes : les yeux de Lichterman jetèrent des éclairs derrière ses lunettes à la seule idée que tout ce que Wattman était capable de dire ou de faire pût avoir le moindre rapport avec ce qu'il pouvait faire, lui, Samuel Lichterman. « Ah, oui. Ce bon vieux Bernie... Oh, ce n'est pas un mauvais avocat, mais ce qu'il aime vraiment, c'est rester assis dans son bureau à haranguer ses clients. Il vous a dit que New York était une jungle?

— Oui! s'exclama Mark, revenant d'un pas sur le seuil qu'il venait de franchir. Comment le savez-vous?

— Il faut faire attention, vous savez. Quand un type vous dit que vous êtes dans une jungle, c'est qu'il a l'intention de vous bouffer.

— Il m'a dit aussi que le problème avec moi, c'était que je ne comprenais pas que le mal était le plus fort.

— Ah bon! » Lichterman renversa la tête en arrière et leva les bras au ciel. « Il a oublié le hasard! »

Tandis que leur mère était à New York, Creighton et Ben étaient allés chez leur père à Chicago. Par moments, Marianne s'était demandé avec inquiétude si Kevin allait les lui renvoyer, mais il fut fidèle à sa parole. À vrai dire, le mari abandonné agissait avec une considération dont sa femme ne l'aurait pas cru capable. « C'est vrai que j'ai gardé les lettres, mais je voulais voir si je pouvais parvenir à sauver notre mariage, lui avait-il dit au téléphone lors de la conversation qu'elle avait signalée à Lichterman. Je suis sûr que ni Creighton ni Ben ne pourraient m'en vouloir. Et je crois que ton père lui-même ne m'en voudrait pas. De toute façon, c'est le passé, tout ça. Je pense que l'important, à présent, c'est que notre divorce nous permette de rester amis et de réduire le choc au minimum pour les enfants. Nous aurons beau faire, à cause d'eux nous devrons rester liés jusqu'à la fin de notre vie, alors autant essayer de former une famille élargie heureuse. »

Hardwick promit même de renvoyer les lettres de Mark et le câble, s'il parvenait à les retrouver; il était la magnanimité personnifiée.

Il épancha sa colère sur Baglione, à qui il fixa rendez-vous à une heure très tardive, à Chicago même, dans son bureau au dernier étage du building HCI. Les deux hommes se rencontrèrent seuls, sans assistants ni secrétaires; Hardwick prit aussi les dispositions voulues pour que son visiteur passât inaperçu des gardiens de nuit. « Désolé pour le dérangement, Vincenzo, mais je ne voudrais pas que quelqu'un témoigne devant quelque comité du Congrès quant à ce qui pourrait bien être notre dernière rencontre, dit-il au vieux malfrat rabougri après lui avoir offert un siège, tandis qu'il s'approchait de la fenêtre et s'y tenait, les mains dans les poches, tournant le dos à son invité et admirant la vue panoramique sur les gratte-ciel illuminés. Je me demande si vous envisageriez de me revendre les intérêts que vous avez dans notre firme brésilienne. Et je suis aussi prêt à annuler notre contrat avec votre entreprise de transports.

— Qu'est-ce qui se passe, Kevin? demanda l'éminent gangster, qui était venu pensant apprendre quels intérêts il aurait dans la nouvelle usine d'insecticides et d'herbicides en cours de construction sur la côte grecque à l'ouest d'Athènes. En voilà une façon de parler aux amis?

— Nous sommes amis, en effet, convint Hardwick en se retournant pour faire face au vieux truand maladroit, mais nous nous portons mutuellement la poisse, Vincenzo. Je sais que vous êtes plein de bonne volonté, mais j'ai besoin d'amis qui puissent me débarrasser de mes ennemis. »

Baglione recula sa petite tête et la rentra dans ses maigres épaules. « Ces types qui vous causaient des problèmes dans votre vie de famille? Vous vous les rappelez encore? Mais ils sont tous morts ou mourants, ces types-là! On a réglé son compte au photographe, il est tombé d'un pont. Et voilà, un seul mot de vous et il a eu le dos brisé. Quant au privé, on s'est renseigné, à force de se piquer le nez un peu trop souvent il s'est collé

511

une cirrhose du foie. À l'heure qu'il est, il doit être mort, mais s'il ne l'est pas, vous ne voudriez pas qu'on s'occupe de lui – pourquoi abréger ses souffrances? Et on s'est chargé d'estourbir le copain de votre femme, bon Dieu, on l'a flingué, on lui a posé un hélicoptère dessus, on a perdu cinq de nos propres gars pour venir à bout de ce mec, ce n'est pas de notre faute s'il est encore en vie. » Le vieux mafioso n'aurait pas pu avoir l'air plus peiné, plus injustement traité s'il avait réellement été derrière l'attaque de l'Armée de redistribution contre la barge. « C'est un estropié, Kevin, il n'est plus dans le coup, si?

— Je vous sais gré de tout ce que vous avez fait, Vincenzo, mais il n'est que trop dans le coup, il vit ouvertement avec ma femme dans notre maison de Santa Catalina, et mes enfants aussi vivent avec eux.

— Alors ça, je n'en savais rien, dit Baglione en secouant la tête. Je vais voir ce que je peux faire.

— Je veux récupérer ma famille, Vincenzo. »

Baglione continua d'opiner avec compassion et ce d'autant plus volontiers qu'il était toujours bien résolu à ne pas tuer le fils de l'acteur. Il se leva, avança brusquement son visage aigu, solennel, afin de dévisager fixement Hardwick d'un regard direct et lourd de signification, puis il ferma les yeux et inclina la tête encore une fois. « On va faire une nouvelle tentative, Kevin. On va essayer de vous en débarrasser.

— Comment ça, essayer? »

Baglione ouvrit les yeux et contempla Hardwick en silence. Il avait déjà décidé ce qu'il allait faire. Il allait envoyer deux hommes de Miami à Santa Catalina; ils joueraient un mauvais tour ou deux au gamin afin de lui faire peur et de l'éloigner de sa copine, un ou deux coups de téléphone pour lui dire qu'ils allaient le tuer s'il ne fichait pas le camp, et si ça ne marchait pas ils lui tireraient une balle dans les pattes pour montrer qu'ils ne rigolaient pas. Baglione n'irait pas plus loin qu'une tentative de meurtre avortée pour apaiser sa saleté d'associé. « On ne peut qu'essayer, dit-il d'un ton plaintif. Si ce type était du genre à crever pour un oui, pour un non, il serait déjà mort. On fera de notre mieux, mais s'il survit à ce qu'on lui prépare, c'est que Dieu veille sur lui et je ne lèverai pas la main une troisième fois contre un type pareil. Et vous aussi vous devriez respecter la volonté de Dieu. On a déjà versé assez de sang pour cette histoire. C'est la dernière fois que nous en parlons. Je ne veux plus vous entendre remettre notre amitié en question. »

Le ton de sa voix fit comprendre à Hardwick qu'il ne devait pas aller plus loin. « Marché conclu, dit-il en tendant la main et en s'inclinant bien bas afin de montrer sa déférence envers les cheveux blancs et la sagesse. Et maintenant, quand souhaitez-vous aller jeter un coup d'œil à notre nouvelle usine en Grèce ? »

Ils parlèrent affaires, mais Baglione ne cessait de penser au fils de l'acteur. Il se prit d'une véritable affection pour ce garçon dont il sauvait la vie ; il se sentait comme un metteur en scène qui monte un spectacle !

Deux jours après cette réunion à Chicago, l'*Île Saint-Louis* disparut de son mouillage au ponton des Hardwick à Santa Catalina.

Les garçons firent irruption dans la maison des invités peu après le petit déjeuner afin de signaler que le bateau de Mark, qu'il avait promis de leur donner dès qu'ils auraient l'âge de s'en servir, n'était plus là. Il descendit en courant avec eux jusqu'au ponton, où il trouva Fawkes qui regardait l'eau fixement et tenait à la main l'épais câble de mouillage, visiblement tranché avec un couteau ou un coutelas.

« Tu avais dit qu'on pourrait avoir ton bateau et puis maintenant tu as laissé quelqu'un le voler ! accusa Creighton sur un ton de ressentiment méprisant.

— Sûr que c'était un Haïtien », remarqua Fawkes en secouant la tête. Pour les Bahamiens noirs, les Haïtiens constituent la classe inférieure noire, à qui l'on impute tous les crimes qui n'ont jamais été éclaircis et les épidémies de grippe.

« Ça te fait de la peine ? » demanda Ben.

Mark haussa les épaules, ne se rappelant guère à quel point il avait jadis détesté être volé. « Une possession de moins, ça fait un souci de moins.

— Mais il était à nous, ce bateau ! » protesta Creighton, offensé de voir l'indifférence de Mark.

Afin de détourner leurs esprits du bateau, Mark défia les deux petits à la course le long de la plage.

Deux jours après la disparition de l'*Île Saint-Louis,* que Creighton était désormais le seul à remâcher, Mark se trouvait tout seul dans le living de la grande maison quand le téléphone sonna. C'était un appel avec préavis pour Mark Niven, en provenance de Miami. « C'est moi, répondit-il à l'opératrice et il entendit tomber les pièces de monnaie.

— Je parle bien à Mark Niven? demanda une voix pâteuse.

— Oui.

— Un type dans les vingt-trois ans?

— Oui. Qui est à l'appareil?

— Le type qui a retrouvé l'épave au trésor?

— Oui, oui. Qu'est-ce que vous voulez?

— Si vous continuez de traîner autour de cette femme, vous finirez par vous retrouver mort », gronda la voix éraillée.

C'est une chose qui arrive à tout moment du jour et de la nuit : les gens vaquent à leurs affaires, et tout à coup un inconnu se matérialise, sorti de nulle part, et leur déclare : « Je vais vous tuer! » D'où une telle créature a-t-elle bien pu surgir? Mark se sentit aussi surpris, traumatisé, incrédule que n'importe quelle autre victime. Mais pourquoi donc écoutait-il ces conneries débiles? « Vous êtes sûr que vous ne vous trompez pas de numéro? demanda-t-il. Que vous parlez bien à la personne à qui vous vouliez parler? »

La voix s'offusqua. « Et ton bateau, tu l'as oublié? On l'a coulé à cent mètres du rivage. On l'a criblé de balles et t'as rien entendu du tout. C'était juste histoire de te montrer qu'on rigole pas. Si tu veux vivre, va falloir oublier ta copine et quitter l'île. Tout seul. Sans elle. Et fais gaffe. On te tient à l'œil. Si tu l'emmènes... t'as pas intérêt à essayer. On te bute, vu? »

Un frisson parcourut Mark lorsque l'idée lui vint qu'il écoutait une caricature vivante d'être humain, exactement le genre de personnage qui pourrait effectivement être un tueur à gages. Payé par John Vallantine. Il présuma que la menace était destinée à le séparer non pas de Marianne mais des avocats de Marianne, de façon que MacArthur pût de nouveau le faire débouter. Sinon, pourquoi le bonhomme aurait-il parlé de la *Flora*? « Écoutez, dites à Vallantine que j'en ai marre de toute cette chamaillerie au sujet des trésors, lança-t-il à la voix. Dites-lui donc que j'ai fini de me bagarrer à leur sujet. J'ai mieux à faire. En ce qui me concerne, il peut les prendre et se les mettre où je pense. Dites-lui de voir ça avec les avocats. J'accepte tout ce qu'il proposera.

— Qu'est-ce que c'est que ces conneries? Je dis rien à personne, moi, reprit la voix, épaissie par la colère, par la peur d'une embrouille. On est déjà payé, tu piges? »

Secoué et perplexe, Mark voulut en parler à Marianne, mais quand il la trouva elle était blottie sur un canapé avec les enfants, en train de leur lire *Le Prince et le Pauvre*. Elle lui adressa un regard radieux et remua ses orteils en guise de salut; il s'assit par terre, à côté d'eux. Tout en écoutant sa voix expressive, chargée d'intensité dramatique et de compassion, il sentit sa peur refluer et l'appel ne lui parut plus aussi lourd de menaces. Ça pouvait très bien être un détraqué, ou bien un membre de l'Armée de redistribution, avide de vengeance, qui voulait juste lui gâcher sa journée. « Si c'était vraiment sérieux, ce truc, je serais plus inquiet », se dit-il, se laissant fasciner par la façon dont Ben ne cessait de caresser le bras nu de sa mère avec une concentration absolue.

Plus tard, quand Marianne et lui se retrouvèrent seuls au lit, et qu'il lui caressait les bras, les seins, les cuisses, le ventre, il n'eut pas de mots à perdre en revenant sur les élucubrations d'un crétin qui cherchait à le séparer de la plus divine femme de la terre. Il y eut un moment où il aurait pu mentionner la chose, mais au même instant elle l'attira contre elle, voulant que leurs deux corps fussent entièrement en contact. Quand il la pénétra, elle l'empêcha de bouger : sa plus grande joie, dit-elle, était de l'avoir simplement au-dedans d'elle. Comme elle avait renoncé à son diaphragme, elle le sentait toucher l'entrée de sa matrice. Mais ils n'étaient pas encore assez proches. C'était le sentiment d'inachèvement qui croît avec la passion : ils ne pouvaient jamais être assez proches, même quand il s'enfonçait aussi profondément en elle qu'il pouvait aller. Ils essayaient de ne plus faire qu'une chair et un sang, et Marianne espérait bien que c'était déjà fait.

Quand ils durent prendre un peu de repos et que Mark recommença à se demander quel serait le bon moment pour la mettre au courant du coup de téléphone menaçant, elle lui dit

515

qu'elle n'avait pas eu ses règles ce mois-là. Elle était presque sûre d'être enceinte.

« Je vais avoir un fils, pensa-t-il. Elle porte mon fils ! » La question était réglée. Pour rien au monde il ne voulait l'inquiéter.

Marianne appela Lichterman à New York afin de lui demander de hâter le divorce et Mark téléphona à son père à Londres. Il avait aussi l'intention d'appeler Lichterman quand Marianne serait sortie, afin de lui dire d'annuler les poursuites et de laisser Vallantine tout garder, mais il voulait pouvoir subvenir aux besoins de son fils (il était sûr qu'il aurait un fils) et, en parlant à son père, il accepta volontiers de prendre le restant de son investissement dans la pièce de Kleist, ainsi que les bénéfices. « Tu auras de quoi vivre et faire vivre mon petit-enfant, et tu auras même de quoi gâter tes beaux-fils et ta riche bien-aimée, et de quoi retourner à l'université par-dessus le marché, déclara Niven, espérant qu'ils viendraient à Londres.

— Papa, tu ne changeras jamais ! » s'écria Mark, mais quand même, il songeait à reprendre son histoire du Pérou. Ainsi en est-il de toutes les menaces contre lesquelles on ne peut pas faire grand-chose, que ce soit la menace d'une guerre nucléaire ou un coup de téléphone anonyme : Mark avait résolu de ne plus y penser ; il l'avait chassé de son esprit.

Les amants décidèrent de ne pas partager la grande nouvelle concernant le bébé avec quiconque sur l'île en dehors de Joyce et d'Eshelby, qui avait renoncé à son magasin de photo et saisi l'occasion de revenir à l'enseignement en qualité de précepteur des deux petits Hardwick.

Prenant l'annonce de cette grossesse avec une gravité qui ne lui ressemblait pas, Eshelby demanda à Marianne de se lever et de lui permettre de toucher et d'écouter.

« Mais c'est trop tôt, trop tôt de plusieurs mois ! » protesta-t-elle en riant.

Eshelby fut intraitable. « Je sentirai quelque chose ! insista-t-il, avec toute la passion d'un homosexuel dont les désirs de paternité venaient d'être éveillés.

— Oh, écoute, je veux bien », dit Marianne gaiement, plutôt contente de se dire que le nouvel enfant excitait déjà la curiosité, alors qu'il n'était pas encore formé. Elle repoussa sa chaise, se leva et fit coulisser la fermeture à glissière de sa jupe pour

Eshelby, qui se tenait devant elle, avançant déjà les mains. Il caressa son petit ventre plat avec un mouvement circulaire, lentement et doucement, puis il se pencha et y posa l'oreille, avec un sourire plein d'intensité, s'efforçant d'entendre le pouls de cette nouvelle vie.

Soudain jaloux, Mark tendit une main féroce pour le repousser, mais le regard de Marianne l'arrêta. « Bah, se dit-il en se calmant, ça ne fait de mal à personne, je suppose. » Il pensait ce qu'elle voulait qu'il pensât.

« J'espère, mes chers petits, que vous ne nierez pas que c'est grâce à moi que cet enfant va naître, dit l'enseignant en se redressant. Si je n'avais pas écrit à Marianne, elle ne serait pas enceinte.

— Tu seras le parrain du bébé, Ken, dit-elle. Et nous t'en serons tous les trois éternellement reconnaissants. »

Marianne était à la clinique avec son obstétricien, le Dr Paul Harlock, venu de Philadelphie pour l'examiner, lorsque Mark reçut le second coup de téléphone.

« Comment ça se fait que tu sois pas encore allé voir ton rafiot ? demanda rageusement la voix épaisse. On te surveille, tu vois.

— Vous avez parlé à Vallantine ? Vous lui avez dit qu'il pouvait avoir ce qu'il voulait ?

— Tu rigoles ou quoi ? Valentine qui, d'abord ? Écoute, je te l'ai déjà dit, laisse tomber la gonzesse, sinon t'es mort pour de bon. C'est la dernière fois que je te le dis, vu ? » Le téléphone fut raccroché violemment, avant que Mark ne pût poser d'autres questions.

Luttant contre la panique montante par une activité réfléchie, Mark enfila son masque et ses palmes et s'en fut plonger dans la petite baie devant la plage des Hardwick. L'*Île Saint-Louis* gisait sur le fond sablonneux sous trois ou quatre mètres d'eau, criblé de petits trous.

Fallait-il téléphoner à la police de Miami ? À l'unique policier de l'île ? Que pourraient-ils faire au sujet de coups de téléphone anonymes et d'un bateau sabordé ? Et même si Marianne et lui filaient à Washington se mettre sous la protection du FBI, quelle différence cela ferait-il ? Si toutes les forces de police du pays n'avaient pas été capables de protéger le Président Kennedy, quel genre de protection pourraient-elles leur assurer?

Devrait-il se sauver avec Marianne et les garçons?

Si ces gangsters le surveillaient, s'il y avait tant de gens sur le coup que le type qui l'appelait depuis Miami savait qu'il ne s'était pas mis à la recherche de son bateau, comment pourrait-il les empêcher de le suivre, où qu'il allât. Et même si Marianne et lui quittaient l'île séparément, comment pourrait-il être sûr qu'on ne la suivrait pas?

Sans même y songer, il se mit à jeter des affaires dans des valises, tandis que Creighton et Ben le regardaient faire depuis la porte, pleins de curiosité. « Je pensais qu'on pourrait peut-être aller à Londres, expliqua-t-il.

— OK les mecs, on y va! hurla Creighton en se mettant à marcher au pas en long et en large. Et cette fois, je veux mon passeport à moi! »

L'idée de voyager plaisait aux deux garçons, mais elle ne plut pas à leur mère. « Pourquoi si tôt? demanda-t-elle à son retour de la clinique.

— Je préfère ne pas prendre l'avion pendant les trois premiers mois, lui expliqua-t-elle au lit plus tard dans l'après-midi. On peut perdre un bébé très facilement au cours des trois premiers mois.

— Je me disais que je pourrais peut-être partir devant et nous trouver une maison, suggéra Mark d'un ton hésitant.

— Tu pourrais me quitter? lui demanda-t-elle, choquée, et elle se recula pour chercher la réponse dans ses yeux. Non, tu ne pourrais pas, dit-elle en riant.

— Je suis sûr que ton mari a dû avoir beaucoup de mal à te laisser partir, dit Mark plus tard. S'il a lu mes lettres et qu'il n'en a rien dit pendant toutes ces années, ça ne pouvait être que parce qu'il voulait te garder. Il ne pouvait pas s'empêcher de t'aimer. »

Marianne ne le croyait pas. « Il s'est toujours ennuyé avec moi. Je pense que c'est uniquement à cause de tes lettres qu'il s'est de nouveau intéressé à moi. Par pure méchanceté. Il savait que je n'étais pas heureuse avec lui.

— Tu dis ça parce que tu ne veux pas que je sois jaloux, déclara Mark, le redevenant. Tu aimes trop faire l'amour pour que vous n'ayez pas eu des moments formidables ensemble.

— Je le hais, il nous a volé des années de bonheur ! » s'exclama Marianne, soudain si furieuse qu'elle dut s'asseoir dans le lit. Cette réaction apaisa Mark, qui lui mordilla le bout des seins pour l'inciter à revenir dans ses bras. « Avec toi, je me sens propre, je n'ai pas besoin de faire semblant, lui murmura-t-elle à l'oreille. Je peux me laisser aller et faire tout ce que j'ai envie de faire. »

« C'est son mari qui essaie de me faire peur, décida Mark. Et s'il a effectivement payé quelqu'un pour me descendre, qu'est-ce que je peux faire ? Décamper ? Comment est-ce que je pourrais me lever tous les matins, en sachant que j'ai abandonné Marianne pour sauver ma peau ? S'il y avait un peloton d'exécution ici même et qu'on me donnait le choix entre la quitter ou être fusillé, qu'est-ce que je pourrais dire d'autre que "Allez-y, tirez !" Jamais elle ne l'avait senti si gros et si dur au-dedans d'elle. Plus tard, tandis qu'ils se reposaient, il continua de réfléchir avec moins d'exaltation. « On pourrait essayer de disparaître ensemble, mais même si on arrivait à partir d'ici et à se terrer quelque part, Hardwick pourrait déclencher une chasse à l'homme internationale en prétendant qu'on a enlevé ses enfants. Est-ce que j'ai envie de passer le reste de ma vie à me cacher ? » Il envisagea brièvement la possibilité de dénoncer Hardwick à la police, mais qui le croirait ? Quelle preuve avait-il ? De toute façon, quoi qu'il fît, il courrait le risque de traumatiser Marianne, de provoquer une fausse couche – et fort probablement pour rien. Si ces gens lui voulaient du mal, ils l'auraient déjà liquidé. Ils ne joueraient pas à des petits jeux comme de couler son bateau et passer des coups de fil. Hardwick voulait juste le faire suer un peu, pour se venger.

« À quoi penses-tu ? demanda Marianne en lui reniflant le cou.

— Au requin marteau que j'ai rencontré un jour, répondit Mark.

— Tu vois, j'avais raison de m'inquiéter !

— Mais je m'en suis tiré », répondit Mark avec un rire triomphant, et il lui décrivit la tête putréfiée, les dents acérées, rangée après rangée.

Le fait de se rappeler son courage passé lui redonna confiance. Le monde était plein de gangsters, tout comme la mer était pleine de requins; devait-il passer le restant de sa vie à trembler? Il avait risqué la mort tous les jours pour la *Flora*, qui ne lui avait apporté que des souffrances. Serait-il moins brave pour la femme qu'il aimait et pour son fils? Dans les bras de Marianne, il se sentait certain que sa chance ne l'abandonnerait pas et qu'il survivrait. Après la naissance du bébé, il lui raconterait tout. Il imaginait déjà le jour où il aurait l'âge de son propre père et où il pourrait raconter à son fils toute l'histoire des mystérieuses menaces au téléphone, de la voix rude et sinistre, du bateau coulé, criblé de balles, et du fait qu'il ne s'était pas laissé effrayer. Il donnerait l'exemple à son fils et à ses beaux-fils, il leur apprendrait qu'il ne fallait jamais se laisser consumer par la peur et l'inquiétude.

S'entraînant à devenir père, il passait beaucoup de son temps avec les enfants, assistant aux leçons que leur donnait Eshelby (il pensait que lui aussi deviendrait enseignant) et faisant la course avec eux sur la plage ensoleillée, d'habitude l'après-midi à marée basse, quand le sable était ferme mais souple, cédant sous leurs pieds nus. Les chiens venaient en tête, faisant fuir les sternes, suivis par les enfants, puis par Mark, qui veillait à fermer la marche, mais sur leurs talons quand même, afin de les aiguillonner. Creighton montrait moins de considération : il laissait Ben démarrer avec deux ou trois mètres d'avance, puis il le rattrapait et le dépassait chaque fois.

Marianne, que les activités physiques vigoureuses assommaient, excepté la voile et l'amour, profitait de sa grossesse pour rester à l'intérieur, à lire ou à écouter de la musique; Joyce prenait part quelquefois aux courses sur le sable, ou bien elle s'asseyait sur un banc de pierre et jouait le rôle de spectatrice et supportrice. Constatant que ses fonctions s'étaient considérablement réduites avec l'arrivée d'Eshelby et de Mark, elle attendait avec impatience la naissance du bébé ou, de préférence, la venue d'un homme assez bien pour qu'elle l'épousât, mais en attendant elle gardait sa joie de vivre et acclamait les coureurs comme si elle constituait une foule à elle toute seule. Elle était justement assise sur le banc le jour où les deux hommes sortirent de derrière la courbe du rivage et elle fut la seule à les voir. Ils marchaient calmement, sans se presser; ils n'avaient rien de méchant en tête. Leurs instructions étaient de tirer dans le sable, près des pieds du jeune homme, puis de regagner Miami. Les chiens galopaient dans la direction opposée, vers la prochaine pointe sur la plage, suivis par les garçons et par Mark, tous fonçant à toutes jambes sur le sable élastique. Ben, qui menait, mais qui entendait que Creighton le suivait de près, courait désespérément, s'efforçant de conserver son avance et criant « Laisse-moi gagner, laisse-moi gagner! » sans regarder derrière lui, mais Creighton, qui s'était retourné vers Mark pour protester que ce n'était pas juste, vit l'un des deux hommes lever un pistolet et tirer, puis il vit l'épaule de Mark se tordre et son tee-shirt s'emplir brusquement de sang, tandis qu'il s'effondrait sur le sol.

Hurlant « Ne regarde pas! Ne regarde pas! », Joyce atteignit Ben avant qu'il n'eût le temps de se retourner et le souleva pour lui masquer le spectacle du corps. Pressant la tête du petit contre sa poitrine, elle courut chercher de l'aide, sans cesser de crier « Ne regarde pas! Ne regarde pas! » à Creighton, qui resta cloué sur place, regardant le corps couvert de sang glisser vers la mer et les deux hommes filer en toute hâte pour monter à bord d'un bateau à moteur qui venait de contourner le rivage. Il était toujours là, aussi immobile que la bande de sternes qui s'était posée de nouveau sur le sable, face à la mer, lorsque Marianne, suivie de Fawkes et d'Eshelby, arriva en courant de la maison. Mark était conscient quand Marianne s'agenouilla à côté de lui et il la regarda de ses yeux pleins de vie et d'intelligence, ce qui lui donna de l'espoir. « Ne me quitte pas, Bozzie », chuchota-t-il d'une voix d'enfant apeuré quelques minutes plus tard tandis que les ambulanciers de la clinique le faisaient glisser doucement sur une civière.

Marianne se cramponna à sa main pendant tout le trajet jusqu'à la clinique et garda ses yeux fixés sur les siens jusqu'au moment où une catastrophe interne survint et il perdit conscience.

« Ah, non, pas encore! » s'écria le Dr Feyer, incrédule, en recevant le coup de téléphone de chez les Hardwick, mais quand il vit Mark, qu'on apportait sur la civière, il secoua la tête, désespéré. « Oh, là, là, c'est la dernière fois. »

Marianne, toujours cramponnée à la main de Mark, dut être séparée de lui par la force quand on fit rouler la civière dans la salle d'opération. « On ne pourra pas le sauver sans moi ! hurla-t-elle aux infirmières qui la retenaient. S'il sait que je l'aime, s'il sent ma main, il reviendra. » En proie à l'hystérie, elle lutta contre les deux infirmières qui l'empêchaient d'entrer dans la salle d'opération. « Je lui ai promis de rester avec lui. Il m'a demandé de ne pas le quitter et je le lui ai promis. Il ne veut pas mourir tout seul. Personne ne doit mourir tout seul... » Les médecins perdirent Mark sur la table d'opération.

Personne n'était responsable du meurtre.

Le malfrat qui avait visé le sable n'était pas assez familiarisé avec l'arme dont il se servait. « C'est ce putain de flingue, dit-il à son comparse qui le maudissait tandis qu'ils s'enfuyaient à toute allure dans leur bateau à moteur. Il m'a sauté dans la main, ce con », se plaignit-il, dégoûté, jetant l'arme incriminée dans la mer.

Kevin Hardwick fut horrifié. John Fawkes l'appela à Chicago pour lui annoncer qu'un invité de Mrs Hardwick avait été tué et qu'elle était à la clinique sous sédatifs. Et ils ne savaient pas quoi faire des deux petits, dit Fawkes : Creighton, qui avait vu le tir, n'avait pas dit un seul mot depuis, et Benjamin ne pouvait pas s'arrêter de pleurer. En apprenant que ses fils avaient peut-être subi des dommages psychiques durables pour avoir été témoins d'un meurtre, Hardwick fut si choqué et si terrifié qu'il ne parvint pas à sentir qu'il avait le moindre rapport avec l'événement. Il s'envola aussitôt pour Santa Catalina, et lorsqu'il apprit de Joyce que ses fils s'étaient trouvés en fait en pleine ligne de mire, il se mit à maudire les assassins et les criminels imbéciles avec une telle violence que Joyce emmena les enfants en essayant de leur boucher les oreilles.

Baglione fut sincèrement affligé. « Quand je pense que ces reporters disent que j'ai trop de pouvoir, dit-il à son jeune assistant vif et doué, frais émoulu de l'université. Ils n'ont aucune idée du mal qu'on a à faire faire aux gens ce qu'on veut qu'ils fassent. On ne trouve plus à employer que des putains d'incompétents. » L'assistant l'écouta avec un sourire appréciateur afin de montrer qu'il savait bien que rien de tout ça ne s'appliquait à lui. « Personne n'a trop de pouvoir. Quoi que je leur dise, les gens feront leurs propres conneries quand même. » Il plaignait de tout son cœur le jeune homme qui était mort; il éprouvait envers lui une espèce de sympathie, ils étaient tous les deux victimes de la même fatalité, l'incompétence des sous-fifres.

Voilà le mystère de notre époque : des gens sont tués, mais il n'y a pas de meurtriers.

45

Une espèce d'immortalité

Où est mon père?
DUMAS

À présent que le procès était relancé et que l'attribution des
trésors paraissait de nouveau incertain, en dépit de tous ses
efforts et de son colossal investissement, Vallantine se sentait à
la fois pauvre et bête, et cette double souffrance exacerbait tous
ses maux. Léthargique, dyspeptique, le souffle court, le marchand d'art n'avait plus la force de se lever le matin dès qu'il
ouvrait les yeux; soigné par sa femme, il prenait ses pilules et
son petit déjeuner au lit et traînait au milieu de ses oreillers
pour parcourir les journaux avant d'avoir le courage d'affronter son bain. Il était donc encore couché lorsqu'il lut la brève
dépêche d'agence concernant le meurtre, à Santa Catalina, du
naguère célèbre chercheur de trésor.

« John! Qu'est-ce qu'il y a? » demanda Shirley Vallantine, alar-
mée de voir son mari changer de couleur. Daisy sentit qu'il se passait quelque chose; elle bondit sur le lit, fort agilement malgré ses
courtes pattes, et vint fourrer sa truffe dans la main de son maître.

« Je crois que je vais me débarrasser de mon ulcère », répondit-il d'une voix tremblante et, inspirant à fond, il lui lut la
dépêche tout haut.

Sa femme écouta d'un air soupçonneux, n'osant se fier à
cette bonne nouvelle. « Peut-être qu'ils se sont trompés. Peut-
être qu'il n'est que blessé.

— La mort du Demandeur, c'est la fin du procès, Shirley, lui expliqua patiemment son tendre époux. Les morts ne peuvent pas vous poursuivre en justice.

— Et sa famille?

— Un acteur qui n'a derrière lui qu'un demi-succès au cinéma? Il ne possède pas le genre de fortune que cherchent les avocats.

— Mais cette Montgomery, elle est riche, elle!

— Elle n'est plus dans le coup. Son petit ami est kapout, elle va plutôt s'occuper d'en trouver un autre. »

Dieu sait pourquoi, cette remarque convainquit sa femme. « Alors, comme ça, il a été assassiné, s'émerveilla-t-elle.

— Tu vvvvois bien qu'on n'était pas les seuls à ne pas pouvoir le blairer.

— Alors, il est mort, il est mort », ne cessait-elle de répéter et, tandis que la nouvelle atteignait les profondeurs de son âme, elle leva les bras et s'écria : « Ça vous fait croire en Dieu! Oh, John, on va pouvoir reprendre une vie normale!

— Et avec une base financière beaucoup plus vaste, repartit le vieillard souffrant, qui se sentait guéri et bondit de son lit. Il vaut mieux que j'appelle Bill. Il est temps qu'il se mette à gagner ses honoraires exorbitants. »

« J'ai lu le *Times*, John, lui annonça MacArthur avant qu'il n'eût placé un mot. Je suis justement en train de dicter les conclusions de rejet. »

Cependant, tandis que l'on était occupé à dactylographier ses conclusions, MacArthur reçut un autre coup de téléphone, cette fois-ci d'un assistant du district attorney de Manhattan, qui l'informa qu'agissant sur une déposition sous serment de feu Mark Niven, ils envisageaient d'inculper son client, John Vallantine, de fraude et de complicité dans une tentative de meurtre.

« Et que suis-je censé faire de cette information, Mr Hamilton? demanda l'ancien juge d'une voix sévère. Conseiller à un innocent de quitter le pays?

— Vous êtes son avocat, Mr MacArthur. Je vous ai appelé par pure courtoisie professionnelle.

— Vous autres là-bas gaspillez une trop grande partie de l'argent des contribuables sur des allégations sans fondement. »

Le district attorney n'était guère que quelqu'un avec qui jouer à des jeux de procédure, mais il y eut d'autres appels.

Avant midi, une figure éminente, sinon la plus éminente, du crime organisé dans le New Jersey téléphona pour dire qu'il avait été perturbé d'apprendre qu'un pauvre gosse américain qui avait découvert un navire rempli d'or en avait été entièrement dépouillé.

« Vous parlez d'un pauvre gosse mort, Leo, riposta MacArthur. Alors, pourquoi est-ce que l'or n'irait pas dans les poches d'un brave homme qui est toujours en vie et qui l'a aidé à trouver le navire ? Je peux vous garantir que Vallantine est un type bien. Ce n'est pas simplement un client pour moi, c'est un ami.

— Oui, bien sûr, Bill, je comprends. Mais le seul rapport entre Jack Vallantine et ce navire, c'est qu'il l'a volé au gamin.

— Quoi ? Mais enfin, comment pouvez-vous dire une chose pareille ? » demanda MacArthur d'une voix à la fois choquée et surprise. Le choc et la surprise étaient sincères : comment diable le savait-il ?

« Mort ou vif, ce gosse se fait plumer, maugréa le distingué doyen des docks de Hoboken. C'est pas juste, c'est pas légal, c'est pas loyal. »

Quand Mark avait employé des mots tels que « juste », « légal » ou « loyal », ils avaient sonné de façon naïve et ridicule, mais ces mêmes mots avaient un tout autre poids lorsqu'ils tombaient de la bouche d'un homme qui commandait une armée privée, levée grâce aux bénéfices que rapportaient le meurtre, l'extorsion et la vente d'héroïne. Non pas que ce seigneur de la société secrète médiévale d'Amérique eût l'intention de s'exprimer sur un ton menaçant. Dans sa jeunesse il avait été une terreur, mais le pouvoir l'avait adouci et cela faisait des années qu'il n'avait rien commandé, pas même un verre d'eau, bien qu'il lui arrivât de dire qu'il avait soif. Il se contentait de penser tout haut, d'exprimer un intérêt, de dire aux autres comment il réagissait aux choses.

« Je vous suis très reconnaissant de votre appel, Leo », lui assura l'ancien vice-président du barreau new-yorkais. À la suite de cet appel, il décida de ne plus rien tenter dans l'affaire tant qu'il ne saurait pas de quoi il retournait.

Deux jours plus tard, un ancien associé de Peter, Black, Jefferson, MacArthur, Whitman & Warren, qui avait quitté le cabinet pour prendre la tête de la division de la Justice criminelle au ministère de la Justice, appela MacArthur afin de l'avertir d'un bruit diffamatoire qui courait à Washington. « Quelqu'un a raconté à l'Attorney General que tu avais aidé à voler à un jeune homme de vingt-trois ans une épave remplie de trésors qu'il avait découverte aux Bahamas et qu'à présent on venait de le retrouver assassiné, nom de Dieu ! J'ai dit à l'AG qu'il était inconcevable que tu sois mêlé à un truc pareil. Mais enfin, qu'est-ce qui se passe, Bill ? Moi qui croyais que tu avais des ambitions politiques ! »

Après s'être débarrassé de son ancien associé, MacArthur était en train de trier les papiers que l'on venait de placer sur son bureau, en se demandant comment tous ces coups de téléphone s'emboîtaient, lorsqu'il tomba sur un document émis par Eagleson, Lichterman, Perrot & Bergin : Lichterman avait déposé un avis de continuation de l'affaire « Niven contre Vallantine » au nom des héritiers de Niven. La lecture de cet avis mit MacArthur dans une colère noire. « Appelez-moi cet escroc et dites-lui d'être ici à cinq heures ! » aboya-t-il à sa secrétaire par l'intercom, oubliant dans sa rage qu'elle n'avait absolument aucun moyen de savoir à quel escroc il faisait référence.

À cinq heures tapantes, Vallantine entra dans le bureau aux murs couverts de tapis. « Bonjour, bonjour », chantonna-t-il, les yeux pétillants sous ses sourcils en broussaille qui dansaient.

MacArthur se tenait debout derrière sa table, massif et immobile. Son large et terne visage paraissait figé, ses yeux étaient hostiles ; il était aussi grave et inquiétant que s'il avait été drapé dans une robe de juge. « Mr Vallantine, dit-il froidement à son client jovial, vous risquez fort de passer le restant de vos jours en prison pour escroquerie et meurtre. »

Sans comprendre, Vallantine se laissa choir dans un des fauteuils. « Mmm... mmm... mais enfin, voyons, vous ne pensez pas qu... que j'ai... ?

— Vous aviez un puissant mobile. À l'heure qu'il est, le district attorney est occupé à rédiger un mandat d'inculpation vous concernant. Peut-être n'aura-t-il pas suffisamment de preuves pour vous accuser d'avoir tué votre victime, mais c'est une idée qu'il aura derrière la tête. Le juge, le jury, la presse, tout le monde verra en vous l'homme qui vient de commettre un meurtre impunément, alors vous pouvez être sacrément sûr qu'ils ne vous laisseront commettre rien d'autre impunément.

— Je suis d... désolé, mais vous ne p... p... pouvez pas me parler sur ce ton, bégaya Vallantine, indigné, mais digne. C'est intolérable, tout à f... f... fait intolérable. »

L'avocat resta debout afin de bien souligner que l'affaire ne devrait pas durer plus de deux minutes. « Vous ne prendrez pas une seule pièce de monnaie provenant de cette épave, Mr Vallantine. J'ai ici une déclaration que vous allez signer. Vous renoncez à toutes vos prétentions sur le trésor à titre de commanditaire, investisseur, agent et exposant. Vous renoncez à toutes vos prétentions, point final.

— Je suis désolé, mais vraiment vous ne pouvez pas me p. . p... parler sur ce ton. Vous ne pouvez pas me dire que vous n'êtes pas à même de gagner un procès contre un mmm... mort!

— Ma foi, il se débrouille nettement mieux mort que vivant.

— Je ne crois pas aux fantômes, dit le marchand d'art fermement, sans buter sur une seule consonne.

— Les morts ont leur façon de se venger, Mr Vallantine. » MacArthur foudroya son client du regard. « C'est pourquoi, en ce qui me concerne, jamais je ne ferais assassiner qui que ce soit.

— Mais je n'ai assassiné p... p... personne, protesta Vallantine, secoué et choqué d'être, pour la première fois de sa vie, accusé d'un crime qu'il n'avait pas commis.

— Eh bien, tout le monde semble être d'accord pour dire que vous êtes le meurtrier.

— Tout homme est innocent tant qu'on n'a pas fait la preuve de sa c... c... culpabilité!

— Les meilleurs des principes ont leurs limites, déclara l'ancien juge d'un ton sentencieux.

— Je ne comprends ppppp... pas.

— Je vais vous dire ce que je ne comprends pas, moi », continua MacArthur, non sans amertume. Toutes choses égales d'ailleurs, il préférait être du côté des vainqueurs. « Je ne comprends vraiment pas comment un jeune homme ingénu qui a été si mal conseillé tout au long de cette affaire a pu en venir à faire un testament. Mais il en a fait un, et un testament très habile par-dessus le marché.

— Un t... testament?

— Oui, un testament. Vous savez quoi que ce soit à ce sujet?

— Je nnn... ne me rappelle pas, bafouilla Vallantine, répétant instinctivement ce que MacArthur lui avait appris à dire chaque fois qu'il courait le risque de fournir une réponse compromettante.

— Une fois que vous aurez signé cette déclaration par laquelle vous renoncez à toutes vos prétentions, reprit MacArthur, j'essaierai de négocier un marché. Ils récupèrent toute la marchandise sans autre forme de procès, et en contrepartie ils acceptent de ne pas porter plainte. Je ne promets rien, mais je parviendrai peut-être à vous éviter le pénitencier. »

L'inventeur de la Cape Breton Gold Mine ne put accepter le fait qu'il s'était échiné et ruiné la santé pour rien. « Je vous ai versé trois millions de dollars en plus de votre provision afin d'... d'obtenir les trésors, protesta-t-il, tandis que son visage virait au bleu rougeâtre, puis reprenait sa pâleur. Vous ne pouvez pas me pppp... p... parler sur ce ton. Ce n'est pas une façon de justi... ffffier vos honoraires. »

Un homme ordinaire aurait peut-être été gêné de s'entendre rappeler qu'il avait empoché trois millions de dollars qu'il n'avait aucune intention de gagner, mais le grand avocat se contenta de s'élever jusqu'à un plan moral supérieur où l'argent ne comptait pas. « Je vous parle sur le ton que prend un avocat affligé quand il découvre qu'il a été dupé par son client », dit-il avec reproche. C'était sa façon de présenter les choses : il avait été dupé, il était affligé. Il y regarderait à deux fois avant d'accepter trois autres millions de dollars. « Vous m'avez menti, Mr Vallantine! tonna-t-il. Vous m'avez menti sur toute la ligne! »

Vallantine n'avait aucune envie de démêler les mensonges; l'enjeu était trop énorme. « Je suis un homme rr... rrrrruiné. Je ne peux pas me p... permettre de laisser tomber.

— Si vous êtes ruiné, comme vous le dites, ce n'était pas très malin de mettre tout ce que vous possédiez dans ce procès.

Vous auriez dû me charger de rechercher un règlement à l'amiable. »

Comme son client continuait de discuter, d'argumenter, de supplier, le grand avocat dut finir par s'asseoir et expliquer patiemment qu'il n'avait pas le choix. « Je ne veux pas entrer dans les détails, mais vous avez réussi d'une façon ou d'une autre à vous mêler à tous les gens qui sont en mesure de vous mettre en prison à vie et tous ceux qui sont en mesure de vous faire abattre en pleine rue. Il n'est pas possible de faire appel à la fois contre le ministère de la Justice et la Mafia.

— Bon, très bien, si je dois renoncer à tout, vous, vous devriez rendre vos honoraires.

— Je vous demande pardon ?

— La mmmmmajeure partie. »

Cette demande monstrueuse remit l'avocat sur ses pieds. Bien qu'il mesurât presque deux mètres, la dignité le faisait paraître encore plus grand : à présent, il était vraiment le juge, le vice-président du barreau new-yorkais, le membre de la commission de déontologie, une baleine verticale majestueuse, contemplant avec un mépris assassin un client qui était le mal incarné.

« Mr Vallantine, voici la dernière chose que je vais vous dire, dit-il lentement et avec délibération. Il ne suffit pas d'être un escroc futé, il faut en plus avoir de la chance. »

Démoralisé, défait, réduit à la mendicité par trahison, Vallantine rentra chez lui sans savoir comment. Sa femme se précipita pour l'accueillir à la porte de l'appartement.

« Qu'est-ce qui s'est passé ? demanda-t-elle, le souffle coupé, en regardant fixement son visage gris luisant de sueur.

— On a tout perdu, répondit-il d'une voix pâteuse, la main crispée sur sa poitrine, forçant avec peine les mots à franchir sa gorge.

— Oh, John, gémit-elle, cheveux et lunettes de travers. Je le savais. Je le savais ! Je t'avais bien dit que ce cinglé ne me plaisait pas quand on l'a vu à la télé, je t'avais dit de ne pas t'y frotter.

— Shhhhhhhirley ! » hurla-t-il à sa tendre épouse, perdant pour une fois patience, puis il vacilla et mourut debout, victime de ses propres crimes. Bien des gens pensèrent, toutefois, qu'il n'avait pas mérité de mourir aussi aisément.

Les méchants, eux aussi, font souvent le bien, même si c'est pour de mauvaises raisons ou par pure ignorance.

L'homme à qui revenait le mérite d'avoir récupéré la moitié de la fortune de Mark pour Dana Niven n'était autre que Kevin Hardwick, dont l'épouse devait hériter de l'autre moitié. Le testament que Mark avait dicté à son avocat de Nassau, Franklin Darville, sur les insistances de Vallantine, laissait la moitié de ses biens à Marianne Montgomery Hardwick, « en sorte que s'il m'arrive quelque chose, elle sache que je n'ai jamais cessé de penser à elle et de regretter que nous ne soyons pas ensemble ».

Dès que Darville apprit la mort de Mark, il téléphona chez les Hardwick, où une domestique l'informa du fait que Mr Hardwick était chez lui mais que Mrs Hardwick était à la clinique et ne pouvait voir personne. Soucieux de faire son devoir et peut-être aussi de tirer parti de la situation, ne sachant rien de la procédure de divorce en cours aux États-Unis, Darville décida de prendre, de toute façon, l'avion pour Santa Catalina et de montrer le testament au mari. Le texte laissait clairement entendre que Mrs Hardwick avait eu une liaison avec le pauvre petit Niven, mais tant pis, raisonnait l'avocat de Nassau avec la sagesse d'un homme qui connaissait la vie, son mari n'aurait pas le temps de s'en préoccuper quand il apprendrait que la famille risquait de se faire dépouiller d'un héritage se montant à au moins cent cinquante millions de dollars. Darville n'aurait jamais associé un sentiment aussi primitif que la jalousie à un capitaine d'industrie diplômé de Harvard.

Mr Hardwick se montra au sujet du testament aussi pragmatique que Darville l'avait espéré, voulant tout savoir sur les problèmes qu'il fallait résoudre et les difficultés qu'il fallait affronter afin de reprendre les trésors à Vallantine. Pour finir, il dit à Darville d'appeler Lichterman et de le charger de poursuivre la procédure judiciaire au nom des héritiers. « Je suis content que vous soyez venu me trouver, c'est du travail d'homme, tout ça, dit-il à Darville en le congédiant. Il vaut mieux épargner les détails à ma femme. Appelez donc son avocat et je ferai de mon mieux pour accélérer les choses. »

Depuis qu'il avait appris la mort de l'amant de sa femme, Hardwick s'était senti mal à l'aise à l'idée de se retrouver en face d'elle (il ne lui avait pas rendu visite à la clinique) et il ne demandait pas mieux que de laisser la procédure de divorce suivre son cours, mais il n'avait pas l'intention de laisser Vallantine voler à Marianne une fortune qui passerait un jour à ses fils, et à son retour à Chicago il devint le défenseur le plus dévoué des droits de son rival mort. Baglione, qui avait meilleure opinion de lui depuis qu'il était apparu qu'il avait aussi des raisons financières de souhaiter se débarrasser de l'amant de sa femme, fut bien entendu content de l'aider, tout comme le furent les représentants élus de Hardwick, des bureaucrates de Washington, des gens qui passaient leur vie à redresser les torts. L'industriel était loin de connaître tous les gens qui comptaient – il était encore trop jeune pour ça – mais il détenait un pouvoir considérable dans son propre milieu, avec des amis qui appelaient d'autres amis, et de cette façon corrompue on fit triompher la justice rapidement, ce qui n'arrive jamais quand les choses se font de manière normale et dans le respect de la loi.

Marianne apprit la nouvelle lorsqu'elle rentra chez elle de la clinique et téléphona à son mari pour lui demander de lui renvoyer les enfants. « Je suis content de voir qu'au moins tu avais un petit ami qui paraissait t'apprécier, lui dit-il à sa façon de galant chef d'entreprise. Étant donné que tu n'as pas besoin de l'argent, je m'occupe de créer un fidéicommis pour Creighton et Ben, il ne manque plus que les caisses en acier que doit rendre la cour et ta signature. Ils sont vraiment veinards, ces deux gosses. Avec des parents comme nous, ils finiront très, très riches.

— Ils sont déjà assez riches, répondit Marianne. Tout ce qu'a pu me laisser Mark appartient à son enfant. J'ai l'intention de tout mettre au nom du bébé.

— Quel bébé? demanda Hardwick à l'autre bout du fil, tripotant une espèce de grosseur qu'il avait à la nuque. Quel enfant, qu'est-ce que tu racontes? Il a un enfant?

— Pas encore, mais il va en avoir un. Je suis enceinte de trois mois. »

Pendant un bref instant, Hardwick sut que c'était lui qui avait fait assassiner Mark Niven : l'inconnu du film s'approcha tout près de lui et lui rendit coup pour coup. « Comme s'il n'y avait pas déjà assez de monde sur terre », lança-t-il avec dégoût en raccrochant violemment. Il espérait que le bébé serait mort-né.

Marianne donna naissance à la fille de Mark le 20 octobre, à la ferme que possédaient ses parents dans le comté de Bucks, dans le lit où elle-même était née, et ses parents virent le bébé quand il n'avait encore que quelques minutes. Ditha Montgomery rit et pleura de joie et d'excitation, mais son mari contempla la petite créature rouge et plissée avec un déplaisir évident. « Bien entendu, dit-il à sa fille, désireux de mettre les choses au point dès le départ, tu comprends que je ne pourrai jamais aimer cette enfant autant que j'aime mes petits-enfants légitimes. »

On aurait dit que le bébé avait entendu cette remarque infâme, car dès qu'elle fut capable de fixer ses yeux immenses et de tendre la main vers ce qu'elle voulait, elle réserva à son grand-père des attentions spéciales et, en l'espace de quelques semaines à peine, elle l'avait réduit à l'état d'imbécile babillard qui marchait à quatre pattes. « Abababababababa », disait-il à la petite. « Ooooooooohhhhhhh » ou « Aaaaaaaaaahhhhhh », répondait-elle. Ils conversaient ainsi pendant des heures tous les jours.

Cet homme brillant mais insensible, qui avait laissé passer l'occasion de devenir humain en tant que père, acquit le don de l'affection en tant que grand-père. Cela arrive à beaucoup de gens : ils doivent prendre de l'âge avant d'être prêts à aimer. Creighton Montgomery enchanta tout le monde par cette métamorphose et tout particulièrement son fils Everett, qui fut nommé PDG adjoint des Aciers Montgomery afin de permettre au PDG en titre de passer davantage de temps avec sa « petite orpheline ».

« Ce qu'il aimerait vraiment, c'est de m'enterrer, moi, confia Marianne à sa sœur Claire, au téléphone. Comme ça, elle serait une orpheline à part entière et il pourrait l'avoir toute à lui. »

Souvent elle s'effondrait subitement et pleurait Mark, parlant de lui au bébé quand elles étaient seules. « Ton papa nous aimait très fort », ne cessait-elle de dire à Zoé, comme si elle savait que Mark avait refusé de les quitter, même pour sauver sa vie.

Dana Niven tint pour la première fois Zoé Elizabeth Ditha Claire Barbara Alice Niven dans ses bras dans une vieille taverne de Marseille, où il tournait un film, conformément aux termes du testament de Mark, qui avait légué la moitié du trésor à « cet excellent père et brillant acteur, à la condition qu'il produise une nouvelle version cinématographique du *Comte de Monte-Cristo*, avec lui-même dans le rôle-titre, afin d'obtenir le succès mondial et la gloire qui auraient dû être les siens dès le départ ».

« Tous ces prénoms, dit-il à la jeune mère, sans quitter des yeux la petite fille, qui fixait sur lui avec une attention égale les deux yeux sombres et brillants qu'elle tenait de son père, je parie que c'était l'idée de Mark.

— Oui, il voulait des tas de prénoms, répondit Marianne en touchant involontairement la main de Niven, parce qu'elle voyait que lui aussi était tombé amoureux de sa fille. Mais lui croyait qu'on aurait un fils.

— Et lequel de ses prénoms lui donnez-vous en fait? demanda-t-il tout en soufflant sur le fin duvet qui couvrait la tête du bébé pour essayer de la faire rire.

— Zoé, répondit aussitôt Ben. On l'appelle Zoé. Elle vous plaît, Mr Niven?

— Et à toi, elle te plaît? riposta Niven.

— Moi, je l'adore, déclara Ben de sa voix grave. Je l'aime jusqu'au ciel. Je l'aime jusqu'à l'espace intersidéral! » Et il leva le bras au-dessus de sa tête pour montrer jusqu'à quelle hauteur cela montait.

Ils étaient assis autour d'une lourde table en chêne sculpté qui faisait partie des décors du film. Creighton Montgomery avait amené toute la famille dans son avion privé, avec les gardes du corps de sa petite orpheline, sa nounou, Joyce, et le précepteur des deux garçons, Ken Eshelby, afin d'être sûr qu'ils ne prendraient pas de retard dans leurs études. Creighton Hardwick, qui était à présent un beau garçon de neuf ans, grand pour son âge, ne disait rien; il n'avait pas reparlé depuis le jour du meurtre. Mais il écoutait la conversation sans en perdre un mot et ne cessait de regarder autour de lui, visiblement fasciné par les acteurs, leur maquillage et leurs costumes pittoresques.

C'était un spectacle magnifique. Dana Niven, comme tous les vrais artistes, n'avait aucune vanité et il s'était servi de la fortune de Mark pour réunir une troupe de grands acteurs et actrices, sans se demander s'ils ne risquaient pas de l'éclipser. Vittorio Gassman était là, venu d'Italie, revêtant le costume de Jacopo le contrebandier. David Niven donnait le meilleur de lui-même dans le rôle de M. Morrel, le riche et courtois armateur au bon cœur. Tout le monde était endimanché, arborant les habits de fête de 1814 – tous ces acteurs anglais et américains occupés à faire une des choses qu'ils aimaient le mieux au monde, interpréter des Français, se portant ainsi témoins de la grandeur de la France et de l'unité de la civilisation occidentale. Peut-être n'avait-on pas vu un tel rassemblement d'acteurs de génie dans un seul et même film depuis que l'on avait filmé trente ans plus tôt *Les Enfants du Paradis* tout près de là, à Nice.

En dépit de son immense richesse, jamais le vieux Montgomery ne s'était trouvé dans la même pièce avec autant de grands hommes – même s'il serait excessif de dire qu'il appréciait cet honneur. Il observait Niven et le bébé avec une rage jalouse qu'il avait de plus en plus de mal à maîtriser. Les deux gardes du corps gardaient les mains dans les poches, restant néanmoins aussi vigilants qu'ils auraient pu l'être au milieu d'une bande de brigands. Lorsqu'un contrebandier hirsute, un poignard coincé dans sa ceinture, vint passer le bras autour des épaules du gamin qui ne parlait pas et chercha à l'entraîner un peu à l'écart pour lui raconter quelques craques et le faire rire, les deux hommes bondirent pour l'empoigner et ils l'auraient jeté par terre si Marianne ne leur avait pas crié de laisser le signor Gassman tranquille. Un immense silence descendit sur le plateau. Les acteurs et les techniciens contemplaient avec horreur les deux hommes qui ne savaient pas qui était Vittorio Gassman.

« Je suis navré, veuillez les excuser, dit Montgomery au grand acteur italien. Ils vivent constamment sous pression, c'est terrible. Ils savent que s'il arrive quoi que ce soit à un des enfants, ils auront affaire à moi. Ce monde est plein de gens qui croient que le fait de kidnapper des gosses et de les couper en petits morceaux est une façon comme une autre de gagner sa vie. Si vous aviez tourné ce film en Italie, nous ne serions pas venus vous voir. Mais la France est un pays civilisé, il y a encore la guillotine ici. » (Quelques années plus tard, Montgomery faillit avoir une crise cardiaque lorsqu'il apprit que le président Mitterrand avait aboli la peine capitale, mettant ainsi la France hors de portée de toute la famille Montgomery.) « Je n'emmènerais jamais ma petite-fille dans un endroit où quelqu'un pourrait l'enlever, lui trancher l'oreille pour être sûr que nous paierions la rançon, l'assassiner et être quand même considéré comme un être humain ayant le droit de regarder la télévision. »

Le ton tyrannique du milliardaire tapait sur les nerfs de Niven et le porta à penser au grand fossé qui le séparait des Montgomery. Il fut soudain pris d'angoisse, se demandant à quoi ressemblerait la petite fille qu'il tenait dans ses bras quand elle aurait grandi. Deviendrait-elle une fille riche arrogante et insensible ? Ou bien aurait-elle peur de tout ? Aurait-elle besoin de gardes du corps toute sa vie ? Il serra le bébé plus fort contre lui, accablé par le désir de la protéger, de l'élever, d'être un père pour elle, et il se mit à regarder Marianne d'un nouvel œil, se demandant quelles pouvaient être ses chances d'épouser la mère afin de garder l'enfant. L'idée n'était pas aussi abracadabrante qu'on aurait pu le croire, car Niven tournait ce jour-là la scène de son mariage interrompu, dans laquelle il était censé avoir dix-neuf ans. Et, à vrai dire, grâce au maquillage et au reste, il ne faisait pas nécessairement plus de vingt-cinq ans. Sentant la tension qui l'habitait, le bébé commença à s'agiter et à réclamer sa mère, et Niven la lui tendit à contrecœur, la gorge nouée par un sentiment de perte. Il n'avait eu qu'un seul enfant, et cet enfant était mort.

« Vous la reverrez ce soir, n'oubliez pas, lui rappela Marianne, devinant son besoin de consolation.

— Oui, bien sûr. »

Ils se mirent à parler de Creighton, se demandant quand il pourrait recouvrer l'usage de la parole. « Ce serait bon de savoir ce qu'ils vont devenir, tous ces petits, dit Niven.

— Tout ira très bien, dit Montgomery d'un ton bourru, soucieux de réfuter la critique implicite que trahissait l'inquiétude de l'autre grand-père.

— Surtout, ne criez jamais contre elle, dit Niven à Marianne. Moi, je n'arrêtais pas de crier contre Mark. Tous les jours, je pense aux années que nous avons passées ensemble et aux bons moments que nous aurions pu connaître, alors que je n'ai fait que le railler et le critiquer. Comment peut-on compenser ça? » Il tendit les bras pour reprendre sa petite-fille comme s'il voulait lui demander pardon. Mais le réalisateur se mit à genoux, en indiquant sa montre.

Au moment où ce livre part chez l'imprimeur, le film de Dana Niven passe dans les salles de cinéma de la terre entière, un spectacle réjouissant de grandes interprétations. On ne sait pas encore ce que deviendront les enfants, ni quand aura lieu la fin du monde.

FIN

TABLE

Collection Anatolia

Titres parus :